Anton Čechov

Briefe

1901–1904

*Herausgegeben
und übersetzt von
Peter Urban*

Diogenes

Umschlagfoto: Anton Čechov, Moskau, 1901

Diogenes Verlag AG Zürich
10/98/4/1
ISBN 3 257 06195 1

Inhalt

Briefe
Oktober 1901 bis 1904

»Der Kirschgarten«
»Die Braut«

958) AN O.L. KNIPPER JALTA, 30. 10. 1901

30. Okt. 1901.

Lieber Hund, Hündchen, Mutter läßt dir danken für den Brief, sie grüßt dich und bittet, dir zu schreiben, daß sie alles genau so machen werde, wie du schreibst. Sie küßt dich.

Heute war Balmont hier und hat mit mir gegessen. Wir haben Schnepfen gegessen. M-me Bonnier war hier. Sag Višnevskij, daß ihm das Spendenbuch dieser Tage geschickt werde. Sag Nemirovič, daß Balmont an einem Stück für das Künstlertheater schreibt und es sicher bis Frühjahr fertighaben wird; ich freue mich, weil ich glaube, daß das ein gutes, originelles Stück wird. Ich habe ein Stück von Fëdorov bekommen, dem Dunkelhaarigen, der bei uns war und dir nicht gefallen hat; wenn ich es gelesen habe, schreibe ich dir. Das ist ebenfalls für das Künstlertheater. Heute habe ich den ganzen Tag Zeitungen gelesen, die sich auf meinem Tisch aufgetürmt hatten während meiner Abwesenheit; in jeder Nr. habe ich irgendetwas über mich gefunden. Ich schicke dir einen Ausschnitt aus dem »Priazovkij kraj«. Wenn man den Provinzzeitungen glaubt, so hat das Künstlertheater eine totale Umwälzung im Theater bewirkt. Nein, spielt Ihr die »Wildente«, spielt den »Kramer«, koste es was es wolle.

Ach, Hund, mein lieber Hund... Ach, nichts. Wir werden so leben, Geduld haben, und dann wieder zusammenleben. Ich werde dich nicht betrügen, mein Herz, sei unbesorgt.

Ich küsse dich fest. Schlaf gut, iß mit Appetit, sei fröhlich bei der Arbeit.

Gruß an Maša. *Dein Ant.*

Ich küsse und umarme dich. Ich habe mich so an deine Sorgen gewöhnt (deine Sorgen um mich), und jetzt bin ich wie auf einer unbewohnten Insel. Saša Sredin war krank, jetzt geht es ihm wieder gut, wird erzählt, er steht auf und geht aus.

959) AN O. L. KNIPPER JALTA, 1. 11. 1901

1. November.

Meine liebe Frau, Frau vor dem Gesetz, ich bin gesund und am Leben, und einsam. Das Wetter in Jalta ist wunderbar, aber mich betrifft das wenig, ich sitze in meinem Zimmer und lese Korrektur, die offenbar kein Ende nehmen wird. Gleich gehe ich in die Stadt, um mir die Haare schneiden zu lassen.

Ich wußte, daß du im Stück von Nemirovič spielen würdest. Das sage ich nicht verurteilend, sondern nur so, als Antwort auf deinen Brief. Den Zeitungen nach zu urteilen, hatte der »Kramer« nicht den Erfolg, den ich erwartet hatte, und das schmerzt mich jetzt. Unser Publikum braucht keine Stücke, sondern Schauspiele. Und daß Alekseev, wie du schreibst, den Mut verloren hat – ist dumm und merkwürdig; Alekseev hat also nicht das Bewußtsein, gut zu handeln.

Ich küsse dich, mein Kindchen. Schreib mir Einzelheiten. Ich warte drauf. Umarme dich. *Dein Ant.*

Versiegle deine Briefe besser, sonst kommen sie beinahe offen hier an – und das durch deine Schuld, die Briefcouverts sind schlecht.

Nun, mein Herz, bleib gesund!!

960) AN A. M. FËDOROV JALTA, 3. 11. 1901

3. November 1901.

Jalta.

Lieber Aleksandr Mitrofanovič, ich habe Ihr Stück gelesen und – hier meine Meinung; wobei ich es für nötig halte, vorweg zu sagen, daß es sich hier nicht um Erfahrung handelt, die ich nicht habe, oder nur sehr wenig, sondern einfach um einen Eindruck.

Vor allem scheint mir, daß in Ihrem Stück eine Männerrolle fehlt, eine zentrale. Die ganze Zeit hat man den Eindruck, gleich werde ein Mann auftreten und etwas sehr Wichtiges sagen – und er kommt nicht. Zelencov ist sehr blaß, nicht zu Ende geschrieben, und Roman ist nur flüchtig angedeutet und für einen Schauspieler uninteressant. Volodja ist gut, nur müßte man ihn, wie mir scheint, noch warmherziger machen; und er müßte sich tatsächlich, jetzt oder später, oder irgendwann früher mit Mechanik befaßt haben, damit Ausdrücke wie »der Dampf ist abgelassen«, »jetzt arbeiten die Räder« usw. nicht leer bleiben, sondern aus der Tiefe kommen, sozusagen. Kinder sollte man nicht zeigen, über sie kann auf der Bühne gesprochen werden. Jetzt zu den Damen. Olga Bagrova ist gut. Das ist eine Rolle für eine sehr gute Schauspielerin. Nur lassen Sie sie weniger reden; man spürt sie vom ersten Wort, von den ersten Zeilen an, und sie wäre großartig, wenn Sie ihr im 3. oder 4. Akt einen Ausbruch gäben, wenn sie auf einmal für einen Augenblick explodieren würde und dann wieder Stille wäre. Ich wiederhole, eine wunderbare Rolle. Nataša redet sehr viel, und das dauernd in ein und demselben Ton, das wird bald langweilig. Sie sollten sie vielfältiger, reicher machen. Die übrigen hat man alle schon gesehen und sind nach der Schablone geschrieben. Noch etwas? Die Stare kommen Ende März, wenn noch Schnee liegt. Der Schuß am Ende des Stücks suggeriert dem Zuschauer den Gedanken, daß sich da jemand erschossen habe, Roman oder wer. Alle hand. Personen sprechen ein und dieselbe Sprache (mit Ausnahme von Olga), sogar das »unterhaltsam« von Roman hilft da wenig. Es gibt überflüssige Wörter, die nicht in ein Stück passen, zum Beispiel «du weißt doch, *daß* man hier nicht rauchen darf«. In Stücken muß man vorsichtig sein mit diesem *daß*. Usw. usf. Sehen Sie, wieviel ich Ihnen geschrieben habe! Der Ton des Stückes ist gut, ein echter Fëdorov; es liest sich leicht, und ich würde es mit Vergnügen auf der Bühne sehen.

Ich schicke es Ihnen zurück, denn im Künstlertheater sind Proben bis Ende Januar, man würde Ihr Stück vorher doch nicht lesen (es werden die Stücke von Nemirovič und Gorkij probiert). Und Sie sollten sich, bis zum Januar, irgend eine möglichst zentrale Männerrolle einfallen lassen, wenn Sie mögen, einen starken und interessanten Mann; und der Schuß nicht hinter der Bühne, sondern auf der Bühne, und nicht im IV., sondern im III. Akt...

Also, ich wünsche Ihnen alles Gute. Bleiben Sie gesund und arbeiten Sie noch ein bißchen. In Jaroslavl ist mit Erfolg Ihr Stück »Das alte Haus« gespielt worden – das entnahm ich dem »Severnyj kraj«.

Ich drücke Ihnen fest die Hand. *Ihr A. Čechov.*

Das Stück schicken Sie an Nemirovič-Dančenko, aber nicht vor Dezember. Zur Zeit ist er mit seinem eigenen Stück beschäftigt.

Ich würde auch aus Roman einen guten Kerl machen; er hat ein gutes Herz, kann sich aber einfach nicht mit dem Gedanken anfreunden, daß sein Bruder, ein großartiger Mensch, mit einer solch gewöhnlichen Frau zusammenlebt.

961) AN O. L. KNIPPER JALTA, 6. 11. 1901

6. November 1901

Nun denn, meine Freude, gestern war ich bei Tolstoj. Ich habe ihn im Bett angetroffen. Er hat sich ein wenig gestoßen und liegt zur Zeit. Seine Gesundheit hat sich gebessert, aber das sind nur die warmen Tage Ende Oktober, doch der Winter ist nah, ganz nah! Er hat sich offenbar über mein Kommen gefreut. Und ich habe mich aus irgendeinem Grunde diesmal besonders gefreut, ihn zu sehen. Er hatte einen angenehmen, gutmütigen Ausdruck, wenn auch den eines alten Mannes, genauer – eines Greises, er hört mit Vergnügen zu und spricht gern. Die Krim gefällt ihm immer noch.

Heute war Balmont bei mir. Er kann jetzt nicht nach Moskau, es ist ihm nicht gestattet, sonst wäre er im Dezember zu dir gekommen und du hättest ihm helfen können, Karten für alle Stücke zu bekommen, die an euerm Theater gespielt werden. Er ist ein netter Junge, und vor allem, ich kenne ihn schon seit langem und halte ihn für einen Freund, und er mich auch.

Wie geht es dir, meine Freude, meine Wonne? Heute war Sredin bei mir, er hat mir die Photographie gebracht, die, die wir aus Aksënovo mitgebracht haben, nur in vergrößerter Gestalt; und beide sind wir auf diesem Bild alt und verrunzelt.

Mein Herz, Liebes, schreib auf einfacherem Papier und versiegle die einfachen Couverts, sonst kommen deine Briefe in einem Zustand hier an, als hätte man sie in größter Hast geöffnet. Das sind Lappalien, aber wir, mein Herz, wir Provinzmenschen sind ein mißtrauisches Volk.

Wird das Theater gebaut? Wann? Schreib, meine Frau, schreib, sonst langweile ich mich, langweile mich und fühle mich, als sei ich schon 20 Jahre verheiratet und lebte das erste Jahr von dir getrennt. Im Januar werde ich also kommen. Ich packe mich ganz warm ein, und in Moskau werde ich im Zimmer sitzen bleiben.

Bleib gesund, mein gutes Deutschenkind, meine liebe, stille. Ich liebe und schätze dich sehr.

Ich umarme und küsse dich feurig, bleib gesund und fröhlich. Danke für die Briefe! *Dein Antonio.*

962) AN O. L. KNIPPER JALTA, 9. 11. 1901

9. November 1901.

Sei gegrüßt, mein Herzchen! Das Wetter heute ist wundervoll: warm, klar und trocken, und still – wie im Sommer. Die Rosen blühen, die Nelken, die Chrysanthemen, und noch irgendwelche gelben Blumen. Heute habe ich lange im Garten gesessen und darüber nachgedacht, daß das Wetter hier großartig ist, daß es aber noch viel angenehmer wäre, jetzt im Schlitten zu fahren.

Die Roksanova hat wieder in der »Möwe« gespielt? Aber man hatte das Stück doch abgesetzt, bis man eine neue Schauspielerin dafür fände, und jetzt auf einmal wieder die Roksanova! Was für eine Schweinerei? In dem Spielplan, den man mir geschickt hat, las ich auch, daß der »Ivanov« probiert werde. Meiner Meinung nach ist das eine vergebliche Mühe, eine überflüssige Mühe. Das Stück wird bei euch durchfallen, weil es uninteressant laufen wird, vor einem trägen Zuschauersaal.

Ich stifte alle besten Schriftsteller dazu an, Stücke für das Künstlertheater zu schreiben. Gorkij hat bereits geschrieben; Balmont, Leonid Andreev, Telešov u. a. sind bereits am Schreiben. Es wäre an der Zeit, mir ein Gehalt auszusetzen, und sei es 1 R. pro Autor.

Meine Briefe an dich befriedigen mich ganz und gar nicht. Nach allem, was wir miteinander erlebt haben, sind Briefe zu wenig, man möchte einfach weiter leben. Wir versündigen uns so, daß wir nicht zusammenleben! Nun ja, aber wozu darüber reden! Gott sei mit dir, ich segne dich, meine kleine Deutsche, und freue mich, daß du fröhlich bist. Ich küsse dich fest.

Dein Antonio.

Sag Maša, ich habe einen Brief von Roman bekommen. Er lebt in Popovka, hat geheiratet.

Ferner habe ich einen Brief aus der Stadt Alexandria bekommen von irgendeinem Provinzler: er hat zu Hause in Alexandria die »Drei Schwestern« gesehen, nichts verstanden und bittet, sie ihm zu erklären. Sein Familienname – Malošijčenko. Eben ist Arsenij gegangen, um die Sachen zu holen, die Sytin geschickt hat (Pilze, Stinte, den Mantel usw.). Schick die Sachen.

Ich schreibe, kann aber unmöglich sagen, ich täte es sehr gern.

Sag Maša, daß Muir und Merilees unsere Einkäufe über Novorossijsk geschickt haben. Die werden wir also im April bekommen, frühestens.

963) AN A.F. MARKS JALTA, 14. 11. 1901

14. November 1901.

Sehr geehrter

Adolf Fëdorovič!

Ich habe die Lieferung XI der illustrierten »Toten Seelen« bekommen, wofür ich Ihnen meinen herzlichen Dank sage. Bei dieser Gelegenheit halte ich es für nötig, Ihnen mitzuteilen, daß ich die Lieferungen IX und X nicht bekommen habe.

Ich schicke Ihnen als eingeschriebenes Streifband die Erzählungen, die nach Unterzeichnung unseres Vertrages veröffentlicht worden sind:

1) »Die Dame mit dem Hündchen« (»Russkaja mysl« 1899, XII).

2) »In der Schlucht« (»Žizn«, 1900, I).

3) »Zur Weihnachtszeit« (»Peterburgskaja gazeta« 1900, I).

Ich wünsche Ihnen alles Gute.

Ihr aufrichtig ergebener *A. Čechov.*

Jalta.

964) AN O.L. KNIPPER JALTA, 17. 11. 1901

17. November.

Meine liebe kleine Gattin, die Gerüchte über Tolstoj, die zu euch gedrungen sind, über seine Krankheit und sogar seinen Tod, sind absolut unbegründet. Sein Gesundheitszustand war und ist unverändert, und bis zum Sterben hat er es offenbar noch weit. Er ist zwar schwach, äußerlich gebrechlich, aber es gibt kein einziges Symptom, das bedrohlich wäre, kein einziges, außer dem Alter ... Glaube nichts. Wenn, was Gott verhindern möge, etwas passiert, dann benachrichtige ich dich durch ein Telegramm. Ich werde ihn in dem Telegramm »Großväterchen« nennen, sonst käme es wohl nicht an.

A. M. ist hier, es geht ihm gut. Er übernachtet bei mir, bei mir ist er auch gemeldet. Heute war der Stanovoj da.

Ich schreibe, arbeite, aber, mein Herz, in Jalta ist es unmöglich zu arbeiten, es ist und ist unmöglich. Fern der Welt, es ist langweilig und, vor allem – kalt. Ich habe einen Brief von Višnevskij bekommen; sag ihm, daß ich ein Stück schreiben werde, aber nicht vor Frühjahr.

In meinem Arbeitszimmer brennt jetzt die Lampe. Solange sie nicht nach Kerosin stinkt, ist es ganz schön.

A. M. hat sich nicht verändert, er ist immer noch derselbe anständige und intelligente und gute Kerl. Nur eines an ihm, oder, richtiger, auf ihm stimmt nicht – das ist sein Bauernhemd. Ich kann mich nicht daran gewöhnen, genausowenig wie an die Uniform eines Kammerherrn.

Das Wetter ist herbstlich, nicht schön.

Also, bleib gesund und munter, mein kleines Licht. Danke für die Briefe. Werd nicht krank, sei ein kluges Kind. Grüß die deinen.

Ich küsse und umarme dich fest. *Dein Ehemann Antonio.*

Ich bin gesund. Moskau ist mir erstaunlich gut bekommen. Ich weiß nicht, ob es Moskau ist, das daran schuld ist, oder ob du es bist, aber ich huste sehr wenig.

Wenn du die Kundasova siehst oder jemanden, der ihr bald begegnen wird, dann richte ihr aus, daß sich zur Zeit Dr. Vasiljev in Jalta befindet, der Psychiater, er ist sehr schwer krank.

965) AN O. L. KNIPPER JALTA, 21. 11. 1901

21. November 1901.

Liebe Knippuša, meine Teure, sei mir nicht böse, daß ich dir nicht jeden Tag schreibe. Die Umstände fügen es so. Jeden Tag hindert mich irgendetwas daran zu leben und zu schreiben: heute beispielsweise erschien bereits am frühen Morgen Lazarevskij (ein Schriftsteller in Marineuniform) und er sitzt, sitzt, sitzt qualvoll lange da, und was weiß ich, wann der Teufel ihn hier wegholt.

Du willst zu Weihnachten kommen? Eine prachtvolle Idee,

mein kluges Herzchen, nur bitte, bitte Nemirovič inständig, daß du mindestens drei Tage in Jalta verbringen kannst. Mindestens! Fahr in Moskau am 20. Dez. los, dann bist du am 22. in Jalta, am 25. fährst du von hier weg, am 27. bist du wieder in Moskau. Meine Gute, Liebe, hör auf mich, handle deinen Despoten diese drei Tage ab! Vom 22.–23. Dez. bis zum 26. sind keine Vorstellungen, und am 20., 21. und 26. können sie spielen: »Die Wildente«, »Stockmann«, »Fed. Ioan.«, »Wenn wir Toten erwachen«. Für die Feiertage ein Riesenrepertoire. Hör auf mich, Knippuša, sei eine verständige Frau.

Den Brief von Pašas Amme habe ich gelesen und habe großes Mitleid mit ihm. Ich glaube, du hast den kleinen Halbdeutschen sehr geliebt, mehr wohl als alles auf der Welt, und so sollte es ja auch sein.

Gorkij ist ganz der alte, er ist immer noch gut, irgendwie sogar noch besser. Er ist ein schlichter Kerl. Er hat in Jalta gewohnt, jetzt ist er nach Oleiz gezogen, hat dort ein Haus gemietet für den ganzen Winter.

Ich bin gesund, alles geht gut. Mäuse werden gefangen. Jetzt werde ich davon träumen, wie du zu Weihnachten nach Jalta kommst.

Aber – Maschinen stop! Rozanov ist gekommen.

Rozanov ist gegangen. Und Lazarevskij ist immer noch da, er hat den ganzen Salon vollgeraucht. Jetzt sitzt er unten beim Essen. M–me Bonnier fährt oder ist bereits nach Moskau gefahren, sie wird sicher zu euch kommen.

Ich küsse dich fest und umarme dich noch fester. Schreib, sei nicht faul, du wirst dafür belohnt werden.

Grüß Maša. *Dein Antonio.*

966) AN O. L. KNIPPER JALTA, 24. 11. 1901

24. November 1901

Mein Kindchen, sag Nemirovič, er solle möglichst bald den IV. Akt von Gorkijs Stück schicken. Sag ihm, das sei unerläßlich.

Draußen schneit und regnet es. Meine Hände sind kalt, in meinem Arbeitszimmer ist es düster und kalt, das Schreiben fällt schwer, die Finger wollen irgendwie nicht gehorchen, obwohl das Thermometer 12 Grad Wärme zeigt. Und so wird es den ganzen Winter über gehen! Das heißt bis Ende April!

Gorkij hat sich in Oleiz niedergelassen, er war bei mir; offenbar langweilt er sich. Er würde gern an seinem Stück arbeiten, aber das Stück ist nicht da. Nemirovič schickt es nicht.

Hier, in Jalta, sind die »Drei Schwestern« gespielt worden – widerwärtig! Die Offziere trugen Polizeiuniformen, Maša sprach mit heiserer Stimme. Ausverkauftes Haus, aber das Publikum hat furchtbar über das Stück geschimpft.

In der »Russkaja mysl« schimpft Potapenko in seiner Novelle über das Künstlertheater.

Also, bitte um Urlaub nicht für Sevastopol, sondern für Jalta. Mein liebes Herz, beachte das! Ich bitte dich! Nemirovič ist ein Egoist, und zwar ein grober; er hat dich zum 20. August kommen lassen, als für dich nichts zu tun war, und jetzt wirst du die ganzen Feiertage über unbeschäftigt herumsitzen – und ich werde mit dem Theater brechen, werde nichts mehr dafür schreiben.

Sag Tante Lelja, ich würde ihr mit Vergnügen eine Photographie schicken, aber – oh weh! – ich habe nur noch welche aus Jalta, und die sind veraltet, ungeeignet. Wenn ich im Frühjahr komme, lasse ich bei Opitz welche machen und bringe ihr dann eine, mit jeder beliebigen Widmung. Sie möge entschuldigen. Lazarevskij war gestern zum dritten Mal da, heute ist er anscheinend abgereist. Balmont ist ebenfalls heute abgereist. Elpatjevskij ist wahrscheinlich schon bei euch gewesen.

Fahren wir nach Italien, Hund! Fahren wir! Fahren wir, solange wir Geld haben, in zwei, drei Jahren werden wir ohnehin nicht mehr verreisen können.

Ich umarme dich, meine Frau. Schlaf gut, Gott beschütze dich. *Dein Ant.*

Mutter hat sich, als ich ihr sagte, daß du zu Weihnachten kämst, gefreut und gesagt: »Na, Gott sei Dank.« Heute sprach sie wieder davon und bat mich, dir zu schreiben, daß du unbedingt kommen sollst.

967) AN O. L. KNIPPER JALTA, 30. 11. 1901

30. November.

Meine liebe Knippuša, mein kluges Kind, ich bin gesund und munter, ich fühle mich heute nicht übel; auch das Wetter ist großartig, sonnig; gestern war Sturm, Regen, es hat Bäume entwurzelt.

Die Hotels in Sevastopol sind widerwärtig, gemein; angenommen, du kämst am 21. Dezember nach Sevastopol, könntest du noch am 21. in Jalta sein. Komm, meine Liebe, ich flehe dich an! Ich habe große Sehnsucht, solche Sehnsucht, daß ich gar nicht arbeiten kann, sondern nur dasitze und Zeitungen lese. Kommenden Winter werde ich in Moskau leben, koste es was es wolle, was immer die Ärzte auch sagen mögen. Oder in der Nähe von Moskau, irgendwo in einem Landhaus, in Caricyno oder Chimki.

Sag Maša, sie solle mitbringen: 1) Schürzen für die Dienstmädchen, 2) weißes Wäscheband, 3) schwarzes Band zum Säumen, 4) Wäscheknöpfe aus Perlmutt. Das hat Mutter mir diktiert.

Gestern war Gorkij bei mir. Es geht ihm gut, er will noch ein Stück schreiben. Er lebt in Oleiz, wo er ein Haus gemietet hat.

Hast du die Postkarte mit dem Bild von Tolstoj bekommen?

O. O. Sadovskaja gefällt mir sehr, sie ist eine echte, unverfälschte Schauspielerin, eine sehr talentierte.

Also, Herzchen, Gott sei mit dir. Ich küsse dich ohne Ende und freue mich, daß ich mit dir verheiratet bin. Komm, meine liebe, gute kleine Deutsche, meine Schauspielerin. Komm.

Dein Ant.

968) AN O. L. KNIPPER JALTA, 7. 12. 1901

7. Dez.

Schauspielerin, warum gehorchst du nicht deinem Mann? Warum hast du Nemirovič nicht gesagt, daß er den letzten Akt der »Kleinbürger« schickt? Sag es ihm, Herzchen! Ach, wie ist das traurig, wie ist das nur möglich, daß du an den Feiertagen nicht nach Jalta kommst. Mir kommt es vor, als würden wir uns erst in vielen Jahren wiedersehen, wenn wir beide alt sind.

Eben habe ich mit Tolstoj telephoniert. Ich habe den Schluß der »Drei« gelesen, der Novelle von Gorkij. Das ist etwas erstaunlich Unzivilisiertes. Wenn es nicht Gorkij wäre, der das geschrieben hat, würde es niemand lesen. So kommt es mir zumindest vor.

Ich, Herzchen, war die letzten Tage krank. Ich habe Rizinus genommen, ich fühle mich irgendwie abgemagert, tue nichts. Jetzt ist mir besser, so daß ich mich wahrscheinlich morgen an die Arbeit begeben werde ... Einsamkeit hat offenbar eine sehr schädliche Wirkung auf den Magen. Im Ernst, mein Liebes, wann werden wir wieder zusammensein? Wann werden wir uns wiedersehen? Wenn du zu den Feiertagen wenigstens für einen Tag hierherkämst, das wäre so unendlich schön. Übrigens, wie du meinst.

Diesen Brief schreibe ich am 7. nachts, abschicken werde ich ihn morgen, am 8. Du bist dauernd auf Gesellschaften und Jubiläen – ich freue mich, Herzchen, und lobpreise dich. Du bist klug, du bist lieb.

Der Herr sei mit dir. Ich küsse dich ungezählte Male.

Dein Ant.

Gebt für ein Stück nicht so viel Geld aus, sonst hat es dann keinen Erfolg. 1200 R. für Garderobe – hols doch der Teufel! Leonid Andreev habe ich noch in Moskau gelesen, habe ihn auf der Fahrt nach Jalta wiedergelesen. Ja, das ist ein guter Schriftsteller; wenn er öfter schriebe, hätte er noch größeren Erfolg. Er hat wenig Ehrlichkeit, wenig Einfachheit, und darum gewöhnt man sich schwer an ihn. Aber dennoch wird sich das Publikum früher oder später daran gewöhnen, das wird einmal ein großer Name.

969) AN O. L. KNIPPER JALTA, 10. 12. 1901

Montag.

Liebes Herz, gestern war Altšuller bei mir, er hat mich abgehorcht, geklopft, dann ist er gegangen. Danach begann ich Blut zu husten. Darum habe ich dir gestern nicht geschrieben.

Heute kommt schon fast kein Blut mehr, aber ich muß trotzdem noch liegen. Mach dir keine Sorgen, mein guter Freund. Ich schreibe dir davon, weil du selbst es mir befohlen hast.

Ich werde dir schreiben. Es ist grimmiger Wind. Schreib so lang wie möglich. *Dein Ant.*

970) AN V. A. GOLCEV JALTA, 11. 12. 1901

11. Dez. 1901.

Lieber Freund, Viktor Aleksandrovič, gegenwärtig liege ich im Bett und beschäftige mich damit, Blut zu husten. Und ich esse nichts, tue nichts, lese nur Zeitungen. Sei mir nicht böse, mein Lieber. Wenn es besser wird, dann fange ich auch wieder an zu schreiben.

Sag von meiner Krankheit niemandem etwas, damit es nicht in die Zeitungen kommt. Meiner Frau habe ich geschrieben.

Ich drücke dir fest die Hand und küsse dich, mein Lieber. Alles Gute! *Dein A. Čechov.*

971) AN O. L. KNIPPER JALTA, 13. 12. 1901

13. Dez.

Schauspielerin, sei gegrüßt! Ich bin wieder genesen, Blut ist keins mehr zu sehen, nur die Schwäche ist geblieben – ich habe lange nichts Richtiges gegessen. Ich glaube, in 2–3 Tagen bin ich wieder völlig gesund. Ich nehme Pillen, Tropfen, Pülverchen...

Du schreibst, am 8. Dez. abends hättest du einen Schwips gehabt. Ach, mein Herz, wie ich dich beneide, wenn du das nur wüßtest! Ich beneide dich um deine Munterkeit, Frische, deine Gesundheit, deine gute Stimmung, ich beneide dich, daß dich nichts am Trinken hindert, keinerlei Gedanken an Bluthusten usw. Ich habe früher, wie man so sagt, feste trinken können.

Ich habe den letzten Akt der »Kleinbürger« gelesen. Ich habe ihn gelesen und nicht verstanden. Zweimal habe ich lachen müssen, weil es komisch war. Der Schluß hat mir gefallen, nur ist das kein Schluß für den letzten, sondern den ersten oder zweiten Akt. Für den letzten muß man sich irgendetwas anderes einfallen lassen.

Deine Rolle im letzten Akt ist unbedeutend.

Ich denke oft an dich, sehr oft, wie es sich für einen Ehemann gehört. Du hast mich, solange ich mit dir zusammenwar, verwöhnt, und jetzt, ohne dich, fühle ich mich wie jemand, dem die bürgerlichen Rechte aberkannt worden sind. Um mich her ist es leer, das Essen ist erbärmlich, nicht einmal angerufen werde ich [...].

Ich umarme meine Schauspielerin fest [...]. Gott beschütze dich. Vergiß und verlaß mich nicht. Ich küsse dich tausendmal.

Dein Anton.

972) AN O. L. KNIPPER JALTA, 17. 12. 1901

17. Dez.

Mein liebes Pöpschen, ich habe heute keinen Brief von dir bekommen, aber der Himmel möge dir verzeihen, so wie ich dir verzeihe. Meine Gesundheit bessert sich von Tag zu Tag; ich trage eine Kompresse an der rechten Hüfte, nehme Kreosot, aber die Temperatur ist normal und alles steht zum besten. Bald werde ich wieder ein richtiger Mensch sein.

Gestern hatte ich Gäste, sie saßen lange, ich habe mich geärgert. Eben bekam ich telephonisch die Nachricht, daß mit einer Droschke ein ungarischer Tourist zu mir kommen werde, der sämtliche Schriftsteller besucht. Der weiß nicht, daß ich nicht mehr Schriftsteller, sondern Gärtner bin. Ein verheirateter Gärtner, der bislang noch keine Kinder hat, aber darauf hofft, welche zu haben.

Mutter ist gesund, meine Krankheit hat sie aber sichtlich ermüdet. Morgen kommt Maša, dann wird sich alles einrenken.

Aus Petersburg habe ich einen Brief von Kuprin bekommen. Er lobt dich sehr, ist aber vom Künstl. Theater nicht begeistert. Der Ungar kommt! Er kommt? Nein, ich habe mich geirrt. Kuprin schreibt, dem Spiel Stanislavskijs merke man den Chef an, wie dem von Solovcov, der ebenfalls Chef ist.

Was, bleibt ihr wirklich im alten Theater? Oh, ihr Barbaren!

Also, mein Pöpschen, ich küsse und umarme dich. Küß du mich auch, dein altes Männchen. Der Nacken ist geschoren. Der Anzug nicht ausgebürstet. Ems trinke ich keins.

Grüß Mama, Onkel Karl, Onkel Saša, die Tante. Bleib gesund. Ich warte auf die Beschreibung von Samstag abend.

Dein Ant.

Mir scheint, der Ungar kommt.

973) AN V.S. MIROLJUBOV JALTA, 17. 12. 1901

17. Dez. 1901.

Lieber Viktor Sergeevič, ich bin krank, oder nicht ganz gesund – das ist richtiger, und kann nicht schreiben. Ich habe Blut gehustet, jetzt bin ich schwach und ärgere mich, sitze mit einer wärmenden Kompresse an der Hüfte, nehme Kreosot und allen möglichen Unsinn. Wie dem auch sei, mit dem »Bischof« werde ich Sie nicht versetzen, ich werde ihn Ihnen früher oder später schicken.

Im »Novoe vremja« habe ich den Artikel des Polizisten Rozanov gelesen, aus dem ich auch etwas über Ihre neue Tätigkeit erfuhr. Wenn Sie wüßten, mein Lieber, wie erbittert ich darüber war! Ich habe den Eindruck, Sie müssen Petersburg unbedingt verlassen, und zwar jetzt – nach Nervi fahren oder nach Jalta, aber wegfahren. Was haben Sie, ein guter, aufrechter Mensch, was haben Sie gemein mit diesem Rozanov, mit dem so hochtrabend verschlagenen Sergij, schließlich mit dem so satten Merežkovskij? Ich möchte Ihnen viel, viel schreiben, aber ich halte mich besser zurück, um so mehr, als Briefe heutzutage vor allem von Leuten gelesen werden, an die sie nicht adressiert sind. Ich will nur sagen, daß an den Fragen, die Sie interessieren, wichtig nicht die vergessenen Worte, nicht der Idealismus sind, sondern das Bewußtsein der eigenen Reinheit, d. h. die absolute Freiheit Ihres Herzens von allen vergessenen oder nichtvergessenen Worten, Idealismen und allen sonstigen unverständlichen Worten. Man muß an Gott glauben, und wenn man den Glauben nicht hat, dann soll man an seine Stelle keinen Sensationsrummel setzen, sondern suchen, suchen, einsam suchen, allein mit sich und seinem Gewissen...

Im übrigen, bleiben Sie gesund! Wenn Sie kommen, schreiben Sie. Tolstoj ist hier, Gorkij ist hier, es wird Ihnen nicht langweilig werden, hoffe ich.

Neues gibt es nicht. Ich drücke Ihnen fest die Hand.

Ihr A. Čechov

974) AN O.L. KNIPPER JALTA, 18. 12. 1901

18. Dez.

Meine liebe Schauspielerin, ich bin gesund und munter, was ich auch dir von Herzen wünsche. Ich habe keinen Bluthusten, habe mehr Kraft, fast keinen Husten, nur eines ist schlimm – die Riesenkompresse an der rechten Hüfte. Und wenn du nur wüßtest, wie sehr ich an dich denke, wie sehr ich bedaure, daß du nicht hier bist, wenn diese riesige Kompresse angelegt werden muß und ich mir so einsam und hilflos vorkomme. Aber das ist natürlich nicht für lange; sowie die Kompresse angelegt ist, ist alles wieder gut.

Ich schreibe nichts, aber auch gar nichts, ich tue nichts. Habe alles auf nächstes Jahr verschoben. Da siehst du, was für einen du geheiratet hast, was für einen Faulpelz!

Wie ist das Stück von Nemirovič angekommen? Sicher hat es furore gemacht. Ihn liebt das Moskauer Publikum. Und ich träume die ganze Zeit davon, ein komisches Stück zu schreiben, in dem nur so der Teufel los ist. Ich weiß nicht, ob etwas draus wird. Hier in Jalta ist mir der Blick aus meinem großen Fenster dermaßen zuwider, dermaßen verhaßt, das aus meinem Schreiben, glaube ich, nichts werden kann. Nun, wir werden sehen.

Wie geht es Višnevskij? Zelebriert er sich in Nemirovičs Stück? Ich werde ihm bald schreiben.

Ich liebe dich, mein kleiner Hund, liebe dich sehr und habe große Sehnsucht nach dir. Mir kommt es sogar unwahrscheinlich vor, daß wir uns jemals wiedersehen. Ohne dich tauge ich zu nichts. Mein Herz, ich küsse dich fest, umarme dich hundertmal.

Langweil dich nicht, arbeite, sei ein kluges Kind, sei nicht traurig – das steht dir nicht. Wenn du fröhlich bist, bist du um zehn Jahre jünger.

Also, ich küsse dich noch einmal. Schreib, meine Freude.

Dein Ant.

975) AN O.L. KNIPPER JALTA, 20. 12. 1901

20. Dez.

Mein gutes Hündchen, Nemirovič schreibt mir Folgendes: »Mit dem Theater geht die Sache jetzt anscheinend glatt. Sehr wahrscheinlich werden wir auf 12 Jahre das Theater Omon (Gazetnyj) mieten und es nach unseren Bedürfnissen umbauen. Ich führe die Verhandlungen, besichtige, verbringe meine freien Stunden mit dem Architekten usw.«

Da hast dus. Weiter schreibt er, das Stück von Gorkij werde gespielt werden.

Ich nehme heute die Kompresse ab, die ich satt habe wie ein Korsett. Heute war Orlenev da, der zu einem Gastspiel hierhergekommen ist. Heute ist in meinen Zimmern aufgeräumt worden.

Mein Herz, Goldstück, schreib, laß mich nicht im Stich. Ich küsse dich viele Male, umarme dich und schließe die Augen, um dich zu sehen.

Bleib gesund und glücklich. *Dein Ehemann Anton.*

976) AN S. P. DJAGILEV JALTA, 20. 12. 1901

20. Dezember 1901.

Sehr geehrter

Sergej Pavlovič!

Auf die Frage, wann alle meine Werke entstanden sind, kann ich, verzeihen Sie, nur eine annähernde Antwort geben. Wenn Sie meine Werke bei Marks zur Hand nehmen, so ist Band I in den Jahren 80–83 entstanden, Band II – 82–84, III – 84–87 (außer der Erzählung »Weißstirnchen«, die nach 1890 geschrieben ist), IV – 85–88, V – 85–89, VI – 89 (außer der »Erzählung eines Unbekannten«, die nach 90 geschrieben ist), VIII – nach 1890, IX – 95–1900. »Die Insel Sachalin« ist im Jahre 1893 geschrieben – anstelle einer Dissertation, die ich nach 1884 zu schreiben die Absicht hatte – nach Beendigung der Medizinischen Fakultät. Band VII enthält meine Stücke: »Ivanov« 1888, »Die Möwe« 1896, »Onkel Vanja« – 1890. Die Vaudevilles sind vor 1890 geschrieben. In die Ausgabe nicht aufgenommen wurde die Novelle »In der Schlucht«, veröffentlicht in »Žizn« im Jahre 1900.

Jetzt die Antwort auf Ihre zweite Frage: Ich habe eine Zeitlang als Arzt praktiziert, aber nicht lange. Praktiziert habe ich manchmal viel, auf dem Lande, aber ich habe kein Geld genommen, da ich seiner nicht bedurfte. Gedichte habe ich nie geschrieben.

Sie wollen, daß ich einige Worte über Levitan sage, aber ich möchte nicht einige Worte sagen, sondern viele. Ich werde mich damit nicht beeilen, denn über Levitan zu schreiben, ist es nie zu spät. Ich bin zur Zeit krank, sitze mit einer Kompresse, vor kurzem hatte ich Bluthusten. Überhaupt stehe ich sehr in Ihrer Schuld.

Bleiben Sie gesund, ich wünsche Ihnen alles Gute.
In aufrichtiger Hochachtung *A. Čechov.*

977) AN O. L. KNIPPER JALTA, 24. 12. 1901

24. Dez.

Siehst du, Schauspielerin, ich schreibe jeden Tag. Heute ist bei uns Namenstag, Mutter hat Namenstag, morgen ist Weihnachten, und draußen wärmt die Sonne wie im Sommer, es ist still. Ich kann heute das Haus nicht verlassen, weil man mir zwei Fliegen angesetzt hat. Heute abend nehme ich sie ab, und morgen schon gehe ich wieder hinaus, vielleicht fahre ich zu Tolstoj und Gorkij.

Ich habe euer Feiertagsprogramm bekommen. In meinen Stücken spielt kein einziges Mal die Samarova, in den »Drei Schwestern« kein einziges Mal Stanislavskij, kein einziges Mal die Lilina. Überhaupt sind die Stücke irgendwie vernachlässigt. Die Munt kann ich nicht verknusen, und sie spielt jedesmal in den »Drei Schwestern«.

Es wäre interessant zu wissen, wann wir uns wiedersehen. In den Großen Fasten? Zu Ostern?

Dein Telegramm habe ich bekommen, weiß aber immer noch nicht, wie Nemirovičs Stück gelaufen ist. Schreib, Herzchen, schreib ausführlich. Schreib auch von Kotik.

In diesem Sommer fahren wir ins Ausland, und 1903, wenn wir da noch am Leben sind, verbringen wir in einem Landhaus bei Moskau. Gut? Einverstunden?

Sehr gelobt wird das Stück von Najdënov, »Vanjušins Kinder«. Ist das tatsächlich eine so außergewöhnliche Sache? Wenn ja, warum hat das Künstlertheater sie sich entgehen lassen? Ich glaube, Nemirovič verschläft vieles. Wenn ich für euch Stücke lesen würde, wäre euer Repertoire reichhaltiger. Was meinst du?

Es ist schwer, ohne dich zu leben. Besonders für so einen Mann wie deinen. Ich liebe dich sehr, mein Herz, sehr.

Also, bleib gesund. Überanstreng dich nicht. *Dein Ant.*

978) AN A. F. MARKS JALTA, 25. 12. 1901

25. Dezember 1901.

Sehr geehrter

Adolf Fëdorovič!

Das Vaudeville »Die Hochzeit« hatte ich Ihnen vor zwei Jahren geschickt mit dem Vermerk: »Wird in die Gesammelten Werke nicht aufgenommen.« Danach habe ich es beträchtlich korrigiert und es Ihnen in diesem Jahr geschickt, und Sie fragten mich, nach Erhalt, wann dieses Vaudeville geschrieben worden sei – vor Unterzeichnung des Vertrages oder danach. Soeben habe ich die Korrektur bekommen; wie sich herausstellt, ist nicht nach dem korrigierten Exemplar gesetzt worden, sondern nach dem alten. Seien Sie so gut, lassen Sie nach dem korrigierten Exemplar setzen, wenn es hingegen verlorengegangen sein sollte, so müßte ich die »Hochzeit« auseinandernehmen, denn ich habe kein zweites Exemplar.

Zusammen mit der Korrektur wird Ihnen mein Vaudeville »Das Jubiläum« geschickt, das ebenfalls in den VII. Band aufgenommen werden soll; ich habe es korrigiert.

Band IX und die von Ihnen versprochenen Bücher habe ich noch nicht bekommen.

Ich wünsche Ihnen glückliche Feiertage und alles Gute.

In aufrichtiger Hochachtung *A. Čechov.*

979) AN O. L. KNIPPER JALTA, 27. 12. 1901

27. Dez.

Du hast also gut gespielt, Knipperuša. Ich freue mich, mein Kluges. Wenn der Mann schon nichts tut, soll wenigstens die Frau für zwei arbeiten.

Ich schicke dir einen Zeitungsausschnitt. So ein Quatsch! Ich war schon anderhalb Monate nicht mehr auf der Uferpromenade, niemand hat mich dort gesehen.

Du hast bis 8 Uhr morgens im Restaurant gesessen. Paß auf, die Gesundheit verdirbt man sich schnell. Gestern war Nadežda

Ivanovna bei uns, sie hat viel von dir erzählt und überhaupt von Moskau. Danach habe ich mich schlafengelegt und von dir geträumt.

Miroljubov (der ehem. Sänger Mirov) ist angekommen, er war heute bei mir.

Die Unsern (Maša und Arsenij) gehen ins Theater, sie nehmen diesen Brief mit. Im Theater läuft »Der Wald«, es spielt m-me Tatarinova.

Heute las ich in den »Novosti dnja« eine Parodie auf das Stück von Nemirovič. Ein bißchen grob. Wahrscheinlich wird Lužskij Nemirovič jetzt den Anika-Krieger nennen.

Also, ich küsse dich, mein Hund, umarme dich, küsse dich und umarme dich noch einmal. Vergiß mich nicht.

Dein Ehemann Anton.

980) AN O. L. KNIPPER JALTA, 29. 12. 1901

29. Dez.

Du bist dumm, Herzchen. Ich habe dir die ganze Zeit, seit wir verheiratet sind, das Theater noch kein einziges Mal zum Vorwurf gemacht. Im Gegenteil, ich habe mich gefreut, daß du eine Arbeit hast, daß du ein Lebensziel hast, daß du nicht herumbaumelst wie dein Mann. Über meine Krankheit schreibe ich dir nichts, weil ich bereits gesund bin. Die Temperatur ist normal, ich esse 5 Eier am Tag, trinke Milch, ganz zu schweigen vom Mittagessen, das, seit Maša hier ist, schmackhaft geworden ist. Arbeite, mein Herz, und kümmere dich nicht darum, und vor allem – sei nicht traurig.

Bestell »Mir iskusstva« nicht, ich werde diese Zeitschrift bekommen. Bei uns in Jalta ist es warm, alles sprießt, und wenn dieses Wetter noch eine Woche lang anhält, wird alles blühen.

Maša ist böse, weil du ihr nichts schreibst.

Ich schicke dir eine Photographie, die zwei Buren darstellt.

Bald kommt Altšuller nach Moskau, der Arzt, dem ich geraten habe, zu dir zum Essen zu gehen. Er kommt zu dem Kongreß am

Mittwoch nach Moskau. Bereite Maša (deine Köchin) darauf vor, damit sie ihm im Falle deiner Abwesenheit sagen kann, wann du zu Hause bist.

Werdet ihr die »Kleinbürger« aufführen? Wann? Noch in dieser Saison, oder in der nächsten?

Nun denn, Jammergestalt, leb wohl, bleib gesund! Untersteh dich, traurig zu sein und Trübsal zu blasen. Lache. Ich umarme dich und – leider nichts weiter.

Gestern kam kein Brief von dir. Was bist du faul geworden! Ach, mein Hund, mein Hund!

Also, mein Herz, meine gute, herrliche Frau, ich küsse dich fest und umarme dich noch einmal fest. Ich denke sehr, sehr oft an dich, denk du auch an mich. *Dein Ant.*

981) AN V. I. NEMIROVČ-DANČENKO JALTA, 31. 12. 1901

Glückliches Neues Jahr Sende allen freundschaftlichen Gruß und wünsche Künstlertheater von Herzen Jahr Neunzehnhundertdrei im neuen Gebäude zu feiern. *Čechov.*

982) AN O. L. KNIPPER JALTA, 31. 12. 1901

31. Dez.

Meine liebe Frau, ich bin vollkommen gesund, vollkommen! Ich esse für zehn, nehme langsam zu, und was mir seit langem nicht mehr widerfahren ist: der Magen arbeitet vorzüglich. Mach dir keine Sorgen, meine Gute; Ehrenwort, ich lüge nicht, ich sage die Wahrheit.

Heute war der Pianist Samuẽlson bei mir. Er veranstaltet in Jalta ein Konzert. Sein Vetter, der in Autka eine Apotheke unterhält, macht schlechte Geschäfte, sein Gewinn pro Tag – 6 Rubel. Klagen.

Altšuller wird nicht nach Moskau fahren.

[...]

Bei uns in Jalta ist ein neuer Schauspieler aufgetaucht, ein gewisser Doktor Balaban. Habe ich dir von ihm geschrieben? Er hat einen großartigen Vortrag, meine Erzählungen reißt er geradezu auswendig herunter. Und als Schauspieler ist er, offensichtlich, gut, echt. Ich rate ihm, nach Moskau zu fahren und sich Nemirovič vorzustellen.

Heute habe ich von dir keinen Brief bekommen! Gewissenlose!!

In Jalta ist wieder wunderbares Wetter. Heute habe ich in der Laube im Garten gesessen und geatmet.

Nun, meine Freude, ich küsse dich fest. Vergiß mich nicht, denk an mich, mein kleines Krokodil, dafür bekommst du von mir eine Belohnung. Ich umarm dich, Herzchen!

Dein Ant.

»Teatr i iskusstvo« habe ich bestellt.

Nemirovič habe ich einen Brief geschrieben. Zu seinem Stück habe ich wenig geschrieben, aber freundlich, in dem Sinne, daß es, das Stück, Erfolg hatte und daß alles zum besten steht auf dieser Welt.

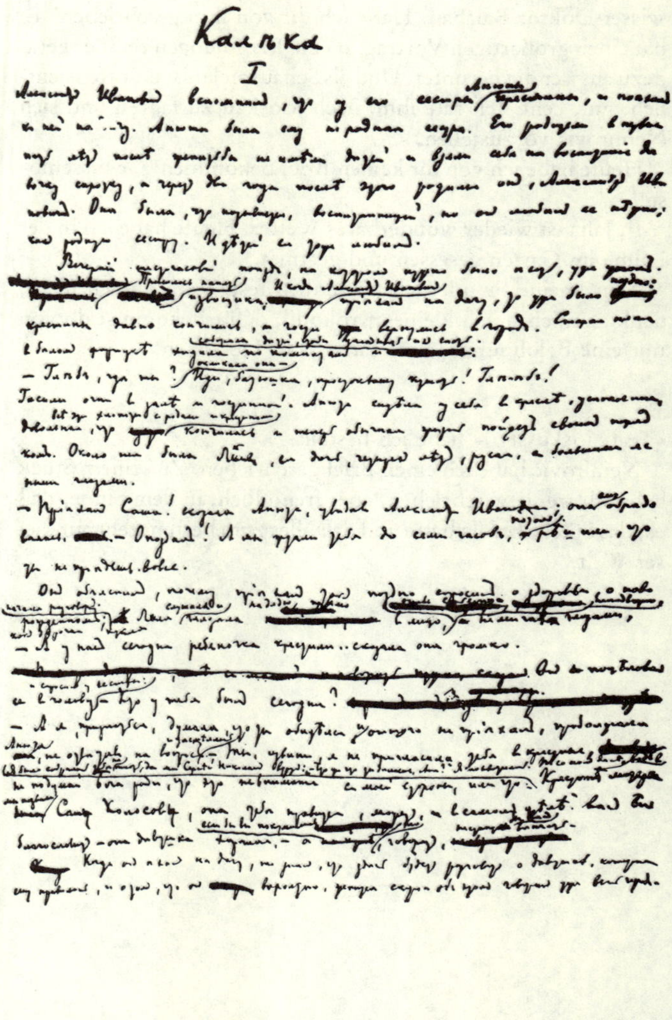

Калека

I

Erste Seite des Fragments »Der Krüppel«.

1902

983) AN K.D. BALMONT JALTA, 1. 1. 1902

1. Jan. 1902.

Lieber Konstantin Dmitrievič, alles Gute zum Neuen Jahr, viel Glück, viel neue Kapricen der jungen, schönen, ruhmesdurstigen Muse! Der Himmel beschütze Sie!

Während Sie hier waren, war ich ein bißchen krank, ich hielt mich über Wasser, aber kaum waren Sie abgereist, als ich richtig krank wurde, Blut zu spucken begann und abmagerte wie Fofanov; ich habe die ganze Zeit das Haus nicht verlassen; jetzt werde ich gemästet, ärztlich behandelt und bin wieder genesen.

Von Ihren Büchern habe ich: 1) »Unter dem Himmel des Nordens«; 2) Shelley, Lief. 2 und 7 (Cenci); 3) »Vernachlässigt«; 4) »Stille«; 5) Calderon, Bd. 1; 6) »Geheimnisvolle Erzählungen«; 7) Poe Edgar, Bd. 1.

Für das Buch danke ich Ihnen von Herzen. Ich arbeite zur Zeit nicht, sondern lese nur, und morgen oder übermorgen werde ich mich an Edg. Poe begeben.

Langweilen Sie sich auf dem Lande? Nein? In Jalta ist es herrlich, ganz sommerliches Wetter, und das ist schlimm. Die ganze Nacht schreien die Katzen, heulen die Hunde, man träumt von Grabesgruften, und tags strahlt hell die Sonne und bedrücken einen die Erinnerungen, man hat Sehnsucht nach der Kälte, nach den Menschen des Nordens.

Meine Frau verspricht, Ende Januar zu kommen. Meine Schwester ist die Feiertage über gekommen. Bei Tolstoj war ich nicht, werde aber übrigens in den nächsten Tagen zu ihm fahren, ihn fragen und Ihnen seine Antwort mitteilen. Vorläufig habe ich gehört, daß Sie einen guten Eindruck auf ihn gemacht hätten, es sei ihm angenehm gewesen mit Ihnen zu sprechen … Das habe ich gehört.

Neuigkeiten gibt es keine. Alles beim alten. Bleiben Sie gesund, glücklich, fröhlich und vergessen Sie nicht, daß in Jalta ein Mensch lebt, der Ihnen gegenüber nicht gleichgültig ist, und schreiben Sie manchmal. *Von Herzen Ihr A. Čechov.*

Übermitteln Sie Ihrer Frau meinen Gruß und alle guten Wünsche zum Neuen Jahr. Schreiben Sie den Skorpionen, daß sie mir unbedingt das Buch schicken, sobald es erschienen ist.

984) AN O. L. KNIPPER JALTA, 2. 1. 1902

2. Jan. 1902.

Meine liebe, herrliche, unvergleichliche Frau, gestern habe ich einen düsteren Brief von dir bekommen, und heute – gar keinen! Du fängst an mich zu vernachlässigen, offenbar hast du zu tüchtig gefeiert. Ach, ist es sauer ohne Briefe von dir! Vorgestern habe ich ein Neujahrstelegramm an das Künstlertheater geschickt, ein langes, aber auf den Namen von Nemirovič, und da Nemirovič, Zeitungsgerüchten zufolge, ins Ausland gefahren ist, fürchte ich, man hat mein Telegramm nicht angenommen. Erkundige dich, Herz!

Die Schlauberger wollen dir Ende Januar Urlaub geben? Oh, paß auf, die legen dich rein! Die Rolle in den »Einsamen« gib der Roksanova, dann haben sie in deiner Abwesenheit mehr Stücke zu spielen. Überhaupt spielst du sehr oft, ohne Pause, das ist nicht gut. Es ist ungesund für den Körper wie für die Seele. Man sollte nicht öfter als 2–3 mal in der Woche spielen.

Herzchen, schöne Frau, meine Goldene, beschreib mir die Vorstellung, die ihr für die Ärzte gebt. Ich habe gelesen, die Ärzte wollten ein Essen für euch geben, sozusagen aus Dankbarkeit. Stimmt das? Gebt euch Mühe, spielt so gut wie möglich, und die Kinderfrau soll die Samarova spielen.

Ich wollte heute in die Stadt gehen zum Haareschneiden und hatte mir gestern dazu den Kopf gewaschen, aber es ist zu kalt, es sind nur drei Grad Wärme. Ich muß es verschieben.

Jeden Tag, wenn ich aufwache und mich schlafenlege, denke ich an meine Frau. Ich denke, und denke...

Ich küsse dich, umarme, streichle dich, küsse dir die Hände, streichle dich am ganzen Körper. Bleib gesund, Liebste, schreib mir. *Dein Ehemann Ant.*

985) AN K. S. STANISLAVSKIJ JALTA, 4. 1. 1902

4. Jan. 1902, Jalta.

Lieber Konstantin Sergeevič, die Städtische Bibliothek Taganrog (sie ist doch auch ein Museum) hat sich mit der Bitte an mich gewandt, eine Photographie von Ihnen als dem Begründer und Direktor des Künstlertheaters zu beschaffen und zu schicken. Seien Sie so gut, helfen Sie mir, diese Bitte zu erfüllen. Unterschreiben Sie auf der Photographie (auf der Bildseite) – »K. S. Alekseev-Stanislavskij, Künstlerisches Theater, dann und dann« – und schicken Sie sie mir, ich schicke sie weiter nach Taganrog.

Ihr Neujahrstelegramm habe ich bekommen, ich danke Ihnen vielmals! Ich habe einen Neujahrsglückwunsch an Ihr Theater geschickt, fürchte aber, er ist nicht angenommen worden, weil ich ihn auf den Namen von Vladimir Ivanovič geschickt habe. Gorkij war bei mir, ich habe ihm das Telegramm gegeben, das sich als eines von Ihnen erwies, und dann haben wir lange über sein Stück gesprochen... Wir haben über die Besetzung gesprochen, die Nemirovič ihm geschickt hat. Ich finde, daß Nil eine Rolle für Sie ist, das ist eine wunderbare Rolle, die beste männliche Rolle im ganzen Stück. Teterev dagegen, der die ganze Zeit ein und dasselbe sagt, wird Sie, wie ich glaube, nicht fesseln können. Er ist keine lebendige Person, sondern eine papierene. Übrigens, vielleicht irre ich mich auch.

Übermitteln Sie Marija Petrovna meinen Gruß, meinen Glückwunsch zum Neuen Jahr und meine herzlichsten Wünsche für Gesundheit und Erfolge. Ich danke ihr unendlich, sie kann sich gar nicht vorstellen, wie ich ihr danke und wie ich sie liebe.

Ich drücke Ihnen fest die Hand. Vergessen Sie mich bitte nicht.

Ihr A. Čechov.

Ich war anderthalb Monate lang krank, jetzt ist wieder alles gut.

986) AN M.P. ČECHOVA JALTA, 12. 1. 1902

Abschriften der Telegramme, die ich heute bekommen habe: »Die Ärztekollegen, Mitglieder des VIII. Pirogov-Kongresses der russischen Ärzteschaft, die heute im Künstlerischen Theater der Vorstellung des »Onkel Vanja« beiwohnten, senden dem heiß geliebten Autor, ihrem teuren Kollegen, den Ausdruck ihrer Hochachtung und wünschen Gesundheit.« Es folgen die Unterschriften.

Das zweite: »Die Zemstvo-Ärzte aus den dumpfen Winkeln Rußlands, die in der Aufführung von Künstlern das Werk eines Arztes und Künstlers gesehen haben, grüßen ihren Kollegen und werden für immer das Andenken an den 11. Januar bewahren.« Es folgen die Unterschriften.

Ich hoffe, du bist gut angekommen. Zu Hause geht es allen gut. Herzliche Grüße an Olja, Vanja, Sonja, Višnevskij, dem du bitte nicht vergißt, die Quittung zu geben. Vergiß nicht, dich um die »Novosti dnja« zu kümmern. War es langweilig, in Sevastopol zu warten? Von Lazarevskij kam ein langer Brief.

Bleib gesund, schreib! *Dein Antoine*

12. Jan. 1902.

987) AN O.L. KNIPPER JALTA, 15. 1. 1902

15. Jan. 1902.

Meine liebe Oljuša, mein Pöpschen, einen Brief von dir habe ich durch Dolgopolov bekommen, einen zweiten, in dem du von diesem Arzt schreibst, – bekam ich heute. Danke, meine Gute, Gott schenke dir Gesundheit und große Erfolge.

Von den Ärzten habe ich ein Telegramm bekommen, das

weißt du bereits. Natürlich ist das überaus angenehm. Was aber sehr unangenehm ist, ist, daß sie, d.h. die Ärzte, den Schauspielern das von Braz fabrizierte Porträt überreicht haben, ein furchtbares Porträt. Hätten sie nicht eins bei Opitz kaufen können! Übrigens, das ist alles unwichtig.

Solovcov ist gestorben. Ich kann es noch gar nicht glauben. Von ihm bekam ich immer ellenlange Telegramme, mal Glückwunschtelegramme, mal geschäftliche, durch ihn habe ich mindestens 200 Rubel im Jahr verdient – und plötzlich!

Heute habe ich zum ersten Mal den Frühlingsgesang der Vögel gehört. Es ist warm, sonnig, still, und dann das schüchterne, unentschlossene Tschilpen der Vögel, die Ende März nach Rußland fliegen werden. Heute nacht hat es gebrannt; es brannte das weiße Haus, das direkt gegenüber den Fenstern meines Arbeitszimmers steht, auf der anderen Seite des Flusses, das der Architekt Šapovalov gebaut hat. Es raucht immer noch. Nachts sollen die Sturmglocken geläutet haben, ich habe sie nicht gehört.

Den Auslandsbrief hättest du nicht in deinen Brief stecken sollen. Du hättest einfach die Adresse durchstreichen, Jalta draufschreiben und ihn in den Briefkasten werfen müssen. Hast du verstanden?

Dolgopolov war noch nicht bei mir, er wird kommen und viel und lange reden – oh rettet uns, himmlische Heerscharen! Aller Wahrscheinlichkeit nach wird er heute kommen. Übrigens, seine Frau ist bösartig, häßlich, abgelebt, aber alle 9–10 Monate beglückt sie die Welt mit einem neuen Säugling. Nifont rät dir, die Bühne aufzugeben – das ist völliger Quatsch; er rät dir das, weil ihm die Zunge im Munde zappelt.

Gestern habe ich keinen Brief von dir bekommen, heute bekam ich einen kurzen, in dem du schreibst, du seist nicht gesund. Gott bewahre dich, werd nicht krank, sonst bekommst du Prügel von deinem strengen Mann.

Also, mein Kindchen, Gott beschütze dich. Ich küsse und umarme dich. Bleib gesund, munter, guter Stimmung.

Dein Ant.

Gestern war ich krank, träge, aber heute fühle ich mich sehr wohl.

988) AN O. L. KNIPPER JALTA, 16. 1. 1902

16. Jan.

Liebes Herzchen, sei gegrüßt! Morgen habe ich Namenstag, habe die Ehre Ihnen zu gratulieren. Heute war Dolgopolov da, er hat die ganze Zeit geschwiegen, aber lange dagesessen.

Das Wetter ist heute, wie gestern, wunderschön, frühlingshaft. Bleib gesund, mein Engel, bleib fröhlich, denk nichts Schlechtes von mir – ich bin doch gesund. Ich liebe dich verzweifelt, mein Herz, mein kleiner Papagei. Ich küsse dich fest.

Dein Ant.

Schreib ausführlich über Gorkijs Stück. Er war heute bei mir, ich habe ihm nichts vorlesen können.

989) AN K. S. STANISLAVSKIJ JALTA, 20. 1. 1902

20. Jan. 1902.

Lieber Konstantin Sergeevič, soweit mir bekannt ist (aus Briefen), sind die Porträts der Schriftsteller in der Bibliothek von Taganrog alle in einer Reihe aufgehängt in einem großen Rahmen. Wahrscheinlich wird man auch Sie in solch einen Rahmen hängen wollen, und darum glaube ich, ist es am besten, ohne alle Scherereien eine Photographie vom gewöhnlichen Format, ohne Rahmen zu schicken. Wenn sich später herausstellen sollte, daß ein Rahmen gebraucht wird, dann kann man ja einen Rahmen nachschicken.

Als ich die »Kleinbürger« las, erschien mir die Rolle des Nil als die zentrale. Das ist kein Bauer, kein Handwerker, sondern ein neuer Mensch, ein zum Intellektuellen gewordener Arbeiter. Im Stück ist er nicht zu Ende geschrieben, wie mir scheint, ihn fertigzuschreiben ist aber nicht schwer und würde nicht lange dauern, und es ist schade, furchtbar schade, daß Gorkij nicht die Möglichkeit hat, auf den Proben zu sein.

Nebenbei bemerkt, der vierte Akt ist schlecht gemacht (außer dem Schluß), und da Gorkij nicht die Möglichkeit hat, auf den Proben zu sein, ist er irreparabel schlecht.

Ich drücke Ihnen fest die Hand und sende Ihnen und Marija Petrovna meinen herzlichen Gruß. *Ihr A. Čechov.*

990) AN O. L. KNIPPER JALTA, 20. I. 1902

20. Jan.

Was bist du dumm, mein Herz, was bist du für ein Dummchen! Warum bist du verdrossen, worüber? Du schreibst, alles sei aufgeblasen und du seist eine komplette Null, deine Briefe gingen mir auf die Nerven, du fühltest mit Entsetzen, wie dein Leben sich einenge usw. usf. Bist du dumm! Ich habe dir nicht deshalb nichts über das nächste Stück geschrieben, weil ich kein Vertrauen zu dir hätte, sondern weil ich noch kein Vertrauen in das Stück habe. Es hat kaum in meinem Gehirn aufgeleuchtet, wie das allererste Tageslicht, und ich weiß selbst noch nicht, wie es wird, was dabei herauskommt, und es verändert sich jeden Tag. Wenn wir einander gesehen hätten, dann hätte ich dir davon erzählt, aber schreiben kann man das nicht, weil man doch nichts schreiben würde, sondern nur allen möglichen Unsinn zusammenschwatzen und dem Sujet gegenüber gleichgültig werden würde. Du drohst in deinem Brief, du würdest mich nach nichts mehr fragen, dich in nichts mehr einmischen; aber warum denn das, mein Herz? Nein, du bist ein guter Mensch, du wirst deinen Zorn in Gnade umwandeln, wenn du wieder siehst, wie ich dich liebe, wie nahe du mir bist und wie wenig ich ohne dich leben kann, mein Dummchen. Laß die Depressionen, hör auf damit! Lache! Mir ist gestattet, deprimiert zu sein, denn ich lebe in der Wüste, ich habe nichts zu tun, sehe keinen Menschen, bin fast jede Woche krank, aber du? Dein Leben ist trotz allem irgendwie ausgefüllt.

Ich habe einen Brief von Konstantin Sergeevič bekommen. Er schreibt viel und nett. Er deutet an, daß das Stück von Gorkij in dieser Saison vielleicht nicht mehr aufgeführt wird. Er schreibt von Omon, von »Mesdames, ne vous décolletez pas trop«.

A propos, Gorkij will sich an ein neues Stück setzen, ein Stück aus dem Leben der Asylbewohner, obwohl ich ihm rate, noch ein, zwei Jährchen zu warten, es nicht zu eilig zu haben. Ein Schriftsteller muß viel schreiben, aber er darf es nicht eilig haben. Nicht war, meine Gattin?

Am 17. Jan., meinem Namenstag, hatte ich widerwärtige Laune, weil ich krank war und weil dauernd das Telephon klingelte, um mir Glückwunschtelegramme durchzugeben. Selbst du und Maša haben mich nicht verschont, ihr habt ein Telegramm geschickt. A propos: wann ist dein Geburtstag?

Du schreibst: sei nicht traurig – wir sehen uns bald. Was soll das bedeuten? Sehen wir uns in der Karwoche? Oder vorher? Versetz mich nicht in Aufregung, meine Freude. Im Dezember hast du geschrieben, du kämst im Januar, du hast mich in Alarmzustand versetzt, in Aufregung, dann hast du angefangen zu schreiben, du kämst in der Karwoche – und ich habe meinem Herzen befohlen, Ruhe zu bewahren, habe mich zusammengenommen, und jetzt entfachst du plötzlich wieder Sturm auf dem Schwarzen Meer! Wozu?

Der Tod Solovcovs, dem ich meinen »Bären« gewidmet habe, war ein sehr unangenehmes Ereignis in meinem Provinzleben. Ich habe ihn gut gekannt. In den Zeitungen las ich, er habe Korrekturen in den »Ivanov« eingebracht, ich als Dramatiker hätte auf ihn gehört, aber das ist nicht wahr.

Also, meine Ehefrau, meine herrliche, gute, goldene, bleib Gott befohlen, gesund, fröhlich, denk an deinen Mann wenigstens abends, wenn du schlafen gehst. Hauptsache – sei nicht deprimiert. Dein Mann ist doch kein Trunkenbold, kein Schläger, kein Krakeeler, ich bin meinem Benehmen nach ein ganz und gar deutscher Ehemann; ich trage sogar warme Unterhosen…

Ich umarme einhundertundeinmal und küsse ohne Ende meine Frau. *Dein Ant.*

Du schreibst: »Wogegen man auch stößt – überall sind Wände.« Wo hast du dich denn gestoßen?

991) AN O. L. KNIPPER JALTA, 27. 1. 1902

27. Jan.

Mein liebes Pöpschen, ich habe nicht »böser Hund« telegraphiert, sondern »lieber Hund«; offenbar hat man das im Telegraphenamt durcheinandergebracht.

T. geht es sehr schlecht; er hatte Angina pectoris, dann Pleuritis und Lungenentzündung. Wahrscheinlich wirst du von seinem Tod hören, noch bevor du diesen Brief bekommst. Mir ist traurig, düster im Herzen.

Schreib, an welchem Tag, welchem Datum du fährst. Wenn du nicht fahren kannst, komm nicht, bleib zu Hause, tu deine Arbeit; wir sehen uns dann in der Karwoche. Ich bin gesund.

Ich küsse dich zärtlich und viele Male, mein Herz. Schreib, heute hatte ich keinen Brief von dir. *Dein Ant.*

992) AN O. L. KNIPPER JALTA, 29. 1. 1902

29. Jan.

Hast du wieder gelumpt, Herumtreiberin! Ach, das ist schön, das ist herrlich, ich liebe dich dafür, nur werd nicht zu müde davon.

Wie unpassend, mir den Griboedovpreis zu geben! Das bringt mir nichts anderes ein als das Geschimpfe von Burenin, und außerdem bin ich schon zu alt für derlei Aufmunterungen.

Du kommst für zwei Tage? Nur? Das ist dasselbe, als wollte man Tanner nach vierzigtägigem Hungern einen einzigen Teelöffel Milch geben. Das versetzt uns nur in Aufregung, gibt wieder Anlaß für eine Trennung – und, mein Herz, überleg dir, ob es nicht besser ist, dein Kommen bis Ende der Fasten zu verschieben. Überleg es dir. Auf zwei Tage zu kommen – das ist grausam, versteh das! Zwei Tage – ein Gnadengeschenk von Nemirovič, ergebensten Dank! Wenn ich bis Februar ausgehalten habe, dann halte ich auch bis zum Ende der Fasten aus, zwei Tage dagegen reichen gerade, daß du todmüde wirst von der Reise, und ich in Aufruhr versetzt werde vor Erwartung und gleich darauf vom Abschied. Nein, nein und nochmals nein!

Deine letzten Briefe sind sehr schön, mein Herz, ich habe sie mehr als einmal gelesen.

Ich liebe dich, ich kann nichts dagegen machen.

Schreib mir, ich werde regelmäßig schreiben. *Dein Ant.*

Ich umarme meine Herumtreiberin.

Wenn du die Absicht, zum Ende der Butterwoche zu kommen nicht aufgibst, dann wisse, ich bin einverstanden mit 5 Tagen – nicht weniger! 5 Tage und 6 Nächte.

993) AN M.P. LILINA-ALEKSEEVA JALTA, 3. 2. 1902

3. Februar 1902.

Liebe Marija Petrovna, Sie sind sehr gütig, ich danke Ihnen sehr für den Brief. Leider kann ich Ihnen nichts Interessantes schreiben, denn bei uns in Jalta gibt es weder etwas Neues noch etwas Interessantes, wir leben wie in Čuchloma oder Vasilsursk, werden alt, trinken Dekokt, laufen in Filzstiefeln herum... Übrigens, eine Neuigkeit gibt es, eine sehr angenehme – die Genesung Lev Tolstojs. Der Graf war sehr ernstlich krank, es war der Beginn einer Lungenentzündung, von der alte Leute wie er gewöhnlich nicht wieder genesen. Drei Tage etwa erwarteten wir das Ende, und plötzlich lebte unser Alter wieder auf, gab Anlaß zur Hoffnung. Gegenwärtig, während ich diesen Brief schreibe, hat sich die Hoffnung genügend gefestigt, und wenn Sie den Brief lesen, wird L.N. wahrscheinlich bereits gesund sein.

Was Gorkij betrifft, so fühlt er sich nicht übel, er ist munter, nur langweilt er sich und will sich an ein neues Stück setzen, für das er bereits ein Sujet hat. Soweit ich es beurteilen kann, wird er in fünf Jahren hervorragende Stücke schreiben; zur Zeit scheint er immer noch zu suchen.

Das, was Sie mir vertraulich in Ihrem Brief über Konstantin Sergeevič und meine Gattin mitteilen, hat mich außerordentlich erfreut. Ich danke Ihnen, jetzt werde ich Maßnahmen ergreifen, noch heute werde ich anfangen, mich um die Scheidung zu bemühen. Noch heute werde ich beim Konsistorium ein Gesuch einreichen und Ihren Brief beifügen, ich glaube, daß ich schon im Mai frei sein werde; und bis zum Mai werde ich meiner Gattin eine Lektion erteilen. Sie fürchtet mich, ich gehe ja auch nicht zimperlich mit ihr um – einen Tritt hat sie schnell weg!

An Konstantin Sergeevič meine herzlichsten Grüße. Ich gratuliere Ihnen und ihm zum neuen Theater, an den Erfolg glaube ich.

Ich verneige mich tief, küsse Ihnen die Hand und verneige mich nocheinmal.

Ihr aufrichtig ergebener *A. Čechov.*

994) AN O.L. KNIPPER JALTA, 10. 2. 1902

10. Febr.

Mein Hund, wenn du am 20. fährst, wie du versprichst, dann kannst du von Sevastopol mit dem Dampfer kommen (das wäre ein Freitag). Im Wagen wäre die Fahrt jetzt eine Qual, auf dem Dampfer dagegen kannst du essen, schlafen; es wird, aller Wahrscheinlichkeit nach, nicht schaukeln, und wenn, dann nur wenig. Also, mein Herz, ich flehe dich an, richte es so ein, daß du am 20. fahren kannst! Ich flehe dich an!

Nemirovič habe ich geschrieben, daß ein Theater als Aktiengesellschaft eine gute Sache ist, aber daß die Statuten keinen Pfifferling wert sind. Warum sind Stachovič und ich Aktionäre, und Mejerchold, Sanin, die Raevskaja nicht? Hier sind nicht Namen wichtig, sondern Regeln; man muß festlegen, daß jeder Aktionär wird, der mindestens 3 oder 5 Jahre mitgearbeitet hat, jeder, der ein Gehalt in der und der Höhe bekommen hat. Ich wiederhole, wichtig sind nicht Namen, sondern Regeln, sonst geht das Ganze zum Teufel.

Heute hat man an unserem Briefkasten einen Griechen ertappt, der sich Briefe herausangelte. Und ich habe mich, zugegeben, gefreut: wenn du jetzt anfängst mich zu beschimpfen, ich schriebe dir so selten, dann werde ich mich auf diesen Griechen berufen.

Mein Herz, meine Gute, mein kleines Licht, meine Schönheit, ich flehe dich an, ich verneige mich vor dir bis zur Erde, fahr am 20. von Moskau ab, damit du am Freitag hier bist! Erfülle mir diese Bitte! Beweise, daß du eine gute Ehefrau bist. Bitte Herrn Vladimir Ivanovič darum, er wird dich gehen lassen.

Wir haben jetzt eine gute Köchin, die das Herz erfreut; sie hat in der Küche Stille und Frieden eingeführt. Ist sehr religiös.

Wir haben empörendes Wetter. Es schneit.

Ich habe in zwei Zeitungen gelesen, euer Theater werde nicht nach Petersburg reisen. Ist das wahr?

Also, ich küsse, umarme dich, bleib gesund. *Dein Ant.*

Diesen Brief schicke ich am 11. Febr. ab.

Hier sind verschiedene Gerüchte im Umlauf über Petersburg, über Moskau. Paß auf, wenn etwas passiert, schreib.

995) AN M. A. ČLENOV JALTA, 13. 2. 1902

13. Febr. 1902.

Lieber Michail Aleksandrovič, Sie sind böse? Sie beschimpfen mich, weil ich nichts schreibe? Es gibt wirklich absolut nichts zu schreiben. Tolstoj ist, Gott sei Dank, wieder genesen, die Lungenentzündung ist vorüber, der Frühling hat allem Anschein nach noch nicht begonnen, interessante Leute bekomme ich nicht zu Gesicht und höre weder etwas Neues noch etwas Interessantes.

Schreiben wir also über Vergangenes. Vor allem vielen herzlichen Dank für Ihren Brief und Ihre Bemühungen auf dem Kongreß. Während des Kongresses bin ich mir vorgekommen wie ein Prinz, die Telegramme haben mich zu einer Höhe emporgehoben, von der ich nie geträumt habe. Nur das eine: warum, warum das Porträt von Braz? Das ist doch ein schlechtes, das ist ein furchtbares Porträt, besonders als Photographie. Ich habe mich im Frühjahr bei Opitz in der Petrovka aufnehmen lassen, er hat einige Porträts von mir aufgenommen, darunter gibt es gelungene, jedenfalls bessere als das von Braz. Ach, wenn Sie wüßten, wie Braz mich gequält hat, als er dieses Porträt malte! An einem Porträt hat er 30 Tage lang gemalt – es mißlang; dann kam er zu mir nach Nizza, fing ein anderes an zu malen, malte vor dem Essen und nach dem Essen, 30 Tage lang – und wenn ich Pessimist geworden bin und düstere Erzählungen schreibe, so ist dieses mein Porträt daran schuld.

Schreiben Sie mir, was es in Moskau Neues gibt, was passiert, was man so hört, wovon man träumt. Und ich werde Ihnen natürlich mit uninteressanten Briefen antworten. Es sei denn, es gäbe ein Erdbeben, das wäre etwas anderes, dann schreibe ich Ihnen einen langen Brief, mit allen Einzelheiten.

Meine Gesundheit ist anscheinend in Ordnung. Bluthusten habe ich keinen.

Schreiben Sie mir, was Leonid Andreev macht. Stimmt es, daß er auf die Krim kommen will...

Nach Ostern komme ich nach Moskau, und wenn man mir eine Million gäbe. Ich werde den ganzen Mai in Moskau sein.

Ich drücke Ihnen fest die Hand und danke Ihnen nochmals herzlich und, glauben Sie mir, aufrichtig. Schreiben Sie, mein Lieber. *Ihr A. Čechov.*

996) AN O. L. KNIPPER JALTA, 18. 2. 1902

Nimm soviel du willst. Ich warte. *Antoine.*

997) AN O. L. KNIPPER JALTA, 19. 2. 1902

Bring Jackett mit.

998) AN V. S. MIROLJUBOV JALTA, 20. 2. 1902

20. Febr. 1902.

Lieber Viktor Sergeevič, verzeihen Sie, daß ich dieses Lied so lange hingezogen habe. Die Erzählung hatte ich längst abgeschlossen, aber es ist mir ein bißchen schwergeworden, sie abzuschreiben; ich bin dauernd krank... Krank, auch wenn man drauf pfeifen möchte.

Schicken Sie mir unbedingt die Fahnen. Ich werde am Schluß noch zwei, drei Sätze anfügen.

Der Zensur gebe ich in keinem einzigen Wort nach, behalten Sie das im Auge. Wenn die Zensur auch nur ein einziges Wort streichen will, schicken Sie mir die Erzählung zurück, und ich schicke Ihnen eine andere im Mai.

Also, der Herrscher des Himmels beschütze Sie. Schreiben Sie mir ein Briefchen.

Bleiben Sie gesund und glücklich. *Ihr A. Čechov.*

999) AN P. A. SERGEENKO JALTA, 2. 3. 1902

2. März 1902.

Lieber Pëtr Alekseevič, zu mir kommen dauernd Studenten mit der Bitte, ihnen zu erklären, was für ein Mensch der Student G. sei, den du geschickt hast; die Erkundigungen haben ergeben, daß er nie Student gewesen ist, obwohl er sich Medizinstudent des v. Studienjahres nennt und sogar ein Telegramm vorzeigt, in dem ihm eine Arztstelle angeboten wird mit 300 R. Gehalt im Monat. Er redet Blödsinn, über den schon ein Student des ersten

Антонъ Чеховъ.

ДЯДЯ ВАНЯ.

Сцена изъ деревенской жизни.

Въ четырехъ дѣйствіяхъ.

Цѣна 50 коп.

С.-ПЕТЕРБУРГЪ.
Изданіе А. Ф. Маркса.
1902.

Titelblatt der ersten Einzelausgabe des »Onkel Vanja«, im Verlag A.F. Marks, Petersburg 1902.

Studienjahres lachen würde, er weiß absolut nichts, kann keinen einzigen Professor beim Namen nennen, kein einziges Studienfach, ohne dabei nicht das Blaue vom Himmel herunterzulügen, usw. usf. Die Studenten haben sich erkundigt bei den Ärzten von Odessa und Bessarabien, bei denen er, nach eigenen Worten, praktiziert haben will, und von einigen kam eine Antwort, die die Studenten verblüfft hat. Und sie wissen jetzt nicht, wie sie sich gegenüber G. verhalten sollen, der, ausgerechnet, auch noch zu den Organisatoren eines studentischen Konzerts gehört und 42 Rub. »für Droschken« ausgegeben hat; sie fangen an, von einem Spitzel zu reden. Ich bitte dich nachdrücklich, schreib mir möglichst ausführlich, wer dieser G. ist, woher er kommt, warum er die Studentenuniform trägt usw. usf. Hier erwarten alle voller Ungeduld deine Antwort. Schreib, bitte.

Neues gibt es nicht. L. N. war wieder erkrankt, er hatte eine beginnende Pleuritis, jetzt ist alles gut.

Bleib gesund, ich wünsche dir alles Gute.

Dein A. Čechov.

1000) AN O. L. KNIPPER JALTA, 8. 3. 1902

8. März.

Meine grausame Ehefrau, heute ist bereits Freitag, und ich weiß nichts über euer Theater, wie es in Petersburg geht und was los ist. Offenbar ist entweder das Theater eingestürzt, oder meine Frau ist mir untreu geworden. Nemirovič tut es leid um das Geld und die Zeit, das verstehe ich ja, aber für mich ist es trotzdem langweilig, ich bin am Schicksal eures Theaters ebenso interessiert wie alle anderen.

Das Wetter hat sich gebessert, aber es ist kalt, ohne jede Rücksicht. Ich esse viel; gestern war Altšuller da, er hat mich abgehorcht, mir verordnet, eine Fliege anzusetzen, was ich auch getan habe. Ich huste weniger. Von Miroljubov habe ich die Fahnen meiner Erzählung bekommen und kümmere mich jetzt darum, daß diese Erzählung nicht veröffentlicht wird, denn die Zensur hat sie stark gerupft. Ich werde mich um die Scheidung kümmern, wenn ich erfahre, daß meine Frau sich schlecht benimmt, sich nicht ausruht.

Ach, mein Hund, mein Hund!

Schreib mir jeden Tag, schreib ausführlich, in allen Einzelheiten; ich bin doch der einzige für dich auf der Welt, und außer mir hast du keine Menschenseele auf dieser Welt. Denk daran.

Ich habe diesen Brief unterbrochen. Und wieder aufgenommen, nachdem ich die Zeitungen gelesen habe. In den Moskauer Zeitungen las ich ein Telegramm, das Künstlertheater habe »kolossalen« Erfolg gehabt.

Ich gratuliere, mein Herz! Trotzdem wüßte ich gern Einzelheiten.

Ich umarme dich und küsse dich. Gott beschütze dich.

Dein An.

Ich habe mir die Haare schneiden lassen. Habe ich dir das geschrieben?

1001) AN V.S. MIROLJUBOV JALTA, 8. 3. 1902

8. März 1902.

Lieber Viktor Sergeevič, heute habe ich die Fahnen bekommen, ich habe sie noch heute lesen und zurückschicken wollen, aber 1) hat Ihr Korrektor alle Punkte in Ausrufungszeichen verwandelt und Gänsefüßchen hingesetzt, wo keine hingehören (»Syntax«), und 2) sind viele Auslassungen darin, die wieder eingesetzt werden müssen: (z. Beisp. »Demjan, der Drachenseher«). Und ich möchte auch noch einiges hinzufügen – das neben allem anderen. Sie werden die Fahnen also einen Tag nach diesem Brief bekommen oder noch am selben Tage, wenn ich bis zum Abend, bis 7 Uhr damit fertig werde.

Verzeihen Sie, mein Lieber, ich bitte Sie noch einmal: wenn die Zensur auch nur ein einziges Wort streicht, dann veröffentlichen Sie sie nicht. Ich schicke Ihnen eine andere Erzählung. Ich habe, der Zensur wegen, ohnehin schon vieles weggelassen und gestrichen, während ich schrieb.

Denken Sie an diese meine Bitte, ich bitte Sie.

Das Künstlertheater ist zur Zeit in Petersburg. Wie es dort läuft, weiß ich nicht, man schreibt mir nicht. Es läuft also träge? Niedergeschlagen? Übrigens, es ist nichts zu verstehn auf dieser Welt, auch das Publikum nicht.

Für das Telegramm zum Mitglied der Akademie danke ich Ihnen sehr, mein Lieber. Gott schenke Ihnen alles Gute, leben Sie fröhlich und in Gesundheit. Schreiben Sie mir zwei, drei Zeilen.

Ihr A. Čechov.

1002) AN O. L. KNIPPER JALTA, 11. 3. 1902

11. März.

Ehefrau, sei gegrüßt! Sei so gut, bedanke dich bei I. A. Tichomirov für die Zeitungen und sag ihm, das »Novoe vremja« brauche er nicht zu schicken, ich bekomme diese Zeitung. Gib ihm außerdem Zweikopekenmarken, sonst klebt er immer nur eine darauf, und ich muß Strafe zahlen.

Wie schade, daß nicht die Lilina spielt, sondern statt ihrer meine Lieblingsschauspielerin Munt!

Heute habe ich keinen Brief von dir bekommen. Das ist unanständig. Schreib, ob die Lilina spielen wird, wie es ihr geht und überhaupt. Grüß alle, auch Nemirovič; sag ihm, daß ich die Photographie bekommen hätte, merci.

Heute steht in den Zeitungen eine interessante Mitteilung wegen Gorkij.

Also, mein Herzchen, bleib gesund und glücklich. Ich liebe dich und werde dich lieben, auch wenn aus dir, meinem Hund, ein Krokodil werden sollte. Ich küsse meine Liebste eintausend Mal.

Dein An.

1003) AN O. L. KNIPPER JALTA, 16. 3. 1902

16. März.

Mein liebes, dummes Pöpschen, meine böse, häßliche Ehefrau, gestern habe ich keinen Brief von dir bekommen. Außer dem gestrigen Tage habe ich dir täglich geschrieben; offenbar kommen die Briefe nicht an, wozu ich dir gratuliere.

Nun, mein Herz, heute fällt ein wunderbarer Frühlingsregen. Das ist der erste in diesem Frühjahr. Mutter hat heute das Abendmahl empfangen. Arsenij hat ein herzerfrischendes Gesicht. Meine Gesundheit ist gut, der Husten hat nachgelassen, meine Stimmung ist anständig. Ein Stück schreiben werde ich nicht und ich habe auch keine Lust, eins zu schreiben, weil es heutzutage schon ziemlich viele Dramenschreiber gibt, und diese Beschäftigung allmählich langweilig, alltäglich wird. Ihr müßt vor allem den »Revisor« inszenieren, Stanislavskij als Stadthauptmann, Kačalov als Chlestakov. Das für die Sonntage. Und du würdest eine großartige Frau des Stadthauptmanns abgeben. Dann – die »Früchte der Bildung«, ebenfalls für die Sonntage und zur Reserve. Nur müßt ihr euch unbedingt noch zwei, drei anständige Schauspielerinnen und ebensoviele, ebenfalls anständige Schauspieler besorgen. Wenn die Hauptrollen, und sei es nur aus Zufall, von Schauspielern wie der Munt oder sogar solchen wie der Litovceva gespielt werden, dann ist euer Theater in 2–3 Jahren am Ende.

Ich bekomme von niemandem Besuch. Übrigens, gestern war Marija Ivanovna Vodovozova da, die sich offenbar – und das ist ein Jammer! – mit mir ausgesöhnt hat. Ein unerträgliches, dummes Weibsbild, das jeden Augenblick die Nase in Dinge stecken muß, die sie nichts angehn.

Wie läuft der IV. Akt der »Kleinbürger«? Bist du zufrieden? Schreib mir, Herzchen.

Weshalb habe ich kein einziges Telegramm bekommen? Ich warte jeden Abend. Offenbar hat Nemirovič den Mut verloren oder ist dabei, ihn zu verlieren, ihn ärgern die Rezensionen. Und du, Dummchen, glaub nicht diesen abgeschmackten, dummen, satten Rezensionen von Leuten, die nichts im Kopf haben. Sie schreiben nicht, was sie fühlen oder was ihnen ihr Gewissen sagt, sondern was ihrer Stimmung am nächsten kommt. Dort, in Petersburg, werden Rezensionen nur von satten jüdischen Neurasthenikern geschrieben, dort gibt es keinen einzigen echten, reinen Menschen.

Jetzt ist schon die vierte Fastenwoche! Bald kommst du. Ich werde dir das Zimmer geben, in dem das Klavier steht, und das Zimmer darunter, in dem du voriges Jahr gewohnt hast. Zwei Zimmer also. Ich würde dir sogar drei Zimmer geben, nur geh nicht für 1000 R. monatlich zu Suvorin.

Schreib, Herzchen, sei nicht faul, sei eine anständige Ehefrau. Ich umarme und küsse dich fest. Schreib, meine Gute! Schreib lang, in deinen Briefen bist du klug.

Dein Ehemann unterm Pantoffel *An.*

Grüß die Andreevskaja, die, die wir in der Kumys-Kur kennengelernt haben.

Vorgestern, nachdem ich deinen Brief gelesen hatte, in dem du schreibst, daß meine Briefe nicht ankämen, habe ich dir einen Brief ans Panaev-Theater geschickt.

1004) AN V.G. KOROLENKO JALTA, 19. 3. 1902

19. März 1902.

Lieber Vladimir Galaktionovič, ich habe den ganzen Winter über nichts getan, weil ich krank war. Jetzt geht es mir besser, ich bin fast gesund, aber was weiter werden wird – weiß ich nicht, und darum kann ich noch nichts Bestimmtes sagen über eine Erzählung für den Almanach. Im Juli oder im August werde ich es Ihnen sagen, dann wird man klarer sehen. Was dagegen das »Russkoe bogatstvo« betrifft, so werde ich bei erster Gelegenheit eine Novelle oder Erzählung schicken. Diese Zeitschrift ist mir sympathisch, ich liebe sie und habe gern dort gearbeitet.

Heute habe ich von einem Mitglied der Akademie einen Brief

folgenden Inhalts bekommen: »Gestern war eine Sondersitzung (gestern – am 11. März) der Sektion Schöne Literatur, wiederum im Marmorpalast, abermals dem Zwischenfall um Maksim Gorkij gewidmet. Verlesen wurde ein Verweis von höchster Stelle, dargelegt in den Worten, daß der Herrscher ›zutiefst betrübt‹ sei über die Wahl und daß das Min. f. Volksbildung vorschlüge, von nun an die Namen aller Kandidaten ihm und dem Min. des Innern zur Einsicht vorzulegen.«

M. Gorkij lebt, übrigens, gegenwärtig in Oleiz, er war heute bei mir. L. N. Tolstoj ist auf dem Wege der Besserung.

Ich wünsche Ihnen alles Gute, drücke Ihnen fest die Hand.

Für den Brief, dafür, daß Sie an mich gedacht haben, danke ich Ihnen vielmals. *Ihr A. Čechov.*

1005) AN O. L. KNIPPER JALTA, 20. 3. 1902

20. März.

Liebes Herz, du fragst, warum ich kein Geld nehme für die Übersetzungen meiner Werke. Darum, weil sie keins zahlen. Dein Freund Czumikow hat mir vor einem halben Jahr geschrieben, daß mir jemand für seine Übersetzung 100 Mark schicken werde, aber dieser »Jemand« hat es nicht eilig. Du hättest gut daran getan, diesen Czumikow nicht zu empfangen. Was Marks und die 300 000 betrifft, so lügt er. Die Gr. Tolstaja hat nicht im Traum daran gedacht, mit Marks zu handeln, das ist alles Lüge.

Ich gehe absichtlich in abgewetzten Hosen, damit alle sehen und merken, wie du mich ruinierst. Warte nur, bald werde ich ohne Hosen gehen!

Noch ein Wort zu Czumikow. Ich habe ihn doch autorisiert, er übersetzt mich schon seit langem, und er wagt zu sagen, ich lehnte ein Honorar ab! So ein Schwein.

Bei uns steht alles in Blüte. Dein Zimmer mit dem Klavier erwartet dich. Du mußt jetzt bald kommen. Wir bleiben ein bißchen hier in Jalta, dann fahren wir nach Moskau, dann an die

Volga. In Moskau möchte ich mir eure Wohnung anschauen; sie soll sehr schön sein.

Die alte Sredina* und fils junior lassen dich grüßen. Weißt du? Und schön wäre, wenn man mich im kommenden Winter reisen ließe, und sei es an den Nil. Was meinst du? Ich würde dir lange Briefe aus Afrika schreiben. Mein Herz!!

Also bleib glücklich. Gott schenke dir Gesundheit und alles, alles Beste. Ich umarme dich. *Dein grimmiger Ehemann An.*

* Sie war eben hier, auch ihr Sohn, er sprach mit leiser, schüchterner Stimme.

1006) AN P. A. SERGEENKO JALTA, 24. 3. 1902

24. März.

Lieber Pëtr Alekseevič, mit G. ist bereits alles zu Ende: er ist gestorben, 3–4 Tage nachdem ich deinen letzten Brief bekommen hatte. Er war drei Tage lang krank, man stellte die Diagnose Darmverschlingung, machte eine Operation, öffnete den Bauch – und er ist gestorben. Festgestellt hat man bei ihm Bauchfelltuberkulose, unter anderem. Was für ein Mensch er war, bleibt also ein Geheimnis für alle, die ihn in Jalta gekannt haben.

Die Gesundheit von L. N. bessert sich. Die Lungenentzündung ist längst ausgeheilt, geblieben ist nur die Schwäche.

Das Wetter in Jalta ist sehr schön, schon frühlingshaft; auch meine Gesundheit hat sich gebessert. Den ganzen Winter war sie miserabel, ich habe nichts getan.

Bleib gesund und wohlauf. *Dein A. Čechov.*

1007) AN O. L. KNIPPER JALTA, 31. 3. 1902

31. März.

Mein liebes Herz, gleich fahre ich zu Tolstoj. Das Wetter ist wunderschön. Und dir fällt Petersburg auf die Nerven? Ist es langweilig? Kalt?

Was die Ehrenmitglieder der Akademie betrifft, so ist noch nichts entschieden, nichts gewiß; mir hat niemand etwas geschrieben, und ich weiß nicht, wie ich handeln soll. Ich werde heute mit L. N. sprechen.

Das Stück von Gorkij hatte Erfolg? Prachtkerle!!

Also, auf Wiedersehen, mein Herz! Wenn ich etwas brauche, werde ich telegraphieren, als Brief ist das der letzte, wenn ich nicht morgen noch einen schreibe.

Ich bin vollkommen gesund, mit dem Plombieren der Zähne werde ich morgen fertig. Am Mittwoch fängt Nilus damit an, mich zu malen, ein Maler, Freund von Bunin.

Also, Ehefrau, auf Wiedersehen! Wir kommen zusammen – und dann wird uns kein Hund mehr auseinanderreißen bis September oder Oktober.

Ich umarme dich, küsse dich eine Million Male.

Mit der »Wildente« habt ihr euch blamiert?

Dein treuer Ehemann An.

Heute kam kein Brief von dir.

1008) AN N.P. KONDAKOV JALTA, 2. 4. 1902

2. April 1902.

Sehr geehrter und lieber Nikodim Pavlovič, ich weiß nicht, ob Sie nach Petersburg zurückgekehrt sind (Sie schrieben, und es ist auch den Zeitungen zu entnehmen, daß Sie in Moskau seien), erlauben Sie mir aber dennoch, Sie an meine Existenz zu erinnern. Ich will damit beginnen, daß in Jalta schon richtiger Frühling ist, die Bäume schlagen aus, die Pfirsichbäume blühen, es ist warm, der Schauspieler Sazonov trinkt auf seinem eigenen Landsitz den Tee nur noch im Freien. Meine Gesundheit war im Februar und Anfang März schlecht, ich bin abgemagert und habe viel gehustet, jetzt geht es mit mir offenbar aber in Richtung Besserung, ich fühle mich sehr gut.

Ich würde Sie sehr gern sehen und mit Ihnen sprechen, Einzelheiten erfahren über die letzten Wahlen der Akademie. Bis jetzt ist mir noch sehr vieles unklar, zumindest weiß ich nicht, was ich tun soll, ob ich Ehrenmitglied der Akademie bleiben soll oder zurücktreten.

L.N. Tolstoj geht es besser, das ist unbestreitbar, seine Krankheit (Lungenentzündung) ist vorüber, aber trotzdem ist er noch schwach, sehr schwach, erst vor kurzem hat er sich im Sessel aufgesetzt, sonst hat er nur gelegen. Gehen können wird er noch nicht so bald. Ich war vorgestern bei ihm, und er erschien mir in Genesung begriffen, aber sehr alt, beinahe hinfällig. Er liest viel, der Kopf ist klar, die Augen ungewöhnlich klug. Schreiben ist natürlich unmöglich, aber trotzdem hat er irgendetwas Neues, das er geschrieben hat; aber darüber erzähle ich Ihnen, wenn wir einander sehen.

Und wann werden wir uns sehen? Schreiben Sie bitte. Ich wiederhole, ich möchte sehr gern mit Ihnen sprechen, ich möchte es und muß es dringend.

Ich wünsche Ihnen alles Gute, grüße Sie und Ihre Familie herzlich. Bleiben Sie gesund und wohlbehalten.

Ihr A. Čechov.

1009) AN O.L. KNIPPER JALTA, 5.4.1902

Telegraphier ausführlich Gesundheit.

1010) AN O.L. KNIPPER JALTA, 6.4.1902

Danke herzlich Evgenija Michajlovna, Konstantin Sergeevič. Mache mir Sorgen, telegraphiere täglich, flehe dich an. *Anton.*

1011) AN O.L. KNIPPER JALTA, 10.4.1902

Nemirovič angekommen. Hebamme nimm bis Sevastopol, komm allein, telegraphier. Warte ungeduldig.

1012) AN A.F. MARKS JALTA, 16. 4. 1902

16. April 1902.

Sehr geehrter Adolf Fëdorovič!

Im Aprilheft der Zeitschrift »Žurnal dlja vsech« ist der »Bischof« veröffentlicht, meine neue Erzählung, die ich Sie auszuschneiden und für Band XI aufzuheben bitte.

Ich wünsche Ihnen glückliche Feiertage und alles Gute.

In aufrichtiger Hochachtung *A. Čechov.*

1013) AN V.G. KOROLENKO JALTA, 19. 4. 1902

19. April 1902, Jalta.

Lieber Vladimir Galaktionovič, meine Frau kam aus Petersburg mit 39°, vollkommen schwach, mit starken Schmerzen; sie kann nicht gehen, vom Dampfer hat man sie auf Händen getragen... Jetzt geht es ihr anscheinend ein bißchen besser...

Tolstoj werde ich die Erklärung nicht übergeben. Als ich mit ihm ein Gespräch über Gorkij und die Akademie anfangen wollte, sagte er: »Ich betrachte mich nicht als Mitglied der Akademie« – und vertiefte sich in ein Buch. Gorkij habe ich ein Exemplar übergeben, ihm Ihren Brief vorgelesen. Ich habe irgendwie den Eindruck, daß die Sitzung der Akademie am 25. Mai nicht stattfinden wird, weil Anfang Mai bereits alle Akademiemitglieder aufs Land fahren. Ich habe weiter den Eindruck, daß sie Gorkij ein zweites Mal nicht wählen werden, daß sie ihn durchfallen lassen. Ich würde Sie schrecklich gern sehen, mit Ihnen sprechen. Kommen Sie nicht nach Jalta? Ich bleibe hier bis zum 15. Mai. Ich würde zu Ihnen nach Poltava kommen, aber meine Frau ist krankgeworden und wird, wahrscheinlich, noch drei Wochen liegen müssen. Oder sehen wir uns nach dem 15. Mai in Moskau, an der Volga, im Ausland? Schreiben Sie.

Ich drücke Ihnen fest die Hand und wünsche alles Gute. Bleiben Sie gesund. *Ihr A. Čechov.*

Meine Frau läßt Sie grüßen.

1014) AN V.G. KOROLENKO JALTA, 20. 4. 1902

20. April 1902.

Lieber Vladimir Galaktionovič, meine Frau ist immer noch krank, und ich kann einfach meine Gedanken nicht sammeln, um Ihnen zu schreiben, wie es sich gehört. In meinem gestrigen Brief fragte ich Sie, ob wir uns nicht im April oder Anfang Mai sehen könnten. Ich meine, wir sollten am besten gemeinsam handeln, uns absprechen. Ihre Meinung, wie Sie sie im Brief an A. N. Veselovskij darlegen, teile ich vollkommen, und ich glaube, daß Sie auf der Sitzung am 15. Mai, wenn sie nur stattfindet, zwei, drei Worte auch in meinem Namen sagen könnten. Wenn wir uns bis zum 15. Mai nicht mehr sehen sollten, müssen wir uns brieflich absprechen.

Meine Frau hat hohe Temperatur, liegt auf dem Rücken, ist abgemagert. Worüber haben Sie in Petersburg mit ihr gesprochen? Sie bedauert sehr, alles vergessen zu haben.

Ich drücke Ihnen fest die Hand. Bleiben Sie gesund und wohlauf. *Ihr A. Čechov.*

1015) AN K.D. BALMONT JALTA, 7. 5. 1902

7./20. Mai 1902.

Lieber Konstantin Dmitrievič, für Ihren lieben Brief mögen die Himmel Sie segnen! Ich bin am Leben, beinahe gesund, sitze aber immer noch in Jalta und werde noch lange hier sitzen, denn meine Frau ist krank. Die »Brennenden Bauten« und den zweiten Band Calderon habe ich bekommen und danke Ihnen unendlich. Sie wissen, ich liebe Ihr Talent, und jedes neue Buch von Ihnen verursacht mir nicht wenig Vergnügen und Aufregung. Das kommt vielleicht, weil ich ein Konservativer bin.

Das Stück in der Übersetzung Ihrer Frau habe ich ebenfalls bekommen, lange schon, und an das Künstlertheater weitergeschickt. Das Stück hat mir gefallen, es ist modern, nur ist es übermäßig grausam; und die Zensur wird es wohl nicht durchlassen.

Ich beneide Sie. Bleiben Sie so lange es geht im lieben Oxford, arbeiten Sie, trösten Sie sich und denken Sie manchmal an uns, die wir grau, träge und langweilig dahinleben.

Bleiben Sie gesund, die Cherubime und Serafime mögen Sie beschützen. Schreiben Sie mir wieder, wenigstens eine Zeile.

Ihr A. Čechov.

1016) AN DIE »REVUE BLANCHE« JALTA, 7. 5. 1902

Jalta, 7/20 mai, 1902.

A Messieurs les Editeurs de la »Revue blanche«

Messieurs,

J'apprends avec plaisir que vous allez publier en français quatre de mes nouvelles: »Un Meurtre«, »Paysans«, »L'Etudiant« et »Maîtresse d'école« dans la traduction de Mademoiselle Claire Ducreux.

Cette traduction m'a été soumise et j'ai pu en apprécier les très rares mérites de sobre élégance et de fidélité scrupuleuse.

Je suis heureux de vous envoyer ma pleine et entière approbation.

Veuillez agréer l'assurance de mon profond respect. *Anton Tchekhov.*

1017) AN M.P. ČECHOVA MOSKAU, 29. 5. 1902

29.Mai.

Liebe Maša, in Moskau ist es sehr heiß, heißer als in Jalta. Die Wohnung hat mir gefallen, alles ist schön mit Ausnahme der Kränze und Bänder und der Bilder. Die Gäste bringen mich zur Verzweiflung.

Gestern war Doktor Varnek da, hat Olga untersucht und ihr verordnet, drei Wochen in Moskau zu bleiben, zu liegen und dann nach Franzensbad zu fahren.

Einfache Briefe laß einwerfen, wie ich es dir erklärt habe, Einschreibebriefe soll Arsenij dem Postboten zurückgeben mit der Bitte, sie nach Moskau weiterzuschicken; soll er auf der Post Bescheid sagen, daß ich bald zurückkomme. Schick mir nur die Briefe, Zeitungen und Bücher dagegen behalte in Jalta; Paketsendungen, sofern welche ankommen, behalte ebenfalls.

Ich warte auf den Spucknapf.

Also, bleib gesund. Ich werde wahrscheinlich nicht mit nach Franzensbad fahren. Ich will nicht. Ich komme nach Jalta zurück.

Viele Grüße an Mamaša und alle. Vanja ist an die Unža gefahren. Členov ist gekommen. *Dein Antoine.*

1018) AN M. P. ČECHOVA MOSKAU, 2. 6. 1902

2. Juni 1902.

Liebe Maša, wir haben wieder Kummer. Gestern vor Pfingsten, um 10 Uhr abends, verspürte Olga plötzlich starke Leibschmerzen (stärkere als in Jalta), fing an zu stöhnen, zu schreien, zu weinen, die Ärzte waren alle aufs Land gefahren (am Abend vor Pfingsten), alle Bekannten ebenfalls... Glücklicherweise erschien um Mitternacht Višnevskij und begann, die Ärzte abzulaufen... Die ganze Nacht hat Olga sich gequält, heute morgen kam ein Arzt; wir beschlossen, sie in die Klinik von Štrauch zu legen. Binnen einer Nacht ist sie hohlwangig geworden und sehr abgemagert.

Gestern war der Priester Petrov bei mir, der berühmte aus Petersburg. Ich habe S.-ec gesehen, den, der bei uns in Jalta war, er aß zu Abend – mit Pince-nez. In Moskau ist es heiß.

Vanja ist an die Unža gefahren.

Was ich jetzt tun, wohin ich fahren und wann ich aus Moskau wegfahren werde – ist ungewiß. Es ist alles durcheinander geraten.

Anna Ivanovna fühlt sich aus irgendeinem Grunde schuldbewußt, sie macht so ein Gesicht. Sie hat die ganze Nacht über nach Ärzten gesucht.

Ich werde dir schreiben. Einstweilen leb wohl. Einen Gruß an Mamaša. *Dein Antoine.*

Olga hat immer noch dieselbe Krankheit, die sich wahrscheinlich noch ein, zwei Jahre hinziehen wird.

1019) AN MAKSIM GORKIJ MOSKAU, 2. 6. 1902

2. Juni 1902.

Lieber Aleksej Maksimovič, Ihren Brief habe ich in Moskau bekommen, wo ich schon seit 6 Tagen bin. Nach Arzamas kommen kann ich auf keinen Fall, weil meine Frau Olga *sehr* krank ist. Letzte Nacht hat sie sich allein gequält, um sie herum quälten sich die anderen; morgen bringe ich sie in die Klinik zu Štrauch, dann nach Franzensbad.

Schreiben Sie mir, mein Lieber, wieder, wenigstens eine Zeile. Meine Adresse: Moskau, Neglinnyj pr., Hs. Goneckaja. Vor ein paar Tagen traf ich einen Herrn, der mit Pleve bekannt ist und ihn kennt; er sagte, man werde Sie bald aus der Polizeiaufsicht entlassen. Wieweit das stimmt, wage ich nicht zu beurteilen, aber ich glaube, wenn es in Arzamas ein Flüßchen gibt, einen Garten, dann kann man sich auch mit der Polizeiaufsicht abfinden.

An Ekaterina Pavlovna, Maksimka und das Mädchen meine herzlichsten Grüße. Ich drücke Ihnen fest die Hand und umarme Sie. Gestern war ein ehemaliger Sänger bei mir, heute kommt er zum Essen. Er ist ein sehr guter Mensch, sehr talentiert und interessant.

Am Abend vor meiner Abreise aus Jalta war Korolenko bei mir. Wir haben beratschlagt und werden wahrscheinlich in diesen Tagen nach Petersburg schreiben und unseren Abschied einreichen.

Ich grüße Sie nochmals herzlich. *Ihr A. Čechov.*

1020) AN M.P. ČECHOVA MOSKAU, 10. 6. 1902

10. Juni.

Liebe Maša, Olga liegt noch immer, und wann sie aufstehen kann, ist ungewiß. In die Štrauchsche Klinik wird sie nicht gehen, wohl aber nach Franzensbad fahren. Sie wird etwa anderthalb Monate im Ausland bleiben. Nach Jalta kann sie unmöglich.

Ich werde um den 20. Juni mit Savva Morozov nach Perm fahren, dann nach Moskau zurückkehren und im Landhaus von Alekseev leben. Ich werde vollkommen allein leben, denn Alekseevs sind im Ausland.

Anna Ivanovna ist aufs Land gefahren. Olga hat jeden Tag Schmerzen. Nemirovič kommt täglich von 12 bis 6 Uhr, dann wieder am Abend. Heute fährt er weg.

Ich warte auf die Sendung von dir, von der ich dir schrieb. Ich fahre nach Perm, die Adresse bleibt aber die gleiche.

Den Winter werde ich im Ausland leben.

In der Moskauer Wohnung gibt es Wanzen. Ich habe mir einen Mantel und einen Hut gekauft.

Die Komissarževskaja ist hier. Gestern war sie bei uns. Sie spielt im »Aquarium«. Steht in Verhandlungen mit dem Künstlertheater, wird aber wohl kaum annehmen.

Einen Gruß an Mamaša und Marjuška. Bleib gesund.

Dein Antoine.

1021) AN K.S. STANISLAVSKIJ MOSKAU, 12. 6. 1902

12. Juni 1902.

Lieber Konstantin Sergeevič, Olga hatte alle diese Tage, angefangen vom Tag vor Pfingsten, Brechreiz – mal stärker, mal schwächer; gestern verstärkte sich der Brechreiz, sie verspürte starke Schmerzen. Štrauch bat mich, einen Spezialisten für innere Krankheiten hinzuzuziehen, und heute nun hat eine gemeinsame Konsultation (Štrauch und Taube) die Krankheit diagnostiziert. Olga hat eine Bauchfellentzündung, Peritonitis. Die Lage ist ernst, aber nicht gefährlich (prognosis bona, eine günstige

Voraussage). Es wurde beschlossen, Olga noch heute zu Štrauch in die Klinik zu bringen, Višnevskij hatte sich auch bereits um den Transport gekümmert, als es Olga auf einmal besser ging, der Brechreiz aufhörte, sie sich wohler fühlte, schlafen wollte, so daß ihre Überführung zu Štrauch verschoben werden mußte oder sogar (das wird man morgen sehen) ganz unterbleiben wird. Olga war seit vorgestern *alles* Essen verboten worden, mit Ausnahme von Milch, und ich glaube, diese Enthaltsamkeit hat ihr sehr geholfen.

Wenn es Olga besser geht, dann werde ich, mit Ihrer Erlaubnis, auf Ihr Landhaus fahren, und Olga 10–15 Tage später nachholen, natürlich nur, wenn die Ärzte es gestatten. Auf Ihrem Landhaus ist es sehr schön, ich war dort. Wenn ich mit dem Stück anfange, dann werde ich Olga nicht mitnehmen, dann werde ich wie ein Einsiedler leben.

Über die Gesundheit meiner Frau werde ich Ihnen wöchentlich schreiben oder öfter, je nachdem. Nach Franzensbad wird sie nicht fahren, das ist beschlossene Sache. Aller Wahrscheinlichkeit nach wird eine Operation nötig sein.

Ich wünsche Ihnen alles Gute, drücke Ihnen fest die Hand. Einen ergebenen Gruß an Marija Petrovna und die Kinder.

Ihr A. Čechov.

1022) AN V.I. NEMIROVIČ-DANČENKO MOSKAU, 12. 6. 1902

12. Juni 1902.

Lieber Vladimir Ivanovič, nachdem du weggefahren warst, am selben Abend hatte Olga Brechreiz. Gestern hatte sie den ganzen Tag ebenfalls Brechreiz und Schmerzen, danach eine schlaflose Nacht, eine ziemlich qualvolle. Štrauch bat mich, zu einer Konsultation einen der angesehenen Therapeuten hinzuzuziehen, Volodja hat Ščurovskij nicht angetroffen, ich mußte Dr. Taube hinzuziehen, einen populären und sehr vernünftigen Deutschen. Das Ergebnis der Konsultation habe ich dir bereits telegraphisch mitgeteilt. Bauchfellentzündung, oder Peritonitis.

Das ist (in concreto) eine schwere Erkrankung, aber keine gefährliche. Es wurde beschlossen, Olga noch heute in die Klinik von Štrauch zu bringen, und Višnevskij hatte bereits begonnen, sich darum zu kümmern, aber plötzlich, für uns wie für Štrauch unerwartet, trat eine Veränderung ein: Olga begann sich auf einmal wohl zu fühlen, der Brechreiz hörte auf, die Schmerzen – ebenfalls, sie wollte schlafen. Sie schlief ein und wachte fröhlich auf, und Štrauch beschloß, bis morgen zu warten.

Aber wie dem auch sei, um eine Operation wird Olga aller Wahrscheinlichkeit nach nicht herumkommen.

Also, ich wiederhole, die Lage ist ernst, aber nicht gefährlich. Olga ist zur Zeit *alles* verboten, außer Sahne, und von allen Ärzten, die um sie herum waren, habe offenbar als einziger ich recht behalten, der ihr verboten hatte zu essen.

Jetzt ist Abend, Brechreiz und Schmerzen hatte sie seit heute morgen keine, und wird sie wohl auch keine mehr bekommen. Višnevskij leistet mir unbezahlbare Dienste.

Bleib gesund und ruhig, grüß Ekaterina Nikolaevna. Schreib mir zwei, drei Zeilen. Die Stücke sind alle schlecht, alle ohne Ausnahme, auch die »Puppe«, obwohl der Titel nicht übel ist. Ich umarme dich und drücke dir die Hand.

Dein A. Čechov.

Višnevskij ist krank. Er hat 37,8. Meine Frau hat normale Temperatur. Wenn du in dem Telegramm eine Zahl siehst, z. B. 368, dann heißt das 36,8.

Die Bauchfellentzündung ist nicht von allein gekommen, sondern von einer Frauenkrankheit.

1023) AN V. I. NEMIROVIČ-DANČENKO MOSKAU, 16. 6. 1902

16. Juni.

Lieber Vladimir Ivanovič, Olga hat drei Tage lang nur Sahne zu sich genommen (ohne Brot), sie hat 4 Glas pro Tag getrunken – und erst jetzt hat sie aufgehört, das Schweregefühl im Unterleib

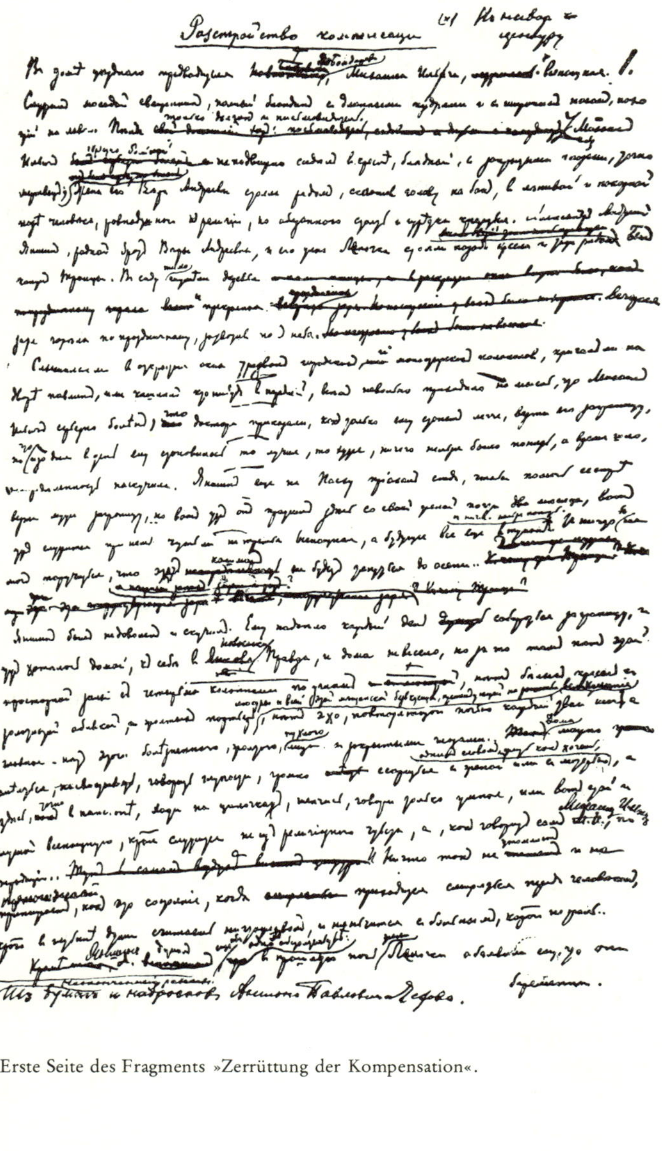

Расстройство компенсации[x]

(Не навор. и цензуру)

[illegible]

[x] Из бумаг и набросков Антона Павловича Чехова.

Erste Seite des Fragments »Zerrüttung der Kompensation«.

zu verspüren. Heute hat sie bereits gegessen, sie darf bereits Hühnersuppe essen. Und vor allem, ich darf verreisen, und morgen, am 17., fahre ich mit Morozov nach Perm. Am 5. Juli bin ich wieder zu Hause.

Bleib gesund und wohlauf. Wenn du willst, schick mir ein Telegramm an die Adresse: Perm, Klubhotel. In Perm werde ich den 22., 23. und, wahrscheinlich, auch den 24. Juni sein. Von Perm aus fahre ich weiter hinauf. Jetzt ist es 6 Uhr abends; Olga wird sich gleich anziehen, in den Sessel setzen und essen (Hühnersuppe und Portwein). Sie ist sehr, sehr abgemagert.

Grüß Ekaterina Nikolaevna und schreib. Am 5. Juli, ich wiederhole, bin ich wieder in Moskau. *Dein A. Čechov.*

1024) AN O. L. KNIPPER 18. 6. 1902

18. Juni 1902.

Meine liebe, gute Frau Olja, im Zugabteil habe ich die ganze Nacht wunderbar geschlafen, jetzt (um 12 Uhr mittags) fahre ich auf der Volga. Es ist windig, kühl, aber sehr, sehr schön. Sonnig. Morozov hat zwei gutmütige Deutsche mitgenommen, einen alten und einen jungen; beide sprechen kein Wort Russisch, so daß ich notgedrungen deutsch spreche. Wenn man rechtzeitig von der einen Seite auf die andere geht, spürt man den Wind gar nicht. Also, meine Stimmung ist gut, deutsch, die Fahrt bequem und angenehm, ich huste weit weniger. Um dich mache ich mir keine Sorgen, denn ich weiß, ich bin überzeugt, daß mein Hündchen gesund ist, anders kann es gar nicht sein.

Grüß Višnevskij und danke ihm; er hat ein bißchen erhöhte Temperatur, ist ängstlich und deprimiert – weil er es nicht gewöhnt ist.

Mama* grüße ich und wünsche ihr, daß sie es bei uns ruhig hat und die Wanzen sie nicht beißen. Einen Gruß an Zina.

Ich werde dir jeden Tag schreiben, mein Herz. Schlaf ruhig, denk an deinen Mann. Der Dampfer vibriert, es ist schwer zu schreiben.

Ich küsse und umarme meine außergewöhnliche Frau. Telegraphiere, was Štrauch gesagt hat. *Dein A.*

* d. h. Anna Ivanovna.

1025) AN O. L. KNIPPER PERM, 22. 6. 1902

Mein liebes Herz, Stöckchen, ich bin bereits in Perm. Ich bin gestern angekommen, habe im Klubhotel übernachtet, heute um 12 Uhr fahre ich mit dem Dampfer die Kama entlang nach Usolje, von dort auf das Gut Morozovs, dann wieder nach Perm und schließlich zurück nach Moskau. Ich weiß nicht, an welchem Tag du diesen Brief bekommst, wahrscheinlich nicht so bald; aber merk dir, am 2. Juli werde ich schon wieder in Moskau sein. Die Eifersucht quält mich schrecklich, ich habe kein Vertrauen zu meiner Frau und darum beeile und beeile ich mich. Ich werde dich verprügeln.

Die Kama ist ein wundervoller Fluß. Wir sollten irgendwie für unsere Familie einen kleinen Dampfer mieten und ohne Eile damit nach Perm fahren und dann zurück, das wäre ein Leben richtig wie auf dem Landhaus, eins, wie es einem im Traum nicht einfällt. Wir sollten es uns überlegen.

Gib acht auf deine Gesundheit, Stöckchen, sei ein kluges Kind. Wenn das Landhaus von Alekseev bereit ist, dann fahren wir schon am 3. oder 4. Juli. Wir werden keine Zeit verlieren. Ich danke dir für deine guten Telegramme.

So, ich fahre gleich zum Dampfer, es ist Zeit. Ich werde heute allein fahren, dann die Nacht, dann um 12 Uhr mit dem Zug. Ich küsse dich, und wenn du dich gut benimmst, umarme ich dich auch. Grüß Višnevskij und Zina. Mama, wenn sie immer noch bei dir ist, bestell einen herzlichen Gruß.

Ich esse jeden Tag Fischsuppe, vom Sterlet.

Bis zu meiner Rückkehr bist du verpflichtet, zuzunehmen und fülliger zu werden, üppig wie eine Theaterunternehmerin.

Ich küsse dich noch einmal. *Dein A.*

1026) AN MAKSIM GORKIJ LJUBIMOVKA, 17. 7. 1902

17. Juli 1902.

Lieber Aleksej Maksimovič, ich bin immer noch in Moskau (oder der Umgebung davon). Ich wüßte gern, wie es Ihnen geht, aber von Ihnen kommt kein einziger Brief. Haben Sie das Stück geschrieben? Was treiben Sie? Wie geht es Ihnen überhaupt? Mir geht es gut, ich fange Fische (an der Kljazma, im Landhaus von Alekseev), bin gesund, Olga ist immer noch krank, sie kommt einfach nicht zu Kräften.

Wenn das Stück schon geschrieben ist, wollen Sie es mir nicht schicken!?

Schreiben Sie mir eine Zeile. Die Adresse ist die alte: Neglinnyj pr., Hs. Goneckaja, Moskau. Herzliche Grüße an Ekaterina Pavlovna, Maksimka und das Mädchen.

Ich drücke Ihnen die Hand und umarme Sie.

Ihr A. Čechov.

S. Rückseite.

Wo werden Sie im Winter sein? In Nižnij, auf der Krim? Ich werde, wahrscheinlich, ins Ausland fahren. Nach Afrika oder irgendwohin, weit weg – zum Beispiel nach Ceylon, wenn dort nicht Pest oder Cholera ist.

1027) AN K. S. STANISLAVSKIJ LJUBIMOVKA, 18. 7. 1902

18. Juli 1902

Lieber Konstantin Sergeevič, heute kam Doktor Štrauch nach Ljubimovka und fand, daß alles zum besten stehe. Er hat Olga nur das Eine verboten – auf schlechtem Pflaster zu fahren, überhaupt zu viel Bewegung, die Teilnahme an den Proben jedoch hat er ihr, zu meinem großen Vergnügen, ohne jede Einschränkung gestattet; sie könnte schon am 10. August mit der Arbeit im Theater beginnen. Nach Jalta zu fahren hat er ihr verboten. Ich werde allein dorthin fahren, im August, Mitte September zurückkommen und dann bis Dezember in Moskau bleiben.

In Ljubimovka gefällt es mir sehr gut. April und Mai haben mich nicht wenig gekostet, und jetzt auf einmal überströmt mich, wie als Belohnung für die Vergangenheit, das Glück, so viel Ruhe, Gesundheit, Wärme, Wonne, daß ich nur die Hände zusammenschlagen kann. Das Wetter ist schön, der Fluß ist schön, und im Hause werden wir ernährt und schlafen wie die Bischöfe. Ich sage Ihnen tausendmal Dank, direkt aus tiefstem Herzen. Schon lange habe ich keinen Sommer mehr so verbracht. Ich fange jeden Tag Fische, bis zu fünfmal am Tag, der Fisch beißt nicht übel (gestern gab es Fischsuppe aus Kaulbarschen), und am Ufer zu sitzen ist so angenehm, daß ich es einfach nicht sagen kann. Mit einem Wort, es ist alles sehr schön. Nur das Eine ist schlecht: ich bin faul und tue nichts. Das Stück habe ich noch nicht angefangen, ich denke nur darüber nach. Ich werde es wahrscheinlich nicht vor Ende August anfangen.

Olga sendet Ihnen einen herzlichen Gruß. Višnevskij ebenfalls. Grüßen Sie Marija Petrovna und die Kinder von mir. Bleiben Sie gesund und munter, sammeln Sie Kräfte und Energie. Ich drücke Ihnen die Hand. *Ihr A. Čechov.*

Višnevskij ist dicker geworden.

Auf den Briefumschlag schreibe ich nicht S., sondern K. Alexeeff. Das ist bequemer.

Olga wohnt unten, ich und Višnevskij oben, wir stehen um 8 Uhr auf, gehen um 10 ½ – 11 Uhr schlafen, essen um 1, abends um 7 Uhr. Egor und Dunjaša sind sehr besorgt und gastlich. Von den Nachbarn erscheint am häufigsten Mika (Ihr Neffe) und N. Smirnova, die Malerin, die ein Porträt von mir malt.

1028) AN MAKSIM GORKIJ — LJUBIMOVKA, 29. 7. 1902

29. Juli 1902.

Lieber Aleksej Maksimovič, Ihr Stück habe ich gelesen. Es ist neu und zweifellos gut. Der zweite Akt ist sehr gut, das ist der beste, der stärkste, und als ich ihn las, besonders den Schluß, wäre ich vor Vergnügen beinahe auf- und abgesprungen. Die Stimmung ist düster, schwer, und das Publikum wird, weil es das nicht gewöhnt ist, aus dem Theater weglaufen, jedenfalls werden Sie Abschied nehmen können vom Renommee des Optimisten. Meine Frau wird die Vasilisa spielen, das wüste und böse Weib, Višnevskij geht im Haus umher und stellt den Tataren dar – er ist überzeugt, das sei seine Rolle. Den Luka – oh weh! – kann man Artëm nicht geben, er würde sich darin wiederholen, würde sich erschöpfen; dafür wäre er ein wundervoller Polizist, das ist eine Rolle für ihn, die Dirne – die Samarova. Den Schauspieler, der Ihnen sehr gut gelungen ist, eine großartige Rolle, müßte man einem erfahrenen Schauspieler geben, meinetwegen Stanislavskij. Den Baron spielt Kačalov.

Aus dem IV. Akt haben Sie die interessantesten handelnden Personen entfernt (außer dem Schauspieler), Sie müssen jetzt aufpassen, daß da nicht etwas passiert. Dieser Akt kann langweilig und überflüssig wirken, besonders, wenn nach dem Abgang der stärkeren und interessanteren Schauspieler nur noch die mittleren auf der Bühne bleiben. Der Tod des Schauspielers ist schrecklich; Sie hauen dem Zuschauer gleichsam aufs Ohr, ohne ihn darauf vorbereitet zu haben. Weshalb der Baron in das Nachtasyl geraten ist, weshalb er Baron ist – das ist ebenfalls nicht klar genug.

Um den 10. August fahre ich nach Jalta (meine Frau bleibt in Moskau), dann werde ich, noch im August, nach Moskau zurückkommen und, wenn nicht irgendetwas besonderes passiert, bis Dezember hier bleiben. Ich werde mir die »Kleinbürger« ansehen, werde auf den Proben zu dem neuen Stück sein. Können nicht auch Sie sich aus Arzamas losreißen und nach Moskau kommen, wenigstens für eine Woche? Ich habe gehört, daß man Ihnen eine Reise nach Moskau gestatten würde, daß man sich um Sie kümmert. In Moskau wird das Theater Liazanov fürs Künstlertheater umgebaut, die Arbeiten sind im vollen Gange, man verspricht, zum 15. Oktober fertigzuwerden, aber die Vorstellungen werden wohl kaum vor Ende November oder Anfang

Dezember beginnen. Ich glaube, die Bauarbeiten werden durch die Regenfälle, die heftigen Regenfälle behindert.

Ich lebe in Ljubimovka, im Landhaus von Alekseev und fange von früh bis abends Fische. Das Flüßchen hier ist wunderschön, tief, es gibt viele Fische. Und ich bin so faulgeworden, daß ich mir schon langsam selbst zuwider werde.

Olgas Gesundheit bessert sich anscheinend. Sie läßt Sie grüßen und schickt Ihnen einen herzlichen Gruß. Bestellen Sie Ekaterina Pavlovna, Maksimka und der Tochter einen Gruß von mir.

»Der Gedanke« von L. Andreev ist etwas Prätentiöses, Schwerverständliches und, anscheinend, Überflüssiges, aber mit Talent Durchgeführtes. Andreev fehlt die Einfachheit, und sein Talent erinnert an den Gesang einer künstlichen Nachtigall. Skitalec ist dagegen ein Spatz, aber dafür ein lebendiger, echter Spatz.

Ende August werden wir einander sehen, was auch kommen mag.

Bleiben Sie gesund und wohlauf, langweilen Sie sich nicht. Aleksin war bei mir, er hat gut von Ihnen gesprochen.

Ihr A. Čechov.

Wenn Sie das Stück zurückbekommen haben, schreiben Sie mir eine Zeile. Meine Adresse: Moskau, Neglinnyj pr., Hs. Gonekkaja.

Mit dem Titel beeilen Sie sich nicht, Sie haben noch Zeit, sich etwas einfallen zu lassen.

1029) AN O. L. KNIPPER JALTA, 17. 8. 1902

17. Aug.

Endlich bin ich zu Hause, mein Herz. Die Fahrt war gut, es war ruhig, wenn auch sehr staubig. Auf dem Dampfer traf ich viele Bekannte, das Meer war still. Zu Hause hat man sich über mein Kommen sehr gefreut, hat nach dir gefragt, mich beschimpft, daß du nicht mitgekommen bist; aber als ich Maša den Brief von dir gegeben und als sie ihn gelesen hatte, trat Stille ein, und Mutter wurde traurig ... Heute hat man mir deinen Brief zu lesen gegeben, ich habe ihn gelesen und war ziemlich bestürzt. Warum hast du Maša beschimpft? Ich schwöre dir bei meinem Ehrenwort, wenn Mutter und Maša mich nach Hause nach Jalta eingeladen haben, dann nicht mich allein, sondern mit dir zusammen. Dein Brief ist sehr, sehr ungerecht, aber was einmal geschrieben ist, ist mit keiner Axt mehr auszuroden, es ist und bleibt geschrieben. Ich wiederhole noch einmal: ich schwöre dir bei meinem Ehrenwort, Mutter und Maša haben dich und mich eingeladen, – und kein einziges Mal mich allein, und sie haben sich dir gegenüber immer warm und herzlich verhalten.

Ich komme bald nach Moskau zurück, hier werde ich nicht bleiben, obwohl es hier sehr schön ist. Das Stück werde ich nicht schreiben.

Gestern abend, als ich völlig staubbedeckt hier ankam, habe ich mich lange gewaschen, wie du mir gesagt hattest, Nacken und Ohren und die Brust. Habe die Strickjacke angezogen, die weiße Weste. Jetzt sitze ich und lese die Zeitungen, die sich hier angehäuft haben, das reicht für drei Tage.

Mutter fleht mich an, ein Stückchen Land in der Umgebung Moskaus zu kaufen. Aber ich sage ihr nichts, die Stimmung heute ist mehr als miserabel, ich warte bis morgen.

Ich küsse und umarme dich, bleib gesund, paß auf dich auf. Grüß Elizaveta Vasiljevna. Schreib oft. *Dein A.*

1030) AN V. I. NEMIROVIČ-DANČENKO JALTA, 23. 8. 1902

23. Aug.

Lieber Vladimir Ivanovič, heute habe ich ein Telegramm von Fürst Barjatinskij bekommen mit der Bitte – die »Möwe« für Petersburg zu genehmigen. Ich habe so geantwortet: die »Möwe« gehört dem Künstlertheater. Am Abend zuvor habe ich Gnedič geschrieben, ihn gebeten, die »Möwe« am Alexandratheater nicht zu inszenieren. Sei so gut, schreib oder telegraphier an den

Fürsten Barjatinskij, wenn er sich wegen der »Möwe« an dich wendet, und sag ihm, daß dieses Stück dem Künstlertheater gehöre.

Hier ist es sehr heiß. Neuigkeiten gibt es keine, alles ist wohlauf. Wie ist das Stück von Najdënov?

Bleib gesund und wohlauf, alles Gute für dich. Ich drücke dir die Hand. *Dein A. Čechov.*

1031) AN V.G. KOROLENKO JALTA, 25. 8. 1902

25. August.

Lieber Vladimir Galaktionovič, wo sind Sie? Zu Hause? Wie dem auch sei, ich adressiere diesen Brief nach Poltava. An die Akademie habe ich Folgendes geschrieben.

»Euer Kaiserliche Hoheit! Im Dezember vergangenen Jahres erhielt ich die Mitteilung von der Wahl A.M. Peškovs zum Ehrenmitglied der Akademie; und ich zögerte nicht, A.M. Peškov aufzusuchen, der sich damals auf der Krim befand, ich habe ihm als erster die Nachricht von seiner Wahl überbracht und habe ihm als erster gratuliert. Einige Zeit später wurde in den Zeitungen veröffentlicht, daß angesichts des Untersuchungsverfahrens gegen Peškov gemäß § 1035 die Wahlen für ungültig erklärt worden seien; wobei eigens darauf hingewiesen wurde, daß diese Mitteilung von der Akademie der Wissenschaften ausgehe, und da ich Ehrenmitglied der Akademie bin, ist diese Mitteilung zum Teil auch von mir ausgegangen. Ich habe herzlich gratuliert und habe die Wahlen für ungültig erklärt – dieser Widerspruch wollte sich in meinem Bewußtsein nicht zusammenfügen, ich habe ihn mit meinem Gewissen nicht vereinbaren können. Die Kenntnis des § 1035 hat mir keinerlei Klarheit gebracht. So bin ich nach reiflicher Überlegung zu dem mir äußerst schweren und betrüblichen Entschluß gelangt, nämlich E. K. H. ergebenst zu bitten, mich vom Titel eines Ehrenmitglieds der Akademie zu entbinden.«

Da haben Sies. Ich habe lange daran geschrieben, bei sehr heißem Wetter und besser habe ich es nicht schreiben können und kann es wahrscheinlich auch nicht.

Zu Ihnen zu kommen war unmöglich. Ich hatte mit meiner Frau die Volga und den Don entlangfahren wollen, aber in Moskau ist sie, d.h. meine Frau, plötzlich schwer erkrankt, und wir haben uns dermaßen gequält, daß uns der Sinn nicht nach Reisen stand. Macht nichts, vielleicht werde ich, wenn wir auch im nächsten Jahr noch am Leben sind, nach Gelendžik fahren, über das ich, nebenbei bemerkt, vor einigen Tagen einen Aufsatz im »Istorič. vestnik« gelesen habe.

Ich wünsche Ihnen alles Gute, drücke Ihnen fest die Hand. Bleiben Sie gesund und munter. *Ihr A. Čechov.*

1032) AN O.L. KNIPPER JALTA, 27. 8. 1902

27. Aug.

Mein Herz, mein Barsch, nach langem Warten habe ich heute endlich einen Brief von dir bekommen. Ich lebe still für mich hin, gehe nicht in die Stadt, unterhalte mich mit meinen Besuchern und schreibe manchmal ein bißchen. Das Stück werde ich in diesem Jahr nicht schreiben, mir steht der Sinn nicht danach, und wenn ich etwas Stückähnliches schreiben sollte, dann wird das ein Vaudeville in einem Akt.

Deinen Brief hat Maša mir nicht gegeben, ich habe ihn im Zimmer meiner Mutter gefunden, auf dem Tisch, habe ihn automatisch genommen und gelesen – und dann begriffen, weshalb Maša auf einmal so verstimmt war. Der Brief ist furchtbar grob, und vor allem ungerecht; natürlich habe ich deine Stimmung verstanden, als du ihn schriebst, ich verstehe sie. Aber auch dein letzter Brief ist irgendwie merkwürdig, und ich weiß nicht, was mit dir ist und was in deinem Kopf vor sich geht, mein Herz. Du schreibst: »Und es war merkwürdig, dich in den Süden einzuladen, wo sie wußten, daß ich liege. Offen äußerte sich darin der Wunsch, dich mir nicht zu lassen, die ich krank war...« Wer hat einen Wunsch geäußert? Wann hat man mich in den Süden eingeladen? Ich habe dir doch bei meinem Ehrenwort geschworen, daß man mich, allein, ohne dich, kein einziges Mal in den Süden eingeladen hat... So geht es nicht, mein Herz, so geht es einfach nicht, du mußt dich davor hüten, ungerecht zu sein. Du mußt rein sein im Sinne der Gerechtigkeit, vollkommen rein, um so mehr, als du eine gute, sehr gute Frau bist und verstehen kannst. Mein Herz, verzeih mir diese Notationen, ich will es nicht wieder tun, ich habe Angst davor.

Wenn Egor die Rechnung vorlegt, bezahl sie für mich, ich gebe dir das Geld im September wieder. Meine Pläne: bis Anfang Dezember bin ich in Moskau, dann fahre ich nach Nervi, dort und in Pisa bleibe ich bis zu den Fasten, dann komme ich zurück. Ich habe in Jalta Husten, wie ich ihn im lieben Ljubimovka nicht hatte. Es ist zwar kein schlimmer Husten, aber trotzdem. Ich trinke nichts. Heute war Orlenev bei mir, die Nazimova war da. Doroševič ist gekommen. Vor ein paar Tagen habe ich Karabčevskij getroffen.

Habe ich dir wegen der »Möwe« geschrieben? Ich habe einen weinerlichen Brief an Gnedič nach Petersburg geschrieben, in dem ich bat, die »Möwe« nicht zu inszenieren. Heute habe ich die Antwort bekommen: die Inszenierung muß stattfinden, weil extra neue Kulissen gemalt worden seien usw. usf. Das heißt, es wird also wieder Ärger geben.

Sag Maša nicht, daß ich deinen Brief an sie gelesen habe. Oder, im übrigen, wie du meinst.

Aus deinen Briefen weht es mich kühl an, und trotzdem dränge ich dir meine Zärtlichkeiten auf und denke endlos an dich. Ich küsse dich eine Milliarde Mal, umarme dich. Schreib mir öfter, mein Herz, als einmal in fünf Tagen. Ich bin doch trotz allem dein Mann. Verlaß mich nicht so früh, ohne daß wir gelebt haben, wie es sich gehört, ohne mir einen kleinen Jungen oder ein Mädchen geboren zu haben. Danach kannst du tun, was dir beliebt. Ich küsse dich noch einmal. *Dein A.*

1033) AN O. L. KNIPPER JALTA, 29. 8. 1902

29. Aug.

Meine liebe Ehefrau, Schauspielerin, mein Hund, sei gegrüßt! Du bittest um Antwort auf die Fragen, die du in deinem letzten Brief stellst. Bittesehr! Ja, die Besucher erdrücken mich bereits. Gestern zum Beispiel kamen sie von morgens bis abends – mal nur so, mal geschäftlich. Du schreibst, die Besucherei gefiele mir, ich kokettierte, wenn ich sagte, daß sie mich wütendmache. Ich weiß nicht, ob ich kokettiere oder nicht, nur: ich kann nicht arbeiten, und die Gespräche, vor allem mit Unbekannten, ermüden mich sehr. Du schreibst: »ich freue mich sehr, daß es dir in Jalta so gefällt und daß du es dort so schön hast.« Wer hat dir geschrieben, daß ich es hier so schön habe? Warum fragst du, was Altšuller zu mir gesagt habe. Dieser Arzt ist oft bei mir. Er hat mich abhorchen wollen, hat darauf bestanden, aber ich habe abgelehnt. Meine Stimmung? Sehr gut. Mein Befinden? Gestern war es miserabel, ich habe Hunyadi genommen, und heute ist es in Ordnung. Gewöhnlich huste ich hier häufiger als im Norden. Die Reise habe ich sehr gut überstanden; es war nur sehr heiß und staubig. Du wirst alt und grau? Das kommt vom schlechten Charakter, davon, daß du deinen Mann nicht schätzt und nicht genug liebst. Ich schlafe wie immer, d. h. sehr gut, besser braucht es gar nicht zu sein. Jarcev war gestern bei mir, er schwatzte fröhlich, pries das Stück Land, das er auf der Krim gekauft hat; offensichtlich steht auch in seiner Wohltät.-gesellschaft alles zum besten, da sich alles aufgeklärt und die Behörde eingesehen hat, daß sie, d. h. die Behörde, von Denunzianten getäuscht worden ist.

Es ist heiß, windig, ich trinke wie wild Narzan. Heute habe ich von Nemirovič einen Brief bekommen, habe das Stück von Najdënov bekommen. Ich habe es noch nicht gelesen. Nemirovič verlangt nach dem Stück, aber ich werde es in diesem Jahr nicht schreiben, obwohl das Sujet großartig ist, nebenbei gesagt.

Maša hat heute einen Brief aus Alupka von der Čaleeva bekommen. Sie schreibt, sie langweile sich, sie sei krank und habe nichts zu lesen. Ein unerfreulicher Brief.

Maša kommt am 6. September nach Moskau, sie bringt Wein mit. Mein gutes Herz, bring in Erfahrung, ob nicht Oberst Stachovič dem Minister für Volksbildung Zenger einen Brief (einen eigenen oder von jemand anderem) übergeben kann, damit ein Jude ins Gymnasium von Jalta aufgenommen wird. Dieser Jude besteht seit 4 Jahren die Examina, erhält die besten Noten, und wird trotzdem nicht aufgenommen, obwohl er Sohn eines Jaltaer Hausbesitzers ist. [...] Bring das in Erfahrung, mein Herz, und schreib mir möglichst bald.

Schreib wenigstens zwei Worte über deine Gesundheit, liebes Altchen. Du fängst Fische? Mein kluges Kind.

Ich weiß nicht, ob du genug Geld hast, um Egor für das Essen zu zahlen. Soll ich dir nicht welches schicken? Was meinst du? Schreib mir ausführlich, Hund, sei eine Ehefrau. Bei uns ist das Essen schlechter als in Ljubimovka, nur der Stör ist gut. Ich esse weit weniger, aber Milch trinke ich; ich trinke auch Sahne, ziemlich anständige.

Es fällt kein Regen, alles ist verdorrt auf der Krim, es ist um nach der Polizei zu rufen. Gestern war Doroševič bei mir. Wir sprachen lange und viel über alles Mögliche. Er ist begeistert vom Künstlertheater, von dir. Er hat dich nur in den »Träumen« gesehen.

Ich nehme meinen Hund am Schwanz, wedle ein paarmal damit hin und her, streichle und liebkose ihn dann. Bleib gesund, Kindchen, der Schöpfer beschütze dich. Wenn du Gorkij auf den Proben siehst, dann gratuliere ihm und sag – aber nur ihm allein – daß ich kein Mitglied der Akademie mehr bin, daß ich eine Erklärung an die Akademie geschickt habe. Aber nur ihm allein, niemandem sonst. Ich umarme dich, Herzchen.

Dein Ehemann und Beschützer.

1034) AN O. L. KNIPPER JALTA, 1. 9. 1902

1. September.

Meine Liebe, Gute, wieder habe ich einen merkwürdigen Brief

von dir bekommen. Wieder legst du mir alles Mögliche zur Last. Wer hat dir gesagt, daß ich nicht nach Moskau zurückkäme, daß ich für ganz weggefahren sei und in diesem Herbst nicht mehr zurückkäme? Ich habe dir doch geschrieben, habe dir klar, auf gut Russisch geschrieben, daß ich unbedingt im September kommen und mit dir bis zum Dezember zusammenleben werde. Habe ich dir das nicht geschrieben? Du bezichtigst mich der Unaufrichtigkeit, und dabei vergißt du alles, was ich dir sage oder schreibe. Und ich weiß einfach nicht mehr, was ich mit meiner Gattin machen, wie ich ihr schreiben soll. Du schreibst, dich überkomme beim Lesen meiner Briefe ein Zittern, es sei an der Zeit, daß wir uns trennen, und du verstündest einiges an dem Ganzen nicht... Ich, mein Herz, habe den Eindruck, an dem ganzen Durcheinander sind nicht wir schuld, weder ich noch du, sondern jemand anderer, mit dem du gesprochen hast. Dir ist Mißtrauen eingeflößt worden gegenüber meinen Worten, gegenüber meinen Bewegungen, alles erscheint dir verdächtig – und dagegen kann ich einfach nichts mehr machen, ich kann und kann es nicht. Und dich von deinem Glauben abbringen und dich umstimmen werde ich nicht, denn das ist nutzlos. Du schreibst, ich sei imstande, neben dir zu leben und die ganze Zeit zu schweigen, ich bräuchte dich nur als angenehme Frau, während du selbst, als Mensch, mir fremd und einsam seist... Mein liebes, mein gutes Herz, du bist doch meine Frau, begreif das doch endlich! Du bist der mir nächste und liebste Mensch, ich liebte und liebe dich grenzenlos, und du schreibst da etwas zusammen von einer »angenehmen« Frau, die mir fremd und einsam sei... Ja nun, Gott mit dir, wie du willst.

Meine Gesundheit ist besser, aber ich huste wie wild. Es fällt kein Regen, es ist heiß. Maša fährt am 4., am 6. wird sie in Moskau sein. Du schreibst, ich würde Maša deinen Brief zeigen; danke für das Vertrauen. A propos, Maša trifft keinerlei Schuld, davon wirst du dich früher oder später überzeugen.

Ich habe angefangen, das Stück von Najdënov zu lesen. Es gefällt mir nicht. Ich habe keine Lust, es zu Ende zu lesen. Wenn du nach Moskau zurückfährst, schick ein Telegramm. Es fällt mir auf die Nerven, fremder Leute Adressen zu schreiben. Vergiß meine Angel nicht, die Angelrute wickle in Papier ein. Sei fröhlich, sei nicht deprimiert, oder gib dir zumindest den Anschein, als seist du fröhlich. S.P. Sredina war bei mir, sie erzählte viel, aber uninteressant; sie wußte bereits, daß du krank warst, wer bei dir war und wer nicht. Die alte Sredina ist bereits in Moskau.

Wenn du Wein trinken willst, schreib, ich bringe welchen mit. Schreib, ob du Geld hast oder ob du bis zu meiner Ankunft auskommst. Die Čaleeva lebt in Alupka, es steht schlecht um sie.

Wir fangen Mäuse.

Schreib, was du machst, welche Rollen du repetierst, welche du neu einstudierst. Du bist doch nicht faul wie dein Mann?

Mein Herz, sei meine Frau, sei mein Freund, schreib gute Briefe, ergib dich nicht der Maulhenkolie, zerreiß mir nicht das Herz. Sei eine gute, herrliche Frau, die du doch in Wirklichkeit bist. Ich liebe dich stärker als früher, und als Ehemann trifft mich dir gegenüber keinerlei Schuld, begreif das doch endlich, meine Freude, mein Schäfchen.

Auf Wiedersehen, bleib gesund und fröhlich. Schreib mir unbedingt jeden Tag. Ich küsse dich, Pöpschen, und umarme dich.

Dein A.

1035) AN O.L. KNIPPER JALTA, 6. 9. 1902

6. Sept.

Mein kleines Krokodil, meine außergewöhnliche Frau, ich bin, entgegen meinem Versprechen, aus folgendem Grunde nicht nach Moskau gekommen. Ich war kaum in Jalta angekommen, als mein körperliches Barometer zu fallen begann, ich begann teuflisch zu husten und verlor jeden Appetit. Es war mir weder zum Schreiben noch zum Reisen zumute. Und dann fällt hier ausgerechnet auch kein Tropfen Regen, es ist zum Umkommen, das Herz verdorrt einem vor Hitze. Ich wollte wie gewöhnlich Hunyadi Janos nehmen, aber dieses Wasser erwies sich in Jalta als Imitation, und ich habe davon genau zwei Tage lang unregelmäßigen Puls gehabt.

Siehst du, wie langweilig dein Mann ist! Heute fühle ich mich bedeutend besser, aber es gibt immer noch keinen Regen und sieht auch nicht so aus, als würde es irgendwann welchen geben. Ich würde nach Moskau kommen, aber ich habe Angst vor der Reise, Angst vor Sevastopol, wo man einen halben Tag lang herumsitzt. Und komm du auch nicht her. Es wäre mir peinlich, dich in diese heiße, staubige Wüste zu rufen, es besteht dafür auch keinerlei Notwendigkeit, denn es geht mir bereits besser und ich werde bald nach Moskau kommen.

100 R. für die Desjatine – das ist ein verrückter, absurder Preis. Hör auf, Herzchen, Landhäuser zu besichtigen, da kommt sowieso nichts dabei heraus. Wir werden eine Gelegenheit abwarten, das ist am besten, oder wir werden jeden Sommer ein Landhaus mieten.

Von welchem Brief von Nemirovič schreibst du? Einem Brief an Štrauch? Was für einem? Worum geht es?

Für den Fall, daß du nach Jalta kommen möchtest, bring mir den Spucknapf mit (den blauen, ich habe ihn vergessen), das pince-nez; Hemden bring nicht mit, aber die Netzwäsche, die von Egorov.

Suvorin hat zwei Tage bei mir gesessen, alles Mögliche erzählt, viel Neues und Interessantes – und ist gestern weggefahren. Ein Verehrer von Nemirovič ist gekommen – Fomin, der öffentliche Vorträge hält zum Thema »Drei Schwestern« und »Drei« (Čechov und Gorkij), ein ehrlicher und reiner, aber anscheinend beschränkter kleiner Herr. Ich habe ihm etwas Unheimliches eingeredet, gesagt, ich hielte mich nicht für einen Dramatiker, heutzutage gebe es in Rußland nur einen echten Dramatiker – Najdënov, die »Träume« (ein Stück, das ihm sehr gefällt) seien ein kleinbürgerliches Werk usw. usf. Und er ging.

Ich schreibe dir an deine Moskauer Privatadresse, weil du, wenn ich deinem letzten Brief glauben darf, bereits nach Moskau umgezogen bist. Großartig.

Ich küsse die Mutter meiner künftigen Familie und umarme sie. Sag Višnevskij, er möge mir zwei Zeilen schreiben über dies und das... *Dein A.*

1036) AN O.L. KNIPPER JALTA, 10. 9. 1902

10. September.

Mein lieber Knirps, wegen des kleinen Juden kümmere dich nicht weiter, er geht bereits ins Gymnasium. Bei uns gibt und gibt es keinen Regen, und es sieht nicht so aus, als würde es irgendwann welchen geben. Es gibt kein Wasser. In der Luft hängt ein noch nie gesehener Staub, der natürlich das Seine tut. Aber trotzdem habe ich mich erholt, ich fühle mich weit besser; ich huste weniger und habe auch bereits Appetit.

Ich habe abgelehnt, bei Morozov Aktionär zu werden, weil ich das Geld, das man mir schuldet, nicht zurückbekommen habe und offenbar so bald oder auch gar nicht zurückbekommen werde. Und nur nominell, dem Namen nach Aktionär sein will ich nicht. Du bist Schauspielerin, du bekommst weniger als du verdientest, du kannst darum auch Aktionärin auf Kredit sein, aber ich nicht.

Gehst du zu Fuß ins Theater oder fährst du in der Droschke? Gehst du in die anderen Theater? Was treibst du überhaupt? Was liest du? Wenn jemand nach Jalta fahren sollte, gib ihm den Spucknapf mit und die Brille.

In diesem Jahr fahre ich ganz bestimmt ins Ausland. Hier überwintern kann ich aus vielen Gründen nicht.

Hat Štrauch dir erlaubt, Kinder zu haben? Jetzt schon oder erst später? Ach, Herz, mein Herz, die Zeit vergeht! Wenn unser Kind anderthalb Jahre alt ist, dann werde ich aller Wahrscheinlichkeit nach schon kahl, grau und zahnlos sein, und du wirst aussehn wie Tante Šarlotta.

Oh, wenn es doch regnen würde! Es ist einfach gemein ohne Regen.

Ich küsse mein Alterchen und umarme es. Schreib mir, sei

nicht faul, sei gnädig. Wann werden die Bauarbeiten beendet sein? Schreib, mein Herz. *Dein Ehemann A.*

1037) AN V.F. KOMISSARŽEVSKAJA JALTA, 14. 9. 1902

14. September 1902.

Liebe Vera Fëdorovna, ich werde bald nach Moskau fahren, und von dort nach Nervi oder direkt nach Nervi; ich werde, wie ich glaube, bald fahren, aber wann genau, ist noch ungewiß, der Tag ist noch nicht festgesetzt. Die ganze Sache hängt an meinem Husten, und wenn er nicht aufhört und mir überhaupt nicht besser wird, werde ich in Jalta bleiben, aber dennoch werde ich wahrscheinlich zum ersten Oktober abreisen.

Wann kommen Sie nach Sevastopol? Können wir uns dort nicht sehen?

Hier ist unmögliches Wetter; es ist kalt, staubig, geregnet hat es seit dem Frühjahr nicht mehr. Und je eher ich von hier fliehe, desto besser.

Auch ich müßte und würde Sie gern sehen und mit Ihnen sprechen.

Bleiben Sie gesund, ich wünsche Ihnen alles Gute.

Ihr A. Čechov.

Jalta.

1038) AN O. L. KNIPPER JALTA, 18. 9. 1902

18. Sept.

Meine kleine Gattin, ein wahres Ereignis: heute nacht hat es geregnet. Als ich heute morgen durch den Garten ging, war alles bereits wieder trocken und staubig, aber dennoch, es hat geregnet, ich habe nachts das Rauschen gehört. Die Kälte ist vorüber, es ist wieder heiß geworden. Meine Gesundheit ist wiederhergestellt, zumindest esse ich viel, huste weniger; Sahne trinke ich keine, weil die hiesige Sahne den Magen verdirbt und sehr sättigt. Mit einem Wort, mach dir keine Sorgen, alles geht und wenn nicht sehr gut, so doch zumindest nicht schlechter als gewöhnlich.

Heute bin ich traurig, Zola ist gestorben. Das kam so unerwartet und irgendwie ungelegen. Als Schriftsteller habe ich ihn wenig gemocht, aber dafür als Menschen in den letzten Jahren, als die Affäre Dreyfus Wellen schlug, habe ich ihn hoch geschätzt.

Also, wir sehen uns bald, meine kleine Wanze. Ich werde kommen und so lange bleiben, bis du mich wegjagst. Ich werde es schon schaffen, dir auf die Nerven zu fallen, keine Sorge. Sag Najdënov, wenn die Rede auf sein Stück kommt, daß er großes Talent hat – wie dem auch sein mag. Ich schreibe ihm nicht, weil ich bald mit ihm sprechen werde – sag es ihm so.

Morozov habe ich dasselbe geschrieben wie dir, d. h. daß ich als Aktionär zurücktrete aus Geldmangel, weil mir die Schulden nicht zurückgezahlt worden sind, worauf ich gerechnet hatte.

Sei nicht deprimiert, das steht dir nicht. Sei fröhlich, mein Herzchen. Ich küsse dir beide Hände, die Stirn, die Wangen, die Schultern, streichle dich am ganzen Körper, umarme dich und küsse dich noch einmal. *Dein A.*

Wo ist Kotik?

Mutter läßt dich grüßen und beklagt sich dauernd, daß du nicht schreibst.

1039) AN O. L. KNIPPER JALTA, 22. 9. 1902

22. Sept.

Meine liebe kleine Philosophin, mein Deutschenkind, sei gegrüßt! Heute habe ich von dir einen großartigen Brief bekommen – die Beschreibung deiner Fahrt nach Ljubimovka, und als ich sie las, habe ich mich gefreut, daß ich solch eine gute, prächtige Frau habe. Gestern war Altšuller bei mir, er hat mich untersucht, zum ersten Mal in diesem Herbst. Hat mich abgehorcht, abgeklopft. Er fand, meine Gesundheit habe sich bedeutend gebessert, meine Krankheit sei, der Veränderung nach zu schließen, die im Frühling eingetreten ist, auf dem Wege der Heilung begriffen; er hat mir sogar gestattet, nach Moskau zu fahren – so gut ist es geworden! Er sagt, jetzt fahren könne ich nicht, ich solle die ersten Fröste abwarten. Da siehst du! Er sagt, geholfen habe mir das Kreosot und die Tatsache, daß ich den Winter in Jalta verbracht habe, und ich sage ihm, geholfen habe mir der Aufenthalt in Ljubimovka. Ich weiß nicht, wer recht hat. Aus Moskau soll ich, auf Anordnung von Altšuller, gleich nach meiner Ankunft wieder abfahren. Ich habe ihm gesagt: »ich fahre, im Dezember, wenn meine Frau mich läßt.« Jetzt die Frage: wohin fahren? Die Sache ist die, daß in Odessa die Pest herrscht und es sehr gut möglich ist, daß man mich, wenn ich im Februar oder März aus dem Ausland zurückkomme, ein paar Tage dort festhält und mich dann in Sevastopol und Jalta wie einen Aussätzigen ansieht. Was soll ich jetzt tun? Überleg mal!

Es regnet nicht. Der Wind weht.

Ich habe einen Aufsatz von August Scholz über das Künstlertheater gelesen. So ein Quatsch! Eine typisch deutsche Lobhudelei, in der über die Hälfte der Informationen, die der Autor seinem Publikum unter anderem mitteilt, der pure Unsinn ist; zum Beispiel der Mißerfolg meiner Stücke auf den Bühnen der Kais. Theater in Moskau. Nur das eine ist gut: du wirst erwähnt als die talentierteste russische Schauspielerin.

Meine Jacken und Hosen sind abgetragen, ich sehe allmählich aus wie ein armer Verwandter... Du wirst dich schämen, mit mir durch Moskau zu gehen, es geht nicht anders, ich werde mir auf der Straße den Anschein geben, als kennte ich dich nicht – und so machen wirs, bis wir neue Hosen gekauft haben.

Also, mein kleines Licht, mein Schnäuzchen, bleib gesund. Sei nicht deprimiert und verlier nicht die Nerven. Du sollst wissen, daß ich dich umarme und schüttle aus Leibeskräften. Bald sehen wir uns wieder, mein Herz. *Dein A.*

Also, ich bin demnach gesund. Das sollst du wissen.

1040) AN A.F. MARKS JALTA, 1. 10. 1902

1. Oktober 1902.

Sehr geehrter

Adolf Fëdorovič!

Unter meinen Ihnen übergebenen Werken befindet sich das Vaudeville »Über die Schädlichkeit des Tabaks«, – es gehört zu denjenigen Werken, die ich Sie bat, nicht in die Gesamtausgabe aufzunehmen und nie zu veröffentlichen. Jetzt habe ich ein völlig neues Stück unter demselben Titel »Über die Schädlichkeit des Tabak« geschrieben, wobei ich nur den Namen der handelnden Personen beibehalten habe, und schicke es Ihnen zur Aufnahme in den VII. Band.

Lassen Sie mir bitte die Fahnen schicken. Bis zum 12. Oktober werde ich in Jalta sein, danach fahre ich nach Moskau. Meine Moskauer Adresse: Neglinnyj pr., Hs. Goneckaja.

Ich wünsche Ihnen alles Gute.

Ihr aufrichtig ergebener A. Čechov.

1041) AN K.S. STANISLAVSKIJ JALTA, 1. 10. 1902

1. Okt. 1902.

Was soll das, lieber Konstantin Sergeevič?! Gott stehe uns bei! Ich habe mich von Ihnen entfernt, aufgehört, das Künstlertheater zu lieben? Dergleichen ist mir nicht einmal im Traume eingefallen, nichts dergleichen hätte ich auch nur im Scherz denken können! Ich weiß nicht, was Sie eigentlich auf diesen Gedanken gebracht hat von der Veränderung, die angeblich mit mir vorgegangen sei. Mein Brief an Savva Timofeevič? Aber dieser Brief betraf doch lediglich meine Schulden, die ich nicht verschweigen konnte, weil in meinen finanziellen Angelegenheiten tatsächlich ein kleines Mißverständnis aufgetaucht ist. Die Sache ist die, daß ich, als ich mich als Aktionär eintrug, versprochen hatte, meinen Aktionärsanteil (5000 R.) Ende dieses Jahres zu zahlen; aber wie sich jetzt herausstellt, werde ich nicht zahlen können, weil ich das Geld nicht haben werde; ich hatte damit gerechnet, daß mir eine Schuld zurückbezahlt werden würde, und das ist nicht geschehen. Und Aktionär sozusagen auf Kredit zu werden, ist mir peinlich. Das ist alles, was ich Savva Timofeevič geschrieben habe, und ich erinnere mich, ihm so geschrieben zu haben, daß von irgendeiner Veränderung in meinem Verhältnis zum Theater, überhaupt zu einer Sache, die ich seit dem Tage ihrer Geburt liebe, weder die Rede noch ein Gedanke sein konnte.

Um den 15. Oktober werde ich nach Moskau kommen und werde dann all meine Beredsamkeit aufwenden, deren ich nur fähig bin, um diese Lappalie zu zerstreuen, die man nicht einmal ein Mißverständnis nennen kann... Am 15. Oktober werde ich nach Moskau kommen und Ihnen erklären, warum mein Stück bis heute noch nicht fertig ist. Ich habe ein Sujet, aber vorläufig fehlt es noch an Pulver.

In Ljubimovka hatte ich ein schönes Leben, schöner kann man es nicht haben. Als ich nach Jalta zurückkam, bin ich krankgeworden, habe wie wild zu husten angefangen, habe nichts gegessen – so ging es etwa einen Monat, jetzt jedoch fühle ich mich sehr gut. Ein Arzt hat mich abgehorcht und gesagt, es sei eine bedeutende Veränderung zum Besseren eingetreten (gegenüber dem Zustand vom Winter und Frühjahr). Das Klima von Ljubimovka und das Fischefangen (von morgens bis abends) haben sich also als heilkräftig für mich erwiesen, sogar trotz dem Regenwetter, das den ganzen Sommer über war. Auch Olga ist genesen. Doktor Štrauch war vorgestern bei mir und sagte, daß von dem Krankheitsprozeß aber auch nicht eine Spur zurückgeblieben sei.

Ich sende Marija Petrovna und Ihrer Mama meinen herzlichen Gruß. Bleiben Sie gesund und wohlauf. *Ihr A. Čechov.*

Von Moskau fahre ich ins Ausland, wahrscheinlich nach Nervi. Ich werde bis Ende November oder Anfang Dezember in Moskau bleiben, d.h. bis ich zu husten anfange.

1042) AN O.L. KNIPPER JALTA, 8. 10. 1902

Schauspielerin, wenn du kein Telegramm von mir bekommst, dann sei gewiß, daß ich am 12. von Jalta abfahre und am 14. Oktober in Moskau ankomme. Das sollst du wissen. Die Fahrkarte ist bereits bestellt, die Abreise endgültig. Also, demnach bin ich am 14. in Moskau.

Du bist verrücktgeworden!!! Ein Vaudeville ans Künstlertheater zu geben! Ein Vaudeville mit einer handelnden Person, die nur redet, aber absolut nicht handelt!! Für das Theater schreibe ich das Stück, das wird besser.

Die unseligen Smirnovs haben mir aufgetragen, ihnen Pantoffeln von der Krim mitzubringen, und ich kann einfach keine finden; heute hat Sinani welche gekauft und mir durch Arsenij bringen lassen, aber das ist gewöhnliches Bauernschuhwerk, ich begreife nicht, weshalb er das gekauft hat, das Geld ist einfach zum Fenster hinausgeworfen.

Also, warte auf mich, ich komme. Ich werde miserabel angezogen sein, darum komm mir in Moskau nicht zu nahe, kenn mich nicht; statt dich auf dem Bahnhof zu begrüßen, wie es sich gehört, werde ich dir nur zuzwinkern.

Das Wetter in Jalta ist warm.

Heute hat man mir Kaffee mit einer Fliege vorgesetzt, einer gekochten Fliege. So etwas Widerliches!

Also, mein Hündchen, bleib gesund und fröhlich. Ich umarme und küsse dich eine Million dreihunderttausend mal.

Dein A.

1043) AN S.I. ŠACHOVSKOJ JALTA, 10. 10. 1902

10. Okt. 1902.

Ihr Brief, lieber Sergej Ivanovič, lief Gefahr, mich nicht mehr in Jalta zu erreichen: am 12. fahre ich nach Moskau! Meine Gesundheit hat sich einigermaßen gebessert, und ich denke, bis Dezember in Moskau zu bleiben; wir werden uns also bald sehen, wie ich hoffe, oft. Kennen Sie unsere Moskauer Adresse? Meine

Schwester und meine Frau wohnen nämlich nicht mehr in der Spiridonovka, sondern Neglinnyj pr., Hs. Goneckaja, wo die Sandunovsche Badeanstalt ist, Eingang vom Zvonarskij per., untere Etage.

Teilen Sie Herrn Melnik mit, daß ich Übersetzern keine Genehmigung erteile, die sie zufriedenstellen würde. Ins Deutsche wurde und werde ich übersetzt, und was bereits übersetzt ist und was nicht, weiß ich nicht. Geld für die Übersetzungen habe ich keins bekommen und bekomme auch keins. Das Übersetzen nach dem Manuskript bereitet gewisse Unannehmlichkeiten, keine großen zwar, aber doch solche, die durch ein Honorar nicht aufgewogen werden. Nebenbei bemerkt gibt es sehr viele Übersetzer, besonders ins Deutsche, ich habe viele Briefe bekommen (mit der Bitte um Genehmigung zum Übersetzen), ich habe viele beantwortet, einige habe ich unbeantwortet gelassen; ich habe viele Übersetzungen aus dem Russischen gesehen – und bin schließlich und endlich zur Überzeugung gelangt, daß man aus dem Russischen nicht übersetzen sollte. Nun, aber darüber werden wir sprechen, wenn wir uns wiedersehen.

Bei Ihnen schneit es, und hier, in Jalta, ist es warm wie im Sommer; die Bäume sind grün, es ist still, die Sonne brennt...

Ich grüße Lidija Vladimirovna und Sie, drücke Ihnen fest die Hand. Ich werde heute an Serpuchov erinnert: ich habe einen Brief von Ihnen bekommen, einen von P.I. Kurkin...

Bleiben Sie gesund und wohlauf. *Ihr A. Čechov.*

1044) AN A.F. MARKS MOSKAU, 16. 10. 1902

16. Oktober 1902.
Moskau, Neglinnyj pr., Hs. Goneckaja.
Sehr geehrter
Adolf Fëdorovič!

Das Vaudeville »Über die Schädlichkeit des Tabak« ist ausschließlich für die Bühne geschrieben, in einer Zeitschrift könnte es überflüssig und uninteressant erscheinen und darum bitte ich Sie, es nicht in die Zeitschrift einzurücken. Was die Erzählung betrifft, so werde ich bald eine für Ihre Zeitschrift schreiben, ich werde sie schreiben, sobald es möglich ist, und sie Ihnen schicken. Den Titel dieser Erzählung werde ich Ihnen mitteilen, wenn ich sie zu schreiben beginne.

Gestatten Sie mir, Ihnen alles Gute zu wünschen und in aufrichtiger Hochachtung zu verbleiben

Ihr ergebener A. Čechov.

1045) AN A. F. MARKS MOSKAU, 23. 10. 1902

23. Oktober 1902.

Sehr geehrter

Adolf Fëdorovič!

Ich habe nichts einzuwenden gegen eine Ankündigung, daß im Jahre 1903 in der »Niva« eine Erzählung von mir veröffentlicht werden wird, denn ich habe absolut nichts gegen eine Mitarbeit in Ihrer Zeitschrift und werde Ihnen die Erzählung unbedingt schicken, wenn nur die Krankheit mich nicht daran hindert.

Was Herrn Ėttinger betrifft, so sind seine »Gedanken und Ideen« absolut kindisch, es ist unmöglich, ernst darüber zu sprechen. Außerdem sind alle diese »Gedanken und Ideen« nicht die meinen, sondern die meiner Helden, und wenn irgendeine handelnde Person in einer Erzählung oder einem Stück von mir sagt, daß man töten und stehlen müsse, so heißt das noch lange nicht, daß Herr Ėttinger das Recht besäße, mich für einen Propheten von Mord und Diebstahl auszugeben.

Das Manuskript des Herrn Ėttinger schicke ich zurück. Gestatten Sie mir, Ihnen alles Gute zu wünschen und in aufrichtiger Hochachtung zu verbleiben *Ihr ergebener A. Čechov.*

1046) AN I. A. BUNIN MOSKAU, 26. 10. 1902

Lieber Jean! Bedecke deine bleichen Beine!

1047) AN A.I. KUPRIN MOSKAU, 1. 11. 1902

1. Okt. 1902.

Lieber Aleksandr Ivanovič, »In der Stille« habe ich bekommen und gelesen, ich danke Ihnen sehr. Die Novelle ist gut, ich habe sie in einem Zuge gelesen, wie auch »Im Zirkus«, und habe wahres Vergnügen empfunden. Sie wollen, daß ich nur über die Mängel spreche, und damit bringen Sie mich in eine schwierige Lage. Diese Novelle hat keine Mängel, und wenn man mit etwas nicht einverstanden sein will, so sind es nur einige ihrer Eigenheiten. Zum Beispiel behandeln Sie Ihre Helden, die Schauspieler, auf die alte Weise, so wie sie bereits seit hundert Jahren von allen behandelt wurden, die über sie geschrieben haben; da ist nichts neu. Zweitens befassen Sie sich im ersten Kapitel mit der Beschreibung der äußeren Erscheinungen – wiederum auf die alte Weise, einer Beschreibung, auf die man verzichten kann. Fünf genauestens dargestellte äußere Erscheinungen ermüden die Aufmerksamkeit und verlieren schließlich und endlich ihren Wert. Glattrasierte Schauspieler sehen einander ähnlich wie polnische Priester, und sie bleiben es auch, so sorgfältig Sie sie auch

---

Rechte Seite: Titelblatt der zweiten Auflage des Stückebandes im Verlag A.F. Marks, Petersburg 1902.
Inhalt:
1. Der Bär.
2. Der Heiratsantrag.
3. Ivanov.
4. Schwanengesang.
5. Tragöde wider Willen.
6. Die Möwe.
7. Onkel Vanja.
8. Die Hochzeit.
9. Das Jubiläum.
10. Drei Schwestern.

Unter dem Inhaltsverzeichnis der Vermerk:
»Alle hier bezeichneten Stücke sind uneingeschränkt von der Zensur zur Aufführung genehmigt.« (»Pravitelstvennyj vestnik«, 3. März 1902, Nr. 50)

АНТОНЪ ЧЕХОВЪ.

ПЬЕСЫ

ВСѢ ОЗНАЧЕННЫЯ ЗДѢСЬ ПЬЕСЫ
БЕЗУСЛОВНО ДОЗВОЛЕНЫ ЦЕНЗУРОЮ КЪ ПРЕДСТАВЛЕНІЮ
(„Правительственный Вѣстникъ“, 3-го марта 1902 г., № 50).

ВТОРОЕ ДОПОЛНЕННОЕ ИЗДАНІЕ.

С.-ПЕТЕРБУРГЪ.
Изданіе А. Ф. МАРКСА.
1902.

darstellen mögen. Drittens der etwas grobe Ton, das Übermaß in der Darstellung der Betrunkenen...

Das ist alles, was ich Ihnen als Antwort auf Ihre Frage nach den Mängeln sagen kann, mehr will mir nicht einfallen.

Sagen Sie Ihrer Frau, sie möge sich keine Sorgen machen, es wird alles gutgehen. Eine Geburt kann bis zu 20 Stunden dauern, und danach tritt der glückselige Zustand ein, wenn sie lächeln wird, und Sie vor Rührung in Tränen ausbrechen möchten. 20 Stunden ist das gewöhnliche maximum bei Erstgeburten.

Also, bleiben Sie gesund. Ich drücke Ihnen fest die Hand. Ich habe so viele Besucher, daß sich mir der Kopf dreht, es ist schwer zu schreiben. Das neue Künstlertheater ist tatsächlich schön; kein besonderer Luxus, aber bequem. *Ihr A. Čechov.*

1048) AN L. A. SULERŽICKIJ MOSKAU, 5. 11. 1902

Das neue Theater ist sehr schön; geräumig, frisch, kein billiger, ins Auge springender Luxus. Gespielt wird wie früher, d. h. gut, neue Stücke gibt es keine, und das einzige, das es gab, hatte keinen Erfolg. Das Fehlen Mejercholds ist nicht zu spüren; in den »Drei Schwestern« ist er durch Kačalov ersetzt, der wunderbar spielt, die übrigen Stücke (zum Beispiel »Die Einsamen«) sind bis jetzt noch nicht gespielt worden. Das Fehlen von Sanin, der in Petersburg Erfolg hat, spürt man. Die Preise sind dieselben wie im vorigen Theater. Den »Onkel Vanja« spielen sie wunderbar.

Meine Mutter ist in Moskau, meine Schwester malt nicht, meine Frau ist gesund, Višnevskij kommt jeden Tag. Gestern war meine Frau gegangen, um die Olenina d'Algejm zu hören, die irgendwie außergewöhnlich singen soll. Mich läßt man nirgendwohin, hält mich zu Hause fest, aus Angst, ich könnte mich erkälten. Ins Ausland werde ich wahrscheinlich nicht fahren, sondern im Dezember nach Jalta zurückkommen. Bekommen Sie das »Russkoe slovo«, das Ihnen geschickt wird? Schreiben Sie. Wirklich, Sie sollten ein kleines Stück Land kaufen, in der Nähe von Moskau und arbeiten, sich um den Garten und Gemüsegarten kümmern, und im Winter kleine Erzählungen schreiben. Das Land kann man kaufen oder auf 60–90 Jahre in Pacht nehmen. Nur, die Hauptsache, ganz in der Nähe von Moskau. Gestern waren bei mir Suvorin, Menšikov, Peškov; überhaupt kommen alle möglichen Leute zu mir, in rauhen Mengen. Die Photographie der Schauspieler werde ich mich bemühen zu schicken. Sie praktizieren? Das sollten Sie nicht. Das Beste ist – einen Patienten zum Arzt zu schicken. Schicken Sie mir den Titel des Aufsatzes, von dem Sie schreiben. Also, die Engel des Himmels mögen Sie beschützen. *Ihr A. Čechov.*

5. November 1902.

1049) AN O. L. KNIPPER TULA, 27. 11. 1902

Mein Herz, es war schwer, Abschied von dir zu nehmen. Bald nach Moskau setzte sich Šubinskij zu mir, der Mann der Ermolova; wir unterhielten uns, sprachen über die Theater, über die Ermolova, über die Künstler, d. h. über euch.

Ich habe bereits gegessen, ich danke dir, meine Freude. Der Herr segne dich. Führ ein stilles Leben, sei nicht traurig, sei nicht böse. Ich küsse dich. Ich glaube, ich habe nichts vergessen, habe alles mitgenommen. Diesen Brief werfe ich in Tula ein.

Ich küsse und umarme dich. *Dein A.*

27. November.

1050) AN O. L. KNIPPER JALTA, 1. 12. 1902

1. Dez.

Meine Freude, Liebste, mein Herz, meine Frau, wie lebst du ohne mich? Was fühlst du, woran denkst du? Bei mir ist alles bestens, ich bin gesund, ich huste nicht, schlafe gut und esse gut. Ich habe grausame Sehnsucht nach dir, mein Weiblein, und ärgere mich darüber, bin oft schlechter Laune. Gestern war Altšuller da. Über dein Geschenk (die Brieftasche) hat er sich sehr gefreut, er wird dir wahrscheinlich darüber schreiben. Die Direktorin des Gymnasiums war da. Heute liegt kein Schnee mehr, er ist getaut. Es ist sonnig. Die Kraniche rufen. Hier wird es bald, in einem, anderthalb Monaten, Frühling.

Wenn du den Hund bekommst, beschreib ihn mir.

Zeitungen haben sich höllisch viele angesammelt, ich kann sie einfach nicht loswerden; wie viele unsinnige Lügen darin stehen! Gestern habe ich Stör mit dem Meerrettich gegessen, den ich mitgebracht hatte. Sag Maša, sie solle unbedingt bei Belov Meerrettich kaufen und mitbringen, auch Schinken und dergleichen mehr. Morgen setze ich mich ans Schreiben. Ich werde vom Morgen bis zum Mittagessen schreiben, und dann nach dem Mittagessen bis zum Abend. Das Stück werde ich im Februar schikken. Meine Frau umarmen werde ich im März.

Sei nicht faul, Herzchen, schreib deinem bösen, eifersüchtigen Mann, zwing dich.

Hier, in Jalta, gibt es eine neue Kirche, sie läutet mit großen Glocken, das ist angenehm zu hören, denn es erinnert an Rußland. In diesen Tagen entscheidet sich die Frage der Eisenbahn, im Winter will man mit dem Bau beginnen. Sag Maša, daß wir viel Wasser haben, man kann trinken nach Herzenslust. Die Wasserleitung von Autka geht zur Zeit nur in eine Richtung – in unsere.

Mein gutes Weiblein, der Herr segne dich. Ich umarme dich viele Male. Vergiß nicht deinen Mann. *A.*

1051) AN O. L. KNIPPER JALTA, 6. 12. 1902

6. Dez.

Mein Herz, dein Telegramm ist gekommen. Ich kann dir darauf nicht antworten, alle sind in der Kirche, und eine Antwort darauf ist wohl auch kaum nötig, denn du wirst meinen Brief inzwischen bekommen haben.

Eine Konventionalstraf-Klausel habe und hatte ich nicht, und ich erinnere mich, beim Aufsetzen des Vertrages mit Marks haben wir eine solche Klausel gar nicht abgefaßt. Eine Kopie der Vollmacht für Sergeenko kann ich ebenfalls nicht schicken, weil ich sie nicht habe und nie hatte. Ich habe lediglich eine Kopie des Vertrags, desselben, den, wie du schreibst, Pjatnickij auch hat. Ehrenwort, Herzchen, ich habe weder diese Klausel noch die Vollmacht, denk nicht, daß ich schummle, daß ich diese Papiere verstecke.

Gestern war O.M. Solovjëva da, sie hat mich eingeladen.

An die Arbeit habe ich mich bereits begeben, ich schreibe an einer Erzählung. In meinem Zimmer ist es kalt, meine Frau ist nicht da, niemand bürstet mir das Jackett aus, jemand hat alle Zeitschriften verschleppt, die während meiner Abwesenheit gekommen sind... Aber ich verliere dennoch nicht den Mut und sehe voller Hoffnung in die Zukunft, wenn wir einander wiedersehen und wieder zusammenleben werden.

Deine Briefcouverts taugen nichts, die Briefe kommen fast offen hier an. Kauf dir für fünf Kopeken einfache Briefcouverts, und diese aristokratischen wirf weg. Oder kauf dir englisches Briefpapier, dünnes, und Couverts dazu, wie Merilees sie hat. Ich schicke dir morgen einen Brief auf englischem Papier.

Wie ist Suvorins »Frage«? Und Čirikov schreibt schon sein drittes Stück? Welch ein Überfluß an Stücken! Das Theater wird ja ganz aufgebläht.

Das Wetter ist miserabel.

Siehst du, mein Reiher, wie fleißig dein Mann ist: ich schreibe jeden Tag! Heute kamen zwei Briefe von dir; der eine, in dem du von Poltava schreibst, ist wahrscheinlich gelesen worden. Mutter küßt dich, dankt dir für den Hut; sie fragt, ob du ihn nicht Maša mitgeben kannst? Kann Maša ihn mitnehmen?

Also, der Herr sei mit dir. Ich umarme dich. Sei nicht traurig, schreib ausführlich, sei nicht geizig. *Dein A.*

1052) AN O. L. KNIPPER JALTA, 12. 12. 1902

12. Dez.

Schauspielerin, sei gegrüßt. Frau Švabe ist gekommen, ich habe die Seife bekommen, danke dir. Altšuller zufolge, mit dem ich am Telephon gesprochen habe, ist die Švabe krank, an Schwindsucht, ernst. Heute wirst du das Manuskript der Mejer bekommen haben. Natürlich ist die Mejer eine sehr gute Frau, und ihre Sache ist eine heilige Sache; wenn möglich, wäre es gut, über ihren Bericht sowohl mit der »Russkaja mysl« als auch mit den Tageszeitungen zu sprechen, den »Novosti dnja«, wenn du willst, aber noch besser wären die »Russkie vedomosti«. Übrigens, sag Ėfros, daß er mir im kommenden Jahr die »Novosti dnja« schikken möge, und desgleichen den »Kurjer«. Im »Kurjer« hat Leonid Andreev die Macht.

In Jalta wird geschossen. Die Kälte hat die Drosseln hierhergetrieben, und jetzt erschießt man sie hier, ohne an Gastfreundschaft zu denken.

Ich schreibe an der Erzählung, aber sie wird so schrecklich, daß ich sogar Leonid Andreev in die Tasche stecken werde. Ich hätte Lust, ein Vaudeville zu schreiben, kann mich aber einfach nicht dazu aufraffen, und es ist auch zu kalt zum Schreiben; in den Zimmern ist es dermaßen kalt, daß man dauernd auf- und abgehen muß, um sich aufzuwärmen. In Moskau ist es unvergleichlich viel wärmer. In den Zimmern hier ist es ekelhaft kalt, und schaut man zum Fenster hinaus – Schnee, gefrorene Erdhügel, trüber Himmel. Die Sonne will und will nicht scheinen. Der einzige Trost ist, daß heute die Tage länger zu werden beginnen, es geht also auf den Frühling zu.

Meine Fingernägel sind langgeworden, und niemand da, der sie mir schneidet... Ein Zahn ist mir im Munde abgebrochen. An der Weste ist ein Knopf abgerissen.

An den Feiertagen werde ich dir jeden Tag schreiben, oder zweimal am Tag – damit du dich nicht zu sehr langweilst.

Matvej Štrauch hat einen Orden bekommen.

Heute waren Leute da, die Kučukoj kauen wollten. Ich habe

zu ihnen gesagt, daß mich das nichts anginge und daß Maša bald käme, an die sie sich wenden sollten.

Ich war noch kein einziges Mal in der Stadt!!

Ich umarme meine hervorragende, anständige, kluge, außergewöhnliche Frau, ich umarme und küsse sie fest. *Dein A.*

Mutter geht überall umher und dankt für den Hut. Der Hut gefällt ihr sehr.

1053) AN O. L. KNIPPER JALTA, 14. 12. 1902

14. Dezember.

Mein Herz, meine Jammergestalt, mein Hund, Kinder wirst du ganz bestimmt haben, das sagen die Ärzte. Du mußt nur erst ganz zu Kräften kommen. Bei dir ist alles ganz und in Ordnung, sei unbesorgt, dir fehlt nur dein Mann, der ein Jahr lang mit dir zusammenlebt. Aber das wird ja auch sein, ich werde mich schon aufraffen und ein Jährchen unzertrennlich und fest mit dir zusammenleben. Und du wirst einen Sohn zur Welt bringen, der Geschirr zerschlägt und deinen Dachshund am Schwanz zieht, und du wirst auf ihn sehen und dich an ihm freuen.

Gestern habe ich mir den Kopf gewaschen und mich dabei wahrscheinlich ein bißchen erkältet, denn heute kann ich nicht arbeiten, ich habe Kopfschmerzen. Gestern war ich zum ersten Mal in der Stadt, dort ist es schrecklich langweilig, auf der Straße nichts als Schnauzen, keine einzige hübsch, keine einzige interessant gekleidet.

Wenn ich mich an den »Kirschgarten« setze, werde ich dir schreiben, mein Hund. Vorläufig sitze ich an einer Erzählung, einer ziemlich uninteressanten – für mich zumindest; sie geht mir auf die Nerven.

In Jalta ist die Erde mit spärlichem grünen Gras bedeckt. Wenn es nicht schneit, ist es angenehm anzusehen.

Ich habe von Ėfros einen Brief bekommen. Er bittet mich, ihm zu schreiben, welche Meinung ich von Nekrasov habe. Er braucht es angeblich für die Zeitung. Es ist widerlich, aber ich werde schreiben müssen. Ich liebe, nebenbei bemerkt, Nekrasov sehr und verzeihe aus irgendeinem Grunde keinem Dichter Fehler so gern wie ihm. Das werde ich Ėfros auch schreiben.

Es weht ein grimmig böser Wind.

Für Fomka ist es zur Zeit zu kalt, nach Jalta zu fahren, aber vielleicht kann man ihn irgendwie im Eisenbahnabteil mitnehmen, oder vielleicht ist das Hundeabteil geheizt. Wenn Maša ihn nicht mitnehmen will, nimmt ihn vielleicht Vinokurov-Čigorin mit, der Lehrer von Gurzuf, der heute nach Moskau gefahren ist.

Das Schwein, das du mir geschenkst hast, hat ein Ohr verloren. Also, mein kleines Licht, der Herr sei mit dir, sei ein kluges Kind, sei nicht traurig, langweil dich nicht und denke so oft wie möglich an deinen legitimen Mann. Eigentlich liebt dich doch niemand auf dieser Welt so sehr wie ich, und außer mir hast du niemanden. Daran sollst du denken und es dir hinter die Ohren schreiben.

Ich umarme und küsse dich tausendmal. *Dein A.*

Schreib ausführlich.

1054) AN O.L. KNIPPER JALTA, 15. 12. 1902

15. Dez.

Meine geliebte Frau, heute habe ich deinen Brief auf den zwei Blättern bekommen. Hier die Antwort auf deine Fragen. Lebertran und Kreosot nehme ich regelmäßig, denn das ist beinahe meine einzige Beschäftigung. Einen Morgenrock habe ich nicht; meinen alten Morgenrock habe ich irgendjemandem geschenkt, wem – weiß ich nicht mehr, aber ich brauche auch keinen, denn ich wache nachts nie auf. Während der ganzen Zeit ist mein Jakkett nur ein einziges Mal ausgebürstet worden. Jetzt werde ich, damit du nicht böse wirst, Maßnahmen ergreifen. Den Kopf habe ich mir neulich gewaschen. Das Hemd heute gewechselt. Die Strümpfe wechsle ich sofort, in diesem Augenblick. Die neuen Handtücher taugen glaube ich nichts. Sie sind naß, sobald man sie nur in die Hand nimmt; wahrscheinlich sind es welche von den billigen. Ich brauche Handtücher, die kurz sind, grob, dick und rauh.

Heute nacht ist Schnee gefallen. Es sieht ziemlich kümmerlich aus in der Natur.

Mein Herz, wenn du mir eine Ehefrau bist, dann laß mir, wenn ich nach Moskau komme, einen Pelzmantel nähen aus irgendeinem warmen, aber leichten und schönen Pelz, meinetwegen auch aus Lira. Mein Moskauer Pelzmantel hätte mich doch fast erschlagen! Er wiegt drei Pud! Ohne einen leichten Pelz fühle ich mich wie ein Landstreicher. Kümmere dich darum, Ehefrau! Weshalb ich mir diesmal in Moskau keinen Pelz habe nähen lassen, kann ich nicht begreifen.

An den Feiertagen werde ich dir jeden Tag schreiben, sei unbesorgt. Ich finde es doch selbst schön, wenn ich dir schreibe. Du bist doch meine außergewöhnliche, prächtige, anständige, kluge, seltene Ehefrau, du hast keinen einzigen Fehler – von mir aus gesehen, zumindest.

Übrigens, doch: du bist jähzornig, und wenn du schlechter Laune bist, ist es gefährlich, sich in deiner Nähe aufzuhalten. Aber das sind Lappalien, das vergeht mit der Zeit. Wir beide haben einen gemeinsamen Fehler – das ist, daß wir so spät geheiratet haben.

Im vergangenen Jahr und früher hatte ich, wenn ich morgens aufwachte, gewöhnlich sehr schlechte Laune, hatte ein Reißen in Armen und Beinen, und in diesem Jahr nichts dergleichen, als sei ich jüngergeworden.

Ich habe einen Brief von Višnevskij bekommen; sag, daß ich ihm an den Feiertagen antworten werde.

Ich umarme mein Herz, küsse und segne es.

Schreib mir ausführlich, sei nicht faul. Die Tage werden bereits wieder länger, es geht auf den Frühling zu, bald sehen wir uns also wieder. Der Herr sei mit dir. *Dein A.*

1055) AN O. L. KNIPPER JALTA, 17. 12. 1902

17. Dez.

Meine Schauspielerin, sei gegrüßt! Deine letzten beiden Briefe sind unfroh: im einen Maulhenkolie, im anderen Kopfschmerzen. Du solltest nicht zu dem Vortrag von Ignatov gehen. Ignatov ist doch ein unbegabter, konservativer Mensch, auch wenn er sich für einen Kritiker und Liberalen hält. Das Theater fördert die Passivität. Na, und die Malerei? Und die Poesie? Der Betrachter, der ein Bild sieht oder einen Roman liest, kann doch ebensowenig seine Sympathie oder Antipathie demgegenüber äußern, was auf dem Bild zu sehen oder in dem Buch zu lesen ist. »Es lebe das Licht, und Tod der Finsternis!« – das ist die bigotte Heuchelei aller Rückständigen, die kein Gespür besitzen, und der Schwachen. Baženov ist ein Scharlatan, ich kenne ihn seit langem, und Boborykin ist verbittert und alt.

Wenn du nicht in den Zirkel und nicht zu den Telešovs gehen willst, geh doch nicht hin, Herzchen. Telešov ist ein netter Mensch, aber dem Geiste nach ist er ein Kaufmann und Konservativer, es ist langweilig mit ihm; überhaupt ist es mit allen, die Kontakt zur Literatur haben, langweilig, mit Ausnahme von nur sehr wenigen. Wie rückständig und wie alt unsere gesamte Moskauer Literatur, die junge wie die alte, geworden ist, wirst du einsehen, wenn dir das Verhältnis aller jener Herrschaften zu den Ketzereien des Künstlertheaters klargeworden ist, so in zwei – drei Jahren.

Es weht ein wilder böser Wind. Ich kann nicht arbeiten! Das Wetter hat mich entkräftet, ich bin bereit, mich hinzulegen und ins Kissen zu beißen.

Die Wasserrohre sind gebrochen, es gibt kein Wasser. Die Reparaturen sind im Gange. Es regnet. Es ist kalt. Auch in den Zimmern ist es nicht warm. Ich habe grimmige Sehnsucht nach dir. Ich bin schon altgeworden, ich kann nicht mehr allein schlafen, wache oft auf. Im »Permskij kraj« las ich eine Rezension zum »Onkel Vanja«: es wird gesagt, Astrov sei sehr betrunken gewesen; wahrscheinlich ist er alle vier Akte hindurch getorkelt.

Sag Nemirovič, daß ich sein Telegramm bis heute noch nicht beantwortet hätte, weil mir noch nicht eingefallen ist, welche Stücke er im nächsten Jahr spielen lassen könnte. Meiner Meinung nach wird es Stücke geben. Die drei Stücke von Maeterlinck sollte man ruhig aufführen, wie ich gesagt hatte, mit Musik. Nemirovič hatte versprochen, mir jeden Mittwoch zu schreiben, und hatte sich dieses sein Versprechen sogar notiert, aber bis heute kein einziger Brief, kein Ton.

Wenn du L. Andreev siehst, sag ihm, daß man mir 1903 den »Kurjer« schicken möchte. Bitte! Und sag auch Ėfros Bescheid wegen der »Novosti dnja«.

Mein kluges Kind, mein Liebes, meine Freude, mein Hund, bleib gesund und fröhlich, der Herr sei mit dir. Mach dir um mich keine Sorgen, ich bin gesund und satt. Ich umarme und küsse dich. *Dein A.*

Ich werde in Zukunft den »Graždanin« bekommen. Ich habe von A.M. Fëdorov einen Gedichtband bekommen. Die Gedichte sind alle schlecht (oder es ist mir so vorgekommen), kleinlich, aber es gibt eins in dem Band, das mir sehr gefallen hat. Hier ist es:

Vorm Fenster die Drehorgel spielt auf der Straße.
Mein Fenster steht offen. Und schon kommt der Abend.
Von draußen ins Zimmer dringt Nebel, der blasse,
Hereinweht des Frühlings liebkosender Atem.
Ich weiß nicht, warum meine Hand erbebt.
Ich weiß nicht, warum meine Wange voll Tränen.
Ich habe den Kopf auf die Hände gelegt.
Und denke an dich. Doch du ... bist so ferne!

1056) AN O. L. KNIPPER JALTA, 20. 12. 1902

20. Dez.

Mein lieber Freund, heute habe ich von Alekseev ein Telegramm folgenden Inhalts bekommen: »Gorkijs Stück und das Theater hatten großen Erfolg. Olga Leonardovna beim feinsinnigen Publikum als Nummer Eins angekommen.« Freu dich, mein Herzchen. Dein Mann ist sehr zufrieden mit dir und wird noch heute auf dein Wohl trinken, wenn Maša nur Porter mitbringt.

Ich habe Scherereien mit meinen Zähnen. Und es ist ungewiß, wann diese dumme Musik zu Ende gehen wird. Gestern habe ich von dir einen fast offenen Brief bekommen (schon wieder?), und heute ist ein trauriger Tag für mich, denn Arsenij hat mir von der Post keinen Brief von dir mitgebracht. Auch das Wetter ist heute traurig: warm, still, aber nach Frühling riecht es noch nicht einmal. Ich habe auf dem Balkon gesessen, in der Sonne und die ganze Zeit an dich gedacht, an Fomka, an die Krokodile, an den Saum meines Jacketts, der aufreißt. Ich habe daran gedacht, daß du einen Sohn bräuchtest, der dich beschäftigen, der dein Leben ausfüllen würde. Du wirst einen Sohn oder eine Tochter bekommen, Liebste, glaub mir, du mußt nur noch warten, mußt wieder in Ordnung kommen nach deiner Krankheit. Ich belüge dich nicht, ich verheimliche dir keinen Tropfen von dem, was die Ärzte sagen, Ehrenwort.

Miša hat Heringe geschickt. Was soll ich dir sonst noch mitteilen? Wir haben wieder viele Mäuse. Ich mache jeden Tag mit der Mausefalle auf sie Jagd. Und die Mäuse haben sich offenbar bereits daran gewöhnt, denn sie sind ganz zutraulich, sie haben gar keine Angst mehr. Und mehr ist nicht zu schreiben, es ist nichts weiter oder ist zumindest nicht sichtbar, das Leben geht trübe und ziemlich inhaltslos dahin. Ich huste. Ich schlafe gut, habe aber die ganze Nacht hindurch Träume, wie es sich für einen Faulenzer auch gehört.

Schreib mir, Kindchen, schreib mir alle Einzelheiten, damit ich spüre, daß ich nicht nach Jalta gehöre, sondern in den Norden, daß dieses triste und inhaltslose Leben mich noch nicht verschlungen hat. Ich träume davon, spätestens am ersten März nach Moskau zu kommen, d. h. in zwei Monaten, aber ob das auch geschehen wird, weiß ich nicht. Gott beschütze dich, meine gute, schöne Frau, mein rothaariger Hund. Stell dir vor, daß ich dich in die Arme nehme und dich ein – zwei Stunden durchs Zimmer trage und küsse und umarme. Grüß Mama, Onkel Karl, Onkel Saša, Volodja, Ėlla, Zina … Alekseev danke für das Telegramm.

Morgen schreibe ich dir wieder. Schlaf gut, meine Freude, iß wie es sich gehört und denk an deinen Mann. *Dein A.*

1057) AN O.L. KNIPPER JALTA, 21. 12. 1902

21. Dez.

Schauspielerin, wieder habe ich heute keinen Brief bekommen. Nun, da ist nichts zu machen, dann sitzen wir eben ohne Brief da, wie die Raucher manchmal ohne Tabak dasitzen. Ich habe von Gnedič die Nachricht bekommen, daß ich für die »Möwe« nicht 8, sondern 10% bekommen werde, daß die »Möwe« volles Haus mache usw. usf. Ich habe einen Brief von Suvorin bekommen – auf zwei Bogen. Übrigens, der Alte Theaterfreund, der im »Novoe vremja« schreibt – ist er, Suvorin. In jedem Artikel schimpft er auf Stanislavskij, der ihm offenbar zu schaffen macht und ihm jede Nacht im Traum erscheint.

Ich habe noch keinerlei Informationen über das »Nachtasyl«, weiß aber, daß das Stück wunderbar läuft. Die Saison ist also gerettet, Verluste werdet ihr keine machen, obwohl auch Verluste kein großes Übel wären, wie ich meine, denn euer Theater steht auf sehr festem Boden, das reicht noch für lange.

Für das Parfum verneige ich mich vor dir bis zur Erde. Für das Konfekt, das sauergeworden ist, küsse ich mein Herzchen. In der Schale war eine Überraschung, eine abgeschmackte – der Eiffelturm, Wert einen Groschen. Die Handtücher habe ich nicht gesehen, Maša hat sie in die Wäscherei geschickt. Das Parfum ist sehr gut.

Jetzt sind bereits die Feiertage angebrochen, ich wünsche dir Glück, mein Liebes. Langweilst du dich? Du bist zur Zeit allein in der Wohnung, und das beunruhigt mich nicht wenig … Wenn du weggehst, spielt ab 6 Uhr abends Ksenija auf der Harmonika –

und das jeden Abend, ich schmachte dahin. Diese Kneipenatmosphäre wird wahrscheinlich bleiben, und so ist unsere Wohnung jetzt jeden Abend von Musik erfüllt. Ich würde Zina die Feiertage über zu mir nehmen, was meinst du? Ich bin sehr beunruhigt; verzeih mir, daß ich nicht mit dir zusammenlebe, im kommenden Jahr wird alles in Ordnung sein, ich werde bei dir sein, das steht fest.

Aber die Buchstaben und Zeilen verrutschen, ich muß eine Kerze anzünden. Ich hab es getan.

Schreib mir, schreib mir jeden Tag, zumindest in diesen Tagen.

Ich küsse dich, meine Gute, und umarme dich, der Herr sei mit dir. Ich schicke den Pelzmantel ins Ausland, Arsenij geht zur Anlegestelle. Schreib! *Dein A.*

1058) AN O. L. KNIPPER JALTA, 22. 12. 1902

22. Dez.

Mein Liebes, heute kamen die Zeitungen mit dem »Nachtasyl«, jetzt sehe ich, was für einen Riesenerfolg euer Theater gehabt hat. Jetzt kann man also mit Gewißheit sagen, daß ihr bis zum Ende der Saison volles Haus machen und guter Stimmung sein werdet. Wenn nur alle gesund bleiben. Ich bin heute krankgeworden, wahrscheinlich werde ich meine billige Arznei nehmen müssen – oleum ricini. Es regnet, du bist weit weg, es ist ein bißchen traurig, dennoch fühle ich mich besser als im vergangenen Jahr.

Die »Stützen« werden kaum einen spürbaren Erfolg haben, aber das ist euch jetzt egal, euch geht das Meer jetzt bis ans Knie! Was immer ihr jetzt auch aufführen mögt, es wird alles gut und interessant sein.

Nun, mein Kindchen, wie verbringst du die Feiertage? Ich bin froh, daß dein Bruder gekommen ist, jetzt habe ich keine Angst mehr um dich; nur laß ihn nirgendwohin, er soll bei dir wohnen.

Ich habe schreckliche Lust, ein Vaudeville zu schreiben, und immer keine Zeit, ich schaffe es einfach nicht, mich dazu hinzusetzen. Ich habe die unbestimmte Ahnung, daß das Vaudeville bald wieder in Mode kommt.

Morgen gehe ich zum Zahnarzt, es wird wahrscheinlich verteufelt wehtun. Und der Arzt hat ungewaschene Hände, unsaubere Instrumente, obwohl er kein Dentist, sondern richtiger Arzt ist. Beschreib das Festessen nach dem »Nachtasyl«, was ihr für 800 R. alles gegessen und getrunken habt. Beschreib alles so genau wie möglich. In welcher Stimmung ist Bunin? Er ist abgemagert? Siecht dahin? Und Skitalec hat die ganze Zeit ohne Arbeit herumgehangen?

Gestern abend hat man mir am Telephon mitgeteilt, daß L. Sredin 39 Temperatur hat. Überhaupt fühlen sich die Kranken schlecht, das Wetter ist miserabel. Balmont ist in Moskau? Hast du ihn gesehen! [...]

Ich küsse dich [...], streichle dich lange, nehme deinen Kopf in den Arm und höre dem zu, was du mir sagst.

Habe ich dir Glückliche Feiertage gewünscht? Ja?

Dein A.

Mutter ist sehr zufrieden mit dem Hut und dankt dir noch immer.

1059) AN A. S. SUVORIN JALTA, 22. 12. 1902

22. Dez. 1902.

Ich bin nicht ganz gesund, überhaupt fühlen sich die Kranken hier nicht wohl; es ist schon sehr schlecht, das Wetter in Jalta, einfach schlimm! Entweder Regen oder sehr starker Wind, und in der ganzen Zeit, seit ich wieder in Jalta bin, hat es hier erst einen einzigen sonnigen Tag gegeben. Heute kam die Nachricht: Gorkijs Stück »Das Nachtasyl« hatte einen Riesenerfolg, es wurde wunderbar gespielt. Ich bin selten im Künstlertheater, aber mir scheint, Sie sehen Stanislavskijs Rolle als Regisseur übertrieben groß. Das ist das allergewöhnlichste Theater, und es wird dort ganz gewöhnlich gearbeitet, wie überall, nur sind die

Schauspieler intelligente, sehr anständige Leute; sie glänzen zwar nicht an Talent, aber geben sich Mühe, haben Liebe zur Sache und lernen ihre Rollen. Wenn vieles keinen Erfolg hat, so entweder, weil das Stück nichts taugt, oder weil bei den Schauspielern das Pulver nicht reichte. Stanislavskij hat damit wirklich nichts zu tun. Sie schreiben, er vertriebe alle Talente von der Bühne, aber in den ganzen 5 Jahren, seit Bestehen des Theaters, ist doch kein einziger auch nur irgendwie talentierte Mensch weggegangen.

Daß Miša eine »Europäische Bibliothek« herausgeben will, entnahm ich einem Brief von ihm; ich habe ihm, wie ichs verstand, geschrieben, daß eine solche Edition dumm sei, daß »Eur. Bibl.« ein gestohlener Titel sei, daß niemand übersetzte Romane brauche, daß sie einen Kupfergroschen, aber keine 5 R. wert seien usw. usf. Welches Schicksal diesen meinen Brief ereilt hat, weiß ich nicht.

Sie schreiben: »Sie lieber Mensch, weshalb haben Sie sich in einen Zirkel von Schauspielern und Neobelletristen verkrochen«. Verkrochen habe ich mich nach Jalta, in dieses elende Kreisstädtchen, und darin besteht mein ganzes Elend. Der Zirkel der neuen Belletristen betrachtet mich leider als fremd, als veraltet, sein Verhältnis zu mir ist warmherzig, aber beinahe offiziell, und der Schauspielerzirkel – das sind nur die Briefe meiner Frau, einer Schauspielerin, und weiter nichts.

Schrieb ich Ihnen, daß ich »Ganz Rußland« und die Bände I und II des Puškin bekommen habe? Ich danke Ihnen vielmals. Ihr Kalender enthält eine Menge Fehler, zum Beispiel in der Abteilung Zeitungen; ich habe auf ihn gehört und für das »Novyj žurnal inostrannoj literatury« 5 R., für »Mir iskusstva« 10 R. geschickt, und beide Male erwies sich das als falsch. Aber trotzdem ist Ihr Kalender sehr gut. Und »Ganz Rußland« blättert man mit Interesse durch.

Ich wünsche Ihnen glückliche Weihnachten und ein gutes Neues Jahr, wünsche Ihnen Gesundheit. An Anna Ivanovna, Nastja und Borja herzliche Grüße.

Für den Brief danke ich Ihnen vielmals, er ist sehr interessant.

Ihr A. Čechov.

»Osvoboždenie« bekomme ich nicht zu Gesicht, weil man es mir aus irgendeinem Grunde nicht schickt.

1060) AN O. L. KNIPPER JALTA, 24. 12. 1902

24. Dez.

Mein liebes Altchen, dein Großvater ist irgendwie krank. Letzte Nacht habe ich sehr schlecht, unruhig geschlafen; im ganzen Körper Reißen und Fieber. Ich habe keinen Appetit, und heute gibt es Pirogge. Naja, macht nichts.

Ich habe einen sehr schönen Brief von Kurkin bekommen über Gorkijs Stück, einen so schönen Brief, daß ich A. M. eine Abschrift schicken möchte. Von allem, was ich über das Stück gelesen habe, ist das das Beste. Er ist natürlich hellauf begeistert, und macht eine Menge interessanter Anmerkungen. Dich haben die Zeitungen gelobt, du hast also nicht überzogen, hast gut gespielt. Wenn ich in Moskau gewesen wäre, wäre ich unbedingt, um jeden Preis mit in die »Eremitage« gegangen nach dem Stück und hätte dort bis zum Morgen gesessen und mich mit Baranov geprügelt.

Gestern habe ich an Nemirovič geschrieben. Mein »Kirschgarten« wird drei Akte haben, so scheint es mir, aber endgültig beschlossen habe ich das übrigens noch nicht. Wenn ich wieder gesund bin, werde ich es erneut überdenken, zur Zeit habe ich alles stehen und liegen lassen. Es ist hundsmiserables Wetter, gestern hat es den ganzen Tag gegossen, heute ist es trübe, morastig. Ich führe ein Leben wie ein Verbannter.

Du sagst, meine letzten beiden Briefe seien schön und gefielen dir sehr, dabei habe ich, während ich schreibe, Angst, ich schriebe uninteressant, langweilig, gleichsam aus Verpflichtung. Mein liebes Altchen, mein Hündchen! Ich küsse dich, segne dich, umarme dich. Zu Neujahr schicke ich euerm Theater ein

Telegramm. Ich werde mir Mühe geben, möglichst lang und leicht zu schreiben. Mutter hat dein Briefchen bekommen und freut sich sehr.

Bleib gesund. Spiel, soviel du willst, nur ruhe dich auch aus, verausgabe dich nicht. Ich umarme mein Herzchen. *Dein A.*

1061) AN O. L. KNIPPER JALTA, 25. 12. 1902

25. Dez.

Dein Brief an Mutter kam genau zur rechten Zeit, d.h. gestern. Meine Gesundheit ist nicht gut, aber besser als gestern; sie geht also der Besserung entgegen.

Herzchen, wenn du wüßtest, wie klug du bist! Das sieht man unter anderem auch an deinem Brief. Ich glaube, wenn ich auch nur eine halbe Nacht mit der Nase an deiner Schulter läge, dann wäre mir schon besser und ich würde aufhören zu jammern. Ich kann nicht leben ohne dich – mach, was du willst.

Heute habe ich Bilder von euch in Gorkijs Stück in den »Novosti dnja« gesehen und war gerührt. Moskvin, Stanislavskij und du, ihr seid wundervoll, Višnevskij ist sehr schlecht, unbegabt und schlecht. Ich zerfloß geradezu vor Rührung – so gut ist das! Prachtkerle!

Den Pelzmantel habe ich endlich nach Nizza geschickt, ich fühle mich nicht mehr als Gauner.

Lieber Hund, warum bin ich nicht bei dir? Warum hast du in Moskau keine Wohnung, wo ein Zimmer für mich wäre, in dem ich arbeiten könnte, abgeschirmt von den Freunden? Für den Sommer miete ein Landhaus, in dem es möglich ist zu schreiben; dann werde ich früh aufstehen, und im Landhaus will ich nur mit dir zusammensein wenn nicht jeden Tag, so doch mindestens dreimal in der Woche.

Deutschenkind, beschreib, wie die Hochzeit wird. Es wird doch sicher gebührend und feierlich.

Was hat Baranov in der »Eremitage« angestellt? Worum ging es? Skandal weshalb? Beschreib mir alles, Herzchen.

Ich umarme meinen Reiher, küsse ihn. *Dein A.*

1062) AN O.L. KNIPPER JALTA, 28. 12. 1902

28. Dez.

Sei gegrüßt, liebe Schauspielerin, der Herr sei mit dir. Die Hochzeit ist vorüber, ich gratuliere dir und den Jungvermählten. Du schreibst, Volodja habe ein merkwürdiges Gefühl wegen der ganzen Staffage, d.h. der Mitgift. Das ist doch sehr begreiflich! Fünf Zimmer mit style moderne, eigenem Flügel, Badewanne, Tintenfaß für 80 Rubel – dieser ganze Kleinbürgerkram muß einem jungen Menschen, der zu leben anfängt, in der Tat merkwürdig vorkommen. Er braucht jetzt möglichst viel Scherereien und Sorgen, sonst wird er fett und wird mit 40 Jahren ehrlich Unzufriedenheit mit dem Leben äußern.

Meine Zähne tun weh und bröckeln ab, ich bin immer noch nicht fertig mit dieser Plage und werde es wahrscheinlich so bald auch noch nicht sein. Ich huste ein bißchen. Aber im allgemeinen bin ich gesund.

Djagilev hat mir einen Brief und Nr. 11 des »Mir iskusstva« geschickt, in der eine lange Rezension der »Möwe« und überhaupt zu meiner Person steht. Lies es, wenn du es auftreiben kannst.

Du schreibst mit einer ekelhaften Tinte, die deinen Brief ganz verklebt; man muß ihn auseinanderreißen. Und du klebst die Briefe nicht zu.

Mein Herzchen, wenn ich mit dem Stück anfange, schreibe ich dir. Der langbeinige Kranich (wie du im Brief deinen Mann anredest) wird das Stück schreiben, aber wer die Alte darin spielen soll, ist ungewiß. Ich las, die Azagarova habe ein Angebot für irgendein Provinztheater bekommen, außerdem hätte sie sich sowieso kaum geeignet für diese Rolle.

Beug den Kopf, ich küsse dich in den Nacken und auf den Kopf. Ich umarme dich. Den Spanier zu spielen, erlaube ich nicht, Spanierin zu werden, erlaub ich ebensowenig. Du hast einen Mauren, den du lieben sollst. Und dieser Maure küßt sein liebes Herz. *Dein A.*

Wie geht es Fomka? Maša gefällt er, aber sie sagt, er sei kein echter Dachshund, sondern eine Mischung.

1063) AN S. P. DJAGILEV JALTA, 30. 12. 1902

30. Dezember 1902.

Sehr geehrter

Sergej Pavlovič!

»Mir iskusstva« mit dem Aufsatz über die »Möwe« habe ich bekommen, den Aufsatz gelesen – ich danke Ihnen sehr. Als ich diesen Aufsatz zu Ende gelesen hatte, bekam ich wieder Lust, ein Stück zu schreiben, was ich wahrscheinlich nach Ende Januar auch tun werde.

Sie schreiben, wir hätten über eine ernsthafte religiöse Bewegung in Rußland gesprochen. Gesprochen haben wir über eine Bewegung nicht in Rußland, sondern unter den Intellektuellen. Über Rußland will ich nichts sagen, aber die Intellektuellen spielen einstweilen nur mit der Religion, und das vor allem, weil sie nichts Besseres zu tun wissen. Über den gebildeten Teil unserer Gesellschaft kann man sagen, daß er sich von der Religion entfernt hat und sich immer weiter und weiter von ihr entfernt, gleichgültig, was da gesagt werden mag und was für philosophisch-religiöse Gesellschaften sich da auch bilden mögen. Ob dies gut oder schlecht sei, wage ich nicht zu beurteilen, ich will nur sagen, daß die religiöse Bewegung, von der Sie schreiben, etwas für sich ist, wie die gesamte moderne Kultur etwas für sich ist, und daß man die zweite unmöglich in eine ursächliche Abhängigkeit von der ersten bringen kann. Die heutige Kultur ist der Anfang einer Arbeit im Namen einer großen Zukunft, einer Arbeit, die vielleicht noch Zehntausende von Jahren andauern wird, damit die Menschheit, und sei es erst in ferner Zukunft, die Wahrheit des wahren Gottes erkennt, d.h. sie nicht nur vermutet, sie nicht bei Dostoevskij sucht, sondern klar erkennt, so wie sie erkannt hat, daß zweimal zwei vier ist. Die heutige Kultur – ist der Anfang von Arbeit, die religiöse Bewegung dagegen, von der wir gesprochen haben, ist ein Überbleibsel, ist fast schon das Ende dessen, was sich überlebt hat oder im Begriffe ist sich zu überleben. Aber das ist eine lange Geschichte, ganz kann man die in einem Brief nicht schreiben. Wenn Sie Hrn. Filosofov sehen, so übermitteln Sie ihm bitte meinen tief empfundenen Dank. Ich wünsche Ihnen ein gutes Neues Jahr, wünsche Ihnen Gesundheit. *Ihr ergebener A. Čechov.*

1064) AN A. I. KUPRIN JALTA, 30. 12. 1902

Ein glückliches Neues Jahr, lieber Aleksandr Ivanovič, ich wünsche Ihnen, gesund, fröhlich und munter zu bleiben und daß Sie sich später einmal, sagen wir in 10–15 Jahren, mit Vergnügen an das Jahr 1903 erinnern.

Übermitteln Sie Ihrer Frau meinen herzlichen Gruß und Glückwunsch. Ich drücke Ihnen fest die Hand.

Ihr A. Čechov.

1 + 9 + 0 + 3 = 13. Material für Kabbalistik und schwarze Magie.

1065) AN V. S. MIROLJUBOV JALTA, 30. 12. 1902

Lieber Viktor Sergeevič, ein glückliches Neues Jahr! Lesen Sie im »Novoe vremja« vom 24. Dezember Rozanovs Feuilleton über Nekrasov. Lange, lange habe ich nichts Vergleichbares gelesen, nichts vergleichbar Talentiertes, Großzügiges und Gutmütiges, und Kluges.

Die »Braut« schicke ich Ihnen bald. Bleiben Sie 1903 gesund und glücklich. *Ihr A. Čechov.*

1066) AN O. L. KNIPPER JALTA, 1. 1. 1903

1. Jan. 1903.

Ein glückliches Neues Jahr, meine liebe Schauspielerin, meine Ehefrau! Ich wünsche dir alles, was du brauchst und was du verdienst, vor allem wünsche ich dir einen kleinen Halbdeutschen, der bei dir in den Schränken herumwühlen und auf meinem Tisch die Tinte verschütten würde, und an dem du deine Freude hättest.

Dafür, daß du es so lustig fandst auf der Hochzeit, lobe ich dich. Natürlich ist es schade, daß ich nicht dabei war; ich hätte dich angesehen, dann wäre mir auch schwindlig geworden.

Heute habe ich viele Briefe bekommen, unter anderem von Suvorin, von Nemirovič. Letzterer schickt mir eine Liste der Stücke, die euer Theater aufführen will. Kein einziges, das ins Auge fiele, obwohl sie alle gut sind. Die »Früchte der Bildung« und den »Monat auf dem Lande« sollte man aufführen, um sie im Repertoire zu haben. Das sind doch gute, literarische Stücke.

Maša hat das Neue Jahr bei der Tatarinova begangen, ich – zu Hause. Die Tatarinova hat mir eine wunderschöne Kaktusblüte geschickt – epiphylum trunetatum. Seit heute morgen regnet es.

Schreib mir, meine Gute, tröste mich mit deinen Briefen. Meine Gesundheit ist großartig. Der Zahn ist gemacht, es ist jetzt nur noch einer zu machen. Kurz, alles steht mehr oder weniger zum besten.

Bunin und Najdënov sind zur Zeit die Helden von Odessa. Man trägt sie dort auf Händen.

Man ruft mich zum Tee. Bleib gesund und fröhlich, Schauspielerin, der Herr sei mit dir. Ich küsse, umarme und segne dich.

Dein A.

1067) AN K. S. STANISLAVSKIJ JALTA, 1. 1. 1903

1. Jan. 1903.

Lieber Konstantin Sergeevič, ein glückliches Neues Jahr! Ich beglückwünsche Sie und Ihre Familie und wünsche Ihnen Erfolg, Gesundheit, viel Geld und großartige Stimmung. Bei mir steht alles zum Besten, ich bin gesund, arbeite ein bißchen, Mutter und Schwester sind ebenfalls gesund. Es regnet den ganzen Tag.

Mit dem Stück werde ich im Februar anfangen, damit rechne ich zumindest. Nach Moskau komme ich bereits mit dem fertigen Stück.

Ich wünsche Ihnen alles Gute, drücke Ihnen fest die Hand. Vergessen Sie nicht Ihren ergebenen *A. Čechov.*

Gestern schickte mir F. K. Tatarinova als Geschenk einen rot blühenden Kaktus, und ich mußte aus irgend einem Grunde an Ihre Erzählungen denken, wie F. K. ein Wiesel an die Brust sprang.

1068) AN O. L. KNIPPER JALTA, 3. 1. 1903

3. Jan.

Sei gegrüßt, liebe Schauspielerin! Mach dir keine Sorgen, Mamaša habe ich zu Neujahr ein Telegramm geschickt, ich habe allen eins geschickt. Einen Dr. Machotin kenne ich nicht oder erinnere mich nicht an ihn. In dem Landhaus werden wir natürlich allein leben, ohne Višnevskij, sonst fresse ich ihn. Meine Gesundheit ist in Ordnung, die Zähne habe ich mir machen lassen, ich kann jetzt alles essen und jeden fressen. Du schreibst, daß ich in Jalta nicht nett zu dir sei. O je, Herzchen, das kommt dir nur so vor; wahrscheinlich deshalb, weil du in Jalta krank warst. Ich liebe dich überall im gleichen Maße und gehöre überall im gleichen Maße dir.

So, das waren alle Antworten auf deine Gedanken in dem Brief, jetzt schreibe ich, was ich zu schreiben habe. Von den Jungvermählten habe ich ein Telegramm bekommen, in den ersten Märztagen werde ich sie in ihrer Wohnung besuchen, ihnen gratulieren. Beide sind sehr sympathisch, nur tut es mir aus irgend einem Grunde leid, daß Volodja geheiratet hat. Er sollte zuerst einmal ein Mann werden, sich auf eigene Füße stellen, sonst, paß auf, fängt er jetzt schon an dickzuwerden. Den »Kirschgarten« wollte ich in drei langen Akten machen, aber ich kann ihn auch in vieren machen, das ist mir gleichgültig, denn ob drei oder vier Akte – das Stück bleibt so oder so das gleiche.

Doktor Aleksin kommt nach Moskau, er wird dich besuchen. Neulich hat er an einem Konzert zugunsten der Opfer von Andižan teilgenommen, und der Flügel hat nicht gespielt, die schwarzen Tasten versagten den Dienst, und er, Aleksin, hatte Frau Tatarinova im Verdacht, sie hätte irgendetwas in den Flügel gelegt, aus Rache; hinter den Kulissen kam es zu einem Wortwechsel, die Tatarinova wurde krank und liegt bis heute mit hoher Temperatur zu Bett. Da siehst du mal, was für Trrragödien wir hier erleben!

Also sieh zu, daß du ein Landhaus mietest, mein Altchen, damit ich schon am 10. März dort leben kann. Ich werde allein in dem Landhaus sitzen und schreiben, meine Schauspielerin wird mich besuchen kommen und über Nacht bei mir bleiben. Nicht wahr? Ich werde schreiben und mich abends mit meiner Schauspielerin beraten. Im Sommer werden wir zusammen irgendwohin verreisen, wir werden ein, zwei Wochen reisen, und dann zurück ins Landhaus.

Die Ehrenkarte für die Ausstellung habe ich bekommen. Heute ist es kalt, das Meer ist aufgewühlt. Auch in meinem Zimmer ist es nicht warm. Wenn du Sašečka Sredin siehst, dank ihm für das Telegramm, das er mir geschickt hat, und sag ihm, daß ich ihm nicht geantwortet hätte, weil ich seine Adresse nicht weiß.

Ich küsse, umarme dich und sehe dich im Traum. Schreib, Herzchen, sei nicht faul. *Dein Ehemann A.*

1069) AN O. L. KNIPPER JALTA, 8. 1. 1903

8. Jan.

Liebe Fomka, heute kamen die »Novosti dnja«, mach dir keine Sorgen, sag Ėfros nichts. Meine Gesundheit ist sehr gut; eine wärmende Kompresse muß ich tragen, aber das Rasseln in der rechten Seite höre ich nicht mehr. Mach dir keine Sorgen, Herzchen, es ist alles gut. Mit den Zähnen bin ich fertig, wie ich dir bereits schrieb. Über das Wetter habe ich dir ebenfalls geschrieben; es ist miserabel.

Maša fährt am 11. Jan. In Moskau ist sie also am 13. Gestern hat m-me Tatarinova mir eine blühende amaryllis geschickt. M-me Bonnier hat sich mit Olga Michajlovna verzankt, furchtbar verzankt. Sonst gibt es weiter keine Neuigkeiten.

Wenn du Gorkij siehst, dann danke ihm in meinem Namen, daß du im 2. Akt seines Stückes nichts zu tun hast und deshalb Zeit hast, mir Briefe zu schreiben. So merkwürdig das auch sein mag, deine Briefe lese ich nicht, ich verschlinge sie. In jeder Zeile, in jedem Buchstaben spüre ich meine Schauspielerin.

Die ganzen Tage habe ich die Briefe vom vergangenen Jahr gesammelt und geordnet.

Also, mein Schnäuzchen, ich umarme und küsse dich. Achte auf deine Gesundheit, quäl dich nicht so. Leg dich hin, wenn du kannst. Iß nichts Hartes, iß nicht jeden Dreck, wie zum Beispiel Nüsse.

Christus sei mit dir. *Dein A.*

1070) AN O. L. KNIPPER JALTA, 9. 1. 1903

9. Jan. 1903.

Lieber Hund, heute abend werde ich, mit Erlaubnis der Ärzte, die Kompresse abnehmen. Ich bin also wieder gesund und werde dir nichts mehr über meine Gesundheit schreiben. Das Tier, das so gemein schreit, nach dem du in deinem Brief fragst, ist ein Vogel; dieser Vogel lebt, aber aus irgend einem Grunde schreit er in diesem Winter unvergleichlich viel schärfer.

Die Konventionalstrafen-Klausel habe ich nicht, aber das bedeutet nicht, daß Marks sie nicht hätte. Ich erinnere mich, ich habe sie nicht unterschrieben, aber vielleicht läßt mein Gedächtnis mich im Stich. Sergeenko hatte eine Vollmacht. Weiter: Gruzenberg bittet, ihm eine Kopie meines Briefes zu schicken. Von welchem Brief ist die Rede?

Ich glaube, daß Marks, wenn ich ihm jetzt schriebe, damit einverstanden wäre, mir meine Werke im Jahre 1904 zurückzugeben, ab 1. Januar, für 75 000. Aber meine Werke sind doch durch die »Niva« als Ware bereits entwertet, und sie sind das Geld nicht mehr wert, zumindest werden sie es nicht noch zehn Jahre sein, solange die Beilagen zur »Niva« für das Jahr 1903 nicht verfault sind. Wenn du Gorkij siehst, sprich mit ihm, er wird mir recht geben. Und zu Gruzenberg habe ich kein Vertrauen, und es gehört sich auch nicht in der Literatur, sich auf einmal an einen Fehler oder eine Unachtsamkeit von Marks zu klammern und sie auszunützen, um die Sache »juristisch« zu drehen. Und man darf bei alledem auch nicht vergessen, daß ich, als die Rede auf den Verkauf meiner Werke an Marks kam, keinen Kupfergroschen besaß, bei Suvorin Schulden hatte, daß ich bei alledem hundsgemein ediert wurde, und vor allem, daß ich mich aufs Sterben vorbereitete und meine Angelegenheiten wenigstens in irgendeine Ordnung hatte bringen wollen. Übrigens ist es noch nicht zu spät und wird auch so bald noch nicht zu spät sein, man sollte das alles überdenken, wie es sich gehört, und deshalb wäre es nicht übel, im März oder April mit Pjatnickij zusammenzutreffen (wenn ich in Moskau sein werde), was ich ihm auch schreiben werde.

Übermorgen reist Maša ab. Wenn sie weg ist, wird es ganz und gar langweilig.

Ich küsse meine Jammergestalt und umarme sie. Ich habe schon lange nichts mehr geschrieben, war die ganze Zeit krank, morgen setze ich mich wieder an den Tisch. Ich habe einen Brief von Nemirovič bekommen. *Dein A.*

Ob ich dich liebe? Was meinst du?

1071) AN O. L. KNIPPER JALTA, 13. 1. 1903

13. Jan.

Olja, meine Liebe, am 11. morgens, als Maša abfuhr, fühlte ich mich schlecht; ich hatte Schmerzen in der Brust, mir war übel, 38°. Und gestern dasselbe. Geschlafen habe ich gut, obwohl unruhig wegen der Schmerzen. Altšuller war bei mir, und wieder mußte ich mich in eine wärmende Kompresse hüllen (sie ist riesig groß). Heute morgen waren es nur noch 37, ich fühle mich schwach, gleich setze ich mir eine Fliege an, aber trotz allem hatte ich das Recht, dir heute zu telegraphieren, daß alles in Ordnung sei. Jetzt ist alles gut, es geht der Heilung entgegen, morgen werde ich schon wieder ganz gesund sein. Ich verheimliche dir nichts, begreif das doch, und mach dir keine Scherereien mit Telegrammen. Wenn etwas passieren würde, nicht nur etwas Ernstes, sondern sogar etwas, das nur ernst aussähe, der erste Mensch, dem ich es mitteilen würde, wärst du.

Du hast schlechte Laune? Laß das, Herzchen. Mit der Zeit wird alles heil.

Heute ist die Erde schneebedeckt, es ist neblig, trübsinnig. Ich bin traurig, daß mir so viel Zeit verlorengegangen ist, ohne daß ich gearbeitet habe, und daß ich offenbar kein Arbeiter mehr bin. Im Sessel zu sitzen, mit einer Kompresse und krank zu sein ist nicht gerade lustig. Wirst du aufhören, mich zu lieben? In deinem gestrigen Brief schriebst du, du seist nicht mehr so hübsch. Aber es ist doch egal! Wenn dir ein Kranichschnabel wüchse, ich würde dich auch dann lieben.

Ich umarme meine Gute, meinen schönen Dachshund, küsse und umarme ihn wieder. Schreib!! *Dein A.*

1072) AN O. L. KNIPPER JALTA, 14. 1. 1903

14. Jan.

Schauspielerin, die Puškarëva ist nicht normal, merk dir das. Sie hat mir mit ihrem Stück schon vor 20 Jahren die Tür eingerannt, sogar noch früher. Das ist die Schwester des Dichters Puškarëv, des Dichters und Dramatikers; wir nannten sie immer Vanda. Das Stück lies nicht, sondern laß es Ksenija oder die Küchen-Maša der Autorin zurückgeben, wenn sie wiederkommt. Sonst kriegst du es mit ihr zu tun. Ich habe übrigens einen Brief von ihr bekommen.

Bei uns liegt Schnee. Du schreibst, ich sei der einzige, der über das hiesige Wetter schimpfte. Gibt es etwa jemanden, der es lobt? Wer ist dieser Mensch? Ich habe von Kuprin einen Brief bekommen: er hat eine Tochter bekommen. Schreib dir das hinter die Ohren. Ich habe einen Brief von Suvorin bekommen, die Antwort auf eine Gardinenpredigt, die ich ihm geschrieben hatte; er schreibt, sein Sohn mache ihm das Leben sauer. Ich bekomme die Zeitung »Graždanin«, in der letzten Nummer wird Gorkij ein Neurastheniker genannt und der Erfolg seines Stückes mit Neurasthenie erklärt. Und das ist nun jemand, der nach Neurasthenie nicht einmal riecht. Gorkij wird nach dem Erfolg noch lange Zeit den Druck von Neid und Haß aushalten müssen. Er hat erfolgreich begonnen – das wird einem auf dieser Welt nicht verziehen.

Die Tatarinova hat Lungenentzündung.

Der Herr sei mit dir. Bleib gesund, meine schöne Frau, reg dich nicht auf, sei nicht traurig, zank dich mit niemandem, denk manchmal an deinen Gatten. Ich küsse dich auf die Schultern.

Dein A.

1073) AN O. L. KNIPPER JALTA, 20. 1. 1903

20. Jan.

Die Tatarinova hat Lungenentzündung, mein Herzchen, ich hole mir die Photographie des Hauses von ihr, wenn sie wieder gesund ist, nicht vorher. Die Schreibmappe, die du mir geschickt hast, habe ich zu einem Magazin für Manuskripte und Notizen eingerichtet; jede Erzählung hat ihr eigenes Fach. Das ist sehr bequem.

Was hast du dir überlegt, was wirst du mir zur Schweiz sagen? Ich glaube, das könnte eine sehr schöne Reise werden. Und wir könnten unterwegs in Wien, in Berlin usw. haltmachen und ins Theater gehen. Hm? Was meinst du?

Die Savina will zu ihrem Benefiz mein altes Vaudeville »Das Jubiläum« spielen. Da wird man wieder sagen, das sei ein neues Stück, und schadenfroh lächeln.

Heute scheint die Sonne, es ist ein heller Tag, aber ich sitze im Zimmer, denn Altšuller hat mir verboten, rauszugehn. Meine Temperatur ist übrigens vollkommen normal.

Meine Gute, du schreibst immer wieder, dich quäle das Gewissen, daß du nicht mit mir zusammen in Jalta, sondern in Moskau lebst. Aber was sollen wir denn machen, Liebste? Überleg dir das, wie es sich gehört: wenn du den ganzen Winter mit mir in Jalta lebtest, dann wäre dein Leben ruiniert, und ich hätte Gewissensbisse, was wohl kaum besser wäre. Ich habe doch gewußt, daß ich eine Schauspielerin heirate, d.h. ich war mir, als ich heiratete, voll bewußt, daß du den Winter über in Moskau leben würdest. Nicht im allergeringsten fühle ich mich gekränkt oder hintergangen, – im Gegenteil, ich habe den Eindruck, daß alles gut gehe oder so, wie es gehen muß, und darum, Herzchen, bring mich nicht in Verlegenheit mit deinen Gewissensbissen. Im März fangen wir wieder an zu leben und werden die jetzige Einsamkeit nicht mehr verspüren. Beruhige dich, meine Gute, reg dich nicht auf, sondern warte und hoffe. Hoffe und weiter nichts.

In Jalta sind auf dem Markt vier Jungen an Kohlendunst erstickt. Die Beilage zur »Niva« ist gekommen – meine Erzählungen mit Bild, und unter dem Bild eine erstaunlich schlecht gemachte Unterschrift.

Ich arbeite jetzt, ich werde dir wahrscheinlich nicht jeden Tag schreiben. Du mußt schon entschuldigen.

Fahren wir ins Ausland! Fahren wir! *Dein Gatte A.*

1074) AN O. L. KNIPPER JALTA, 26. 1. 1903

26. Jan.

Mein Herz, meine Außergewöhnliche, mein lieber Hund, du bist also einverstanden mit der Schweiz, überhaupt mit der gemeinsamen Reise? Großartig! Wir werden 5 Tage in Wien bleiben, dann in Berlin, in Dresden sein, und dann in die Schweiz. In Venedig wird es natürlich schon sehr heiß sein.

Deine Briefmappe hat mir sehr gefallen und gefällt mir sehr, ich schwöre es dir, aber ich habe mich von der alten nicht trennen wollen, die ebenfalls von dir ist. Jetzt liegt deine Schreibmappe (die neue) vor mir auf dem Tisch, und darin sind verschiedene kleine Notizen für Erzählungen. Ich schreibe und greife dauernd hinein, um nachzusehen.

Euer Theater hat aufgehört, mir den Spielplan zu schicken. Behalten Sie das im Auge, bit-te.

Aber der Hahn mit dem Hut hat mir nicht gefallen, weil ihn ein Scharlatan gemacht hat; solche Sachen kann ich nicht bei mir im Zimmer haben. Also, zum Teufel mit ihm, dem Hahn.

Das Wetter hier ist wunderbar, morgen werde ich bereits in die Stadt fahren. Von der Pleuritis ist kaum etwas zurückgeblieben, es ist fast alles abgesaugt.

Mit Evlalija bin ich bekannt, ich kenne sie. Die Aufsätze ihres Gatten lese ich manchmal im »Russkoe slovo«, aber zur Zeit sind sie wenig interessant.

Ich schreibe eine Erzählung für das »Žurnal dlja vsech« im alten Stil, dem Stil der Siebziger Jahre. Ich weiß nicht, was daraus wird. Dann muß ich für die »Russkaja mysl« schreiben, dann für »Mir božij«... Rettet uns, o himmlische Heerscharen!!

Wie herrlich, wie schön, daß wir zusammen verreisen! Ach, wenn nur nichts dazwischenkommt!

Ich habe einen Brief von der Komissarževskaja bekommen, sie bittet mich um das neue Stück für ihr Privattheater in Petersburg. Sie wird Leiterin des Theaters. Diese närrische Person, sie wird doch spätestens in einem Monat genug haben, in einem Monat wird ihr jedes Interesse an ihrem Theater vergangen sein; aber ihr das zu schreiben, wäre mir peinlich und ist auch nicht nötig; sie hat sich bereits unwiederbringlich in ihre neue Unternehmung gestürzt. Aber was soll ich ihr wegen des Stücks schreiben? Absagen? Sprich *so bald wie möglich* mit Nemirovič und schreib mir, ob ich ihr den »Kirschgarten« versprechen kann, d. h. ob euer Theater dieses Stück in Petersburg zu spielen beabsichtigt. Wenn nicht, dann werde ich es ihr versprechen.

Also, wir fahren zusammen? Mein kluges Kind, ich werde dich nie verlassen. Ich umarme dich so, daß alle Rippen knacken, küsse dich auf beide Wangen und bitte dich, deinem Mann zu schreiben. *Dein A.*

Die Tochter der Tatarinova ist zu euch gekommen. Und du kommst in der Butterwoche ja doch nicht, keine Finten bitte. Und es ist auch nicht nötig, mein Herz, du wirst nur müde davon und danach wieder krank. Komm die *ganze* Fastenzeit über, damit bin ich einverstanden.

In der neuen Schreibmappe habe ich eine Entdeckung gemacht: eine sehr tiefe Tasche, einen halben Aršin tief, so daß man Platz hat für das Geld.

1075) AN V.F. KOMISSARŽEVSKAJA JALTA, 27. 1. 1903

27. Januar 1903.

Liebe Vera Fëdorovna, ich danke Ihnen vielmals für den Brief. Nicht vielmals, sondern tausendmal – so sehr! Ich freue mich sehr, daß es Ihnen gut geht. Wegen des Stückes kann ich Ihnen Folgendes sagen: 1) Das Stück ist im Plan fertig, das stimmt, und ich habe auch schon einen Titel dafür (»Der Kirschgarten« – aber das ist vorläufig noch ein Geheimnis), und ich werde mich wahrscheinlich spätestens Ende Februar daransetzen, natürlich nur, wenn ich gesund bleibe; 2) in diesem Stück ist die Hauptrolle – die einer alten Frau! – zum großen Bedauern des Autors, und 3) wenn ich das Stück dem Künstlertheater gebe, so geht das Stück nach den in diesem Theater herrschenden Bedingungen oder Regeln in die ausschließliche Verfügung des Künstlertheaters über, für Moskau wie auch für Petersburg – da ist nichts zu machen. Wenn das Künstlertheater im Jahre 1904 nicht nach Petersburg fährt (was durchaus möglich ist; in diesem Jahr fährt es doch nicht?), dann gibt es gar nichts zu reden, wenn sich das Stück für Ihr Theater eignet, dann gebe ich es Ihnen mit Vergnügen. Oder noch anders: soll ich nicht *für Sie* ein Stück schreiben. Nicht für dieses oder jenes Theater, sondern für Sie. Das war seit langem mein Traum. Nun, wie Gott will. Wenn ich gesund wäre wie früher, dann würde ich gar nicht erst lange reden, sondern mich einfach hinsetzen und sofort ein Stück schreiben. Seit Dezember habe ich Pleuritis, stellen Sie sich vor, und erst morgen verlasse ich zum ersten Mal nach langer Haft das Haus.

Wie dem auch sei, nach Moskau habe ich geschrieben, habe darum gebeten, mir genaue Auskunft zu geben, ob das Künstlertheater in Petersburg spielen wird. In 8–10 Tagen werde ich die Antwort bekommen und Ihnen dann schreiben.

Sie haben meine Frau gesehen, und ich werde sie erst im Frühling wiedersehen. Mal ist sie krank, mal bin ich auf Reisen, und so kommt bei uns nichts Richtiges heraus.

Sie schreiben: »... ich gehe in dem Glauben, der, wenn er zerbricht, alles in mir töten würde...« usw. Das ist vollkommen richtig. Sie haben recht, nur setzen Sie dies um Gottes willen nicht in Abhängigkeit zu dem neuen Theater. Sie sind doch Schauspielerin, und das ist dasselbe wie ein guter Seemann: auf welchem Dampfer er auch fahren mag, auf einem staatlichen oder privaten, er bleibt überall – unter allen Umständen – ein guter Seemann.

Ich danke Ihnen nochmals sehr für den Brief. Ich grüße Sie ergebenst und drücke Ihnen fest, fest die Hand und küsse sie.

Ihr A. Čechov.

1076) AN O. L. KNIPPER JALTA, 5. 2. 1903

5. Febr.

Schauspielerin, jetzt sind es schon zwei Tage und zwei Nächte, daß ich keinen Brief von dir bekommen habe. Hast du mich also bereits verlassen? Liebst du mich nicht mehr? Wenn es so ist, dann schreib, und ich schicke dir deine Hemden, die bei mir im Schrank liegen, und du schick mir meine hohen Galoschen. Wenn du noch nicht aufgehört hast mich zu lieben, bleibt alles beim Alten.

Gestern ist Šapovalov angekommen, er brachte mir Plätzchen und den »Möwe«-Orden von Alekseev. Die Plätzchen esse ich, die Möwe habe ich mir an die Uhrkette gehängt. Ich verneige mich vor dir bis zur Erde für deine Güte.

In meinem Arbeitszimmer hält sich die Temperatur bereits seit einigen Tagen bei 11–12, ohne zu steigen. Arsenij kann nicht richtig heizen, und draußen ist kaltes Wetter – mal Regen, mal Schnee, und der Wind hat noch nicht nachgelassen. Ich schreibe 6–7 Zeilen am Tag, mehr kann ich nicht, und wenn du mich totschlägst. Magenkatarrh habe ich buchstäblich jeden Tag, aber trotzdem fühle ich mich wohl, ich huste wenig, die Temperatur ist normal, von der Pleuritis ist nicht die Spur zurückgeblieben.

In 2–3 Monaten wirst du dich an mich gewöhnt haben, und dann fliehen wir ins Ausland, wie Jiron und Louise, dann fahren wir überall hin.

Warum ist das »Nachtasyl« in Petersburg nicht genehmigt worden? Du weißt es nicht? Und wird man es eurem Theater genehmigen, wenn ihr hinfahrt? Am »Nachtasyl« ist doch nichts Schädliches, in keiner Beziehung. Sogar im »Graždanin« ist es gelobt worden. Und Suvorins »Frage«, die läuft in Petersburg, mit der Savina und mit großem Erfolg. Man kann es nicht anders sagen, eine reizende kleine Stadt!

Mein Herz, warum schreibst du nicht? Warum? Bist du böse? Worüber? Wenn keine Briefe von dir kommen, bin ich beunruhigt und habe Sehnsucht. Auch wenn du böse bist, schreib trotzdem. Wenn du keinen gewöhnlichen Brief schreiben kannst, schreib eben einen Schmähbrief.

Ich habe noch ein Medaillon mit Glas bekommen – ein Bilderrähmchen. Von wem ist das? Von Višnevskij? Bedank dich, mein Herz, ich freue mich sehr.

Marja Petrovna spielt? Sehr schön.

Also, ich küsse dich auf den Hals und auf beide Hände, umarme zärtlich meine Freude. Bleib gesund, lache, sei hoffnungsvoll. *Dein leidenschaftlicher Mann A.*

1077) AN K. S. STANISLAVSKIJ JALTA, 5. 2. 1903

5. Febr. 1903.

Lieber Konstantin Sergeevič, gestern habe ich den »Möwe«-Orden bekommen, ich danke Ihnen vielmals, unendlich. Ich habe ihn mir bereits an mein Uhrkettchen gehängt und werde diese liebe, elegante kleine Sache tragen und an Sie denken.

Ich war krank, jetzt bin ich wieder aufgelebt, meine Gesundheit ist wiederhergestellt, und wenn ich gegenwärtig nicht arbeite, wie es sich gehört, so sind daran die Kälte schuld (in meinem Arbeitszimmer sind ganze 11 Grad), die Einsamkeit und, wahrscheinlich, die Faulheit, die im Jahre 1859 geboren wurde, d.h. ein Jahr vor mir. Aber dennoch denke ich, mich nach dem 20. Februar an das Stück zu setzen und es zum 20. März abgeschlossen zu haben. In meinem Kopf ist es bereits fertig. Es heißt »Der Kirschgarten«, vier Akte, im ersten Akt sieht man durch die Fenster die blühenden Kirschbäume, einen über und über weißen Garten. Und die Damen in weißen Kleidern. Mit einem Wort, Višnevskij wird viel und laut lachen – und natürlich wird niemand wissen, worüber.

Es schneit. Marija Petrovna grüße ich ergebenst und drücke und küsse ihr fest die Hand. Sie spielt, das ist sehr schön; alles steht also zum besten.

Bleiben Sie gesund, fröhlich, wohlauf und vergessen Sie nicht Ihren herzlich ergebenen *A. Čechov.*

1078) AN M.F. POBEDIMSKAJA JALTA, 5. 2. 1903

5. Febr.

Gnädige Frau Marianna Fëdorovna!

Ihre Auffassung der Elena Andreevna ist vollkommen richtig. Nur glaube ich, daß Sie diesen Brief nicht mehr vor dem 9. Februar bekommen werden. Ihren, am 30. Januar abgeschickten Brief habe ich erst heute bekommen. Vielleicht sieht es ja wirklich so aus, als sei Elena Andreevna unfähig zu denken, vielleicht sogar auch unfähig zu lieben, aber als ich den »Onkel Vanja« schrieb, hatte ich etwas ganz anderes vor Augen.

Ich wünsche Ihnen alles Gute.

Hochachtungsvoll A. Čechov.

1079) AN O.L. KNIPPER JALTA, 7. 2. 1903

7. Febr.

Mein Hündchen, ich habe alles bekommen, außer der Schale, von der du schreibst. Das Gedicht der Čjumina habe ich noch nicht bekommen. Vl. Vl. Čechov ist der Sohn eines Vetters meines Vaters, eines berühmten Psychiaters; er selbst ist ebenfalls Psychiater. Und das Golcevsche Jubiläum gefällt mir auch nicht: erstens hat man ihn, den Jubilar, nicht zum Ehrenmitglied der Ges. der Freunde der russischen Literatur gewählt, und zweitens hat man nichts gesammelt für sein Stipendium... Ein Lesesaal in Ruza – das ist doch so ein Quatsch! Da gibt es niemanden, der lesen könnte, und es gibt auch nichts zu lesen, es ist alles verboten.

O.M. Solovjëva hat mir 19 Heringe mitgebracht und ein Glas Varenje. Wenn du sie siehst, dank ihr, sag, du seist gerührt. Aber die Heringe schmecken gut. Sag Maša, daß heute morgen in Jalta sechs Grad Frost waren, gestern ebenfalls sechs, eine idiotische Situation, wenn man sich an den Ofen schmiegen muß und nichts tun kann. Heute kam kein Brief von dir, der Himmel ist trübe, kalt. Meine Gesundheit ist in Ordnung, ich will nicht klagen.

Suvorins »Frage« hatte in Petersburg einen Riesenerfolg, seine Pointen wurden für komisch befunden. Der Alte hat also Glück gehabt. Ich las, daß ein Abgesandter eures Theaters nach Petersburg gefahren sei, um sich um ein Theater für die Woche nach Ostern zu kümmern. Stimmt das? Und wird man euch das »Nachtasyl« genehmigen? Mir scheint, die Zensur hat Gorkij den Krieg nicht auf Leben, sondern auf den Tod erklärt, und zwar nicht aus Angst, sondern einfach aus Haß. Zverev, der Chef der Zensur, hatte doch mit einem Mißerfolg gerechnet, was er Nemirovič auch gesagt hat, und jetzt auf einmal macht das Stück furore, und was für welchen!

Die Zeit vergeht schnell, sehr schnell! Mein Bart ist ganz grau geworden und ich habe zu nichts Lust. Ich spüre, daß das Leben angenehm ist, zeitweise unangenehm ist – und dabei bin ich stehengeblieben und gehe keinen Schritt weiter. Dein Schweinchen mit den drei Ferkeln auf dem Rücken steht vor mir auf dem Tisch, da stehen auch der schwarze und der weiße Elefant – und so geht es jeden Tag. Wie dem auch sein mag, Herzchen, schreib mir, ob das Künstlertheater nach Petersburg fährt und für wie lange. Dann, ich habe dir nicht geschrieben, daß ich das Stück der Komissarževskaja eher geben will als dem Künstlertheater. Sie braucht das Stück im Herbst oder Winter, und ich muß wissen, ob ich ihr das Stück überhaupt für die nächste Saison versprechen kann, meinetwegen auch erst nach Weihnachten.

Aber, Hündchen, ich will dich nicht langweilen. Verzeih, mein Liebes, ich höre sofort auf. Nur laß mich dein Händchen küssen und dich umarmen. Kalt ist es! *Dein A.*

Wegen der Komissarževskaja sprich noch einmal mit Nemirovič; ich muß ihr antworten!

1080) AN V.S. MIROLJUBOV JALTA, 9. 2. 1903

Lieber Viktor Sergeevič, an der »Braut« schreibe ich, ich rechne, sie um den 20. Februar abzuschließen, entweder früher, oder ein wenig später – je nachdem, wie es mit meiner Gesundheit steht usw. usf. Wie dem auch sein mag, seien Sie unbesorgt, ich werde sie schicken. Nur das eine: daß meiner »Braut« nichts geschieht von den Herren Bräutigamen, die die Reinheit Ihrer Zeitschrift beflecken!

Kommen Sie im Frühjahr nach Jalta? Darf man Sie erwarten? Zur Zeit herrscht Frost, heute schon den dritten oder vierten Tag. L. Sredin war sehr krank, er machte sich zum Sterben bereit, aber jetzt ist er wieder aufgelebt und wird wahrscheinlich noch lange leben, denn alles an ihm, außer den Lungen, ist gesund, und der Lungenprozeß ist zum Stillstand gekommen. Regen Sie sich also nicht auf, Gott ist gnädig, nach dem Winter, selbst einem sehr strengen, kommt immer der Frühling. Ich drücke Ihnen fest die Hand. *Ihr A. Čechov.*

1081) AN M.P. LILINA JALTA, 11. 2. 1903

11. Febr. 1903.

Liebe Marija Petrovna, ich danke Ihnen sehr für den Brief, dafür, daß Sie an den Mönchspriester Antonij gedacht haben. Nachdem ich Ihren Brief gelesen hatte, habe ich mich natürlich vor allem hingesetzt und einen Gratulationsbrief an Aleksandr Leonidovič geschrieben und ihm eine sehr glückliche Ehe gewünscht. Soll er doch heiraten!

Ich war krank, jetzt bin ich wieder gesund; heute huste ich übrigens wieder ein wenig und bin faul. Das Stück habe ich noch nicht zu schreiben angefangen, ich werde es nach dem 20. Februar tun, wiederum in der großen Hoffnung, daß in dem Stück ganz bestimmt *Sie* spielen werden. Ich weiß nicht, wie es wird, ob es mir gelingt – das ist noch die Frage, aber wie immer es auch werden mag, ich werde es nicht hergeben, wenn Sie ablehnen, darin zu spielen. Behalten Sie das im Auge, richten Sie den Autor nicht zugrunde. Geld habe ich zur Zeit fast gar keins, und wenn Sie es ablehnen zu spielen, dann bin ich, wie man so sagt, vollkommen ruiniert. Dann mache ich Ihnen einen Skandal! Im Herbst dachte ich noch, Sie seien krank, aber inzwischen ist allen klar, daß Sie vollkommen gesund sind und spielen können, da gibt es also gar nichts zu reden! Im Frühling wird mein Stück fertig sein, ich werde es mitbringen.

Was kann ich Ihnen von mir schreiben? Wohl nur das eine: ich lebe wie ein Mönch. Nach widerwärtigem Wetter ist heute ein warmer, stiller Tag gewesen, aber jetzt pfeift schon wieder der Wind, im Kamin ist ein wildes Rauschen! Sie wissen natürlich, daß ich mit einer Schauspielerin des Künstlertheaters verheiratet bin, aber nicht mit meiner Frau zusammenlebe, sie hat mich verlassen. Kinder habe ich keine, also lebe ich hier allein.

Auch wenn Sie den »Revisor«, »Verstand schafft Leiden«, den »Monat auf dem Lande« usw. aussortiert haben, irgendwann werden Sie diese Stücke trotzdem aufführen müssen. Und ich glaube, daß der »Revisor« bei Ihnen bemerkenswert gut werden könnte. Die »Heirat« ebenfalls. Auf jeden Fall wäre es durchaus kein Fehler, diese Stücke im Repertoire zu haben. Mir will es aus irgendeinem Grunde scheinen, daß die neuen Stücke in 3–4 Jahren anfangen werden, langweilig zu werden, und daß das Publikum überhaupt kein neues, sondern ein literarisches Repertoire haben will. Vielleicht irre ich mich auch.

Ich möchte schon Anfang März nach Moskau kommen, aber der Arzt läßt mich nicht fort und wird mich, wahrscheinlich, nicht vor April fahren lassen. Nur sagen Sie einstweilen Olga noch nichts davon; vielleicht gelingt es mir ja doch zu kommen.

Einen herzlichen Gruß an Konstantin Sergeevič und Ihre Kinder. Die Engel des Himmels mögen Sie beschützen! Bleiben Sie gesund und spielen Sie so oft wie möglich – ich flehe Sie an!!

Ihr A. Čechov.

1082) AN O. L. KNIPPER JALTA, 11. 2. 1903

11. Febr.

Meine unvergleichliche Frau, ich bin einverstanden! Wenn die Ärzte es erlauben, dann mieten wir uns ein Haus in der Umgebung von Moskau, aber mit Öfen und Mobiliar. Hier in Jalta bin ich sowieso nur selten an der Luft. Nun, aber darüber werden wir bald ausführlich sprechen, mein Herz.

Du schriebst, du hättest mir einen Aufsatz von Batjuškov geschickt; ich habe ihn nicht bekommen. Aber hast du den Aufsatz von S. A. Tolstaja über Andreev gelesen? Ich habe ihn gelesen, und mir schoß das Blut in den Kopf, dermaßen stach mir die Absurdität dieses Aufsatzes ins Auge. Es ist geradezu unwahrscheinlich. Wenn du einmal etwas dergleichen schreibst, dann setze ich dich auf Wasser und Brot und werde dich eine ganze Woche lang verprügeln. Wer jetzt frech das Maul aufreißen und herumpöbeln wird – ist Herr Burenin, den sie über den grünen Klee gelobt hat.

Heute habe ich keinen Brief von dir bekommen. Du wirst faul und fängst an, deinen Mann zu vergessen. Mein liebes Herz, wegen N reg dich nicht so auf, sie ist eine Dame ohne Kultur, und er ist Nichtrusse, das ist doch entschuldbar. Wenn nur ein Stück da wäre, wäre das Haus voll, und alles andere ist im Grunde doch Unsinn. Und M. P. sollte ihren Herrn Gemahl nicht aufstacheln, ihn nicht in Moll einstimmen.

Ich bekomme langsam Leibschmerzen; es ist also Zeit für das Rizinusöl. Du schreibst, du beneidetest mich um meinen Charakter. Ich muß dir sagen, daß ich von Natur einen schroffen Charakter habe, jähzornig bin usw. usf., aber ich habe mir angewöhnt, mich zu beherrschen, denn sich gehen zu lassen gehört sich nicht für einen anständigen Menschen. In früheren Zeiten habe ich weiß der Teufel was angestellt. Mein Großvater war doch, seinen Überzeugungen nach, ein grimmiger Verfechter der Leibeigenschaft.

Am Mandelbaum sind die Knospen schon weiß, bald wird es im Garten blühen. Heute ist es warm, ich bin im Garten spazierengegangen.

Ohne dich, meine Gute, ist es so langweilig! Ich fühle mich wie ein einsamer Tolpatsch, sitze lange regungslos da, und es fehlte nur noch, daß ich eine lange Pfeife rauchte. Das Stück werde ich am 21. Februar zu schreiben anfangen. Du wirst ein dummes

Mädchen spielen. Aber wer die Alte, die Mutter spielen soll? Wer? Wir werden M.F. bitten müssen.

Eben ist Anatolij Sredin gekommen, er hat mir die Schale mitgebracht, Schokolade, Anchovis, die Krawatte. Danke, meine Gute, danke! Ich küsse dich tausendmal, umarme dich eine Million Mal.

Weißt du, ich glaube, der Schrieb von S.A. Tolstaja ist eine Fälschung, er ist nicht echt. Da hat jemand spaßeshalber die Feder gespitzt und geschrieben. Also, meine Freude, bleib ruhig und gesund. *Dein A.*

1083) AN O.L. KNIPPER JALTA, 17. 2. 1903

17.

Herzchen, warum hast du mir eine Postanweisung geschickt? Du hättest einfach meine Adresse draufschreiben oder sie dem Postbeamten sagen müssen. Nimm nämliche Anweisung in Empfang und laß sie gleich in den Briefkasten einwerfen, ohne irgendwelche Marken daraufzukleben und ohne sie in ein Couvert zu stekken. Hast du verstanden?

Warum freust du dich so, daß dir die Rolle der Tugendhaften gelingen werde? Die Tugendhaften werden doch nur von unbegabten und bösen Schauspielerinnen gespielt. Da hast dus, genieß das Kompliment. Besseres als die Rollen, die ich für dich geschrieben habe (»Die Möwe«, zum Beispiel), wirst du doch kaum finden. Ich will nicht sagen, daß die Rolle gut geschrieben wäre, aber gespielt wird sie von dir großartig. Und die Komissarževskaja für die »Möve« zu engagieren – das wäre ganz und gar nicht übel.

Ich bin gesund. Mehr ist über meine Person nicht mitzuteilen.

Also, ich küsse mein Weiblein. Bleib gesund, denk manchmal an deinen Mann. *Dein A.*

1084) AN V. S. MIROLJUBOV JALTA, 20. 2. 1903

Lieber Viktor Sergeevič, die Erzählung ist bereits fertig. Abschreiben und dabei korrigieren werde ich sie – in den nächsten fünf Tagen; also werde ich sie Ihnen am 25. Februar schicken, und Sie werden sie am 2. März bekommen. Wenn Sie jedoch die Erzählung persönlich von mir bekommen wollen, sie lesen und sich mit mir beraten wollen, dann telegraphieren Sie, daß Sie nach Jalta kommen, dann behalte ich die Erzählung hier. In Ordnung?

Bleiben Sie gesund, seien Sie nicht traurig. Sie müssen Ihr Leben von Grund auf ändern, d.h. heiraten. Da haben Sie vollkommen recht. *Ihr A. Čechov.*

20. Febr.

1085) AN O. L. KNIPPER JALTA, 22. 2. 1903

22. Febr. 1903.

Mein graues Hündchen, sei gegrüßt! Ja, du bekommst Blumen von der Ermolova, und ich sitze hier, ungewaschen wie ein Samojede. Ich fange noch an zu brüllen. Ich will ins Bad gehen, Altšuller läßt mich nicht.

Ich habe von Nemirovič einen sehr lieben Brief bekommen. Er schreibt mir zu meiner Krankheit, zum Stück. Die Krankheit ist bekannt, und mir ist auch alles bekannt, was nötig ist und was nicht, aber zu dem Stück kann ich einstweilen noch nichts sagen. Ich werd es bald tun. Deine Rolle ist die einer ausgemachten dummen Gans. Willst du eine dumme Gans spielen? Eine mit einem guten Herzen.

Ich kann nicht umhin, Rizinusöl zu schlucken, mein Herz, seit über einer Woche schon habe ich keinen Appetit. Es fällt mir sehr leicht, nicht zu essen, ich könnte ein Fastenmönch sein.

Ich habe einen Band mit Stücken von Fëdorov bekommen. Unter anderem die »Elementargewalt«. Mir gefällt dieses Stück, es ist eine Million Mal talentierter als der ganze Timkovskij ...

Nur scheint mir das eine: architektonische Fähigkeiten hat er im Überfluß, aber Material zum Bauen sehr wenig.

Für mich beginnt jetzt eine ägyptische Plage: dem Kontor der Staatstheater das Honorar für die »Möwe« zu entlocken. Und habe einfach keine Möglichkeit dazu... Irgendwohin muß ich offenbar eine Taxmarke zu 60 oder 80 Kop. kleben, aber wohin – weiß ich nicht.

Ich habe zwei Päckchen mit Postkarten bekommen – Aufnahmen von den »Kleinbürgern« und dem »Nachtasyl«. Herzchen, bedanke dich bei Stanislavskij. Schreib mir, wird Višnevskij heiraten oder nicht?

Es wird langsam kalt, der Abend bricht an. Dabei war es bis Mittag so schön.

Nun denn, mein wunderbarer kleiner Tolpatsch, meine unvergleichliche Gattin, außergewöhnliche Schauspielerin, ich umarme dich unendliche Male und küsse dich ebenso oft. Vergiß mich nicht, wir haben doch nur noch so kurz zu leben, bald werden wir alt sein, behalt das im Auge. Schreib, gutes Kindchen.

Dein A.

1086) AN O.L. KNIPPER JALTA, 23. 2. 1903

23. Febr.

Lieber Hund, wenn bei Korovin auch für mich ein Zimmer ist, d. h. ein Zimmer, in dem ich mich verstecken kann, ohne jemanden zu genieren, und in dem ich arbeiten kann, dann nehmt die Korovinsche Wohnung. Wenn sie ein bißchen weit oben liegt, so ist das nicht schlimm, oder nicht sehr schlimm; ich werde die Treppen langsam steigen, ohne Eile.

Ich schreibe dir nichts über meine Erzählungen, an denen ich schreibe, weil daran weder etwas neu noch etwas interessant ist. Man schreibt, liest es durch und sieht, daß das alles schon dagewesen, daß das alles schon alt, sehr alt ist. Etwas Neues, Saures bräuchte man.

Ich brauche kein großes Zimmer, aber ein warmes und vor allem eins, in dem nichts von den Malkiels zu hören ist, wenn man nichts von ihnen hören will, und in dem man nicht hört, wie Višnevskij Boršč ißt.

Es ist kühl geworden. Ich bin ein bißchen krank, mein Herz, ich habe die ganze Nacht gehustet. Wie ist die Gesundheit von Mišas Tochter?

Also, mein Weiblein, ich segne dich. Um die Pässe wirst du dich kümmern, bei mir kommt da nie etwas anderes heraus als Ärger. Den jungen Damen, die zum Studium ins Ausland gehen, ist folgendes zu sagen: 1) beendet zuerst euer Studium in Rußland, dann geht ins Ausland, um euch zu vervollkommnen, wenn ihr euch wissenschaftlicher Tätigkeit widmen wollt; unsere Lehranstalten für Frauen, zum Beispiel die Medizinischen Kurse, sind vorzüglich, 2) könnt ihr Fremdsprachen, 3) die Juden gehen notgedrungen ins Ausland, um zu studieren, weil sie unterdrückt werden, weshalb geht ihr?

Überhaupt sollte man diesen jungen Damen den Kopf zurechtsetzen. Sehr viele gehen nur deshalb ins Ausland, weil sie unfähig sind zu studieren.

Schreib mir, Weiblein, genier dich nicht. Du kannst mir doch alles schreiben, was du willst, denn du bist meine Frau, meine Gattin.

Ich kratze dir den Rücken. Ich beneide dich, du Bestie: du bist im Bad gewesen!! *Dein A.*

1087) AN I.N. POTAPENKO JALTA, 26. 2. 1903

26. Febr. 1903.

Sei gegrüßt, mein lieber Ignatius, endlich reden wir wieder miteinander! Ja, du hast dich nicht geirrt, ich bin in Jalta, und ich werde hier, wahrscheinlich, bis zum 10.–15. April bleiben, dann fahre ich nach Moskau, von dort ins Ausland. Wenn es vorkommen sollte, daß du nicht weißt, wo ich bin, dann adressiere den Brief an das Künstlertheater, Moskau; von dort wird er mir nachgeschickt werden.

Jetzt zu der Zeitschrift. Erstens hast du nicht geschrieben, worin meine Pflichten als Herausgeber bestünden; vom Geld schreibst du, es sei keines erforderlich, in Petersburg leben kann ich nicht, folglich bin ich auch weder imstande, mich an der Sache zu beteiligen, noch Einfluß darauf zu nehmen; und dies um so weniger, als ich den kommenden Winter im Ausland verbringen werde. Zweitens erkenne ich im Verlagsgeschäft keinerlei Konstitutionen an; an der Spitze einer Zeitschrift muß eine Person stehen, ein Herr im Haus, mit einem fest umrissenen Willen. Drittens sind Mamin-Sibirjak und Vas. Nemirovič-Dančenko talentierte Schriftsteller und vortreffliche Menschen, aber zum Redakteur taugen sie nicht. Viertens, als Mitarbeiter komme ich immer zu dir, darüber brauchen wir gar nicht zu reden.

Bis zum Jahre 1904 ist noch viel Zeit, wir können uns noch schreiben, uns auseinandersetzen, und vielleicht wirst du mich ja auch davon überzeugen, daß ich im Unrecht sei.

Mit meiner Gesundheit kann ich mich nicht brüsten. Ich war den ganzen Winter über krank, hatte Husten, hatte Pleuritis, und jetzt ist es irgendwie in Ordnung. Ich habe mich sogar ans Schreiben gemacht und eine Erzählung geschrieben. Wie geht es dir? Bist du dünnergeworden? Dicker? Ich denke an dich immer mit einem warmen, guten Gefühl. Den Meinen geht es allen gut, besondere Veränderungen gibt es keine. Übrigens, ich habe geheiratet. Aber in meinen Jahren bemerkt man das schon fast nicht mehr, wie eine kahle Stelle auf dem Kopf.

Ich drücke dir fest die Hand und umarme dich.

Dein A. Čechov.

1088) AN A. I. SUMBATOV-JUŽIN JALTA, 26. 2. 1903

26. Febr. 1903.

Lieber Aleksandr Ivanovič, ich danke dir sehr für den Brief. Ich

---

Rechte Seite: Drei Seiten des Manuskripts (die Blätter 1, 4 und 8) der Erzählung »Die Braut«. Auf dem ersten Blatt oben rechts der Vermerk von V. S. Miroljubov: »Setzen und Korr. schicken Jalta Anton Pavlovič Čechov.«

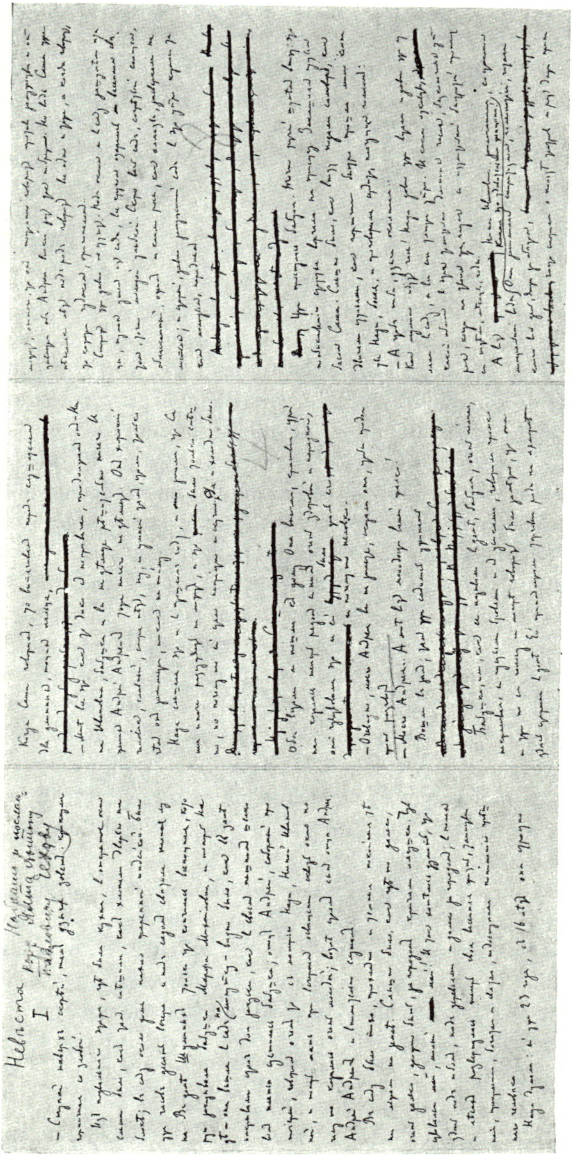
Невеста
I

bin mit dir einer Meinung, über Gorkij zu urteilen ist schwierig, man muß sich erst zurechtfinden in der Masse dessen, was über ihn geschrieben und gesagt wird. Sein Stück »Das Nachtasyl« habe ich nicht gesehen und kenne es zu wenig, aber schon allein Erzählungen wie, zum Beispiel, »Mein Weggefährte« oder »Čelkaš« genügen mir durchaus, um ihn für einen nicht unbedeutenden Schriftsteller zu halten. »Foma Gordeev« und »Drei« kann man nicht lesen, das sind schlechte Sachen, und die »Kleinbürger« sind, meiner Ansicht nach, eine Gymnasiastenarbeit, aber das Verdienst Gorkijs besteht ja nicht darin, daß er gefällt, sondern darin, daß er als erster in Rußland und überhaupt auf der Welt mit Verachtung und Ekel vom Kleinbürgertum gesprochen hat, und das genau zu dem Zeitpunkt, in dem die Gesellschaft vorbereitet war für diesen Protest. Sowohl vom christlichen als auch vom ökonomischen, von jedem beliebigen Standpunkt aus ist das Kleinbürgertum ein großes Übel, es hat, wie ein Wehr in einem Fluß, immer nur dem Stillstand gedient, und da kommen auf einmal die Bosjaki, sie sind zwar nicht gerade elegant, sie sind zwar betrunken, aber dennoch sind sie ein zuverlässiges Mittel, zumindest haben sie sich als solches erwiesen, und das Wehr hat, wenn es auch nicht gebrochen ist, so doch ein mächtiges und gefährliches Leck bekommen. Ich weiß nicht, ob ich mich verständlich ausdrücke. Meiner Meinung nach wird eine Zeit kommen, da werden Gorkijs Werke vergessen sein, aber er selbst wird kaum je vergessen werden, nicht einmal in tausend Jahren. So denke ich, oder so kommt es mir vor, vielleicht irre ich mich auch.

Bist du zur Zeit in Moskau? Bist du nicht nach Nizza und Monte Carlo gefahren? Ich denke oft an unsere jungen Jahre, als wir nebeneinander saßen und Roulette spielten. Und auch Potapenko. Übrigens habe ich heute von Potapenko einen Brief bekommen, der komische Kauz will eine Zeitschrift herausgeben.

Ich drücke dir fest die Hand, bleib gesund und wohlauf.

Dein A. Čechov.

1089) AN O.L. KNIPPER JALTA, 27. 2. 1903

27. Febr.

Sei gegrüßt, Schauspielerin! Das Wetter ist trübe, finster, aber dennoch gehe ich im Garten umher, beschneide die Rosen; eben sitze ich, ein bißchen erschöpft. Es ist warm, schön. Über das Stück schreibe ich dir ausführlich um den 10. März, d.h. ob es bis Ende März geschrieben sein wird oder nicht. Wegen der Schweiz habe ich nichts vergessen, ich denke daran, weil es mich danach dürstet, so bald wie möglich mit dir zusammenzusein. Meine Gesundheit ist in Ordnung.

Über die »Stützen« habe ich noch nichts in den Zeitungen gelesen, ich weiß nichts, aber deinem Telegramm nach zu urteilen bist du nicht ganz zufrieden. Wenn das stimmt, dann kann ich nur das eine raten: pfeif drauf, Herzchen. Jetzt sind doch Fasten, es ist Zeit, sich auszuruhen, zu leben, und ihr ruiniert euch immer noch die Nerven, überanstrengt euch, niemand weiß wozu. Das einzige Vergnügen ist doch, daß Višnevskij einen weiteren Tausender zur Bank tragen kann, und was zum Teufel soll euch dieser Tausender helfen?

Ich erinnere mich, als das Künstlertheater anfing, hatte man die Absicht, nicht darauf zu achten, wie hoch die Einnahmen sind; Nemirovič sagte, wenn ein Stück dem Theater gefalle (nicht dem Publikum, sondern dem Theater selbst), dann werde es 30–40 mal gespielt, selbst wenn es nur 20 Rubel pro Abend einspiele...

Und jetzt darf ich also ein Stück schreiben und die ganze Zeit daran denken und mich ärgern über den Gedanken, daß das Stück, wenn es nicht 1600, sondern nur 1580 Rubel einspielt, gar nicht aufgeführt wird, oder aufgeführt wird, aber nur widerwillig.

Parfum habe ich. Eau de Cologne habe ich. Seife zum Kopfwaschen habe ich.

Habe ich dir geschrieben, daß die Photos von den »Kleinbürgern« und dem »Nachtasyl«, die Alekseev mir geschickt hatte, angekommen sind? Wenn ich es nicht geschrieben habe, so behalt das im Auge und danke Alekseev, wenn du ihn siehst. Hast du verstanden?

Mehr ist nicht zu schreiben, Tolpatsch. Ich will nur das eine: dich am Ohr nehmen, zu mir herziehen und dich zwanzigmal auf die Stirn und aufs Kinn küssen. Schreib mir länger, deine Briefe sind kürzer als ein Wanzenschritt. Deinen Bruder und Neffen grüß von mir, wenn sie noch nicht abgereist sind.

Ich umarme meine Gute, meine Schöne. *Dein A.*

1090) AN V. S. MIROLJUBOV JALTA, 27. 2. 1903

27. Febr. 1903.

Lieber Viktor Sergeevič, um zwei Tage habe ich Sie versetzt: ich bin nicht am 25., wie ich Ihnen geschrieben hatte, sondern erst am Abend des 27. fertiggeworden. Nun ja, das ist nicht schlimm. Meine Gesundheit ist nicht mehr die alte, ich kann nicht mehr schreiben wie früher, ich ermüde rasch. Schicken Sie mir die Fahnen, denn ich muß noch korrigieren und den Schluß machen. Die Schlüsse mache ich immer in den Fahnen.

Bleiben Sie gesund. Ich werde auf Sie warten.

Ihr A. Čechov.

1091) AN O. L. KNIPPER JALTA, 4. 3. 1903

4. März.

Mein liebes Herzchen, wir haben in Jalta einen Festtag: eine Filiale von Cubat hat aufgemacht, vom echten Petersburger Cubat. Morgen gehe ich mir anschauen, was er hat, und werde dir schreiben; vielleicht wird man aus Moskau nicht mehr alle möglichen Zakuski mitbringen müssen.

Du erteilst mir einen Verweis dafür, daß mein Stück noch nicht fertig sei, und drohst mir, mich in die Arme zu nehmen. Nimm mich in die Arme, das ist eine schöne Drohung, sie ist verlokkend, ich will ja nur das eine – endlich in deine Arme gelangen, was dagegen das Stück betrifft, so hast du wahrscheinlich vergessen, daß ich noch zu Noahs Zeiten allen und jedem gesagt habe, daß ich mich Ende Februar oder Anfang März an das Stück begeben werde. Meine Faulheit hat nichts damit zu tun. Ich bin doch nicht mein Feind, und wenn es in meinen Kräften stünde, würde ich nicht ein, sondern fünfundzwanzig Stücke schreiben. Und ich bin auch sehr froh, daß das Stück noch nicht fertig ist, denn dann braucht ihr jetzt nicht zu probieren, sondern könnt ausruhen. So maßlos zu arbeiten ist – eine Schweinerei, wenn nicht noch etwas Schlimmeres.

Bei uns ist es kühl, aber trotzdem ganz schön. Wegen des kommenden Winters will ich einstweilen nichts beschließen, aber sonderlich freudige Hoffnungen setze ich in ihn nicht. Einstweilen kann ich nur sagen, daß ich bis Dezember in Moskau leben werde (besonders, wenn du mir einen Pelzmantel machen läßt), und dann werde ich wohl sehr wahrscheinlich ins Ausland müssen, an die Riviera oder nach Nervi, so bis zum 15. Februar, dann zurück nach Jalta. Wir werden wieder getrennt sein, aber was sollen wir machen? Es fällt einem ja doch nichts ein, und wenn man sich auf den Kopf stellt. Wenn du schwanger wärst, würde ich dich im Februar nach Jalta holen. Magst du, Herzchen? Was meinst du? Ich würde meinetwegen sogar in Archangelsk überwintern, es wäre mir egal, wenn du nur Mutter würdest.

Fahrt ihr nach Petersburg? Ja oder nein?

Also, morgen gehe ich zu Cubat, ein bißchen schnuppern an der europäischen Zivilisation. Seid ihr schon dabei, in die neue Wohnung umzuziehen? In welcher Etage ist sie? Wenn sie sehr hoch liegt, dann werde ich eben eine halbe Stunde brauchen, das macht nichts, ich habe in Moskau sowieso nichts zu tun.

Badewanne hin, Badewanne her, ich gehe trotzdem zu allererst ins Bad. Darum tut es mir leid um die Wohnung Goneckaja, die war so nah zur Badeanstalt.

Also, mein Weiblein, ich umarme dich und geb dir einen Nasenstüber, mein Herzchen. *Dein A.*

1092) AN O. L. KNIPPER JALTA, 5./6. 3. 1903

5. März.

Mein Herzchen, Schauspielerin, nachdem ich kein Schriftsteller mehr bin, sondern Feinschmecker, bin ich heute in das Geschäft Cubat gegangen, das bereits geöffnet hat. Dort gab es herrlichen Kaviar, riesige Oliven, Würste, die Cubat persönlich macht und die man zu Hause braten muß (schmecken sehr gut!), Störrükken, Schinken, Biscuits, Pilze... Mit einem Wort, aus Moskau braucht man nichts mehr mitzubringen, außer Graupen und Hirse. Ich glaube, auch den Schinken für die Feiertage sollte man ab jetzt bei Cubat kaufen. Ich schreibe dir das alles, weil Altšuller heute bei mir war und mich versichert hat, daß ich vor Mitte April auf keinen Fall nach Moskau fahren darf. Mein Herz, meine Frau, Schauspielerin, Liebste, meine Gute, kannst du es nicht ermöglichen, in der Karwoche nach Jalta zu kommen, und wenn ihr nach Petersburg fahrt, – dann in der Woche nach Ostern? Wir könnten hier herrlich leben, ich würde dir herrlich zu essen und zu trinken geben, ich würde dir den »Kirschgarten« zu lesen geben, und dann würden wir zusammen nach Moskau fahren. Altšuller schwört, die Pleuritis sei noch nicht völlig ausgeheilt und ich könne jetzt auf keinen Fall fahren. Komm du, meine Gute! Das Theater wird dir Urlaub geben, ich werde darum bitten, wenn dein Bitten nicht ausreichen sollte. Schreib mir, daß du kommst, aber vor allem – überleg es dir! Überlege dir, wie es für dich besser und bequemer ist. Aber ich habe solche Sehnsucht, ich lechze so danach, dich zu sehen, daß ich keine Geduld mehr habe, ich rufe, ich rufe nach dir. Sei mir nicht böse, Herzchen, sondern überlege erst, überdenk alles. Und wenn du beschließen solltest zu kommen, dann geh sofort und bestell dir eine Fahrkarte (auf dem Neglinnyj), sonst bekommst du für die Feiertage keine mehr. Und schreib mir, wozu du dich entschlossen hast.

Im »Kirschgarten« wirst du Varvara Egorovna heißen, oder Varja, die Pflegetochter, 22 Jahre alt.

Nur sei bitte nicht böse. Schreib mir nicht, sondern telegraphier nur das eine Wort: »Komme« oder »unmöglich«. Du schreibst, du wüßtest nicht, wie es wird, wenn wir uns wiedersehen, und ich habe ein Gefühl, als wären wir gestern erst auseinandergegangen, ich werde dich empfangen, als hättest du keinen einzigen Tag aufgehört, mein zu sein.

Heute habe ich keinen Brief von dir bekommen.

6. März. Ich schreibe am nächsten Tag weiter. Deinem heute angekommenen Brief ist zu entnehmen, daß die Frage eurer Fahrt nach Petersburg noch nicht negativ entschieden worden ist, daß ihr vielleicht doch fahrt. Wenn das stimmt, dann komm nach Petersburg nach Jalta; überdenk überhaupt alles, wie es sich gehört, und wenn du es nicht für nötig oder möglich hältst zu kommen, dann soll es nicht anders sein, dann unterwerfe ich mich und komme selbst, ohne lange weiter darüber zu reden. Entscheide du, denn du bist ein beschäftigter Mensch, du hast deine Arbeit, während ich auf dieser Welt nur herumhänge wie ein nutzloser Gegenstand.

Heute weht starker Wind, es ist unangenehm. Wenn mein Stück nicht so wird, wie ich es mir gedacht habe, dann mußt du mir mit der Faust vor die Stirn hauen. Stanislavskij hat eine komische Rolle, du ebenfalls.

Also, Pöpschen, bleib gesund. Ich liebe dich, und du mach was du willst. Deine Photographie hängt im Geschäft der Volkova im Fenster.

Ich umarme und küsse dich. *Dein Provinzehemann A.*

Kauf keinen Pfefferminzkandis mehr. Marmelade gibt es bei Cubat.

1093) AN I. N. POTAPENKO JALTA, 12. 3. 1903

12. März 1903.

Nein, mein lieber Ignat, wir müssen uns sehen und miteinander sprechen, sonst werden wir einander wohl kaum verstehen. Ich schreibe dir, daß ich krank bin, daß ich den ganzen Winter über im Ausland leben werde, und du wiederholst deinen Antrag – ich solle als Mitherausgeber zeichnen. Soll ich demnach also Geld umsonst bekommen, oder wie? Du schreibst, ich hätte Angst, in ein leichtsinniges Geschäft hineingezogen zu werden und mich auf einmal in einer dummen Situation zu befinden. Nichts dergleichen habe ich dir geschrieben, und ich verstehe nicht, woher du das nimmst. Ich wiederhole: ich kann Hausherr oder Mithausherr nicht werden, weil meine Gesundheit nicht gut ist und weil ich nicht in Petersburg leben kann. Und sich Hausherr nennen und es nicht sein – das paßt irgendwie nicht recht zusammen in meinem Bewußtsein.

Aller Wahrscheinlichkeit nach habe ich dich nicht recht verstanden. Am besten wäre, wir würden uns vor deiner Abreise ins Ausland sehen. In Moskau werde ich Ende April sein, Ende der Woche nach Ostern. Ins Ausland fahre ich am 1. Juni, in die Schweiz. Wo ich mich in der Schweiz aufhalten werde, wird dir meine Frau mitteilen, die in der Osterwoche nach Petersburg kommen wird, zusammen mit dem ganzen Theater.

Zu meiner Krankheit ist noch eine Pleuritis gekommen, die sich fast den ganzen Winter bis zum Frühling hingezogen hat; auch jetzt ist noch ein bißchen davon da.

In der Hauptverwaltung wird man dein Gesuch nicht drei Monate lang behalten, wie du schreibst, sondern wahrscheinlich nicht länger als eine Woche. Außerdem, wenn die Zeitschrift von Potapenko herausgegeben und redigiert wird, dann reicht dies doch, dann bringen weder die Mamins noch die Čechovs etwas mehr ein, ich versichere dich. Wir, d.h. ich, du und Mamin sind Menschen ein und derselben Generation. Wenn du dagegen jemand Jüngeren als Mit-Redakteur nehmen würdest, zum Beispiel Leonid Andreev, dann wäre das etwas anderes.

Also, bleib gesund und wohlauf, ich wünsche dir alles Gute. Ich umarme dich fest. *Dein A. Čechov.*

1094) AN O. L. KNIPPER JALTA, 18. 3. 1903

18. März.

Mein Herzchen, endlich hast du deine Adresse geschickt, und alles ist wieder im Lot. Ich dank dir, mein Liebes. Deinen weinerlichen Brief, in dem du über dich selbst schimpfst vor der Fahrt zur Černigovskaja, habe ich heute morgen bekommen, gelesen – keine Adresse! Ich war schon bereit, das Gesuch um Scheidung einzureichen, als mittags dein Telegramm kam.

Also, ich komme in der Woche nach Ostern nach Moskau, ich komme noch vor deiner Rückkehr aus Petersburg, ich werde dich empfangen, aber nicht auf dem Bahnhof, sondern zu Hause, nachdem ich im Bad gewesen und ein bißchen an meinem Stück geschrieben habe. Das Stück will mir übrigens ganz und gar nicht gelingen. Eine der Hauptpersonen ist noch nicht genügend durchdacht und stört; aber zu Ostern, glaube ich, wird diese Person bereits klar sein und ich – frei von Komplikationen.

Wenn Maša noch nicht gefahren ist, sag ihr, daß sie nur ein bißchen Kochwurst mitbringen möge. Hörst du? Alles übrige bekommen wir hier bei Cubat. Die Photographie, von der du schreibst, werde ich dir wahrscheinlich durch V. K. Charkeevič nach Petersburg schicken. Wenn es Logen gibt, die nicht teurer sind als 30, nun, sagen wir 40 Rubel, dann laß für V. K. Logen reservieren (»Nachtasyl« und »Onkel Vanja«), wenn es keine so billigen oder überhaupt keine Logen gibt, dann, mein Herz, sei deinem dummen Mann nicht böse und laß für sie 2 Sessel im Parkett für 3 Rubel reservieren. Ich vergöttere dich, meine Gute, ich liebe dich.

Morgen schreibe ich dir mehr. Red keine Dummheiten, du bist keineswegs daran schuld, daß du im Winter nicht mit mir zusammenlebst. Im Gegenteil, wir sind doch beide sehr ordentliche Ehegatten, wenn wir einander nicht stören und jeder seiner Arbeit nachgehen kann. Du liebst doch das Theater? Wenn du es nicht liebtest, dann wäre es etwas anderes. Also, dann: Christus sei mit dir. Bald, bald sehen wir uns wieder, ich umarme und küsse dich 45 mal. Bleib gesund, Kindchen. *Dein A.*

1095) AN O. L. KNIPPER JALTA, 23. 3. 1903

23. März.

Mein liebes Weiblein, du bist mir böse wegen der Adresse, du versicherst dauernd, du hättest sie mir geschrieben, angeblich sogar mehrere Male. Warte, ich bringe dir deine Briefe mit, dann wirst du selbst sehen, und bis dahin wollen wir davon schweigen, wollen nicht mehr über die Adresse reden, ich habe mich beruhigt. Weiter schreibst du, ich fragte schon wieder nach den Turgenev-Stücken, du hättest mir dazu bereits geschrieben und ich vergäße den Inhalt deiner Briefe. Den vergesse ich durchaus nicht, Herzchen, ich lese sie alle mehrere Male, das Schlimme ist nur, daß zwischen einem Brief von mir und deiner Antwort jedesmal mindestens zehn Tage vergehen. Turgenevs Stücke habe ich fast alle gelesen. Der »Monat auf dem Lande«, das schrieb ich dir bereits, hat mir nicht gefallen, aber »Gnadenbrot«, das bei euch aufgeführt werden soll, ist ganz gut, und wenn Artëm es nicht zu sehr in die Länge zieht und nicht monoton wirkt, dann wird das Stück nicht übel gehen. Die »Dame aus der Provinz« müßte gekürzt werden. Nicht wahr? Die Rollen sind gut.

Den ganzen Winter über hatte ich keine Hämorrhoiden, aber heute bin ich ein richtiger Titularrat. Das Wetter ist wunderbar. Alles steht in Blüte, es ist warm, still, aber es regnet nicht, ich habe ein wenig Angst um die Pflanzen. Du schreibst, du würdest mich drei Tage lang umarmt halten. Und wie soll ich dann essen oder Tee trinken?

Von Nemirovič habe ich einen Brief bekommen; ich danke ihm sehr. Ich schreibe ihm nicht, weil ich ihm neulich erst einen Brief geschickt habe.

Also, bleib gesund, kleiner Köter. Von Gorkij habe ich dir bereits geschrieben: er war bei mir, und ich war bei ihm. Seine Gesundheit ist nicht schlecht. Die Erzählung »Die Braut« kann ich nicht schicken, weil ich sie nicht habe; du wirst sie bald im »Ž. dlja vsech« lesen. Solche Erzählungen habe ich bereits geschrieben, viele Male geschrieben, so daß du nichts Neues daran finden wirst.

Darf ich dich auf den Kopf stellen, dann schütteln, dann umarmen und ins Ohr beißen? Darf ich, Herzchen? Schreib, sonst nenne ich dich ein verkommenes Frauenzimmer.

Dein A.

1096) AN O. L. KNIPPER JALTA, 26. 3. 1903

26. März.

Mein Herzchen, sei gegrüßt! Eben waren die Eheleute Gorkij da, Sredin A. war da, die Zvanceva war da; ich weiß nicht, ob ich es schaffe, diesen Brief zu schreiben, daß er noch heute abgeht. Ich bin gesund und munter, es ist weder etwas Neues noch etwas Besonderes geschehen, und es wird auch nichts geschehen. Von meiner Frau habe ich schon den dritten Tag keinen Brief mehr bekommen, aber ich bin nicht gekränkt, sondern nur bekümmert. Heute ist Wind und wahrscheinlich deshalb huste ich den ganzen Tag.

Du mußt: 1) mir genau schreiben, an welchem Tag du aus Moskau abreist, 2) an welche Adresse ich nach Petersburg schreiben muß, 3) an welchem Tag du nach Moskau zurückkommst. Letzteres telegraphier mir so früh wie möglich, damit ich mir bei der Eisenbahn die Fahrkarte bestellen kann.

Ich küsse dich, mein Herz, umarme dich. Schreib mir, wenn du mich noch nicht vergessen hast. Also, der Herr sei mit dir.

Dein A.

Telegraphier, wann du aus Moskau abreist. Sei überhaupt nicht so sparsam mit dem Geld, telegraphier die ganze Zeit.

1097) AN O. L. KNIPPER JALTA, 8. 4. 1903

Heute endlich Telegramm bekommen. Alles gut. Schicke dir Brief. Schreib genau, wann wir uns wiedersehen. Telegraphier.

Černomordik.

1098) AN O. L. KNIPPER JALTA, 9. 4. 1903

9. April.

Mein vortreffliches Herzchen, ich kann es einfach nicht schaffen, dir ausführlich zu schreiben. Gäste ohne Ende, und wenn die Gäste weg sind, stürzt man in den Garten, um sich hinzusetzen und auszuruhen. Ich warte voll Ungeduld auf Briefe und Telegramme von dir, warte voll Ungeduld auf den Augenblick, an dem ich endlich meine Schauspielerin wiedersehen werde. Wann wirst du in Moskau sein? An welchem Tag? Schreib oder telegraphier ihn mir genau.

Das Stück werde ich in Moskau schreiben, hier zu schreiben ist unmöglich. Man läßt mich nicht einmal Korrektur lesen.

Es ist richtiger Frühling, alles ist schon abgeblüht. Bunin ist nach Odessa gefahren, Fëdorov ebenfalls. Gorkij ist hier. Kuprin ist weggefahren, er hatte Sehnsucht nach seiner Frau. Warum die Leute bloß heiraten!!

Von dir aus Petersburg ist noch kein einziger Brief gekommen. Gestern habe ich dir ein Telegramm geschickt, ich warte auf deine Antwort, obwohl auf nichts zu antworten ist.

Deine Wäsche bringe ich mit, Herzchen, keine Sorge.

Ich umarme dich, meine Gute, drücke dich, hebe dich hoch, küsse dich. Bleib gesund, werd nicht müde. *Dein A.*

Sag Alekseevs und der Raevskaja, daß ich ihre Telegramme nicht beantwortet hätte, weil ich ihre Adressen nicht hatte.

1099) AN O.L. KNIPPER JALTA, 12. 4. 1903

Černomordik gesund, ißt viel. Fährt 22.

1100) AN A.F. MARKS JALTA, 14. 4. 1903

14. April 1903. Jalta.
Sehr geehrter
Adolf Fëdorovič!

Ich schicke die Korrekturen zurück und bitte Sie, die Erzählungen in dieser Reihenfolge anzuordnen: 1) Die Dame mit dem Hündchen, 2) In der Schlucht, 3) Zur Weihnachtszeit, 4) Die Erzählung des Obergärtners, 5) Auf See, 6) Der Mensch im Futteral, 7) Stachelbeeren, 8) Von der Liebe, 9) Der Bischof.

Am 22. April fahre ich nach Moskau, wohin ich Sie bitte, mir noch einmal die Korrektur zu schicken. Die Adresse: Moskau, Petrovka, Hs. Korovin.

Den »Taschenatlas« und »Reineke Fuchs« habe ich bekommen, ich sende Ihnen meinen herzlichen Dank. Beide Bücher haben mir große Freude gemacht.

Ich wünsche Ihnen alles Gute.

Ihr aufrichtig ergebener *A. Čechov.*

1101) AN O.L. KNIPPER JALTA, 17. 4. 1903

17. April 1903.

Also, meine unvergleichliche Frau, Hund, mein roter, ich schicke dir den letzten Brief – in dieser Saison. Am 22. April verlasse ich Jalta. Am 24. werde ich in Moskau sein. Das ist beschlossene Sache, die Fahrkarte ist bereits bestellt. Deine Einladung nach Petersburg ist vergeblich, denn schon die Reise nach Moskau wird mir nicht ganz leichtfallen, und nach Piter müßte ich ganze vierundzwanzig Stunden länger fahren. Was soll ich dort? Die Besprechung von P. Vejnberg habe ich bekommen; dasselbe hat er auch schon über die »Möwe« gesagt, dabei kreischt die Möwe immer noch ein bißchen. Unsere alten Männer verfolgen uns mit ihrem Haß, das ist nicht gut. Und Minskij ist verlogen und ein Zieraffe.

Bleib gesund, mein Herz. Ich werde dich in reinlicher Gestalt empfangen, denn in die Badeanstalt gehe ich ganz unbedingt.

Heute war die Iljinskaja da, sie hat mir eine Kasse geschenkt.

Also, bleib gesund und glücklich, meine Gute. Das Stück bewegt sich langsam voran, nur fürchte ich, mein Ton ist im allgemeinen veraltet, scheint mir. Ich küsse meinen Vogel, zieh ihn am Schnabel, an den Pfötchen. *Dein A.*

1102) AN A. S. SUVORIN MOSKAU, 25. 4. 1903

25. April 1903.

Moskau, Petrovka, Hs. Korovin.

Seien Sie so gut, teilen Sie mir mit:

1) wann werden Sie in Moskau sein oder durch Moskau kommen,

2) warum ist dem »Novoe vremja« der Einzelvertrieb verboten worden?

Im Winter war ich krank; ich hatte Pleuritis, hatte Husten, jetzt ist nichts, alles ist gut, wenn man vom Asthma absieht. Die Meinen haben eine Wohnung in der dritten Etage gemietet, und da hinaufzusteigen ist für mich eine Großmärtyrertat.

An Anna Ivanovna, Nastja und Borja meinen Gruß. Bleiben Sie gesund und wohlauf. *Ihr A. Čechov.*

1103) AN O. L. KNIPPER SPIROVO, 13. 5. 1903

Sei gegrüßt, Herzchen! Siehst du, ich schreibe dir. Jetzt ist der Zug gerade in Tver, einwerfen werde ich diesen Brief in Bologoe. Abschied von dir zu nehmen, war für mich sehr traurig.

In Bologoe werde ich auf deine Gesundheit essen. Es ist heiß. Ich möchte schlafen. Aus Piter werde ich dir morgen schreiben oder telegraphieren, nicht später, wenn ich nicht morgen schon wieder abfahre. Von dem Deutschen erwarte ich nichts Gutes.

Also, Herzchen, Christus sei mit dir. Ich küsse und umarme dich, bleib gesund und fröhlich. *Dein A.*

13. Mai. Spirovo.

1104) AN M.P. ČECHOVA MOSKAU, 16. 5. 1903

Liebe Maša, gestern bin ich aus Petersburg zurückgekommen, habe dir den großartigen Atlas von Petri mitgebracht, gebunden. Alles ist bestens. Arsenij soll auf der Post Bescheid sagen, daß man mir die Briefe nicht mehr nach Moskau nachschickt; soll er die Briefe abholen und nach Hause mitnehmen, und du schickst sie mir dann ins Ausland nach, wenn ich dir meine Adresse geschickt habe. In Petersburg hat Marks mir 5 Tausend für eine Reise ins Ausland angeboten, aber ich habe sie nicht angenommen.

Von deinem Sparbuch werde ich wahrscheinlich ein–zwei Tausend an den Crédit Lyonnais überweisen, und wenn ich Zeit habe, werde ich mir Papiere der Mosk. Kredit-Ges. kaufen.

Heute (am 16. Mai) ist es in Moskau sehr heiß. In Petersburg ist es ebenfalls heiß; im Zug war es schwül. Miša und seiner Familie geht es gut, Aleksandr habe ich nicht gesehen.

Sag Babuška, sie solle tagsüber die Sonnenbrille tragen.

Also, bleib gesund, der Himmel beschütze dich. Einen Gruß an Mamaša, George und Lelja Miroljubova. Ich werde dir noch schreiben. *Dein An.*

1105) AN M.P. ČECHOVA MOSKAU, 24. 5. 1903

24. Mai 1903.

Liebe Maša, ich bin immer noch in Moskau. Heute war ich bei Prof. Ostroumov, er hat mich lange abgehorcht, abgeklopft, abgetastet, und schließlich und endlich hat sich herausgestellt, daß meine rechte Lunge ganz schlecht ist, daß ich eine Lungenerweiterung habe (ein Emphysem) und Darmkatarrh usw. usf. Er hat mir fünf Rezepte verschrieben, aber vor allem – hat er mir verboten, den Winter über in Jalta zu leben, weil er findet, daß der Jaltaer Winter überhaupt miserabel sei, und hat mir verordnet, den Winter irgendwo in der Umgebung von Moskau zu verbringen, auf dem Lande. Da soll nun einer draus schlau werden! Wie dem auch sei, ich muß mir jetzt eine Zuflucht für den Winter suchen.

Die Jakunčikova bietet sich an, Telešov bietet an, ein Haus zu bauen, Sytin bietet sich an... ins Ausland werde ich nicht fahren, ich bleibe in der Moskauer Umgebung und werde bei der Jakunčikova in Nara wohnen, wohin ich morgen fahre. Meine Adresse: St. Nara, Strecke Brjansk. Für Telegramme einfach: Nara Čechov. Olga war schon einmal dort, es hat ihr gefallen.

Schick mir meine Netzhemden nach Nara (die aus Garn, aus Netz; ich habe drei davon), ein Paar oder drei Unterhosen aus Leinen und das Jackett, nicht das aus Tuch, das dunkle mit den Streifen, ohne Futter; sieh zu, daß das Paket nicht mehr als 7 Pfund wiegt. Im August komme ich ganz bestimmt.

Mutter und Babuška sollen sich fertigmachen, Ende Oktober nehme ich sie zu mir in mein Moskauer Landhaus.

Wenn Briefe für mich gekommen sind, streich auf der Adresse »Jalta« und schreib »Nara, Strecke Brjansk« darauf und wirf sie in den Briefkasten, ohne neue Marken draufzukleben. Und Arsenij soll es auch auf der Post erklären, d.h. er soll Bondarëv sagen, daß mir die gesamte Post (außer Paketen und Zeitungen) nach Nara nachgeschickt wird.

Gurzuf und Kučukoj sollten wir verkaufen.

Gestern war ein Essen bei Golcev. Das mit der »Russkaja mysl« wird anscheinend wieder in Ordnung gebracht. Sie wird nicht verkauft.

Und du könntest mir wenigstens manchmal den »Krimskij kurjer« schicken, als Streifband, mit einer 2-Kopeken-Marke. Vom Künstlertheater habe ich eintausend Rubel bekommen, als Aktionär. Wenn du kommst, kaufst du dafür Papiere der Mosk. Kredit-Ges.

Ostroumov hat mir erlaubt zu baden.

Meine Gesundheit ist im allgemeinen nicht schlecht, ich kann nicht klagen. Ich esse gut. Fast täglich ist Maklakov bei mir.

Neben Morozov wird ein Landhaus mit 20 Desjatinen Land verkauft, man sieht von dort Novyj Ierusalim, hört die Glocken, aber bis zur Bahnstation sind es an die sieben Verst, und das ist zu weit. Die Fedotova verkauft ihr wunderbares Gut mit Einrichtung, Ratenzahlung, aber das ist ebenfalls sehr weit.

Also, grüß Mamaša und alle, die in unserem Hause leben. Den Zeitungen nach zu urteilen, regnet es jetzt in Jalta, worüber ich mich sehr freue. Bleib gesund. *Dein A.*

Ostroumov freute sich, als ich kam, er küßte mich, aber trotzdem ist er mir vorgekommen wie ein grober Popensohn. Er hat mich die ganze Zeit geduzt, wie Zembulatov.

Das Wetter hier ist wunderbar.

1106) AN A. S. SUVORIN NARO-FOMINSKOE, 17. 6. 1903

17. Juni 1903.

Errettet uns, himmlische Heerscharen! Gestern auf einmal bekam ich einen Brief mit zwanzig Adressen, Stempeln von zwanzig verschiedenen Poststationen, wie aus Australien; ich öffne ihn – und was seh ich? Er ist von Ihnen, abgeschickt am 23. Mai, nach Novyj Ierusalim! An diesem Ort bin ich aber gar nicht gewesen, ich war in den Kreis Zvenigorod auf einen Tag zu Maklakov gefahren, ich habe Vasja und, glaube ich, Miša gesagt, daß ich nach Nov. Ierusalim fahren würde, denn dies ist von Maklakov aus der nächste Ort. Wenn Sie also so lange keine Antwort bekommen haben, so geben Sie nicht mir die Schuld daran.

In Petersburg war ich nur ein paar Stunden, ich habe mich mit Marks getroffen. Besondere Gespräche hatten wir nicht miteinander, er hat mir auf seine deutsche Art für eine Kur 5 Tsd. angeboten, ich habe abgelehnt, dann hat er mir 2–3 Pud seiner Ausgaben geschenkt, die habe ich genommen, dann haben wir uns verabschiedet und beschlossen, uns im August wieder zu treffen und miteinander zu reden, und bis August alles zu überdenken.

Zu Miša habe ich von Marks nichts gesagt, und das, was er Ihnen übermittelt hat, sind nichts als Vermutungen seinerseits. In meinem persönlichen Leben gibt es wieder einmal eine Art Umwälzung. Ich war bei Prof. Ostroumov, und dieser hat mich, nachdem er mich untersucht hatte wie es sich gehört, beschimpft, hat gesagt, meine Gesundheit sei hundsmiserabel, ich hätte ein Emphysem, Pleuritis usw. usf., und mir verordnet, den Winter nicht auf der Krim zu verbringen, sondern im Norden, in der Umgebung von Moskau. Ich bin natürlich froh darüber, aber suchen Sie jetzt bitte mal ein Landhaus für den Winter. Wo in der Umgebung Moskau werde ich eins finden, in dem man nicht umkommt vor Kälte und allen möglichen Unannehmlichkeiten? Wie dem auch sei, ich suche trotzdem weiter, und wenn ich es gefunden habe, schreibe ich Ihnen.

Schicken Sie mir die folgenden Nummern der Zeitung, die vorigen habe ich längst zu einem Paket verpackt und Vasja zur Weiterleitung an Sie übergeben. Meine Adresse: Naro-Fominskoe, Gouv. Moskau. Eine Adressenänderung, sollte es zu ihr kommen, werde ich Ihnen rechtzeitig mitteilen.

Hier bei dem Landhaus ist ein schöner Fluß, aber niemand, mit dem man angeln könnte.

Der Herausgeber der »Russkaja mysl«, Lavrov, ist sehr krank (Nierenentzündung, Angina pectoris), er hat es eilig, seine Zeitschrift in Ordnung zu bringen, damit sie den Erben nicht in die Hände fällt. Und die Sache ist offenbar schon geregelt, die Zeitschrift ist verkauft, gesichert, Golcev ist Chefredakteur geblieben und man hat sogar mich eingeladen, die Redaktion der Abteilung Belletristik zu übernehmen.

Also, den Winter über bleibe ich in der Nähe von Moskau, ins Ausland will Ostroumov mich nicht lassen. (»Du bist ein Krüppel«, sagt er.) Ich werde sehr frieren, weil ich es nicht mehr gewöhnt bin. Bleiben Sie gesund und wohlauf, ich wünsche Ihnen und Ihren Angehörigen alles Gute. Wenn ich von Ihnen die folgenden Nummern der Zeitung bekommen habe, werde ich sie Ihnen auf demselben Wege als Paket über Vasja zurückgeben.

Ihr A. Čechov.

Die Abschaffung der Peitsche und der Kopfrasur ist eine große Reform.

1107) AN N. E. ĖFROS NARO-FOMINSKOE, 17. 6. 1903

17. Juni 1903.

Lieber Nikolaj Efimovič, – o weh! – ich habe mit dem Stück noch nicht einmal angefangen, ich bin keineswegs, wie Sie schreiben, schon fertig. Was meine Mitarbeit an der »Russkaja mysl« betrifft, so werde ich wahrscheinlich ab Herbst dort die Abteilung Belletristik redigieren oder leiten, ohne mit dem übrigen etwas zu tun zu haben. Aber trotzdem werde ich mir alle Mühe geben, Sie näher mit der »Russkaja mysl« in Verbindung zu bringen; als Theaterkritiker schätze ich Sie seit langem sehr, und ich erinnere mich, daß ich viel und lange darüber gesprochen habe, daß Sie anfangen sollten, für die »Russkaja mysl« zu arbeiten. In 2–3 Wochen werde ich in Moskau sein, werde mich dort mit der Redaktion treffen, davon sprechen und Ihnen die Antwort schikken, bis dahin bleiben Sie gesund und fröhlich. Ich wünsche Ihnen alles Gute. *Ihr A. Čechov.*

1108) AN S. N. ŠOLOM-ALEJCHEM NARO-FOMINSKOE, 19. 6. 1903

19. Juni 1903.

Sehr geehrter

Solomon Naumovič!

Ich schreibe zur Zeit überhaupt nichts oder schreibe nur sehr wenig, so daß ich nur bedingt Versprechen abgeben kann: ich werde mit Vergnügen eine Erzählung schreiben, wenn meine Krankheit mich nicht daran hindert. Was meine bereits veröffentlichten Erzählungen betrifft, so stehen sie Ihnen voll zur Verfügung, und ihre Übersetzung ins Hebräische und ihre Veröffentlichung in dem Almanach zugunsten der in Kišinëv zu Schaden gekommenen Juden wird mir nichts als herzliches Vergnügen bereiten.

Mit aufrichtiger Hochachtung und Ergebenheit. *A. Čechov.*

Ihren Brief habe ich gestern bekommen, am 18. Juni.

Naro-Fominskoe, Gouv. Moskau.

1109) AN A. S. SUVORIN NARO-FOMINSKOE, 29. 6. 1903

29. Juni.

Ežovs Werke, die Sie mir schickten, habe ich bekommen, ich danke Ihnen sehr. Die voraufgehenden Bände selbigen Ežovs habe ich nach Lektüre in Ihrer Moskauer Buchhandlung abgegeben zur Weiterleitung an Sie, was ich auch mit diesem Band tun werde. Ežovs Ton ist einförmig, er wird auf die Dauer langweilig, so als läse man ein enzyklopädisches Wörterbuch, und so wird es bleiben, solange ihm die Belletristik nicht zu Hilfe kommt.

Am 6. Juli fahre ich nach Jalta, wo ich wahrscheinlich bis September bleiben werde. In Jalta ist ungewöhnlich schönes Wetter, es regnet täglich, meine Schwester ist begeistert. Gorkijs Brief zu den Ereignissen von Kišinëv ist natürlich sympathisch, wie alles, was er schreibt, aber er ist nicht geschrieben, sondern verfaßt, er hat weder Jugend noch Tolstojsche Überzeugungskraft und er ist nicht kurz genug.

Meine Bücher im Verlag Marks enthalten in allen neun Bänden viele Erzählungen, die Sie noch nicht gelesen haben. Der zehnte Band enthält Sachalin; bald wird noch ein elfter erscheinen mit den Erzählungen, die ich in den letzten Jahren geschrieben habe. Als Marks mir meine Werke abkaufte, hätte er wohl nie gedacht, daß ich so viele Erzählungen habe; später hat er mir seine Verwunderung ausgedrückt.

Er hatte wahrscheinlich mit drei, vier Bänden gerechnet.

Ich grüße Sie und wünsche Ihnen alles Gute. Meine Gesundheit ist einstweilen ganz gut, sehr gut sogar. Schlecht fühle ich mich nur, wenn ich bergauf gehe oder Treppen steige.

Meine Adresse: Jalta.

Ich grüße Anna Ivanovna, sende ihr einen Gruß.

Ihr A. Čechov.

1110) AN A.S. SUVORIN NARO-FOMINSKOE, 1. 7. 1903

1. Juli 1903.

Sie lesen zur Zeit Belletristik, dann lesen Sie bei der Gelegenheit doch die Erzählungen von Veresaev. Beginnen Sie mit dem zweiten Band, mit der kurzen Erzählung »Lizar«. Ich glaube, Sie werden damit zufrieden sein. Veresaev ist Arzt, ich habe ihn neulich kennengelernt; er macht einen sehr guten Eindruck.

Ežov hinterlege ich in der Buchhandlung, in Moskau, auf der Durchreise. Den nächsten Band schicken Sie nach Möglichkeit nach Jalta.

Ich bade im Fluß.

Neuigkeiten gibt es keine, alles steht zum besten. Bleiben Sie gesund, ich wünsche Ihnen alles Gute. *Ihr A. Čechov.*

1111) AN V.S. MIROLJUBOV NARO-FOMINSKOE, 2. 7. 1903

Lieber Viktor Sergeevič, ich habe Ihnen geschrieben, aber keine Antwort bekommen; offenbar sind Sie verreist. Ich schreibe noch einmal, auf gut Glück. Ich fahre nach Jalta, wo ich wahrscheinlich bis zum Herbst bleiben werde und wohin ich Sie bitte zu schreiben. In Jalta ist jetzt regnerisches Wetter, es ist nicht heiß und alles grün. Die Korrekturen habe ich Ihnen vor langer Zeit bereits geschickt; es wäre schön, wenn Sie sie mir noch einmal schicken würden zur Durchsicht – nicht zur Verbesserung, sondern nur so, wegen der Interpunktion.

Ich drücke Ihnen die Hand. Bleiben Sie gesund.

2. Juli 1903. *Ihr A. Čechov.*

1112) AN V. A. GOLCEV NARO-FOMINSKOE, 5. 7. 1903

Lieber Viktor Aleksandrovič, die Umstände haben sich so gewendet, daß ich nach Jalta fahren muß, wohin ich am Sonntag abend auch fahren werde. Ich komme bald zurück und werde dann den ganzen Herbst und Winter in Moskau oder der Umgebung von Moskau verbringen.

Vl. Iv. Nemirovič-Dančenko sagte mir, daß er sehr gern Aktionär der »Russkaja mysl« werden wolle. Seine Adresse: Bolše-Janisel, Gouv. Ekaterinoslav.

Ich umarme dich und sende dir die herzlichsten Wünsche. Werd nicht müde, halte dich gut. *Dein A. Čechov.*

5. Juli 1903.

1113) AN S. P. DJAGILEV JALTA, 12. 7. 1903

12. Juli 1903.

Sehr geehrter Sergej Pavlovič, ich verspäte mich ein wenig mit der Antwort auf Ihren Brief, denn ich habe ihn nicht in Naro-Fominskoe bekommen, sondern in Jalta, wo ich dieser Tage angekommen bin und wo ich wahrscheinlich bis zum Herbst bleiben werde. Ich habe lange nachgedacht, nachdem ich Ihren Brief gelesen hatte, und so verlockend Ihr Vorschlag auch ist, oder Ihre Einladung, ich darf Ihnen schließlich dennoch nicht das antworten, was Sie und ich gerne möchten.

Redakteur des »Mir iskusstva« kann ich nicht sein, denn es ist mir unmöglich, in Petersburg zu leben, und die Zeitschrift wird meinetwegen nicht nach Moskau ziehen, das Redigieren per Post oder per Telegraph ist unmöglich, und mich nur nominell zum Redakteur zu haben, bringt der Zeitschrift keinerlei Nutzen. Das zum ersten. Zweitens, so wie ein Bild nur von einem Maler gemalt und eine Rede nur von einem Redner gehalten wird, so wird auch eine Zeitschrift nur von einem Menschen redigiert. Natürlich bin ich kein Kritiker und würde die Rubrik Kritik wohl kaum gut redigieren, aber andererseits, wie sollte ich mit D. S. Merežkovskij unter einem Dach zusammenleben, der einen festen Glauben hat, einen lehrerhaften Glauben, während ich meinen Glauben längst verloren habe und nur mit Erstaunen auf jeden gläubigen Intellektuellen sehen kann. Ich achte D. S. und schätze ihn sowohl als Menschen als auch als Literaten, aber wir ziehen den Wagen, wenn wir ihn wirklich ziehen, so doch nach verschiedenen Seiten. Wie dem auch sein mag – ob mein Verhältnis zur Sache falsch ist oder nicht, ich habe immer so gedacht und bin jetzt fest davon überzeugt, daß Redakteur nur einer sein soll, nur einer, und daß besonders der »Mir iskusstva« einzig und allein von Ihnen redigiert werden sollte. Das ist meine Meinung, und ich glaube, ich werde sie nicht ändern.

Seien Sie mir nicht böse, lieber Sergej Pavlovič; ich glaube, wenn Sie die Zeitschrift, sagen wir: noch fünf Jahre redigiert haben, werden Sie mir rechtgeben. An einer Zeitschrift soll, wie an einem Bild oder einem Gedicht, nur eine Person beteiligt sein, soll nur ein Wille zu spüren sein. Das ist beim »Mir iskusstva« bisher so gewesen, und das war gut. Daran sollte man sich auch weiterhin halten.

Ich wünsche Ihnen alles Gute, drücke Ihnen fest die Hand. In Jalta ist es kühl oder, zumindest, nicht heiß, ich frohlocke.

Ich grüße Sie herzlich. *Ihr A. Čechov.*

1114) AN V. G. KOROLENKO JALTA, 15. 7. 1903

Lieber, geliebter Kollege, wunderbarer Mensch, heute denke ich mit besonderem Gefühl an Sie. Ich verdanke Ihnen Vieles. Vielen Dank. *Čechov.*

1115) AN K. S. STANISLAVSKIJ JALTA, 28. 7. 1903

28. Juli 1903.

Lieber Konstantin Sergeevič, es ist sehr, sehr schade, daß Sie nicht schon jetzt nach Jalta gekommen sind; das Wetter hier ist unerhört schön, bezaubernd, schöner könnte es gar nicht sein. Den ganzen Sommer hat es hier geregnet, und jetzt ist es nicht heiß, nicht staubig, alles ist mit Grün bedeckt.

Mein Stück ist noch nicht fertig, es bewegt sich nur zäh voran, was ich sowohl mit meiner Faulheit erkläre, als auch mit dem wunderbaren Wetter, wie auch mit der Schwierigkeit des Sujets. Wenn das Stück fertig ist, oder noch bevor es fertig ist, werde ich Ihnen schreiben oder, besser noch, telegraphieren. Ihre Rolle ist, glaube ich, ganz gut geworden, obwohl ich das übrigens nicht zu beurteilen wage, denn von Stücken verstehe ich, bei ihrer Lektüre, im allgemeinen sehr wenig.

Olga ist gesund, sie badet jeden Tag; sie kümmert sich um mich. Meine Schwester ist ebenfalls gesund, beide danken für den Gruß und lassen grüßen. Gestern sah ich den Ingenieur und Schriftsteller Michajlovskij-Garin, der die Krim-Eisenbahn bauen wird; er sagt, er wolle ein Stück schreiben.

Ich bin gesund. Übermitteln Sie Marija Petrovna und den Kindern meinen Gruß, desgleichen Elizaveta Vasiljevna. Ich drücke Ihnen fest die Hand und wünsche Ihnen Gesundheit und alles, alles Gute. *Ihr A. Čechov.*

Vorlesen werde ich Ihnen mein Stück nicht, weil ich nicht lesen kann; ich werde es Ihnen nur zu lesen geben – natürlich wenn es fertig ist.

1116) AN V. A. GOLCEV JALTA, 5. 8. 1903

5. Aug. 1903.

Lieber Viktor Aleksandrovič, ich schicke dir das Gedicht von Balmont, das du mir geschickt hattest. Das Gedicht ist gut. Wenn du es zu lang und für die »Russkaja mysl« ungeeignet findest, dann schick es bitte zurück an die Adresse: Merrekjul, Estn. Eisenb., 6, Konstantin Dmitrievič Balmont.

Meine Mutter ist gesund. Überhaupt sind wir alle gesund und schwelgen in Glückseligkeit. Das Wetter ist wunderbar, aber heiß, es regnet.

Wenn du mir Manuskripte schicken willst, werde ich sie sehr gern lesen und unverzüglich zurückschicken.

Bleib gesund. Ich drücke dir fest die Hand und umarme dich.

Dein A. Čechov.

1117) AN K. D. BALMONT JALTA, 5. 8. 1903

5. Aug. 1903.

Lieber Konstantin Dmitrievič, ich führe das Leben eines satten, müßigen, sich langweilenden Vagabunden, zur Zeit bin ich in Jalta, und das ist auch der Grund, weshalb die »Hymne an die Sonne« genau zehn Tage an mich unterwegs war. Ich glaube, das ist eines Ihrer schönsten Gedichte, aber dennoch führt kein Weg an Viktor Aleksandrovič vorbei. Ich bin vorläufig nur Redakteur in spe, lese keine Manuskripte und werde mit dem Lesen und Befinden über ihr Schicksal wahrscheinlich nicht vor Anfang nächsten Jahres beginnen. Es wird erzählt, Sie kämen Ende August nach Jalta; wenn das stimmt, dann werden wir uns bald sehen und miteinander reden; ich werde Ihnen alles erklären.

Die »Hymne an die Sonne« befindet sich gegenwärtig in Moskau, ich habe sie mit einem Brief dorthin geschickt.

»Werden wir wie die Sonne« habe ich bekommen, gelesen und anderen zu lesen gegeben; ich habe Ihnen seinerzeit nicht dafür gedankt, weil ich erstens Ihre Adresse nicht hatte, und zweitens, weil ich annahm, daß nicht Sie mir das Buch geschickt hatten (es enthält nicht die übliche Widmung des Autors), sondern irgendein Bekannter.

Aber das macht nichts, es ist nie zu spät, sich zu bedanken, ich verneige mich vor Ihnen dreimal bis zur Erde.

Sie fragen, ob ich im September in Moskau sein werde. Ich gebe Ihnen zur Antwort: ich werde.

Ich drücke Ihnen fest die Hand.

Der Kleinbürger von Autka A. Čechov.

Jalta, Autka.

1118) AN S. N. ŠOLOM-ALEJCHEM JALTA, 6. 8. 1903

Gnädiger Herr

Solomon Naumovič!

Seit zwei Monaten bereits lebe ich in Jalta, aus Jalta habe ich Ihnen bereits geschrieben (in Beantwortung Ihres Briefes), indes ist

Ihr letzter Brief nach Naro-Fominskoe geschickt worden. Ich schreibe zur Zeit nichts, ich habe keine einzige Zeile, die ich Ihnen anbieten könnte. Verzeihen Sie bitte. Wenn meine Gesundheit es gestattet, werde ich Anfang November in Moskau sein, dann schicken Sie mir bitte Ihre Novelle, mit dem genauen Hinweis, in welcher Zeitschrift Sie sie veröffentlichen möchten. Solange ich in Jalta bin (ich spreche aus Erfahrung), kann ich nur wenig tun. Ich wünsche Ihnen alles Gute.

In aufrichtiger Hochachtung *A. Čechov.*

6. August 1903. Jalta.

1119) AN M.I. ČAJKOVSKIJ JALTA, 13. 8. 1903

13. August 1903.

Lieber Modest Iljič, mich beginnt die Unruhe zu quälen. Die Sache ist die, daß ich Ihnen vor zwei-drei Jahren aus Jalta die Briefe des verstorbenen Pëtr Iljič geschickt hatte und, nachdem ich von Ihnen keine Antwort erhalten habe, bis heute nicht weiß, ob Sie die Briefe bekommen haben, wo sie sich gegenwärtig befinden und, wenn Sie sie zurückgeschickt haben, dann an welche Adresse. Bitte schreiben Sie mir wenigstens eine Zeile und sagen Sie mir bei der Gelegenheit, wie Ihr Befinden ist. Ich denke oft an Sie.

Ich bin zur Zeit in Jalta. Bleiben Sie gesund und wohlauf, ich drücke Ihnen fest die Hand und wünsche Ihnen alles Gute.

Ihr A. Čechov.

1120) AN AL.P. ČECHOV JALTA, 15. 8. 1903

Quousque tandem taces? Quousque tandem, frater, abutere patientia nostra?

Sum in Jalta. *Frater bonus Antonius.*

Scribendum est.

1121) AN V. A. GOLCEV JALTA, 18. 8. 1903

Lieber Viktor Aleksandrovič, von allem, was du geschickt hast und was ich dir zurückschicke, verdient einzig und allein die Novelle »Was ist der Grund?« Beachtung. Das ist eine gute Sache, das kann man veröffentlichen, nur muß unbedingt der Schluß vollkommen umgearbeitet werden. Sag oder schreib dem Autor, daß die Szene im Speisewagen grob und verlogen sei, daß das erste Kapitel überflüssig und daß der Schluß zu lang und überflüssig sei. Soll der Autor Kürzungen genehmigen und die eine oder andere Korrektur in Kleinigkeiten. Die Novelle ist, ich wiederhole es, gut, stellenweise sogar sehr gut.

Wenn der Autor Korrekturen genehmigt, dann schick mir die Novelle noch einmal. Sag ihm, er soll sich einen möglichst einfachen Titel einfallen lassen.

Bleib gesund. *Dein A. Čechov.*

18. Aug.

1122) AN V. I. NEMIROVIČ-DANČENKO JALTA, 22. 8. 1903

22. Aug.

Lieber Vladimir Ivanovič, das Stück von Najdënov ist gut, nur muß die zentrale hand. Person – Kuporosov – umgearbeitet werden zu einem guten, klaren Menschen, mit festeren Ansichten, die Ausstattung muß bescheidener werden, ohne Telephon und ähnliche Banalitäten (die Ausstattung des Stücks weckt Erwartungen, die nicht eingelöst werden), und die Helden – Teplov und die Lehrerin – dürfen am Schluß des IV. Akts nicht vom Geld sprechen und keine Briefe schreiben. Bei bescheidener Ausstattung, die nicht schreit, nicht in den Augen und Ohren wehtut, in ruhigen, sehr ruhigen, bescheidenen Tönen könnte das Stück großen Erfolg haben. Das ist in Kürze meine Meinung zu dem Stück.

Nun, und was mein eigenes Stück, den »Kirschgarten« betrifft, so steht damit vorläufig alles zum besten. Ich arbeite gemächlich. Wenn es auch ein bißchen später fertigwird, so ist das nicht weiter schlimm, den Ausstattungsteil im Stück habe ich auf ein Minimum reduziert, es werden keinerlei besondere Bühnenbilder gebraucht, und man braucht sich kein Pulver auszudenken. Meine Gesundheit ist einstweilen vorzüglich, besser braucht sie gar nicht zu sein, so daß ich arbeiten kann.

Präsident des Ministerrats – das ist ein hohes Ehrenamt, das gewöhnlich Minister ausüben, die ihre Karriere bereits beendet haben (Bunge, Durnovo). Von Diktatur wie du schreibst, kann, glaube ich, nicht die Rede sein.

In Moskau will ich auch den Winter über leben. Ich komme im November. Ich freue mich darauf, mir das »Nachtasyl« anzuschauen, das ich noch nicht gesehen habe, und »Julius Caesar«, den ich vorausahne. Im zweiten Akt meines Stücks habe ich den Fluß durch eine alte Kapelle und einen Brunnen ersetzt. Das ist ruhiger. Nur gebt mir im zweiten Akt ein echtes grünes Feld und eine Straße, und eine für die Bühne ungewöhnliche Weite.

Also, der Schöpfer beschütze dich. Ich habe Olga den Brief vorgelesen und wiederhole: ich bin für das Stück von Najdënov. Nur muß natürlich einiges umgearbeitet werden. Einiges, nicht viel.

Bleib gesund und munter. Ich umarme dich.

Dein A. Čechov.

1123) AN S. A. NAJDËNOV JALTA, 29. 8. 1903

29. Aug. 1903.

Lieber Sergej Aleksandrovič, ich danke Ihnen sehr, daß Sie an mich gedacht und mir das Stück geschickt haben. Ich habe Ihnen so lange nicht geantwortet, weil ich zur Zeit beschäftigt bin, ich schreibe selbst an einem Stück, und weil ich neulich einer Person meine Meinung über »Geld« geschrieben habe. Meiner Meinung nach ist das Stück vorzüglich, es hat lebendige Menschen, es ist kurz und graziös, nur würde ich den Titel ändern, würde etwas Einfacheres nehmen, würde eine bescheidenere Ausstattung nehmen, ohne Telephon, ohne diesen Schick, der Leser und Zu-

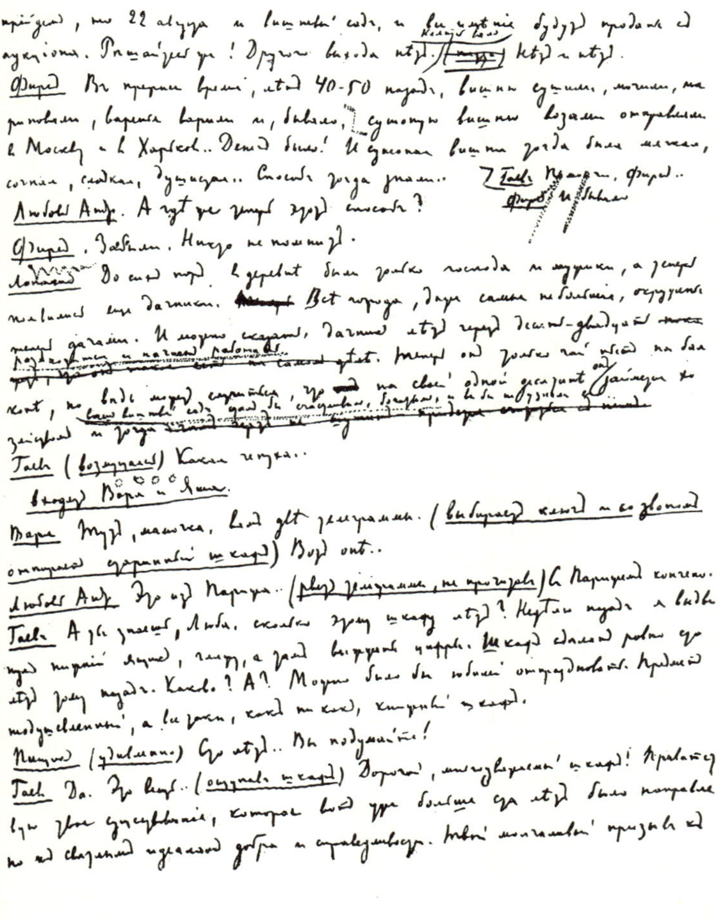

»Der Kirschgarten«.
Blatt 11 des Manuskripts (I. Akt) mit Korrekturen von Hand Čechovs.

schauer etwas Besonderes erwarten läßt; ich würde aus Kuporosov einen nur guten, bewußt guten Menschen machen, der einem leidtut (wenn er, beispielsweise, im Faust-Kostüm auftritt), ich würde seinen Familiennamen ändern, würde ihn sich stärker verlieben lassen in den guten Menschen – die Lehrerin, würde diese Lehrerin befreien von der Notwendigkeit, am Schluß des Stückes vom Geld zu sprechen, einen Brief zu schreiben … Ihr Schluß mit dem Portier ist sehr gut. Gut gemacht sind die Kokotten. Die Frau und der Schwiegervater des Helden sind fertig. Die Angestellten im Kontor und Artel müßte man, glaube ich, gütiger machen. Von Übeltätern auf der Bühne erwartet man immer irgend etwas Großes, sonst befriedigen sie nicht.

Sie schreiben, Sie hätten es mit den Stücken eilig. Wozu die Eile? Wenn Sie alle fünf Jahre ein Stück schreiben, so ist auch dies vollkommen ausreichend.

Ihr Stück haben, ohne Ihre Erlaubnis, alle bei mir zu Hause gelesen – meine Schwester, meine Frau, unter anderen, und beiden hat es sehr gefallen.

Ich werde im November in Moskau sein.

Der beste Akt ist, meiner Meinung nach, der zweite, und dann der vierte. Im zweiten Akt müßten Sie dem Helden nur einen kleinen Stups geben, damit er vor dem Zuschauer wächst, als Künstler; mehr Kühnheit.

Schreiben Sie mir, was ich mit dem Exemplar des Stücks machen soll, das Sie mir geschickt haben. Soll ich es hierbehalten oder schicken – wohin?

Schicken Sie mir, wenn möglich, »Nr. 13« und den »Verlorenen Sohn«. Wenn es nicht geht, dann werde ich bis November warten, wenn wir uns, wie ich hoffe, wiedersehen werden.

Ich drücke Ihnen fest die Hand. Bleiben Sie gesund und wohlauf.

Ihr A. Čechov.

1124) AN V.I. NEMIROVIČ-DANČENKO JALTA, 2. 9. 1903

2. Sept. 1903.

Lieber Vladimir Ivanovič, ich danke dir für den Brief. Es tut mir sehr leid, daß wir in unserer Meinung über das Stück von Najdënov auseinandergehen; Ähnlichkeit mit den »Einsamen« hat es im II. Akt, Kuporosov ist disharmonisch, aber das ist doch alles nicht so wichtig. Wichtig ist, daß es ein Stück ist und daß man darin einen Autor verspürt. In den Stücken, die man heutzutage zu lesen bekommt, existiert kein Autor, es ist, als ob alle in ein und derselben Fabrik hergestellt worden wären, von ein und derselben Maschine, in Najdënovs Stücken dagegen existiert der Autor.

Wenn du, wie du schreibst, zum Kleinen Theater gehst, so wirst du daran nicht viel Freude haben. Du bist doch Rybakov und die Leškovskaja nicht mehr gewöhnt, und wie immer sie auch spielen mögen, es wird dir disharmonisch und eckig vorkommen. Nein, halt du dich lieber an dein Theater.

Mein Stück wird (wenn ich weiter so arbeite, wie ich bis heute gearbeitet habe) bald fertig sein, keine Sorge. Schwer, sehr schwer ist mir der zweite Akt gefallen, aber ich glaube, er ist ganz gut geworden. Das Stück nenne ich eine Komödie.

Meine Gesundheit ist ganz gut, ich kann nicht klagen. Ich träume vom Winter, den ich in Moskau zu verbringen beabsichtige.

Bleib gesund und wohlauf. In meinem Stück wird die Rolle der Mutter Olga übernehmen, wer jedoch die 17–18jährige Tochter spielen wird, ein Mädchen, jung und zierlich, wage ich nicht zu entscheiden. Nun, wir werden ja sehen.

Ich grüße und umarme dich. *Dein A. Čechov.*

1125) AN M.P. LILINA JALTA, 15. 9. 1903

15. September 1903.

Liebe Marija Petrovna, glauben Sie niemandem, noch keine Menschenseele hat mein Stück gelesen; für Sie habe ich keine

»Frömmlerin« geschrieben, sondern ein sehr nettes junges Mädchen, mit dem Sie, wie ich hoffe, zufrieden sein werden. Das Stück hatte ich beinahe abgeschlossen, aber vor 8–10 Tagen bin ich krankgeworden, ich fing an zu husten, mich schwach zu fühlen, mit einem Wort, die Geschichte vom vorigen Jahr ging wieder los. Jetzt, d.h. heute, ist es wieder warmgeworden, meine Gesundheit scheint sich gebessert zu haben, aber schreiben kann ich trotzdem noch nicht, denn ich habe Kopfschmerzen. Olga wird das Stück nicht mitbringen, ich werde alle vier Akte schikken, sobald es mir nur möglich ist, mich wieder den ganzen Tag daranzusetzen. Es ist kein Drama geworden, sondern eine Komödie, stellenweise sogar eine Farce, und ich fürchte, ich werde von Vladimir Ivanovič mein Teil bekommen. Konstantin Sergeevič hat eine große Rolle. Insgesamt sind es aber nur wenige Rollen.

Zum Saisonbeginn kann ich nicht kommen, ich werde bis zum November in Jalta sitzen. Olga, die den Sommer über fülliger, kräftiger geworden ist, wird wahrscheinlich am Sonntag nach Moskau kommen. Ich bleibe allein zurück und werde es natürlich nicht versäumen, dies auszunutzen. Ich als Schreibender muß unbedingt so viele Frauen wie möglich beobachten, muß sie studieren und kann deshalb, leider, kein treuer Ehemann sein. Da ich die Frauen hauptsächlich für Theaterstücke beobachte, sollte das Künstlertheater, meiner Meinung nach, meiner Frau eine höhere Gage zahlen oder ihr eine Pension aussetzen.

Sie haben in Ihrem Brief keine Adresse angegeben, ich schicke den Brief an den Kamergerskij pereulok. Wahrscheinlich sind Sie auf den Proben und werden ihn deshalb bald bekommen. Dafür, daß Sie an mich gedacht und mir einen Brief geschrieben haben, bin ich Ihnen unendlich dankbar. Igor und Kira grüße ich herzlich und danke ihnen, daß sie an mich denken, nur freut sich Kira umsonst über den St. Bernard, das ist ein guter, aber unbequemer und vollkommen nutzloser Hund. Dasselbe wie mein Freund Cygan. Vor ein paar Tagen habe ich mir auch einen Hofhund angeschafft, einen außergewöhnlich dummen.

Wenn Sie Višnevskij sehen, sagen Sie ihm, er solle sich Mühe geben abzunehmen – das ist notwendig für mein Stück. Und damit bleiben Sie gesund, glücklich, fröhlich, möge Ihnen alles gelingen. Wünschen Sie mir, daß ich bald gesundwerde und wieder meiner Arbeit nachgehen kann. An Konstantin Sergeevič und alle Ihre Kollegen und Kolleginnen einen ergebenen Gruß.

Ihr A. Čechov.

Ich küsse Ihnen das Händchen.

1126) AN O.L. KNIPPER JALTA, 19. 9. 1903

Freitag, am Tag deiner Abreise.

Mein liebes Herzchen, mein Pferdchen, Hündchen, wie war die Reise? Wie hast du die Zeit in Sevastopol verbracht mit dem roten Schnurrbart? Ging alles gut?

Vom Damper bin ich krank zurückgekommen: ich habe keinen Appetit, mir ist stumpfsinnig, dumpf im Magen, das Gehen ist nicht besonders angenehm, Kopfschmerzen. Ich weiß nicht, woher das kommt. Aber das Schlimmste ist natürlich deine Abreise: an deine Abwesenheit werde ich mich nicht so bald gewöhnen können.

Wenn du noch keine Zeit hattest, das Paket nach Jalta abzuschicken, tu noch die Gamaschen hinein – sie werde ich bald brauchen.

Ich las heute in den Zeitungen, der »Kirschgarten« werde im Dezember gespielt werden. Wenn das stimmt, sehr schön, einverstanden, nur soll das Stück in den ersten Dezembertagen gespielt werden, nicht in den letzten. Morgen werde ich bereits wieder arbeiten.

Heute war Nina Korš bei uns zum Essen mit ihrem Mädchen. Und ich, weißt du, bin ein bißchen beunruhigt, daß du nicht 100, sondern nur 75 R. von mir genommen hast. Ich schulde dir, Herzchen, also 25 R.

Das »Novoe vremja« fährt damit fort, Gorkij zu verreißen: ich habe Angst, daß es zum Skandal kommt.

Schreib mir, meine Gute, mein Liebes, ob du dich jetzt davon überzeugt hast, wie sehr ich dich liebe.

Morgen werde ich dir mehr schreiben, du ruh dich jetzt aus, unterhalte dich, pack die Koffer aus. Grüß alle Bekannten, laß niemanden aus. Schreib mir, wie »Julius Caesar« geht, ob nicht über »Julius Caesar« etwas zu hören ist usw. usw. usf. Wie geht es Višnevskij?

Ich umarme dich, küsse dir die Pfötchen. Der Herr sei mit dir.

Dein A.

Mir ist, als schriebe ich noch kleiner. Nicht wahr?

Heute werde ich eine Patience legen.

1127) AN O.L. KNIPPER JALTA, 23. 9. 1903

23. Sept.

Sei gegrüßt, Herzchen, meine kleine Hälfte! Heute sind zwei Postkarten von dir gekommen, ich bin sehr froh und zufrieden. Ich hatte mit einem Telegramm aus Moskau gerechnet, nun, Gott mit dir, ich versetze mich in deine Lage und verstehe ja. Was hat man sich im Theater Neues einfallen lassen? Ist man nicht müde? Nicht enttäuscht?

Der vierte Akt in meinem Stück wird, verglichen mit den anderen Akten, karg an Inhalt, aber effektvoll. Der Schluß deiner Rolle ist, glaube ich, nicht übel. Überhaupt, verlier nicht den Mut, alles steht bestens.

Nach deiner Abreise war dein Bruder kein einziges Mal mehr bei mir. Ich bin nicht im mindesten gekränkt, ich schreibe dir das nur für alle Fälle. Das Paket liegt bei uns und wartet auf ihn. Seine Adresse: Jalta, Derekoj, Hs. Mustafa Baj. Gestern war Panov bei mir, aufgeknöpft, zufrieden mit dem Leben, glücklich, er saß lange da. Sagte, Michajlovskij sei aller Wahrscheinlichkeit nach mit Kostja nach Sjuren gefahren. Michajlovskij wird am Donnerstag zu mir kommen.

Der Sohn der Tatarinova ist in der Nähe von Kekeneiz gestorben, als man ihn aus dem Ausland nach Hause brachte. Heute ist die Beerdigung. Maša ist in die Kirche gegangen.

Ich wasche mich gründlich. Ich lasse mir einen Krug normales Wasser aus der Wasserleitung bringen und einen kleinen Krug mit Eis. Dann mische ich es und bekomme genau das, was ich will. Das Anziehen geht langsam, entweder weil ich nicht mehr gewöhnt bin mich anzuziehen, oder weil das Asthma mich behindert. Nastja hängt mir jeden Tag einen frischen Anzug heraus. Ich putze mir die Zähne, beschäftige mich mit der Pulverisation. Und sonst? Meiner Frau schreibe ich beinahe täglich.

In diesen Tagen wird P. I. Kurkin zu dir kommen. Er wird dir erzählen, was er braucht, und du überleg und gib ihm einen Rat. Die Sache ist äußerst wichtig.

Šarik wächst, er bellt aber noch nicht. Du hast, als du wegfuhrst, dein Kätzchen hier vergessen. Soll ich es dir schicken?

Grüß Višnevskij und sag ihm, er solle sich Weichheit und Eleganz aneignen für die Rolle in meinem Stück.

Also, mein Knirps, ich segne dich. Sei nicht böse, nicht mißmutig, schimpf nicht auf deinen Mann. Wir werden uns bald wiedersehen. Sowie es in Moskau die ersten Fröste gegeben hat, komme ich. *Dein A.*

1128) AN O. L. KNIPPER JALTA, 25. 9. 1903

25. Sept.

Mein schwanzloser Hund, dieser Brief wird dich wahrscheinlich erst nach Erhalt meines Telegramms über die Beendigung des Stückes erreichen. Der vierte Akt schreibt sich leicht, irgendwie harmonisch, und wenn ich ihn so lange nicht abgeschlossen habe, dann nur, weil ich immer noch krank bin. Heute fühle ich mich zwar besser als gestern, aber gegen 11 Uhr bekam ich ein Reißen in den Beinen, im Rücken, ich fing an zu husten. Vorgestern erschien dein, wie du ihn nennst, »Feind« Altšuller bei mir; ich habe mich nicht abhorchen lassen, ihm aber von den morgendlichen Duschbädern erzählt. Er schlug die Hände zusammen und verbot mir zu duschen. Und jetzt wasche ich mich wieder nach alter Art, d.h. binnen drei–vier Tagen werde ich wieder einen grauen Hals haben. Zwei Morgende habe ich mich nicht geduscht, aber mein Gesundheitszustand ist dennoch der gleiche geblieben, es ist nur, als ob ich mich frischer fühlte.

Gestern endlich war Kostja hier. Er erschien fröhlich, aufgeweckt, grau und hager, in dunklen Nesselhosen. Wir haben ihm zu essen gegeben. Er ging und kam am Abend wieder mit einem Auge, in das er Schmutz bekommen hatte. Ich begann, ihn zu operieren, die Operation ist glaube ich nicht gelungen, aber dem Auge wurde besser. Heute in der Frühe kam er, um die Wäsche abzuholen. Morgen hat er die schwerste Arbeit hinter sich. Sein Verhältnis zu Michajlovskij ist gut.

Nastja wechselt mir pünktlich die Anzüge. Es ist tatsächlich schön so, häuslich. Überhaupt muß ich bedauern, dich so spät geheiratet zu haben. Wenn ich das Stück schicke, versuch zu arrangieren, daß, während es gelesen wird (im Foyer), Stachovič nicht zugegen ist.

Ich glaube, mein Stück, so langweilig es auch sein mag, hat etwas Neues. Im ganzen Stück fällt kein einziger Schuß, nebenbei bemerkt. Kačalov hat eine gute Rolle. Sieh dich um, wer die 17jährige spielen könnte, und schreib mir.

Gestern habe ich dir nicht geschrieben und habe überhaupt wenig geschrieben, weil ich krank war.

Ich küsse dich, meine Freude, umarme dich fest. Grüß Višnevskij, Nemirovič, Alekseev und alle rechtgläubigen Christen. Ich habe lange gebraucht mit dem Stück, sag, daß ich mich sehr, sehr entschuldige.

Morgen wird ein Brief von dir kommen – der erste aus Moskau. Ich warte voller Ungeduld darauf.

Also, mein Knirps, vergiß mich nicht, denk an mich.

Dein A.

1129) AN O. L. KNIPPER JALTA, 26. 9. 1903

Vier Akte vollkommen fertig. Schreibe ab. Schicke sie dir. Gesundheit besser. Warm. Küsse – Antoine.

1130) AN O. L. KNIPPER JALTA, 27. 9. 1903

27. Sept.

Mein Herzchen, Pferdchen, ich habe dir bereits telegraphiert, daß das Stück fertig ist, daß alle vier Akte geschrieben sind. Ich bin bereits beim Abschreiben. Es sind lebendige Menschen geworden, das ist wahr, aber wie das Stück an sich ist, weiß ich nicht. Ich werde es dir schicken, du wirst es lesen und sehen.

Gestern waren Michajlovskij und Panov bei mir. Erster hat viel erzählt, ich habe ihm mit Vergnügen zugehört, der zweite hat geschwiegen. Dann kam Kostja. Er ist, wenn auch mit irgendetwas nicht einverstanden, so doch offenbar zufrieden. Michajlovskij hat ihn mir gegenüber sehr gelobt.

Und vorgestern kam überraschend dein außergewöhnlicher Freund, der rotbärtige Šapošnikov. Heute war er wieder da, er hat bei uns gegessen und ist nach dem Essen mit Maša nach Suuksa gefahren, zur Solovjëva. Er ist langweilig bis zum Gehtnichtmehr, so, daß man ihm, während man ihm zuhört, die Zunge herausstrecken möchte.

Pferdchen, wenn du doch auf den Gedanken kämst, mir nach der Premiere von »Julius Caesar« ein Telegramm zu schicken! Den »Kirschgarten« schreibe ich auf dem Papier, das Nemirovič mir geschenkt hat; und mit den goldenen Federn, die ich ebenfalls von ihm bekommen habe. Ich weiß nicht, ob das irgendetwas ändert.

Ach, der arme Volodja, warum hört er auf seine Verwandten! Ein Sänger wird nie aus ihm werden, wohl aber ein Advokat, ein guter und fleißiger Advokat. Und warum hat er solche Angst vor einer Anwaltskarriere? Ist es denn schlechter, ein guter Advokat zu sein, als mit dünnem Tenor zehn Jahre lang im Theater zu singen, für 4500 R. im Jahr, um danach in Pension zu gehen? Offensichtlich habt ihr keine Ahnung, was es heißt, Rechtsanwalt, Advokat zu sein.

Das Meer ist aufgewühlt, aber das Wetter ist schön. Panov ist bereits abgereist. Er und Michajlovskij werden zur Premiere des »Kirschgarten« kommen – so sagten sie zumindest.

Šnap bestell einen Gruß und danke ihm in meinem Namen, daß er dir keinen Schrecken eingejagt hat, daß sein Hals nicht verrenkt ist. Šarik ist mit dem Leben zufrieden. Tuzik verfällt zeitweise in Pessimismus.

Sredin malt dich? Ja, das ist ein Vergnügen, aber ein Vergnügen, das man nur einmal im Leben erdulden kann. Du bist doch schon einmal gemalt worden, von Sredin!

Also, Pferdchen, ich streichle dich, striegle dich, gebe dir den besten Hafer und küsse dich auf Stirn und Hals. Der Herr sei mit dir. Schreib mir und sei mir nicht sehr böse, wenn ich dir nicht jeden Tag schreiben werde. Ich schreibe zur Zeit das Stück ab, also verdiene ich Nachsicht.

Grüß alle. *Dein A.*

1131) AN O. L. KNIPPER JALTA, 29. 9. 1903

29. Sept.

Meine außergewöhnliche Frau, mein gutes, glattes Pferdchen, sei gegrüßt! Das Stück ist bereits abgeschlossen, aber ich schreibe es langsam ab, denn ich muß es noch überarbeiten, überdenken; zwei bis drei Stellen werde ich deshalb auch unfertig schicken, ich verschiebe sie auf später – du mußt schon entschuldigen. Das Stück wird, aller Wahrscheinlichkeit nach, Maša mitbringen.

Dein Bruder läßt sich wieder nicht mehr sehen. Ich huste weniger, fühle mich gesund, ärgere mich nur oft (über mich) und esse nicht besonders viel, ohne Appetit. Den Anzug wechsle ich jeden Tag, wasche mich nach alter Art, schlafe sehr gut, putze mir die Zähne, esse Marmelade.

Gestern abend hat es geregnet, mein Herz, es ist schön geworden, frisch, still. Die Rosen blühen. E. P. Gorkaja war noch nicht bei uns. Überhaupt kommt niemand zu Besuch. Übrigens, Sofja Pavlovna, deine Freundin, war da. Und du hast angefangen, in die Theater zu gehen? Und dann noch in Stücke von Timkovskij? Die Paschalova ist doch schon eine alte Schauspielerin, mindestens so alt wie ich; sie hat früher einmal bei Korš gespielt; das ist eine absolut provinzielle, uninteressante Schauspielerin, ich weiß nicht, weshalb man auf einmal so viel von ihr spricht. Noch eins: sie ist eine geborene Fürstin Čegodaeva, die Frau jenes Herren, der Roščin-Insarov umgebracht hat.

Ich liebe dich, Herzchen.

Wenn sich meine Gesundheit bessern würde, würde ich irgendwohin weit weg auf eine Seereise gehen. Das ist notwendig, denn zu Hause versauert man, wird ein Timkovskij.

Sag Bunin, daß er sich von mir behandeln lassen soll, wenn er krank ist; ich werde ihn kurieren.

Also, Pferdchen, ich küsse dich aufs Hälschen und streichle dich. Wenn du doch in meinem Stück die Gouvernante spielen würdest! Das ist die beste Rolle, die anderen gefallen mir nicht.

Bleib gesund und fröhlich, Christus sei mit dir. *Dein A.*

1132) AN O. L. KNIPPER JALTA, 2. 10. 1903

2. Okt. 1903.

Sei gegrüßt, Pferdchen, danke für den Brief über »Julius Caesar«, über die Probe, du hast schön geschrieben, ich bin sehr zufrieden. Ich warte auf immer neue und neue Briefe, ich unzufriedenes Tier. Schreib, Herzchen, schreib, meine Gute.

Heute habe ich normale Temperatur. Altšuller hat mir Pillen verschrieben, daß ich jetzt sieben Tage lang nicht laufen, nicht den Morgenrock anziehen darf. Geblieben sind Schwäche und Husten. Ich schreibe täglich, wenn auch wenig, schreibe aber trotzdem. Ich werde dir das Stück schicken, du wirst es lesen und sehen, was man aus dem Sujet unter günstigeren Umständen hätte machen können, d. h. bei Gesundheit. Jetzt ist es eine einzige Schande, man schreibt zwei Zeilen pro Tag, gewöhnt sich an das bereits Geschriebene usw. usf.

Bei uns ist sommerliches Wetter, die Rosen blühen. Gestern abend kam dein Bruder vorbei.

Man hat angefangen mich herauszufüttern. Hat mir den Bauch vollgestopft.

Gestern hat Altšuller lange mit mir über meine Krankheit gesprochen und sich sehr negativ über Ostroumov geäußert, der mir erlaubt hat, den Winter über in Moskau zu leben. Er hat mich angefleht, nicht nach Moskau zu fahren, nicht in Moskau zu leben. Er sagte, Ostroumov sei wahrscheinlich betrunken gewesen.

Die Kleider werden jeden Tag ausgebürstet. Deine Seife, die du geschickt hast, ist vorzüglich; morgen werde ich mir mit dem Pulver den Kopf waschen. Wie bin ich froh, dich geheiratet zu haben, mein Schnäuzchen, jetzt habe ich alles, ich spüre dich bei Tag und bei Nacht.

An dem Morgenrock habe ich den Gürtel um die Hälfte abgeschnitten, es ging sich so schlecht darin. Habe ich dir geschrieben, daß Mutter begeistert ist von deinen Geschenken? Ich habe ihr die Dreizehner-Patience beigebracht, so wie wir sie zusammen gespielt haben.

Der Herr sei mit dir. Ich küsse dich, umarme dich, klopfe dir auf den Rücken [...]. Bleib gesund, mein Pferdchen.

Dein A.

Beschreib mir die Premiere – ganz ausführlich.

Varvara Konstantinovna ist gekommen, und Maša und Mutter müssen in einer dringenden Angelegenheit in die Stadt. Was mache ich jetzt?

1133) AN O. L. KNIPPER JALTA, 3. 10. 1903

3. Okt. 1903.

Warum, Pferdchen, schreibst du in so gekränktem Ton über die Duschbäder? Altšuller hat sie mir zwar verboten, aber mir ist von seinem Verbot trotzdem nicht bessergeworden, und ich werde die Duschbäder unbedingt wieder einführen, sobald ich in Moskau bin. Es geht mir jetzt besser, obwohl sich der Husten, besonders morgens, bemerkbar macht und ich schnell ermüde. Trotzdem geht es mir, ich wiederhole es, mit jedem Tag besser und besser. Maša wird dir erzählen, wie ich zur Zeit esse. Ich esse wie ein Tiger.

Wenn du Geld brauchst, hol dir welches bei Višnevskij an der Kasse, in Anrechnung auf die kommenden Reichtümer. Ich warte auf ein Telegramm zum »Julius Caesar«. Die Sonne geht schon unter, und immer noch kein Telegramm.

Eben war Michajlovskij und der berühmte Tejtel bei mir, der Untersuchungsrichter aus Samara, ein Jude. Tejtel wird dich in Moskau aufsuchen, um sich irgendwie eine Theaterkarte zu besorgen. Dein Bruder war da, müde, aber fröhlich, wir haben ihm ein Abendessen gemacht.

Wegen des Stücks sei nicht böse, Herzchen, ich schreibe es langsam ab, weil ich schneller nicht schreiben kann. Einige Stellen gefallen mir ganz und gar nicht, ich schreibe sie neu und schreibe sie wieder ab. Aber bald, mein Pferdchen, bald bin ich fertig und schicke es ab. Sobald ich es abschicke, gebe ich dir telegraphisch Bescheid. Ich bin doch nicht so geizig wie du, eine reiche Schauspielerin; von dir habe ich heute also kein Telegramm bekommen.

Herzchen, verzeih wegen des Stücks! Verzeih! Ehrenwort, ich habe es beendet und bin beim Abschreiben.

Maša wird dir erzählen, wie dick ich geworden bin. Ein Dickwanst von Ehemann wird zu dir kommen, du wirst sehen. Ich schlafe vortrefflich. Träume von Fledermäusen.

Also, Pferdchen, ich klopf dir auf den Rücken [...], küsse und umarme dich. Bleib gesund und kräftig, vergiß nicht deinen dikken Mann. *A.*

1134) AN MAKSIM GORKIJ JALTA, 6. 10. 1903

6. Okt. 1903.

Lieber Aleksej Maksimovič, ich bin seit Ende August krank, bin schwach und arbeite sehr träge, unlustig. Sujets habe ich, und den Wunsch, etwas für den Almanach zu schreiben, habe ich ebenfalls, sogar den großen Wunsch. Um den 20. werde ich versuchen, mich an eine Erzählung zu setzen, und wenn ich das tue, werde ich Sie sofort benachrichtigen.

Das Stück habe ich abgeschlossen, aber ich schreibe es außerordentlich langsam ab. Am 10. Okt. werde ich es wahrscheinlich fertighaben und abschicken.

»Julius Caesar« hat, wie man schreibt, großen Erfolg. Ende Oktober oder Anfang November werde ich in Moskau sein, werde mir Stücke ansehen, unter anderem das »Nachtasyl«. Ich habe Ihr Stück doch noch nicht gesehen.

Ich drücke Ihnen fest die Hand, bleiben Sie gesund. Ich grüße Sie herzlich. *Ihr A. Čechov.*

Siehe Rückseite.

Wenn Sie Čirikov sehen, so richten Sie ihm meine Bitte aus – er möge mir seinen »Juden« schicken.

1135) AN O. L. KNIPPER JALTA, 7. 10. 1903

7. Okt. 1903.

Mein vortreffliches Frauchen, meine Bezaubernde, sei gegrüßt! Gestern war Olga Michajlovna bei mir, die schöne Dame, wir hatten geschäftlich zu reden, über das Kuratorium der Schule von Gurzuf; von den Geschäften war nur fünf Minuten die Rede, aber dagesessen hat sie drei Stunden, buchstäblich. Buchstäblich, ich übertreibe nicht um eine einzige Minute, und ich weiß nicht, wie lange sie noch dagesessen hätte, wenn Vater Sergij nicht gekommen wäre. Als sie weg war, habe ich nicht mehr arbeiten können, in mir hat innerlich alles gezittert, dabei ist mein Stück immer noch nicht abgeschrieben, ich habe es mit Müh und Not bis zur Mitte des III. Akts gebracht... Ich ziehe und ziehe es dahin, und weil ich es so hinziehe, habe ich den Eindruck, mein Stück sei unermeßlich lang, kolossal, ich bin entsetzt und habe jeden Appetit darauf verloren. Heute werde ich trotzdem weiter abschreiben, sei unbesorgt. Meine Gesundheit ist besser, obwohl ich nach wie vor huste. Heute habe ich von Čirikov einen zärtlichen, liebevollen Brief bekommen. Er macht über zwei Seiten hinweg Witze, aber seine Witze sind nicht komisch. Er hat mir eine Photographie von sich und seiner Tochter geschickt, die er so nennt: Novella Čirikova. Aber auch das ist irgendwie nicht komisch. Doch er ist ein gutmütiger, warmherziger Kerl. Er wird mir sein Stück schicken, das Gorkij sehr lobt.

Wenn du bei Muir bist, kauf ein Päckchen Papier zu 18 Kop., kein Briefpapier, und schick es mir zusammen mit der Mütze, bei Gelegenheit. Heute werde ich mir mit deinem Pulver den Kopf waschen.

Warum bist du deprimiert? Ist das ungerecht! Du bist zu Hause, bist in deinem Beruf, den du liebst, bist gesund, dein Mann ist nicht da, kommt aber bald. Sei vernünftig!

Ich war seit deiner Abreise nicht wieder in der Stadt. Und ich habe seit vorigem Jahr nicht abgenommen, sondern bin fast noch dickergeworden: das Kamisol (mit den Knöpfen an den Schultern), das von Eger, ist mir zu eng, viel zu eng. Der Anzug wird jeden Tag ausgebürstet. Es regnet zuweilen. Es ist warm. Also, Pferdchen, verzeih, ich muß schreiben. Ich schließe diesen Brief. Bleib gesund, meine Liebe, der Herr sei mit dir. Ich schreibe dir oft, beinahe jeden Tag. Ich bin nicht faul.

Ich küsse dich in den Nacken.

1136) AN E. N. ČIRIKOV JALTA, 7. 10. 1903

7. Okt. 1903.

Lieber Evgenij Nikolaevič, wenn man an Sie denkt... ich wollte auch gerade etwas von Ihnen! Meine Frau hat mir von Ihnen geschrieben, und vor allem habe ich so viel über Ihren »Juden« gehört! Ich habe bereits an Gorkij geschrieben, ihn gebeten, mir den »Juden« zu schicken, und jetzt bitte ich Sie unter Tränen darum, nicht bis zu unserer Begegnung in Moskau zu warten. Schicken Sie ihn mir, mein Lieber. Ich werde ihn lesen und Ihnen sofort schreiben. Theaterstücke außerhalb des Theaters verstehe ich nicht und mag sie deshalb auch nicht, aber den »Juden« werde ich aufmerksam lesen, werde in meiner Phantasie die fehlende Bühne ergänzen, und vielleicht kommt bei meiner Lektüre ja etwas heraus. Wenn das Stück bereits fertig ist und Sie befriedigt, warum sollte es dann nicht auf die Bühne kommen? Weshalb wollen Sie es nicht probieren? Oder es zumindest ins Deutsche übersetzen lassen? Schicken Sie es mir, vielleicht fällt uns etwas ein.

Olga Leonardovna schreibt mir vom großen Erfolg des Ju. Caesar. Ich kann mir vorstellen, wie geräuschvoll es da zugeht!

Wegen der Erzählung für den Almanach habe ich Gorkij bereits geschrieben. Um den 20. Oktober werde ich einen Brief schicken mit der Nachricht, ob ich eine Erzählung schreiben werde oder nicht. Vorläufig habe ich Durchfall und Husten und kann mich sonst mit nichts anderem rühmen.

Das mit der »Russkaja mysl« haben Sie mißverstanden. Ich werde es Ihnen erzählen, wenn wir uns sehen.

Für Ihr Porträt grüße ich Sie herzlich und drücke Ihnen fest die Hand. Auch für Novella danke ich Ihnen herzlich. Wie sehr ich doch bedaure, jetzt, auf meine alten Tage keine Tochter zu haben! Sie sind ein glücklicher Mensch. Eine Photographie von mir gebe ich Ihnen in Moskau, wenn wir uns sehen; ich muß sie mir erst von Opitz beschaffen. Oder ich schicke Ihnen eine Photographie, eine ziemlich gute, von unserem Jaltaer Doktor Sredin, sobald ich ihn wiedersehe und sofern er zum Arbeiten aufgelegt ist.

Sie »schlagen sich«, wie Sie schreiben, mit dem Volkshaus herum? Nein, herumschlagen werden Sie sich erst, besonders, wenn Sie ein Programm dafür zusammenzustellen haben. Denn damit kann man es keinem je rechtmachen.

Also, gestatten Sie mir, den »Juden« zu erwarten. Ich habe Ihre »Stücke« vom Verlag »Znanie« und einen Sonderdruck der »Freunde der Öffentlichkeit«. Wenn ich den »Juden« nach Lektüre zurückschicken muß, so werde ich das umgehend tun, ich werde ihn nicht einmal einen Tag lang hierbehalten.

Bleiben Sie gesund und munter, ich drücke Ihnen fest die Hand und küsse Sie. *Ihr A. Čechov.*

1137) AN O. L. KNIPPER JALTA, 9. 10. 1903

9. Okt.

Mein Pferdchen, schreib mir keine erzürnt niedergeschlagenen Briefe, verbiete mir nicht, nach Moskau zu kommen. Was immer auch geschehen mag, ich werde nach Moskau kommen, und wenn du mich nicht bei dir wohnen läßt, werde ich irgendwo im Hotel absteigen. Mein Herzchen, meine Gesundheit ist weit besser, ich habe vom Essen zugenommen, huste weniger, und um den 1. November, hoffe ich, wird alles gut sein. Meine Stimmung ist sehr gut. Ich schreibe das Stück ab, werde bald damit fertigwerden, mein Liebes, ich schwöre es. Sowie ich es abschicke, werde ich telegraphieren. Ich versichere dich, jeder weitere Tag ist nur von Nutzen, denn mein Stück wird immer besser und besser, und die Personen sind bereits klar. Nur fürchte ich, es hat Stellen, die die Zensur streichen könnte, das wäre entsetzlich.

Meine Gute, Liebes, Herzchen, Pferdchen, mach dir keine Sorgen, ich versichere dich, es ist alles nicht so schlimm, wie du meinst, alles ist vollkommen in Ordnung. Ich schwöre dir, das Stück ist fertig, ich versichere dich tausendmal; wenn ich es bis heute nicht abgeschickt habe, so nur deshalb, weil ich es zu langsam abschreibe und wie gewöhnlich während des Abschreibens noch umarbeite.

Heute regnet es, es ist kühl. Man hat mir zwei lebende Wachteln gebracht.

Herzchen, ich werde ganz bestimmt nach Moskau kommen, auch wenn du mich umbringst, ich würde kommen, auch wenn ich nicht verheiratet wäre; wenn mich also in Moskau ein Droschkenkutscher erwürgen sollte, so bist nicht du daran schuld.

Spiel gut, sorgsam, lerne, mach Beobachtungen, du bist noch eine junge Schauspielerin, werd bitte nicht sauer! Um Gottes willen!

Gestern waren die Gorkaja und die Sredina da. Leonid Val. hat Nierensteine, in seinem Gesicht sind Schwellungen aufgetreten. Er ist in großer Sorge, offensichtlich, denn er sieht dauernd nach, wieviel Eiweiß er hat.

Ich umarme meine Freude. Der Herr sei mit dir, sei ruhig und fröhlich. *Dein A.*

1138) AN K. S. STANISLAVSKIJ JALTA, 10. 10. 1903

Lieber Konstantin Sergeevič, seien Sie nicht böse! Ich schreibe das Stück zum zweiten Mal ins Reine, deswegen die Verspätung. Ich schicke es in *drei* Tagen! Seien Sie unbesorgt.

Ihr A. Čechov.

10. Okt. 1903.

In drei Tagen ganz bestimmt.

1139) AN O. L. KNIPPER JALTA, 12. 10. 1903

12. Okt. 1903.

Also, Pferdchen, es lebe meine und eure Geduld! Das Stück ist bereits abgeschlossen, endgültig abgeschlossen und wird morgen abend oder, spätestens, am 14. morgens nach Moskau abgeschickt. Gleichzeitig werde ich dir einige Anmerkungen schikken. Wenn Änderungen nötig sein sollten, dann, wie mir scheint, nur sehr geringfügige. Das Schlechteste an dem Stück ist, daß ich es nicht in einem Zuge, sondern daß ich lange, sehr lange daran geschrieben habe, so daß eine gewisse Zähigkeit zu spüren sein muß. Nun, wir werden sehen.

Meine Gesundheit bessert sich, ich huste nicht mehr viel und muß nicht mehr laufen. Seit Maŝas Abreise ist das Essen natürlich schlechter geworden; heute zum Beispiel gab es Hammelfleisch zu Mittag, das ich zur Zeit nicht essen darf, und so mußte ich ohne Braten auskommen. Ich esse sehr gutes Kisel. Der Schinken ist gepökelt, er ist kaum zu essen. Eier esse ich.

Herzchen, es ist mir schwergefallen, das Stück zu schreiben!

Sag Viŝnevskij, er soll eine Stelle als Steuerbeamter für mich suchen. Ich habe für ihn eine Rolle geschrieben, fürchte nur, daß ihm nach dem Antonius diese von Anton geschriebene Rolle unelegant, eckig vorkommen wird. Übrigens, er wird den Aristokraten spielen. Deine Rolle ist nur in den Akten III und I ausgeführt, in den übrigen ist sie nur hingeschmiert. Aber das macht auch wieder nichts, ich verliere nicht den Mut. Und Stanislavskij sollte sich schämen, Angst zu haben. Er hat doch so kühn begonnen, hat den Trigorin gespielt, wie er wollte, und jetzt läßt er die Nase hängen, weil Ėfros ihn nicht lobt.

Also, Gurgulka, murre nicht über mich, der Herr sei mit dir. Ich liebe dich und werde dich immer lieben. Ich kann dich auch verprügeln. Ich umarme und küsse dich. *Dein A.*

1140) AN O. L. KNIPPER JALTA, 14. 10. 1903

Stück bereits abgeschickt. Bin gesund. Küsse, Grüße. *Antonio.*

1141) AN O. L. KNIPPER JALTA, 14. 10. 1903

14. Okt. 1903.

Was brummelst du dauernd, Babuŝka! Altŝuller habe ich selber gerufen, weil es mir nicht gut ging, ich hatte es satt, ständig laufen zu müssen. Er hat mir verordnet, 8 Eier pro Tag und geriebenen Schinken zu essen. Maŝa hat absolut nichts damit zu tun. Ohne dich bin ich wie ohne Arme, wie auf einer unbewohnten Insel.

Also, das Stück ist abgeschickt, bekommen wirst du es, wahrscheinlich, gleichzeitig mit diesem Brief. Ich lege einen kleinen Umschlag bei, den liest du, wenn du dich mit dem Stück bekanntmachst. Unmittelbar nach Lektüre schick mir ein Telegramm. Gib es Nemirovič, sag ihm, daß auch er telegraphieren solle, damit ich weiß, was los ist. Bitte ihn, das Stück unter Verschluß zu halten, damit es vor der Premiere nicht Ėfros und den übrigen in die Hände fällt. Ich mag kein überflüssiges Gerede.

Deine Briefe sind unfroh, du bist deprimiert. Das ist nicht gut, mein Herzchen. Und heute habe ich überhaupt keinen Brief von dir bekommen. Wenn im Theater etwas nicht stimmt, Mißerfolge sind doch so etwas Natürliches, und es muß doch auch ein, zwei Jahre geben, in denen das Theater nur Mißerfolge erleidet. Man muß stark sein. Stanislavskij war in den vergangenen Jahren stark, jetzt hat man auch ihn angegriffen, und er fängt an Trübsal zu blasen.

Meine Gesundheit ist gut. Vorgestern abend bekam ich Bauchschmerzen, war gestern den ganzen Tag krank, aber heute ist alles wieder in Ordnung. Heute habe ich mit den Eiern aufgehört, ich esse nur noch halb so viel. Gestern war Altšuller bei mir, hat mich abgehorcht, mir erlaubt, in die Stadt zu fahren. Gehe ich dir nicht auf die Nerven mit meinen medizinischen Gesprächen? Wirklich nicht?

Ich habe gelesen, der Telegraph sei von Moskau bis Charkov defekt, mein Telegramm wird also mit großer Verspätung ankommen. Morgen setze ich mich an eine Erzählung, aber ohne Eile. Ich kann noch gar nicht glauben, daß ich nicht mehr an dem Stück schreibe. Glaub mir, ich habe es zweimal ins Reine geschrieben. Dein Mann ist altgeworden, und wenn du dir irgendeinen Anbeter zulegen solltest, so habe ich nicht mehr das Recht, böse darüber zu sein.

Wenn euch etwas Neues eingefallen ist, was ihr inszenieren könntet, dann schreib mir, meine Gute. Schreib mir über alles.

Bleib gesund, Pferdchen. Lies das Stück, lies es aufmerksam. In meinem Stück gibt es auch ein Pferd. Ich segne dich und umarme dich viele Male. Der Herr sei mit dir. *Dein A.*

1) Ljubov Andreevna wirst du spielen, denn sie kann niemand

sonst spielen. Sie ist nicht luxuriös, aber mit großem Geschmack gekleidet. Klug, sehr gütig, zerstreut; sie schmeichelt allen, hat immer ein Lächeln im Gesicht.

2) Anja muß unbedingt von einer möglichst jungen Schauspielerin gespielt werden.

3) Varja – diese Rolle wird vielleicht Marija Petrovna übernehmen.

4) Gaev ist für Višnevskij. Bitte Višnevskij, genau zuzuhören, wenn Billard gespielt wird, und sich möglichst viele Billardausdrücke aufzuschreiben. Ich spiele kein Billard, oder habe früher einmal gespielt und jetzt alles vergessen, und im Stück ist alles nur zufällig. Später werde ich mich mit Višnevskij verabreden, und alles einsetzen, was nötig ist.

5) Lopachin – Stanislavskij.

6) Trofimov der Student – Kačalov.

7) Simeonov-Piščik – Gribunin.

8) Šarlotta – Fragezeichen. Im vierten Akt werde ich noch die Worte für sie einsetzen: gestern hatte ich Bauchschmerzen, als ich den IV. Akt abschrieb, da habe ich nichts Neues hineinschreiben können. Šarlotta vollführt im IV. Akt ein Kunststück mit Trofimovs Galoschen. Die Raevskaja wird sie nicht spielen. Hier wird eine Schauspielerin gebraucht, die Humor hat.

9) Epichodov – vielleicht wird Lužskij nicht dagegen sein, ihn zu übernehmen.

10) Firs – Artëm.

11) Jaša – Moskvin.

Wenn das Stück aufgeführt werden sollte, dann sag, daß ich alle Änderungen vornehmen werde, die sich von der Bühne her als notwendig erweisen sollten. Zeit habe ich, obwohl ich zugeben muß, daß mir das Stück furchtbar auf die Nerven geht. Wenn irgendetwas unklar ist an dem Stück, dann schreib.

Das Haus ist alt, ein Herrenhaus: früher ist dort einmal auf großem Fuße gelebt worden, das muß auch an der Einrichtung zu spüren sein. Auf großem Fuße und gemütlich.

Varja ist ein bißchen grob und dumm, aber sehr gütig.

1142) AN V. A. GOLCEV JALTA, 15. 10. 1903

15. Okt. 1903.

Lieber Viktor Aleksandrovič, ich schicke dir die Manuskripte zurück. Alle Manuskripte sind schlecht, außer einem, das vergleichsweise nicht übel ist, das man aber ebenfalls leider nicht verwenden kann. Die »Aufzeichnungen eines gefallenen Menschen« der Dame O. Semenenko sind mit Talent geschrieben, sogar mit großem, aber ungekonnt, ohne Ausdauer; der Anfang ist gut, solide, aber gegen Ende ist die Autorin entweder müdegeworden, oder sie hatte keinen bestimmten Plan und hat angefangen, sich im Kreise zu drehen. Schreib ihr, sie solle versuchen, noch etwas zu schicken, nur etwas Kürzeres und mit weniger Toden. Ich wiederhole, sie hat wenn schon kein Talent, so doch eine echte Begabung, und sie könnte eine wirklich gute Sache schreiben und schicken.

Ich weiß nicht, ob du lesen kannst, was ich schreibe. Es ist dunkel im Zimmer. Bei uns ist es kalt, es ist starker Wind, aber es ist noch alles grün, die Rosen und Chrysanthemen blühen.

Meine Gesundheit ist nicht glänzend, aber besser als vorher; es ist schon einen Monat her, seit ich das letzte Mal in der Stadt war, ich habe den Hof nicht verlassen, aber nach Moskau denke ich dennoch in den ersten Novembertagen zu kommen.

Ich drücke dir die Hand. Bleib gesund und munter.

Dein A. Čechov.

1143) AN O. L. KNIPPER JALTA, 17. 10. 1903

17. Okt.

Pferdchen, gestern war ich in der Stadt, habe mir die Haare schneiden lassen und bin etwa acht Jahre jüngergeworden. Heute habe ich lange im Garten gesessen, bis die Sonne hinter den Wolken verschwand.

Von Gorkij habe ich ein Telegramm bekommen, er bittet um das Stück für seinen Almanach, bietet 1500 R. pro Bogen. Und ich weiß nicht, was ich antworten soll, weil ich erstens noch keine Antwort aus Moskau habe, und zweitens, laut meinem Vertrag mit Marks, meine Werke nur an Periodika (d.h. an Zeitungen und Zeitschriften) oder an Almanache mit wohltätigen Zwecken geben darf.

An dem Stück muß noch einiges umgearbeitet und ausgeschrieben werden, dafür reichen, wie ich glaube, 15 Minuten. Nicht ausgeschrieben ist der IV. Akt und ein bißchen muß noch im II. verrückt werden, es müssen wohl auch noch 2–3 Worte am Schluß des III. geändert werden, sonst ist er wohl dem Schluß des »Onkel Vanja« zu ähnlich.

Wenn das Stück jetzt nicht taugen sollte, dann verlier nicht den Mut, Pferdchen, sei nicht traurig, in einem Monat werde ich es so umgearbeitet haben, daß du es nicht wiedererkennst. Ich habe doch qualvoll lange daran geschrieben, mit großen Entr'acten, mit zerrüttetem Magen, mit Husten.

In der Küche wird einstweilen nach Vorschrift gekocht. Alles korrekt. Unser Arsenij sitzt bei Babuška und ist selig, arbeitet aber sehr wenig.

Schreib, wie der Besuch des Julius Caesar ist.

Ich habe einen Brief von Ivanenko bekommen!

Ich warte auf ein Telegramm, und ich bekomme einfach keins. Ich umarme dich, meine Gute. *Dein A.*

1144) AN MAKSIM GORKIJ JALTA, 17. 10. 1903

17. Okt. 1903.

Lieber Aleksej Maksimovič, ich muß mich jetzt mein Leben lang wie ein prozeßsüchtiger Querulant in allem auf Punkte beziehen. In meinem Vertrag mit Marks ist Punkt I) wonach ich das Recht ihrer Veröffentlichung (d.h. meiner Werke) nur einmalig in Periodika *oder literarischen Almanachen mit wohltätigen Zwecken* behalte; VIII) ... verpflichtet er sich (d. h. ich), an Marks eine Konventionalstrafe in Höhe von fünftausend Rubel für jeden Druckbogen seiner Werke zu zahlen ... für den Fall, daß er diese Werke nicht ins Eigentum von Marks übergibt, sondern sie auf eine andere als im ersten Punkt dieses Vertrages genannten Weise nutzt.

Wenn Sie also ein Stück oder eine Erzählung von mir veröffentlichen wollen, müßte Ihr Almanach ein Periodikum sein oder ein literarischer Almanach zu wohltätigen Zwecken. Behalten Sie dies im Auge und entscheiden Sie selbst. Mein Stück ist bereits in Moskau, übermorgen werde ich wissen, ob es gespielt werden wird oder nicht. Wenn Sie entscheiden, daß das Stück bei Ihnen veröffentlicht werden kann, so fordern Sie vom Künstlertheater eine Kopie an, und schicken Sie mir die Korrektur in den ersten Novembertagen, wenn ich in Moskau sein und die Änderungen vornehmen werde, die erforderlich sind.

Wenn Sie es sich nicht anders überlegen mit dem Stück oder wenn es auf nächste Saison verschoben werden sollte, so werde ich Ihnen eine kleinere Erzählung schicken (für die ich nicht 10 Tausend, sondern nur 2½ Tsd. Strafe zahlen müßte).

Ihr Maksim hat, als er einen alten Geheimrat sah, der eben über den Hof ging, zu ihm gesagt: »Du wirst bald sterben.« Der Geheimrat war ein ehemaliger Gouverneur.

Neuigkeiten gibt es keine. Ich drücke Ihnen fest die Hand. Bleiben Sie gesund und fröhlich. *Ihr A. Čechov.*

1145) AN O. L. KNIPPER JALTA, 19. 10. 1903

19. Okt.

Mein liebes Pferdchen, Herzchen, sei gegrüßt! Gestern habe ich dir nicht geschrieben, weil ich die ganze Zeit stockenden Herzens auf das Telegramm gewartet habe. Gestern spät abends kam dein Telegramm, heute morgen das von Vlad. Iv. – in 180 Wörtern. Vielen Dank. Ich war die ganze Zeit feige, hatte Angst. Vor allem schreckte mich die Schwerfälligkeit des zweiten Akts und eine gewisse Unausgeschriebenheit des Studenten Trofimov. Trofimov ist doch dauernd in der Verbannung, wird dauernd von der Universität gejagt, aber wie soll man solche Sachen darstellen?

Herzchen, sag, daß man mir den Spielplan schickt, sonst bekomme ich ihn nicht. Wenn du eine Gelegenheit hast, dann schick mir nicht die Mütze, schick mir ein Päckchen gutes Papier, Zahnpulver, ein Päckchen Schreibpapier (billiges) und noch irgendetwas Schönes. Ich esse gut, in der Küche geht alles korrekt, obwohl es gestern abend wieder Sevrjuga und Rinderbraten gab – was nicht auf Mašas Liste steht. Sag Maša übrigens, daß mein Magen mit jedem Tag besser wird und daß Mutter sich wohlfühlt. Das Wetter ist hervorragend, besser sogar, als es war.

Wird mein Stück gespielt werden? Wenn ja, dann wann?

Ich habe von Konst. Serg. einen sehr guten, herzlichen und aufrichtigen Brief bekommen. Werden in der laufenden Saison die »Stützen der Gesellschaft« gespielt? Ich habe sie doch noch nicht gesehen. Ich komme in den ersten Novembertagen. Das Stück werde ich aller Wahrscheinlichkeit nach in Gorkijs Almanach veröffentlichen, ich weiß nur noch nicht, wie ich den Deutschen Marks umgehen soll.

In den Odessaer Zeitungen wird der Inhalt meines Stücks wiedergegeben. Nicht die geringste Ähnlichkeit.

Mein Herzchen, Pferdchen, tausend Rubel für ein Bad! Ich sehne mich nach einem Bad, auf meiner Haut wachsen schon die Pilze und Farne.

Sieh dich in der Zwischenzeit um nach einem sehr guten Schneider, der mir einen Pelzmantel näht, sieh dich um nach einem leichten Pelz. Schreib mir auf einem besonderen Blatt genau, welche Sachen ich nach Moskau mitnehmen soll. Schreib mir auch, wer die Šarlotta spielen wird. Etwa die Raevskaja? Das wird doch dann keine Šarlotta, sondern eine unwitzige, prätentiöse Evdoksija.

Im »Novoe vremja« (Mittwoch) habe ich eben den Aufsatz des Schauspielers Rossov über den Julius Caesar gelesen. Er lobt Kačalov und Višnevskij sehr, und das ist merkwürdig, denn im vorigen Jahr schrieb Rossov über das Künstlertheater mit Haß und majestätischem Ekel.

Michajlovskij und Kostja sind bei mir. Sie sind gerade gekommen. *Dein A.*

1146) AN O. L. KNIPPER JALTA, 21. 10. 1903

21. Okt.

Mein liebes Pferdchen, habe ich dir mein Mißgeschick geschrieben: das Brokarovsche Pulver wäscht nicht, d. h. es gibt keinen Schaum. Wir tun alles so, wie es auf der Packung steht; das erste Mal dachten wir noch, wir hätten zu viel Wasser genommen, beim zweiten Mal ist uns nichts mehr eingefallen. Schreib, was wir tun sollen.

Morozov ist ein guter Mensch, aber man sollte ihn nicht zu nah an das Wesentliche der Sache heranlassen. Über Theaterspielen, über Stücke, über Schauspieler urteilt er wie das Publikum, nicht wie ein Hausherr oder Regisseur.

Heute habe ich von Alekseev ein Telegramm bekommen, in dem er mein Stück genial nennt; das bedeutet das Stück hochloben und ihm die gute Hälfte des Erfolgs nehmen, das es unter glücklichen Umständen haben könnte. Nemirovič hat mir die Liste der Schauspieler noch nicht geschickt, die an dem Stück teilnehmen, und doch habe ich Angst. Er telegraphierte mir bereits, daß Anja Ähnlichkeit mit Irina habe; offenbar will er Anjas Rolle Marija Fëdorovna geben. Und dabei hat Anja so viel Ähnlichkeit mit Irina wie ich mit Burdžalov. Anja ist vor allem ein Kind, das fröhlich ist bis zum Schluß, das Leben nicht kennt und kein einziges Mal weint, außer im II. Akt, wie sie nur Tränen in den Augen hat. Und M.F. wird in dieser Rolle doch nur dauernd heulen, außerdem ist sie bereits zu alt. Wer spielt die Šarlotta?

Ich fühle mich nicht übel, obwohl der Husten nicht aufhört; ich huste mehr als voriges Jahr um diese Zeit.

Kommen werde ich in den ersten Novembertagen; Mutter wird Ende oder Mitte November kommen, sie langweilt sich hier sehr.

Aleksandr Pleščeev wird in Petersburg eine Theaterzeitschrift ähnlich »Teatr i iskusstvo« herausgeben. Das wird Kugel den Garaus machen. Im Januar werde ich ihm ein Vaudeville schikken, soll er es veröffentlichen. Ich habe schon so lange Lust, ein ganz dummes Vaudeville zu schreiben.

Wann beginnen die Proben zu meinem Stück? Schreib mir, Herzchen, spann mich nicht auf die Folter. Dein Telegramm war sehr kurz, bemüh dich jetzt wenigstens, ausführlich zu schreiben. Ich bin doch hier wie in der Verbannung.

An das Leben der Jakunčikova erinnere ich mich aus irgendeinem Grunde jeden Tag. Ein solch unverschämt müßiges, sinnloses, geschmackloses Leben wie dort in dem weißen Haus wird man wohl kaum noch einmal finden. Diese Leute leben ausschließlich zu ihrem Vergnügen – den General Gadon bei sich zu sehen, oder mit dem stellvertretenden Minister, Fürst Obolenskij spazierenzugehen. Und wie Višnevskij das nicht begreifen kann, der zu diesen Leuten aufschaut wie zu Göttern. Dort gibt es nur zwei gute Menschen, die Achtung verdienen: Natalja Jakovlevna und Maksim. Die übrigen ... übrigens, lassen wir das.

Natalja Jakovl. hat ihr Versprechen vergessen, mir das Gärtchen zu machen.

M-me Bonnier schickt sich an, nach Moskau zu fahren, sie hat sich bereits ein weißes Kleid bestellt, speziell für das Künstlertheater.

Wann kommt endlich dein Brief? Ich möchte etwas lesen über mein Stück, eine Ungeduld, die du verstehen würdest, wenn du, wie ich, in diesem warmen Sibirien leben würdest. Übrigens beginne ich mich an Jalta zu gewöhnen; vielleicht lerne ich es auch noch, hier zu arbeiten.

Also, mein Pferdchen, mein schöner Ungar, ich umarme dich und küsse dich fest. Vergiß nicht, ich bin doch dein Mann, ich habe das Recht, dich zu schlagen, zu prügeln. *Dein A.*

1147) AN O. L. KNIPPER JALTA, 23. 10. 1903

23. Okt. 1903.

Pferdchen, du schreibst, Ėfros könne nichts verderben mit seinem dummen Geschwätz, aber das drucken doch alles, buchstäblich alles die Provinzzeitungen nach, und heute habe ich es bereits im Moskauer »Kurjer« gelesen. Ist das nur ein schädliches Tier!

Du schreibst, Višnevskij könne den Gaev nicht spielen. Wer denn dann? Stanislavskij? Wer spielt dann den Lopachin? Lužskij kann man ihn unter keinen Umständen geben, bei ihm wird er entweder sehr blaß oder Schaubude. Er soll Epichodov spielen. Nein, kränkt Višnevskij nicht.

Es wird kälter, es riecht allmählich nach Winter. Gestern war die große Olga Michajlovna bei uns, sie sprach über die Liebe, versprach, Heringe zu schicken.

Neues gibt es absolut nichts. Ich stehe morgens auf, verbringe den Tag irgendwie, und abends lege ich mich hin und schlafe schnell ein, das ist alles. Fast niemand kommt mich besuchen.

Nemirovič schreibt, in meinem Stücke gebe es viele Tränen, und es enthalte Grobheiten. Schreib mir, Herzchen, daß du das nicht findest, und das was sie sagen, werde ich korrigieren; es ist ja noch nicht zu spät, man kann noch einen ganzen Akt umarbeiten.

Piščik hat den Schauspielern also gefallen? Freut mich sehr. Ich glaube, Gribunin wird ihn großartig spielen.

Herzchen, ich grüße dich sehr, küsse und umarme dich. Bleib fröhlich und zufrieden. In der Küche ist vorläufig alles in Ordnung, d. h. es wird nach Vorschrift gekocht, der, die Maša hinterlassen hat. Ich warte sehnlichst darauf, nach Moskau zu kommen, solche Lust habe ich auf Pökelfleisch und Kalbskoteletts. Besonders auf Pökelfleisch. Und mein Pferdchen habe ich Lust zu streicheln. *Dein A.*

1148) AN V.I. NEMIROVIČ-DANČENKO JALTA, 23. 10. 1903

23. Okt. 1903.

Lieber Vladimir Ivanovič, als ich euerm Theater die »Drei Schwestern« gegeben hatte und die Notiz in den »Novosti dnja« erschien, waren *wir beide,* d.h. ich und du empört, ich habe mit Ėfros gesprochen, und er hat mir sein Wort gegeben, daß sich das nicht wiederholen würde. Jetzt plötzlich lese ich, die Ranevskaja lebe mit Anja im Ausland, mit einem Franzosen, der 3. Akt spiele irgendwo in einem Hotel, Lopachin sei ein Kulak, ein Hundesohn usw. usf. Was sollte ich davon denken? Sollte ich dich der Einmischung verdächtigen? In meinem Telegramm hatte ich nur Ėfros im Sinn und habe einzig und allein Ėfros beschuldigt, und ich fand es geradezu merkwürdig, ich habe meinen Augen nicht getraut, als ich dein Telegramm las, in dem du die ganze Schuld auf dich nimmst. Es ist traurig, daß du mich so verstanden hast, noch trauriger, daß es zu solch einem Mißverständnis gekommen ist. Aber wir sollten die ganze Geschichte so schnell wie möglich vergessen. Sag Ėfros, daß ich ihn nicht mehr kenne, und dann entschuldige bitte, wenn ich in dem Telegramm übertrieben habe, – und basta!

Heute habe ich von meiner Frau einen Brief bekommen, den ersten zum Stück. Mit Ungeduld warte ich auf einen Brief von dir. Die Briefe sind 4–5 Tage lang unterwegs – ist das schrecklich!

Ich habe bereits seit langem einen zerrütteten Magen und Husten. Der Darm scheint sich zu bessern, aber der Husten ist wie früher, ich weiß nicht, was ich tun soll, ob ich nach Moskau kommen soll oder nicht. Und ich möchte sehr gern auf den Proben sein, zusehen. Ich habe Angst, daß Anja in weinerlichem Ton spricht (du findest aus irgendeinem Grunde, sie habe Ähnlichkeit mit Irina), ich habe Angst, daß sie von einer alten Schauspielerin gespielt wird. Anja weint bei mir kein einziges Mal, spricht nirgends in weinerlichem Ton, sie hat im 2. Akt Tränen in den Augen, aber ihr Ton ist fröhlich, lebhaft. Warum sprichst du in deinem Telegramm davon, daß in meinem Stück viel geweint würde? Wo denn? Es ist einzig und allein Varja, aber das kommt, weil Varja von Natur eine Heulsuse ist, und ihre Tränen dürfen beim Publikum kein Gefühl der Niedergeschlagenheit hervorrufen. Oft heißt es bei mir »unter Tränen«, aber das bedeutet nur die Stimmung der Personen, nicht Tränen. Im zweiten Akt gibt es keinen Friedhof.

Ich lebe einsam, sitze auf Diät, huste, ärgere mich manchmal, das Lesen fällt mir auf die Nerven – das ist mein Leben.

Ich habe die »Stützen der Gesellschaft« noch nicht gesehen, noch nicht das »Nachtasyl«, nicht »Julius Caesar«. Wenn ich jetzt in Moskau wäre, würde ich eine ganze Woche lang genießen.

Es wird auch hier kalt. Also, bleib gesund und ruhig, sei nicht böse. Ich warte auf Briefe. Nicht auf einen Brief, sondern auf Briefe. *Dein A. Čechov.*

Das Stück wird aller Wahrscheinlichkeit nach in Gorkijs Almanach veröffentlicht.

1149) AN O. L. KNIPPER JALTA, 25. 10. 1903

25. Okt.

Mein liebes Pferdchen, heute finde ich im »Krimskij kurjer« und in den »Odesskie novisti« den Nachdruck aus den »Novosti dnja«, es wird in allen Zeitungen nachgedruckt werden. Und wenn ich gewußt hätte, daß Ėfros' Ausfall eine solch schlechte Wirkung auf mich hat, so hätte ich mein Stück um nichts in der Welt dem Künstlertheater gegeben. Ich fühle mich, als hätte man mir Spülwasser zu trinken gegeben und mich damit übergossen.

Von Nemirovič bis heute noch nicht der versprochene Brief. Ich warte aber auch nicht sonderlich darauf; Ėfros' Ausfall hat mir die ganze Stimmung verdorben, ich bin gleichgültig geworden und verspüre nur das eine – schlechte Laune.

Gestern waren Ekat. Pavl. und die Sredina bei mir. Michajlovskij war da. Ich habe in einem Brief an dich über das Stück von Čirikov geschimpft und, wie sich herausstellt, voreilig gehandelt; Aleksin ist daran schuld, er hat am Telephon sehr über das Stück gelästert. Gestern abend habe ich die »Juden« gelesen; es ist nichts Besonderes, aber auch wieder nicht so schlecht geschrieben, man kann ihm eine Drei plus geben.

Nein, ich habe die Ranevskaja nie ruhig haben wollen. Zur Ruhe bringen kann solch eine Frau nur der Tod. Aber vielleicht verstehe ich auch nicht, was du sagen willst. Zu spielen ist die Ranevskaja nicht schwer, man muß nur von Anfang an den richtigen Ton treffen; man muß sich ein Lächeln und eine Art zu lachen einfallen lassen, man muß verstehen sich zu kleiden. Na, und das kannst du ja alles, wenn du nur Lust hast, wenn du gesund bleibst.

Ėfros kenne ich nicht mehr.

Ich esse viel. Sag Maša, daß der Bruder von Arsenij (Petunka, wie man ihn in der Küche nennt) zurückgekommen ist, er lebt bei uns in der Küche. Er ist ein großartiger Gärtner, kann ihn nicht jemand von unseren Bekannten brauchen? Sag Z. G. Morozova, daß er eine Ausbildung hat, nicht trinkt, jung ist, anständig und einen großartigen Garten anlegen kann (keinen Blumen-, sondern einen Obstgarten). Möchte sie nicht einen schönen eigenen Garten haben, 20–30 Desjatinen? Im Ernst, sag es ihr. Ich verbürge mich für ihn, denn davon verstehe ich sehr, sehr viel. Sie sollen ihn sich nicht entgehen lassen.

Marks hat ein Telegramm geschickt: Er bittet, den »Kirschgarten« nicht zu veröffentlichen.

Es ist bewölkt. Kühl.

Sredin scheidet viel Eiweiß ab. Es steht schlecht um ihn. Bei mir hat man neulich nachgesehen, aber kein Eiweiß gefunden. Wir sehen jedes Jahr nach. Dafür huste ich mehr und schlimmer als in den vergangenen Jahren.

Die Blätter an den Bäumen sind noch ganz, sie fallen noch nicht. Ich habe mir Kaviar, Heringe, Sprotten gekauft, Anchovis aber vergessen zu kaufen. Wenn Maša der Babuška die Stiefel schickt, dann leg Anchovis bei. Übrigens, nicht nötig, das ist mir nur so rausgerutscht. Anchovis gibt es bei Cubat.

Also, Pferdchen, ich küsse und umarme dich. Tröste mich mit Briefen. Ich liebe dich. *Dein A.*

1150) AN A.F. MARKS JALTA, 25. 10. 1903

Stück bereits vergeben. Čechov.

1151) AN O.L. KNIPPER JALTA, 27. 10. 1903

27. Okt.

Sei gegrüßt, Pferdchen! Du sagst, du schriebst mir jeden Tag, gestern habe ich aber keinen Brief von dir bekommen. Die Chrysanthemen blühen üppig, die Rosen blühen ebenfalls, das Wetter heute ist bemerkenswert, still und angenehm.

Es sind jetzt schon 15 Tage, seit ich das Stück geschickt habe, aber Briefe habe ich noch keinen einzigen bekommen, deine Briefe nicht gerechnet. Überhaupt habe ich kein Glück gehabt mit diesem Stück. Wenn es diese Saison nicht gespielt wird, dann hätte man es mir dennoch schreiben sollen. Und wenn mir die Tichomirova geschrieben hätte.

Auch den Spielplan bekomme ich nicht. Na, Gott mit ihnen.

Auf dem Balkon sitze ich jeden Tag ein bis zwei Stunden. In dein Eckchen mit der Hängematte gehe ich nicht, dort ist es schon Herbst, unwohnlich. Der Zaun ist schon vor langem fertiggeworden, noch als Maša da war.

Kostja war ein wenig krank, er sagt, er habe Fieber gehabt, aber er ist fröhlich. Du glaubst, er habe einen kleinen Roman mit m-me Bonnier? Ja nun, kann sein. Sie ist auf einmal so fröhlich, glücklich. Deinen Brief hat er bekommen. Aber selbst schreibt er offenbar nur mit großer Mühe, so wie er auch liest. Er ist ein ganz provinzieller Ehemann. Ach, mein lieber Ungar, wie langweilig mir ist! Soll ich ins Ausland fahren, oder? Was meinst du?

Wenn du willst, daß die Briefe regelmäßig ankommen, wirf sie selbst in den Briefkasten. Den gestrigen Brief, der nicht bis zu mir gelangt ist, trägt jetzt jemand in der Tasche mit sich herum.

Ich küsse dich, mein Pferdchen, und klopf dir auf den Rücken, streichle dir den Hals. Ich umarme dich, Herzchen.

Dein A.

1152) AN O. L. KNIPPER JALTA, 28. 10. 1903

28. Okt.

Mein Pferdchen, wegen der Mütze und des Pulvers hatte ich dir bereits geschrieben, du hast es vergessen. Ich schrieb, daß ich Mütze und Pulver nicht brauche, dafür aber Papier. Heute ist deine Photographie angekommen, und ich habe 28 Kop. Strafe gezahlt, denn du hast nur 2 Marken draufgeklebt, nicht 4. Photographien schickt man als eingeschriebenes Streifband.

Den Piščik muß Gribunin spielen. Gott bewahre, diese Rolle Višnevskij zu geben. Firs – Artëm, Jaša – Moskvin, oder Gromov, der ein sehr origineller Jaša würde. Aber besser natürlich Moskvin. Und wenn Marija Petrovna damit einverstanden wäre, Šarlotta zu spielen, was könnte besseres geschehen! Ich habe daran gedacht, aber nicht gewagt, es zu sagen. Daß sie zerbrechlich, klein von Wuchs ist – das ist nicht schlimm. Für Anja ist sie zu alt. Aber vor allem – daß Višnevskij nicht den Piščik spielt, Gott bewahre. Leonidov kenne ich nicht. Den Kaufmann darf nur Konst. Serg. spielen. Das ist doch kein Kaufmann im landläufigen Sinn dieses Wortes, das muß man begreifen.

Von eurem Theater bekomme ich einfach keine Briefe. Den Spielplan bekomme ich nicht und habe ihn nicht bekommen, ich werde doch nicht lügen.

Und Najdënov ist mit seinem »Nr. 13« durchgefallen? Er sollte eben auf mich hören: höchstens einmal in fünf Jahren ein Stück schreiben. »Vanjušins Kinder« werden ihn doch noch lange ernähren, er braucht sich also nicht zu beeilen.

Ėfros bringt sich weiter in Erinnerung. Welche Provinzzeitung ich auch aufschlage, überall – das Hotel, überall Čaev.

Du hast bei Telešov herumgesessen? Zugehört? Dann kannst du auch mir dafür böse sein, daß ich nicht aus meinen Erzählungen und Stücken vorlese. Aber wenn das Essen gut war, kann man alles verzeihen. Ich habe übrigens schon lange nicht mehr gut gegessen.

Ich habe Gorkij bereits geschrieben, das Stück wird in seinem Almanach veröffentlicht. Er bietet mir 1500 R. pro Bogen. Woher ergibt das 7000? Das Stück hat doch insgesamt nur zwei Bogen.

Bunin und Baburin (d. h. Najdënov) übermittle meinen Gruß. Grüß auch Veresaev, wenn du ihn siehst; sag ihm, daß er mir gut gefällt.

Wenn du den Pelzmantel bestellst, dann bitte ohne Višnevskij. Der benimmt sich in Kaufhäusern immer so großsprecherisch, daß sie immer das Dreifache verlangen ... A propos, Višnevskij hat mir in der ganzen Zeit keinen einzigen Brief geschrieben, ich will ihn nicht mehr kennen.

Mutter hat sich sehr über dein Bild gefreut, nur das Wort »schiefäugig« hat sie ein bißchen schockiert.

Es ist windig. Kühl. Bei uns im Haus sind fast alle Öfen geheizt.

Siehst du, was für lange Briefe ich dir schreibe! Was hast du dazu zu sagen? Ach, Pferdchen, Pferdchen, ich habe dich doch kein einziges Mal mit der Knute geschlagen, das einzige was ich kann, ist dich streicheln. Ich umarme dich, küsse dich und umarme dich noch einmal. *Dein A.*

Dein Brief mit der Photographie hatte drei Tage Verspätung, offensichtlich hat ihn jemand in der Tasche herumgeschleppt.

1153) AN O. L. KNIPPER JALTA, 30. 10. 1903

30. Okt. 1903.

Siehst du, auf welchem Papier ich dir schreibe, Pferdchen! Was meine Wahl in der Gesellschaft der Liebhaber der Literatur betrifft, so begreife ich nichts. Wenn man mich ins Präsidium gewählt hat, warum dann ins provisorische? Wenn provisorisch, dann auf welche Zeit? Und vor allem weiß ich nicht, wem ich zu danken, an wen ich zu schreiben habe. Ich habe vor ein paar Tagen eine Benachrichtigung bekommen, sehr schlecht geschrieben, mit der Unterschrift eines gewissen Kallaš, geschrieben auf einem gewöhnlichen Blatt ohne Briefkopf, offenbar also inoffiziell, und wie dieser Kallaš heißt und wo er wohnt, ist ungewiß, ich habe deshalb auch noch nicht gedankt für die Wahl.

Stanislavskij würde ein sehr guter und origineller Gaev, aber wer soll dann den Lopachin spielen? Die Rolle des Lopachin ist doch die Hauptrolle. Wenn sie mißlingt, dann fällt auch das ganze Stück durch. Lopachin darf man nicht als Schreihals spielen, es ist nicht nötig, daß er unbedingt ein Kaufmann ist. Er ist ein weicher Mensch. Gribunin eignet sich nicht, er muß den Piščik spielen. Bewahr euch der Schöpfer, gebt Piščik nicht Višnevskij. Wenn er den Gaev nicht spielt, dann gibt es für ihn keine andere Rolle in meinem Stück, sag es so. Oder wie wäre das: möchte er nicht den Lopachin versuchen? Ich werde Konst. Sergeevič schreiben, von ihm habe ich gestern einen Brief bekommen.

Heute wird im »Graždanin« das Künstlertheater wegen des »Julius Caesar« beschimpft.

Wenn Moskvin Epichodov spielen möchte, freue ich mich sehr. Aber was spielt dann Lužskij?

Ich werde noch ein bißchen überlegen und wohl doch nach Moskau kommen, damit Nemirovič die Rollen aus politischen Erwägungen nicht an die Andreeva, O. Alekseeva u. a. vergibt.

Ich langweile mich, kann nicht arbeiten. Das Wetter ist trüb, es ist kalt, in den Zimmern riecht es nach Ofen...

Ich habe mich also umsonst beeilt mit dem Stück. Ich hätte mich noch einen ganzen Monat damit abgeben können.

Welch ein Martyrium, sich die Fingernägel der rechten Hand zu schneiden. Ohne meine Frau geht es mir überhaupt schlecht.

An deinen Morgenrock gewöhne ich mich allmählich. Aber an Jalta kann ich mich nicht gewöhnen. Bei schönem Wetter sah es so aus, als sei alles gut, aber jetzt sehe ich – ich bin nicht zu Hause! Ich lebe hier zur Zeit wie in Birsk, dem, das wir zusammen gesehen haben, als wir die Belaja entlangfuhren.

Hast du die Chrysanthemen bekommen? In welchem Zustand? Wenn in gutem, schicke ich noch welche.

Ich küsse mein Liebes. Bleib fröhlich. *Dein A.*

1154) AN K. S. STANISLAVSKIJ JALTA, 30. 10. 1903

30. Okt. 1903.

Lieber Konstantin Sergeevič, ich danke Ihnen vielmals für den Brief, danke auch für das Telegramm. Briefe sind für mich zur Zeit sehr wertvoll, erstens, weil ich mutterseelenallein hier sitze, und zweitens, weil ich das Stück vor drei Wochen abgeschickt habe, einen Brief aber erst gestern von Ihnen bekommen habe, und wenn meine Frau nicht gewesen wäre, so hätte ich überhaupt nichts gewußt und alles vermuten können, was mir nur durch den Kopf ging. Als ich den Lopachin schrieb, dachte ich, das wäre die Rolle für Sie. Wenn sie Sie aus irgendeinem Grunde nicht lockt, dann nehmen Sie den Gaev. Lopachin ist zwar Kaufmann, aber ein in jeder Beziehung anständiger Mensch, er muß sich vollkommen manierlich benehmen, intellektuell, nicht kleinlich, ohne Kunststücke, und ich hatte eben den Eindruck, daß diese Rolle, die Hauptrolle im Stück, Ihnen glänzend gelingen würde. Wenn Sie den Gaev nehmen, dann geben Sie den Lopachin Višnevskij. Das wird kein künstlerischer Lopachin, aber dafür auch kein kleinlicher. Lužskij würde in dieser Rolle ein kalter Ausländer. Leonidov würde einen kleinen Kulaken daraus machen. Bei der Wahl des Schauspielers für diese Rolle darf man nicht aus den Augen verlieren, daß Varja, ein ernsthaftes und religiöses Mädchen, Lopachin geliebt hat; in einen Kulaken hätte sie sich nie verliebt.

Ich möchte sehr gern nach Moskau kommen, aber ich weiß nicht, wie ich von hier loskommen soll. Es wird kalt, und ich gehe fast nicht aus dem Hause, bin die Luft nicht mehr gewöhnt, huste. Ich fürchte mich nicht vor Moskau, nicht vor der Reise, sondern davor, daß ich von 2 Uhr bis 8 in Sevastopol werde sitzen müssen – und das in sterbenslangweiliger Gesellschaft.

Schreiben Sie mir, welche Rolle Sie nehmen. Meine Frau schrieb, Moskvin wolle Epichodov spielen. Ja nun, sehr schön, das Stück würde dadurch nur gewinnen.

Viele herzliche Grüße an Marija Petrovna, ich wünsche ihr und Ihnen alles erdenklich Gute. Bleiben Sie gesund und fröhlich.

Ich habe doch das »Nachtasyl«, die »Stützen« und »Julius Caesar« noch nicht gesehen. Ich möchte sie mir sehr gern ansehen. *Ihr A. Čechov.*

Ich weiß nicht, wo Sie zur Zeit wohnen, darum schreibe ich ans Theater.

1155) AN V.I. NEMIROVIČ-DANČENKO JALTA, 2. 11. 1903

2. Nov. 1903.

Lieber Vladimir Ivanovič, an einem Tage zwei Briefe von dir, vielen Dank! Bier trinke ich keins, zum letzten Mal habe ich im Juli welches getrunken, und Honig darf ich keinen essen, davon bekomme ich Bauchschmerzen. Aber jetzt zu dem Stück.

1) Anja spielen kann jede beliebige, meinetwegen auch eine ganz unbekannte Schauspielerin, wenn sie nur jung ist, und aussieht wie ein Mädchen, und mit einer jungen, klangvollen Stimme spricht. Das ist keine wichtige Rolle.

2) Varja würde als Rolle ernsthafter, wenn Marija Petrovna sie nehmen würde. Ohne M.P. würde diese Rolle sowohl flach als auch grob, ich müßte sie umarbeiten, abmildern. Sich wiederholen kann M.P. nicht, weil sie erstens ein talentierter Mensch ist, und zweitens, weil Varja keine Ähnlichkeit mit Sonja und Nataša hat, das ist eine Figur im schwarzen Kleid, eine kleine Nonne, ein Dummchen, eine Heulsuse usw. usf.

3) Gaev und Lopachin – zwischen diesen Rollen soll Konst. Serg. wählen und sie probieren. Wenn er den Lopachin nähme

und wenn ihm diese Rolle gelänge, dann hätte das Stück Erfolg. Wenn Lopachin dagegen blaß wird, von einem blassen Schauspieler dargestellt, dann gehen Rolle und Stück zum Teufel.

4) Piščik – Gribunin. Gott bewahre euch, daß ihr diese Rolle Višnevskij gebt.

5) Šarlotta ist eine wichtige Rolle, der Pomjalova kann man sie natürlich nicht geben, und die Muratova wäre vielleicht gut, aber nicht komisch. Das ist die Rolle für Frau Knipper.

6) Epichodov – wenn Moskvin ihn spielen will, dann soll er das tun. Das wird ein großartiger Epichodov. Ich hatte angenommen, daß Lužskij ihn spielen würde.

7) Firs – Artëm.

8) Dunjaša – Chaljutina.

9) Jaša. – Wenn Aleksandrov, von dem du schreibst, derselbe ist, der bei euch dem Regisseur assistiert, dann soll er den Jaša nehmen. Moskvin würde ein wundervoller Jaša. Und gegen Leonidov habe ich nichts.

10) Der Wanderer – Gromov.

11) Der Stationsvorsteher, der im III. Akt die »Sünderin« vorträgt, – ein Schauspieler, der Baß spricht.

Šarlotta spricht kein gebrochenes, sondern ein reines Russisch; nur manchmal hängt sie ans Ende eines Wortes statt eines weichen ein hartes Zeichen und verwechselt bei Adjektiven männliche und weibliche Form. Piščik ist Russe, ein von Podagra, Alter und Sattheit geschlagener Greis, füllig, er trägt ein ärmelloses Wams (à la Simov), Stiefel ohne Absätze. Lopachin – weiße Weste und gelbe Schuhe, er geht mit den Armen rudernd, weit ausschreitend, denkt im Gehen nach, geht einer geraden Linie folgend. Die Haare nicht kurz, deshalb wirft er oft den Kopf in den Nacken; im Nachdenken streicht er sich den Bart, von hinten nach vorn, d.h. vom Hals zum Mund. Trofimov ist anscheinend klar. Varja – schwarzes Kleid, breiter Gürtel.

Drei Jahre lang habe ich den »K.g.« schreiben wollen, und drei Jahre lang habe ich euch immer wieder gesagt, ihr solltet eine Schauspielerin für die Rolle der Ljubov Andreevna engagieren.

Und jetzt legt ihr eine Patience, die nie und nimmer aufgehen wird.

Ich bin zur Zeit in einer idiotischen Situation: ich sitze hier allein und weiß nicht, weshalb ich hier sitze. Du dagegen solltest nicht sagen, du tätest die Arbeit, das Theater sei aber dennoch – das »Stanislavskij-Theater«. Von dir allein wird gesprochen, über dich allein wird geschrieben, Stanislavskij dagegen wird nur beschimpft für seinen Brutus. Wenn du gehst, gehe auch ich. Gorkij ist jünger als wir, er hat sein eigenes Leben ... Was das Theater in Nižnij angeht, so ist das nur eine Episode; Gorkij wird es probieren, wird daran schnuppern und es wieder sein lassen. Nebenbei bemerkt, Volkstheater, Volksliteratur – das ist alles dummes Zeug, das sind alles nur Karamelbonbons fürs Volk. Man muß nicht Gogol zum Volk herabbringen, sondern das Volk zu Gogol emporheben.

Ich würde jetzt sehr gern in die Eremitage gehen, dort Sterlet essen und eine Flasche Wein trinken. Neulich habe ich solo eine Flasche Sekt getrunken und war nicht betrunken, dann habe ich Kognak getrunken und war auch danach nicht betrunken.

Ich werde dir mehr schreiben, bis dahin sei gegrüßt und bedankt. Lužskijs Vater ist gestorben? Ich habe es heute in der Zeitung gelesen.

Warum möchte Marija Fëdorovna unbedingt die Anja spielen? Und warum meint Marija Fëdorovna, für Varja zu aristokratisch zu sein? Sie spielt doch auch im »Nachtasyl«? Nun, Gott mit ihnen. Ich umarme dich, bleib gesund. *Euer A. Čechov.*

1156) AN K. S. STANISLAVSKIJ JALTA, 5. 11. 1903

5. November 1903.

Lieber Konstantin Sergeevič, das Haus im Stück ist groß, es hat zwei Etagen. Im Stück selbst, im III. Akt wird doch von einer Treppe nach unten gesprochen. Obwohl mich, à propos, dieser III. Akt sehr aufregt. Ėfros hat in den »Novosti dnja« den Inhalt des Stücks erzählt, dann in einer der letzten Nummern sogar bekräftigt (ziemlich dreist, nebenbei gesagt), wobei er sich auf einen Brief von Vladimir Ivanovič bezog, der ebenfalls dort abgedruckt ist. Bei Ėfros heißt es, daß der III. Akt in »irgendeinem Hotel« spiele, Vl. Iv. sagt in seinem Brief, Ėfros habe »das Stück in den allgemeinen Grundzügen richtig wiedergegeben«; offenbar enthält mein Stück einen *Schreibfehler*. Die Handlung des III. Akts spielt nicht »in irgendeinem Hotel«, sondern in einem *Salon*. Wenn in meinem Stück Hotel steht, woran ich jetzt nach dem Brief von Vl. Iv. nicht mehr zweifeln kann, so telegraphieren Sie mir bitte. Das muß doch korrigiert werden, das Stück mit derart groben, sinnentstellenden Fehlern laufen zu lassen, ist unmöglich.

Das Haus muß groß sein, solide; aus Holz (ähnlich dem Aksakovschen, das S. T. Morozov glaube ich kennt), oder aus Stein, das ist egal. Es ist sehr alt und groß; Sommergäste bauen sich solche Häuser nicht; solche Häuser werden gewöhnlich abgerissen und das Material zum Bau von Sommerhäusern verwendet. Das Mobiliar ist alt, stilvoll, solide; Ruin und Verschuldung haben die Einrichtung nicht berührt.

Wenn man ein solches Haus kauft, überlegt man sich, ob es nicht billiger und leichter ist, ein neues, kleineres zu bauen, als dieses alte zu renovieren.

Ihr Hirte hat schön gespielt. Genau das ist nötig.

Warum mögen Sie den »Julius Caesar« so wenig? Mir gefällt dieses Stück so, und ich werde es mir mit Vergnügen bei Ihnen ansehen. Wahrscheinlich ist es nicht leicht zu spielen? Hier, in Jalta, wird von einem riesigen, unerhörten Erfolg des »Caesar« gesprochen, und ich glaube, Sie werden dieses Stück noch lange vor vollem Hause spielen müssen.

Heute habe ich von Ihnen zwei Briefe bekommen: einen kurzen, und einen zweiten, längeren. Ich danke Ihnen sehr. Ich drücke Ihnen fest die Hand, grüße Sie und Marija Petrovna herzlich. Bleiben Sie gesund. *Ihr A. Čechov.*

Schreiben Sie mir Ihre Privatadresse.

1157) AN V. I. NEMIROVIČ-DANČENKO JALTA, 7. 11. 1903

Šarlotta – Muratova, Anja – Lilina, Varja – Andreeva.

Čechov.

1158) AN O. L. KNIPPER JALTA, 7. 11. 1903

7. November.

Mein Herzchen, Pferdchen, sei gegrüßt! Neuigkeiten gibt es nicht, alles ist in Ordnung, absolut alles. Zum Schreiben habe ich keine Lust, ich habe Lust nach Moskau zu kommen und warte dauernd auf deine Genehmigung.

F. Polenz ist gestorben, der Autor des »Bauern«, ein wunderbarer Schriftsteller. Ich habe Briefe von Nemirovič und von Alekseev bekommen, beide sind offenbar im Zweifel; du hast ihnen gesagt, mir gefiele mein Stück nicht, ich hätte Angst darum. Aber schreibe ich denn so unverständlich? Bis heute habe ich nur vor einem Angst gehabt, und zwar davor, daß Simov für den III. Akt ein Hotel malt. Dieser Fehler muß korrigiert werden ... Ich schreibe bereits einen Monat lang davon, als Antwort hat man aber nur ein Achselzucken für mich; anscheinend gefällt euch das Hotel.

Nemirovič hat mir ein dringliches Telegramm geschickt mit der Bitte, ebenso dringlich zu antworten – wer Šarlotta, wer Anja und Varja spielen solle. Bei Varja standen drei Namen – zwei mir unbekannte und die Andreeva. Ich mußte also die Andreeva wählen. Schlau eingefädelt.

Kostja war schon lange nicht mehr bei mir. Wahrscheinlich wird er heute kommen. Michajlovskij wird in Petersburg aufgehalten, offenbar wird Kostja noch nicht so bald nach Hause kommen.

Herzchen, laß mich nach Moskau kommen. Die Decke habe ich dir mit Baženov geschickt, der gestern kam, um sich zu verabschieden. Wenn sie dir nicht gefällt, schick sie, ich tausche sie um.

Der »Bankrott« ist durchgefallen im Neuen Theater? Ich habe

dieses Stück in einer ausgezeichneten Aufführung gesehen, es schien mir ein vorzügliches Stück zu sein, und das ist es auch wirklich. Zwei Männerrollen darin sind ganz hervorragend geschrieben.

Heute habe ich verschlafen, ich bin um 9 Uhr aufgewacht! Ich fühle mich, glaube ich, nicht übel. Nur eben der Darmkatarrh. Ich sollte meine Lebensweise ändern, ein unmoralisches Leben führen, alles essen – Pilze, Kohl, – und alles trinken. Hm? Was meinst du?

Sag Višnevskij, er möge so viel wie möglich zu Fuß gehen und sich nicht aufregen.

Also, mein Pöpschen, ich umarme dich. Laß mich bald kommen. Interessiert es dich denn gar nicht, deinen Mann im neuen Pelzmantel zu sehen? *A.*

Schreib mir nichts von Entenbraten, quäl mich nicht. Wenn ich komme, esse ich eine ganze Ente allein.

1159) AN A. L. VIŠNEVSKIJ JALTA, 7. 11. 1903

Lieber Aleksandr Leonidovič, Ihren Brief habe ich bekommen, endlich, ich danke Ihnen vielmals. Da ich bald nach Moskau komme, so lassen Sie mir bitte einen Platz für die »Stützen der Gesellschaft« reservieren, ich möchte mir dieses wunderbare norwegische Spiel ansehen und werde den Platz sogar bezahlen. Sie wissen, Ibsen ist mein Lieblingsschriftsteller.

Sie haben nicht geschrieben, wie es Ihnen geht, wie Ihr Befinden ist. Sind Sie müde?

Ich drücke Ihnen die Hand und sende Ihnen tausend herzlichste Wünsche. Ich habe in meinen Briefen sehr darum gebeten, Ihnen im »Kirschgarten« keine Rolle zu geben, und sehe jetzt, man hat meine Bitte berücksichtigt. *Ihr A. Čechov.*

7. November 1903.

1160) AN O. L. KNIPPER JALTA, 10. 11. 1903

10. November.

Liebe Knippuša, mein Hund, sei gegrüßt! Wenn du mich nach dem Buch von Balmont »Werden wir wie die Sonne« fragst, dieses Buch habe ich längst bekommen. Ich kann nur das eine sagen: ein dickes Buch. Heute bekam ich von Konst. Serg. die Nachricht, daß heute, am 10. November, die Proben zum K.g. beginnen und daß Sergej Savvič M. nach Japan fährt als Korrespondent des »Russkij listok«.

In seinem Brief schreibt Konst. Sergeev., daß für die Akte III und IV ein und dasselbe Bühnenbild genommen werde. Und ich bin froh, froh nicht darüber, daß man dasselbe Bühnenbild nimmt, sondern darüber, daß der III. Akt offensichtlich also nicht das Hotel darstellen wird, das Nemirovič und Ėfros aus irgendeinem Grunde so sehr gewollt hatten.

Bei uns regnet es, es ist feucht. Ich gehe nicht aus dem Hause.

Wegen meiner Ordentlichkeit mach dir keine Sorgen, Herzchen. Ich ziehe oft ein frisches Hemd an, den Anzug wechsle ich jeden Tag, die Zähne putze ich mir wenn nicht jeden Tag, so doch öfter als einmal in zwei Tagen. Nur ins Bad kann ich eben nicht gehen, woran ich nicht im mindesten schuld bin. Von Wannenbädern werde ich schwach und erkälte mich.

Beschreib in deinen Briefen die Proben.

Neues gibt es nicht, alles ist in Ordnung. Es ist zu dunkel zum Schreiben, obwohl es erst 3 Uhr nachmittags ist.

Wenn du mich noch nicht betrogen hast, umarme ich dich und küsse dich viele Male. *Dein A.*

1161) AN K. S. STANISLAVSKIJ JALTA, 10. 11. 1903

10. November 1903.

Lieber Konstantin Sergeevič, natürlich kann man für die Akte III und IV ein Bühnenbild nehmen, das mit dem Vorzimmer und der Treppe. Überhaupt machen Sie sich wegen des Bühnenbildes keine Umstände, ich werde mich Ihnen fügen und staunen, ich sitze sowieso immer mit offenem Munde bei Ihnen im Theater. Da gibt es gar nichts zu reden; was immer Sie auch machen werden, alles wird sehr schön sein, tausendmal besser als alles, was ich mir einfallen lassen könnte.

Dunja und Epichodov stehen in Gegenwart von Lopachin, sie sitzen nicht. Lopachin benimmt sich doch frei, wie ein Herr, er sagt zu den Dienstboten du, sie zu ihm – Sie.

Sergej Savvič ist nach Japan gefahren... für das »Russkij listok?« Da wäre er besser auf den Mond gefahren, um dort nach Lesern des »Russkij listok« zu suchen, auf der Erde gibt es nämlich keine. Haben Sie sein Stück gelesen? Wenn er nach Japan gefahren wäre, um ein Buch über Japan zu schreiben und herauszugeben, wäre das gut, das würde sein Leben ausfüllen.

Wenn ich bis jetzt noch nicht nach Moskau gekommen bin, so ist Olga daran schuld. Wir haben vereinbart, daß ich nicht komme, bevor sie mich kommen läßt.

Ich drücke Ihnen fest die Hand, danke Ihnen herzlich für den Brief. *Ihr A. Čechov.*

Ich habe das »Nachtasyl«, die »Stützen der Gesellschaft« und »Julius Caesar« noch nicht gesehen. Ich werde mich also jeden Abend bei Ihnen im Theater herumdrücken.

1162) AN K. P. PJATNICKIJ JALTA, 14. 11. 1903

14. November 1903.

Sehr geehrter Konstantin Petrovič, ich bin nicht in Moskau, sondern immer noch in Jalta, und werde wahrscheinlich noch nicht so bald von hier fortkommen.

Von meinem Stück »Der Kirschgarten« habe ich kein einziges Exemplar, sonst hätte ich Ihnen eins für den Almanach geschickt. Bitte schreiben Sie nach Moskau an V. I. Nemirovič-Dančenko oder meine Frau O. L., damit man es Ihnen schickt, oder schreiben Sie, noch besser, an Aleksej Maksimovič, damit er ein Exemplar besorgt für den Satz.

Neuigkeiten gibt es keine, alles geht seinen alten Gang. Ich drücke Ihnen fest die Hand und wünschen Ihnen alles Gute.

Ihr ergebener A. Čechov.

1163) AN O. L. KNIPPER JALTA, 17. 11. 1903

Glaubst du etwa, Pferdchen, daß ich auf meine alten Tage noch anfange, einen Mantel oder Kragen aus Seal-Imitation zu tragen? Ich brauche einen Pelz, der:

1) sehr warm und sehr leicht ist,

2) geknöpft wird wie ein Mantel,

3) einen Kragen aus gutem Fell hat, keine Imitation, kein Rattenfell, sondern echtes.

Und die Mütze soll aus demselben Fell sein wie der Kragen. Du bist ein Geizkragen, aber ich habe mir noch nie im Leben einen Pelz machen lassen, obwohl ich sehr viel Geld ausgegeben habe. Ist es denn schlimm, wenn ich mir einen Pelz für 300 oder sogar 400 R. machen lasse (die Mütze in dieser Summe inbegriffen)? Überleg dir das zusammen mit Višnevskij.

Der Pelz muß lange Ärmel haben, jedenfalls keine zu kurzen. Du willst den Pelz also jetzt bestellen? Oder auf mich warten? Tu, was du für das Beste hältst.

Mutter fährt morgen. Das Wetter ist sehr ruhig, aber sie fährt im Wagen, obwohl sie keine Angst hat vor Seegang.

Mein Jubiläum ist noch nicht so bald, erst in einigen Jahren. Ich werde die alten Papiere und Briefe heraussuchen und nachsehen müssen, wann ich das erste Honorar bekommen habe.

Neuigkeiten gibt es keine, alles ist beim alten. Die Wäsche und überhaupt den Inhalt der Kommode bringe ich mit, wie du geschrieben hast. Ich werde von deiner Liste um keinen Millimeter abweichen.

Also, bleib gesund, der Herr sei mit dir. Ich umarme mein Pferdchen und küsse es. *Dein A.*

17. November.

1164) AN O.L. KNIPPER JALTA, 21. 11. 1903

21. November.

Liebes Pferdchen, ich habe die ganze Zeit meinen strengen Charakter gezeigt, verzeih mir. Ich bin dein Ehemann, und Ehemänner haben, wie man sagt, alle einen strengen Charakter. Eben hat man mich ans Telephon gerufen; Lazarevskij rief an aus Sevastopol; er teilte mir mit, daß er heute abend zu mir komme, er wird wahrscheinlich über Nacht bleiben, und ich werde mich wieder ärgern. Ruf mich bald, bald zu dir nach Moskau; hier ist es klar, und warm, aber ich bin doch schon pervertiert, ich kann diese Reize nicht mehr gebührend schätzen, ich brauche den Moskauer Matsch, das Moskauer schlechte Wetter; ohne Theater und ohne Literatur kann ich nicht mehr leben. Und du wirst mir zugeben, ich bin doch verheiratet, ich möchte ab und zu meine Frau sehen.

Kostja ist endlich abgefahren. Er ist ein großartiger Junge, es ist angenehm mit ihm. Gestern war Michajlovskij da, wir haben beschlossen, daß Kostja während der Bauzeit in Jalta leben wird.

Heute habe ich keinen Brief von dir bekommen. Gestern habe ich dir ein Telegramm geschickt wegen des Pelzmantels. Ich bat dich, meinen Brief abzuwarten. Ich fürchte, du bist mir böse. Na, macht nichts, wir werden uns wieder versöhnen. Wir haben noch viel Zeit vor uns.

Das Wetter ist ganz sommerlich. Neuigkeiten gibt es keine. Ich schreibe nichts, ich warte nur, daß du mir erlaubst zu packen, um nach Moskau zu fahren. Nach Moskau, nach Moskau! Das sagen nicht mehr »Drei Schwestern«, sondern »Ein Ehemann«.

Ich umarme mein Putenküken. *Dein A.*

1165) AN K.S. STANISLAVSKIJ JALTA, 23. 11. 1903

23. November 1903.

Lieber Konstantin Sergeevič, Heuernte ist gewöhnlich um den 20.–25. Juni, zu dieser Zeit ruft, glaube ich, die Wasserralle nicht mehr, die Frösche sind ebenfalls bereits verstummt um diese

Zeit. Es ruft nur noch die Goldammer. Ein Friedhof ist da nicht, es *war* einer da vor sehr langer Zeit. Zwei–drei Grabplatten, die unordentlich herumliegen, – das ist alles, was davon übriggeblieben ist. Eine Brücke – das ist sehr gut. Wenn man einen Eisenbahnzug ohne Geräusch zeigen kann, ohne einen einzigen Ton, dann – bitte. Ich habe nichts dagegen, daß der III. und IV. Akt in demselben Bühnenbild spielen; wenn man es im IV. Akt nur bequem hat mit den Auftritten und Abgängen.

Ich warte sehnlichst auf Tag und Stunde, da meine Frau mir endlich erlaubt zu kommen. Ich habe meine Frau allmählich im Verdacht, daß sie ein böses Spiel treibt, das wär doch was.

Das Wetter hier ist warm, still, wundervoll, aber sobald man an Moskau denkt, an die Sandunovsche Badeanstalt, wird einem dieser ganze Zauber langweilig, überflüssig und zu nichts nutze.

Ich sitze in meinem Arbeitszimmer und schaue dauernd hinüber zum Telephon. Telegramme werden mir per Telephon übermittelt, und ich warte jeden Augenblick darauf, daß man mich endlich nach Moskau ruft.

Ich drücke Ihnen fest die Hand, danke Ihnen vielmals für den Brief. Bleiben Sie gesund und wohlauf. *Ihr A. Čechov.*

1166) AN O. L. KNIPPER JALTA, 23. 11. 1903

23. November.

Sei gegrüßt, ungarisches Pferdchen, wie geht es dir? Wirst du bald deinen Ehemann engagieren? Gestern saß von morgens bis zum Mittagessen bei deinem Ehemann der Lehrer aus Gurzuf, ein sehr interessanter junger Mann, der die ganze Zeit sein Bärtchen in den Mund nahm und ein Gespräch über Literatur anstrengte; nach dem Mittagessen, von 3 Uhr bis zum Abend, saß dann übrigens die überaus angenehme Direktorin des Gymnasiums bei mir mit irgendeiner Klassendame, die sie mitgebracht hatte, um mich anzuschauen; auch Lazarevskij war da, der die ganze Zeit, ohne Pause, über Literatur sprach. Und du hast dein Fett abbekommen! Ich saß bei meinen Gästen, hörte zu, quälte mich und schimpfte die ganze Zeit auf dich. Denn mich hier in Jalta zu halten – das ist einfach unbarmherzig.

Michajlovskij sagte, als er das letzte Mal bei mir war, Kostja werde beim Bau einer der Wichtigsten sein, er werde in Jalta wohnen. Das ist meine Antwort auf deine Frage nach Kostja.

Konst. Serg. will im II. Akt einen Eisenbahnzug über die Bühne fahren lassen, aber ich glaube, man sollte ihm das ausreden. Er will auch Frösche, und Wasserrallen.

Šarik wird einmal ein sehr guter Hund. Er bellt tags und nachts. Nur – scharfe Zähne hat der Schuft.

M-me Sredina ist gekommen. Bleib gesund, Herzchen. Um ein Haar hätte ich geschrieben – Herrchen. Es wird dunkel. Ich umarme meinen kleinen Käfer. *Dein A.*

1167) AN O. L. KNIPPER JALTA, 27. 11. 1903

27. November.

Herzchen, das Hündchen, das im I. Akt gebraucht wird, ist zottig, klein, halbverreckt, mit säuerlichen Augen, Šnap ist ungeeignet. Offenbar wird mir erst im August erlaubt, nach Moskau zu kommen, nicht vorher. Meine liebe Direktorin, strenge Ehefrau, ich werde mich nur von Linsen ernähren, werde beim Eintreten von Nemirovič und Višnevskij ehrerbietig aufstehen, nur erlaub mir zu kommen. Es ist doch empörend – in Jalta zu leben, und vom Jaltaer Wasser und der guten Luft dauernd aufs W. rennen zu müssen. Es ist an der Zeit, daß ihr, gebildete Menschen, endlich begreift, daß ich mich in Jalta immer unvergleichlich schlechter fühle als in Moskau. Das Meer war ruhig, still, jetzt dagegen rast es, die hohen Wellen reichen bis zum Himmel, und ihr werdet noch den Zeitpunkt erleben, zu dem das Wetter so schlecht geworden ist, daß man weder abreisen noch ankommen kann.

Ich werde im Schlafwagen kommen; schlepp den Pelzmantel nicht mit ins Abteil, wenn es kalt ist, werde ich ihn auf dem Bahnhof anziehen.

Was bist du für ein Geizkragen geworden! Bald wirst du noch anfangen, Marken auf die Briefe zu kleben, die schon im Gebrauch waren. Warum schickst du mir kein Telegramm? Ich habe Angst, du schickst mir den Befehl zu kommen per Post, und nicht per Telegraph. Ich werde dir zehn Rubel geben, nur sei nicht geizig, schick ein Telegramm, sei nicht so habgierig.

Sag Mutter, die Brillengläser hat, wie sich herausstellte, Varvara Konstantinovna hinfallen lassen, die übrigens versprach, mich noch vor meiner Abreise zu besuchen.

Es ist kaltgeworden. Ich warte noch ein wenig, wenn du mir nicht schreibst oder telegraphierst, daß ich kommen soll, dann fahre ich nach Nizza oder irgendwohin, wo es lustiger ist.

Ich umarme dich, Pferdchen, der Herr sei mit dir, meine Freude. Also, ich warte und warte. *Dein A.*

1168) AN O. L. KNIPPER JALTA, 29. 11. 1903

29. November.

Ich weiß nicht mehr, was ich tun und was ich denken soll, Pferdchen. Man läßt und läßt mich nicht nach Moskau und will es offenbar gar nicht. Hättest du in aller Offenheit geschrieben, warum das so ist, was der Grund ist, dann hätte ich keine Zeit verloren und wäre ins Ausland gefahren. Wenn du wüßtest, wie langweilig der Regen aufs Dach trommelt, wie gern ich meine Frau sehen würde. Habe ich eine Frau? Wo ist sie?

Mehr schreiben werde ich nicht, wie Sie wünschen. Es gibt nichts zu schreiben und hat auch keinen Sinn.

Wenn ich heute das Telegramm bekomme, dann bringe ich dir süßen Wein mit. Wenn nicht, dann einen feuchten Dreck.

Šnap, ich wiederhole: da wird ein räudiger Köter gebraucht, wie du einen gesehen hast, oder so ähnlich. Es geht auch ohne Hund.

Also, ich umarme dich. *Dein A.*

1169) AN O. L. KNIPPER JALTA, 30. 11. 1903

Abfahre Dienstag.

1170) AN A. A. PLEŠČEEV MOSKAU, 5./6. 12. 1903

Ich würde mich sehr freuen, Sie zu sehen, mit Ihnen zu reden, an die vergangenen Zeiten zu denken.

Ich bin morgens von 10–12 1/2 zu Hause, dann im Künstlertheater auf der Probe bis 4, dann wieder zu Hause, und um 8 Uhr wieder im Künstlertheater in der Vorstellung. Ich habe doch die Stücke noch nicht gesehen und will sie mir jetzt ansehen. Ich habe weder das »Nachtasyl« noch »Julius Caesar« noch die »Stützen« gesehen, ich war noch nicht einmal im Kleinen Theater; versuchen Sie, sich mit mir zu treffen. Entweder kommen Sie zu mir, oder lassen Sie mich wissen, zu welcher Stunde man Sie erreichen kann.

1171) AN A. N. VESELOVSKIJ MOSKAU, 11. 12. 1903

Sehr geehrter Aleksej Nikolaevič!

Ich weiß nicht, wie ich Ihnen danken soll für Ihren Brief. Von meiner Wahl ins provisorische Präsidium der Gesellschaft der Liebhaber der russischen Literatur habe ich erstmals aus den Zeitungen erfahren, habe aber nicht an Sie geschrieben, weil ich die ganze Zeit auf die Bestätigung wartete. Diese Wahl ist eine Ehre, unerwartet und unverdient, von ihr habe ich nicht einmal träumen können. Von Einverständnis oder Ablehnung meinerseits kann keine Rede sein, ich gehöre ganz der Gesellschaft und wäre unendlich glücklich, wenn es mir gelänge, dies nicht nur in Worten, sondern auch in der Tat zu zeigen. Gegenwärtig ist es mir aus gesundheitlichen Gründen leider unmöglich, an den öffentlichen Sitzungen teilzunehmen, und ich würde bitten, wenn dies möglich ist, mir für ein oder zwei Jahre Aufschub zu gewähren. Oder vielleicht könnte ich der Gesellschaft in der Verlagstätigkeit von Nutzen sein, könnte redigieren, Korrektur lesen, überhaupt irgendetwas tun, wozu ich nicht in Moskau leben muß. Ich lebe zur Zeit nicht in Moskau, sondern probiere nur aus, ob es unmöglich für mich ist, hier zu leben, und beim ersten Blutspeien oder starken Husten muß ich von hier auf die Krim fliehen oder ins Ausland.

Seien Sie so gut, schreiben Sie mir, wann ich Sie zu Hause antreffen kann. Ich habe Sie schon lange nicht mehr gesehen, ich möchte Sie sehen, Ihnen persönlich danken und mit Ihnen sprechen.

Ich wünsche Ihnen alles Gute.

In aufrichtiger Hochachtung Ihr sehr ergebener

A. Čechov.

1172) AN A.S. LAZAREV-GRUZINSKIJ MOSKAU, 13. 12. 1903

13. Dez. 1903.

Lieber Aleksandr Semënovič, wenn ich in der Redaktion der »Russkaja mysl« bin, werde ich es unbedingt sagen, aber dort sein werde ich nicht vor kommender Woche.

Ich würde Sie sehr gern sehen, mit Ihnen reden, an die vergangnen Zeiten denken. Schreiben Sie mir, an welchem Tag und zu welcher Stunde Sie zu mir kommen könnten, dann werde ich zu Hause bleiben, auf Sie warten. Ich habe jetzt Proben, ich bin vom Strudel erfaßt und schwer zu Hause anzutreffen. Bitte, schreiben Sie.

In Prag ist die russische Literatur sehr beliebt, man übersetzt uns dort seit langem. Auch russische Stücke werden dort gespielt. Schade nur, daß wir die Konvention nicht haben und man von Übersetzungen nur durch Zufall erfährt.

Ich drücke Ihnen fest die Hand, grüße Sie freundschaftlich. Bleiben Sie gesund und wohlauf. *Ihr A. Čechov.*

Ich antworte so spät auf Ihren Brief, weil ich ihn erst gestern von der »Russkaja mysl« zugeschickt bekommen habe. Meine Adresse: Petrovka, Hs. Korovin, Wohn. 35.

1173) AN F.D. BATJUŠKOV MOSKAU, 21. 12. 1903

21. Dezember 1903.

Lieber Fëdor Dmitrievič, heute habe ich per Post aus Jalta das Telegramm bekommen, das Sie vor einer Woche geschickt hatten. Ich antworte ebenfalls per Post.

Den ganzen Herbst, angefangen von August, war ich krank; ich hatte Husten und Darmkatarrh, ich habe nicht gearbeitet und mußte den vergangenen Herbst als nutzlose und überflüssige Zeit aus dem Buch des Lebens streichen. Zur Zeit wohne ich in Moskau, meine Gesundheit ist unvergleichlich viel besser als in Jalta, aber ich muß sagen, daß ich fast gar nicht arbeite, da ich oft auf den Proben zu meinem Stück im Künstlertheater sein muß. Man verspricht, das Stück spätestens am 9. Januar aufzuführen; bis zum 10. Januar werde ich also ohne Arbeit herumbaumeln, viele Gespräche führen und viel kleinliche Aufregung erleben. Ich würde Ihnen sehr gern etwas versprechen, Ihnen mein Wort geben, daß ich die Erzählung bis spätestens Februar schikke...

Kommen Sie zu den Feiertagen nicht nach Moskau?

Ich drücke Ihnen fest die Hand und wünsche Ihnen alles Gute, Gesundheit und heitere Stimmung. *Ihr A. Čechov.*

1174) AN V.A. GOLCEV MOSKAU, 27. 12. 1903

Es ist entsetzlich, lieber Viktor Aleksandrovič, ich schaffe es einfach nicht, in die Redaktion zu kommen, obwohl ich es mir jeden Morgen vornehme. Ich habe zur Zeit Proben (von 12 bis 15 Uhr), und wenn keine Proben sind, huste ich, und meine Frau läßt mich nicht aus dem Haus. Ich komme am Montag oder am Dienstag in die Redaktion, ganz bestimmt, unbedingt; das ist beschlossene Sache.

Neuigkeiten gibt es keine, alles ist in Ordnung. Bleib gesund, ich umarme dich, sei mir nur um Himmels willen nicht böse.

Dein A. Čechov.

Samstag: morgen abend bin ich zu Hause.

1904

1175) AN I. M. KONDRATJEV MOSKAU, 4. 1. 1904

4. Jan. 1904.

Sehr geehrter Ivan Maksimovič!

Das von mir geschriebene und von der Zensur bereits genehmigte neue Stück »Der Kirschgarten«, Komödie in 4 Akten, habe ich die Ehre, Ihnen anzuzeigen mit der Bitte, dieses mein Stück in den Katalog aufzunehmen.

Ich gratuliere Ihnen zum Neuen Jahr und wünsche Ihnen von Herzen alles Gute.

Ihr aufrichtig ergebener *A. Čechov.*

Petrovka, Hs. Korovin. Moskau.

1176) AN V. F. KOMISSARŽEVSKAJA MOSKAU, 6. 1. 1904

6. Januar 1904.

Liebe Vera Fëdorovna, wo sind Sie? In Baku, Tiflis, Charkov? Ihren Brief vom 29. Dezember habe ich erst heute, am 6. Januar, bekommen, und tags zuvor kam per Post Ihr Telegramm, das Sie nach Jalta geschickt hatten.

Die Savina habe ich nicht gesehen, keine Briefe mit ihr gewechselt, und ich hatte auch nicht die leiseste Absicht, ihr den »Kirschgarten« fürs Alexandratheater zu geben. Dieses Stück gehört dem Künstlertheater. Nemirovič-Dančenko hat es von mir für Moskau und Petersburg bekommen. In diesem Jahr wird das Künstlertheater anscheinend nicht nach Petersburg fahren, aber dennoch wäre jedes Gespräch mit der Direktion über das Stück nutzlos.

Ich schreibe Ihnen dies leichten Herzens, denn ich bin zutiefst davon überzeugt, daß mein »Kirschgarten« sich ganz und gar nicht für Sie eignet. Die Hauptrolle in diesem Stück ist eine Frauenrolle, eine alte Frau, ganz in der Vergangenheit, nichts in der Gegenwart, die übrigen Rollen, zumindest die Frauenrollen sind klein und ein bißchen grob, für Sie uninteressant. Mein Stück wird bald im Almanach »Znanie« veröffentlicht, und wenn Sie es lesen, werden Sie sich selbst davon überzeugen, daß es, das Stück, so nachsichtig Sie es auch beurteilen mögen, für Sie von keinerlei Interesse ist.

Wie ist Ihr Befinden? Sind Sie nicht erschöpft von den Reisen nach Baku und Tiflis? Alles Gute zum Neuen Jahr, ich wünsche Ihnen Gesundheit, Kraft und Erfolge, und daß Sie wenigstens einen Tag in der Woche glücklich sind. Ich küsse und drücke Ihnen fest die Hand. *Ihr ergebener A. Čechov.*

1177) AN I. A. BUNIN MOSKAU, 8. 1. 1904

Seien Sie gegrüßt, lieber Ivan Alekseevič, alles Gute zum Neuen Jahr! Ihren Brief habe ich bekommen, danke. Bei uns in Moskau ist alles wohlauf und langweilig, etwas Neues (außer dem Neuen Jahr) gibt es nicht und ist auch nicht in Sicht, mein Stück ist noch nicht gelaufen, und wann es laufen wird, – ist ungewiß. Es ist sehr gut möglich, daß ich im Februar nach Nizza komme, absteigen werde ich bei N. I. Jurasov, von dem ich neulich einen Brief bekommen habe. Grüßen Sie die liebe warme Sonne, das stille Meer, leben Sie zu Ihrem vollen Vergnügen, seien Sie fröhlich, denken Sie nicht an Krankheiten und schreiben Sie öfter an Ihre Freunde. Grüßen Sie Sergej Aleksandrovič, Vladimir Grigorjevič. Was essen Sie in Nizza? Keinen Zander Colbert, Wels ist für Sie zu schwer, Suppen sind schlecht, Piroggen zu fett; an Geflügel ist schwer etwas zu empfehlen außer Hühnchen und wohl noch Tauben. Also, bleiben Sie gesund, fröhlich, glücklich, vergessen Sie nicht Ihre braungebrannten Kompatrioten aus dem Norden, die an Verdauungsstörungen und schlechter Geistesverfassung leiden. Ich küsse und umarme Sie.

Ihr A. Čechov.

Bei uns gibt es heute Pökelfleisch und Truthahn.
8. Januar.

1178) AN I. L. LEONTJEV-ŠČEGLOV MOSKAU, 18. 1. 1904

18. Jan. 1904.

Lieber Jean, ich habe Ihnen absichtlich nicht zum Namenstag gratuliert: ich möchte Sie nicht daran erinnern, daß wir beide altwerden, wir gehen auf die 50 zu, wo jedes Bäuerlein Sie mit »Väterchen« anreden wird!

Im Februar vergangenen Jahres habe ich, soweit mir bekannt ist und mich mein Gedächtnis nicht im Stich läßt, keine Briefe von Ihnen bekommen. Sonst hätte ich geantwortet.

Gestern ist mein Stück gespielt worden, meine Stimmung ist daher nicht gut. Ich möchte irgendwohin ausreißen und werde, wahrscheinlich, noch vor Anfang Februar nach Frankreich fahren, oder zumindest auf die Krim. Ich habe ein wenig arbeiten, mich mit Redaktionsarbeiten für die »Russkaja mysl« befassen wollen (Erzählungen unbekannter Autoren, die bekannten liest Golcev), aber offenbar wird mir dies nicht gelingen oder nicht vor kommendem Herbst. Ich hatte mich an eine Novelle setzen wollen, aber um mich her drängt sich das Publikum, es ist schwer zu arbeiten.

Nach Jalta schickt man die Briefe besser eingeschrieben, nach Moskau schreiben Sie weiter einfache.

Ich habe Sie sehr lange nicht gesehen, ich weiß nicht, wie Sie aussehen, wie Sie sich fühlen und woran Sie denken. Nun, der Herrgott sei mit Ihnen, bleiben Sie gesund, wohlauf und immer fröhlich. Ich drücke Ihnen fest die Hand. *Ihr A. Čechov.*

1179) AN N. E. ĖFROS MOSKAU, 18. 1. 1904

Danke unendlich für gestern. *Čechov.*

1180) AN F.D. BATJUŠKOV MOSKAU, 19. 1. 1904

19. Jan. 1904.

Lieber Fëdor Dmitrievič, ich versichere Sie, mein Jubiläum (wenn man die 25 meint) ist noch nicht gekommen und wird auch so bald noch nicht sein. Nach Moskau kam ich, um in die Universität einzutreten, in der zweiten Jahreshälfte 1879, die erste Bagatelle von 10–15 Zeilen wurde im März oder im April 1880 in der »Strekoza« veröffentlicht; wenn man sehr nachsichtig sein und eben diese Bagatelle als den Beginn ansehen will, so wäre auch dann mein Jubiläum frühestens 1905 zu feiern.

Wie dem auch sei, auf der Premiere des »Kirschgartens« am 17. Januar bin ich geehrt worden, und zwar derart ausgiebig, herzlich und im Grunde unerwartet, daß ich bis heute noch nicht wieder zu mir gekommen bin.

Wenn Sie in der Butterwoche kommen, wäre das sehr schön. Nur glaube ich, daß unsere Schauspieler vor der Butterwoche nicht zu sich gekommen sein und den »Kirschgarten« erst danach nicht mehr so zerstreut und so grell spielen werden wie jetzt.

Für Ihren Gruß sage ich Ihnen meinen tief empfundenen, direkt vom Herzen kommenden Dank. Ich danke Ihnen vielmals, unendlich.

Meine Frau dankt für den Gruß und erwidert ihn herzlich. Sie arbeitet zur Zeit viel und ist, *merklich,* erschöpft.

Ich drücke Ihnen fest die Hand und grüße Sie herzlich, bleiben Sie gesund und wohlauf. *Ihr A. Čechov.*

1181) AN N.P. KONDAKOV MOSKAU, 26. 1. 1904

26. Januar 1904.

Sehr geehrter Nikodim Pavlovič!

Die kalte Gleichgültigkeit, von der Sie schreiben (des Petersburger Publikums gegenüber dem »Nachtasyl«), hat das Künstlertheater wahrscheinlich bereits vergessen; gestern ist Nemirovič-Dančenko nach Petersburg gefahren, um ein Theater zu mieten – für zwanzig oder sogar dreißig Vorstellungen. Wenn ihm das gelingt, so fahren sie mit dem »Julius Caesar« und dem »Kirschgarten«. Sehen Sie sich erst einmal diese Stücke an, im nächsten Jahr ist immer noch Zeit, zurückzukehren zu den Stükken von Kukolnik und Polevoj.

Meine Gesundheit ist, verglichen mit vorigem Jahr, nicht schlecht, ich huste weniger und fühle mich frischer, ich möchte arbeiten, und wenn ich nicht arbeite, so sind meine Türen daran schuld, die eine zahllose Menge von Besuchern durch sich hindurchlassen. Um den 10. Februar werde ich abreisen, aller Wahrscheinlichkeit nach ins liebe Jalta. Ich hatte ins Ausland fahren wollen, bin aber nicht gefahren und werde es auch so bald nicht tun, weil ich kein Geld habe; außerdem werde ich im Sommer mit meiner Frau nach Schweden fahren, zumindest träume ich davon, und für diese Reise muß man Geld und Kräfte zusammenhalten.

Sie suchen ein Gut, und ich suche nach einem Sommerhaus für mich und kann einfach keins finden. Ein Gut zu finden ist zur Zeit schwer, zu kaufen noch schwerer, und auf einem eigenen Gut zu leben, noch schwerer; meiner Ansicht nach ist es das Beste, beim Apanage-Ressort auf 99 Jahre zehn Desjatinen zu pachten, an einem Fluß oder irgendwo an einem See.

Sie haben mir nichts von Ihrer Gesundheit geschrieben und auch nicht geschrieben, wohin Sie im März zu reisen beabsichtigen. Wieder nach Italien?

Wenn Sie eine Erzählung schreiben, dann schicken Sie sie mir bitte. Und um ein Stück im zeitgenössischen Geiste, oder Geschmack zu schreiben, muß man das Geheimnis dafür kennen, das ich Ihnen auch verraten kann: ein Stück muß man mit geschlossenen Augen schreiben.

Für den Brief, den Sie mir geschickt haben, danke ich Ihnen unendlich und werde mich lange, lange als Ihren Schuldner betrachten. Ich danke Ihnen vielmals. Ich wünsche Ihnen von Herzen Kraft und Gesundheit. *Ihr A. Čechov.*

1182) AN K.P. PJATNICKIJ MOSKAU, 27. 1. 1904

27. Januar 1904.

Sehr geehrter Konstantin Petrovič, verzeihen Sie, ich habe die Fahnen ein wenig lange behalten, und zwar, weil sehr viele kleine Fehler darin waren, die ich korrigieren mußte.

Man könnte es kürzer machen: statt »Ljubov Andreevna« nur »Ljub. Andr.« setzen, statt »Lopachin« – »Lopach.« Aber wie Sie wollen.

Wenn Sie mir den Umbruch noch einmal schicken würden (in 2 oder 3 Exemplaren), so wäre ich Ihnen sehr verbunden: ich werde sie nicht länger als einen Tag behalten. Bitte.

Ich wünsche Ihnen alles Gute. *Ihr A. Čechov.*

1183) AN A.F. MARKS MOSKAU, 3. 2. 1904

3. Februar 1904.

Sehr geehrter

Adolf Fëdorovič!

Der bekannte Schriftsteller Dedlov (V.L. Kign) hat mir aus Dovsk geschrieben und mir aufgetragen, mich an Sie zu wenden mit dem Vorschlag: ob Sie nicht seine Werke erwerben oder verlegen wollen? Er hat 150 Bogen.

Nach dem 10. Februar fahre ich nach Jalta, wohin ich Sie bitte mir die Zeitschrift zu schicken. Im Dezember-Heft des »Žurnal dlja vsech« war meine Erzählung »Die Braut« veröffentlicht, und bald wird mein Stück »Der Kirschgarten« in dem Wohltätigkeitsalmanach des Verlags »Znanie« veröffentlicht.

Für Ihr liebenswürdiges Telegramm zur Aufführung des »Kirschgartens« sage ich Ihnen meinen herzlichen Dank.

Ich wünsche Ihnen alles Gute.

In aufrichtiger Hochachtung *A. Čechov.*

Petrovka, Hs. Korovin.

1184) AN L. A. AVILOVA MOSKAU, 7. 2. 1904

7. Februar 1904.

Sehr verehrte Lidija Alekseevna, gegenwärtig habe ich keine einzige Zeile (und auch keine in Sicht), die ich Ihnen für den Almanach anbieten könnte. Zu Beginn der Gr. Fasten fahre ich nach Hause nach Jalta, werde dort in meinen Papieren kramen, aber ich will Ihnen keine großen Hoffnungen machen, denn ich werde wohl kaum etwas finden.

Wenn Sie nichts dagegen haben, meine Meinung zu hören, hier ist sie: Almanache sind nur sehr langsam, zäh zusammenzustellen, sie verderben dem, der das tut, die Laune, aber sie gehen außergewöhnlich schlecht. Besonders Almanache des Typus', wie Sie einen herauszugeben beabsichtigen, d. h. aus zufälligem Material. Verzeihen Sie um Gottes willen diese ungebetenen Anmerkungen, aber ich würde sie fünf, zehn, hundertmal wiederholen und wäre, wenn es mir gelänge, Sie davon abzubringen, ehrlich froh. Denn während Sie an dem Almanach arbeiten, kann man auf anderem Wege Tausende sammeln, nicht nach und nach sammeln, stündlich eßlöffelweise, sondern gerade jetzt, in der heißen Zeit, wo der Wunsch, Opfer zu bringen, noch nicht erkaltet ist. Wenn Sie um jeden Preis einen Almanach wollen, so geben Sie einen kleinen Almanach zu 25–40 Kop. heraus, eine Sammlung von Aussprüchen der besten Autoren (Shakespeare, Tolstoj, Puškin, Lermontov usw.), die sich auf Verwundete, Mitleid mit ihnen, Hilfe usw. beziehen, alles, was bei diesen Autoren darüber zu finden ist. Das ist interessant, in 2–3 Monaten schon könnten Sie das Buch haben, und es wäre auch in sehr kurzer Zeit verkauft.

Verzeihen Sie die Ratschläge, seien Sie nicht empört.

Im übrigen sind gegenwärtig mindestens 15 Almanache im Druck oder bereits erschienen.

Sie schreiben nichts von Ihrer Gesundheit, es geht Ihnen also gut, was ich Ihnen von Herzen wünsche.

Bleiben Sie gesund. Ich wünsche Ihnen alles, alles Gute.

Ihr ergebener A. Čechov.

1185) AN P. I. KURKIN MOSKAU, 7. 2. 1904

Lieber Pëtr Ivanovič, heute hatte ich im Theater ein Gespräch über eine Aufführung eines Stückes von mir zugunsten der Medizinischen Akademien für Frauen. Wir sind zu diesem Schluß gekommen:

1) Zur Zeit ist Krieg, die Aufmerksamkeit des Publikums ist abgelenkt, es wird für einen Platz nicht das Doppelte zahlen wollen.

2) Die Vorstellung auf kommende Saison zu verschieben, jetzt dagegen zugunsten der Medizinischen Akademien eine literarische Matinee zu veranstalten, sie in Petersburg zu veranstalten, in den Großen Fasten. Diese Matinee kann minimum 1000 R. einbringen.

Schreiben Sie also an Frau Ščedrina, daß sie sich in der ersten (oder der zweiten) Woche in Petersburg mit Nemirovič-Dančenko oder mit meiner Frau trifft und dort alles bespricht, und vor allem – daß die Plakate mindestens eine Woche vor der literarischen Matinee herauskommen.

Ich drücke Ihnen fest die Hand. Ich werde aus Moskau wahrscheinlich am Freitag der ersten Woche abreisen. Und wiederkommen im Mai.

Das Haus Nikitin ist viell. schön, aber es hat kein Trinkwasser, man hat mit den Eimern 15 Minuten zu gehen. Und zum Baden 10 Minuten.

Bleiben Sie gesund. *Ihr A. Čechov.*

7. Febr. 1904.

1186) AN O. L. KNIPPER ORËL, 15. 2. 1904

Mein liebes Herzchen, die Reise verläuft gut, ich habe sehr schlechten Boršč gegessen und sehne mich nach dir. Inzwischen weißt du bereits, was Leva hat, schreib mir ausführlich.

Bleib gesund, ruhig, fröhlich, mein Herz, denk nicht zuviel an deinen Mann. Ich fühle mich wohl, meine Gesundheit ist großartig, mach dir keine Sorgen, meine Liebe. Die Strecke ist geräumt, es gibt keine Aufenthalte, die Reise ist gut. Ich bitte dich, schreib mir, schreib mir lang, in Jalta werde ich mich doch langweilen, begreif das.

Grüß den ganzen »Kirschgarten«, sogar die Muratova. Ich küsse und umarme dich, mein Liebes, ich werde sitzen und an dich denken. *Dein A.*

15. Febr., abends. Bei Orël.

1187) AN O. L. KNIPPER JALTA, 18. 2. 1904

Mein liebes, gutes, prächtiges Herzchen, ich liebe dich sehr. Wie geht es dir in Moskau? Ich bin erst den ersten Tag in Jalta, bin aber bereits im hiesigen Kurort-Alltag versunken: die Direktorin war bereits da, mein Bruder Aleksandr nebst Familie ist gekommen... Das Wetter ist ganz gut, von meiner Stimmung weiß ich nichts zu sagen; der neue Schreibtisch ist eingetroffen, damit beschäftige ich mich zur Zeit, ich räume die Sachen ein.

Morgen wird ein Brief von dir kommen, ich warte und werde ihn voll Ungeduld erwarten. Gäste, Gäste, Gäste ohne Ende, sie lassen mich nicht schreiben, verderben mir die Laune, und ein Mensch sitzt den ganzen Tag bei mir im Arbeitszimmer. Ich küsse dich fest, Herzchen. Šnap fühlt sich zu Hause; er hat keine Langeweile, spielt mit den Hunden, im allgemeinen habe ich den Eindruck, er ist nicht sonderlich klug, oder sogar ein bißchen dumm.

Mein Bruder wird über einen Monat in Jalta bleiben. Seine Familie desgleichen. Der Tisch ist sehr gut, er hat dieselbe Größe wie der alte.

Mein Bruder wohnt in der Nähe, im Haus Choroševič.

Mein gutes Pferdchen, morgen schreibe ich dir wieder.

18. Febr. *Dein A.*

1188) AN A.F. MARKS JALTA, 19. 2. 1904

19. Februar 1904.
Jalta.
Sehr geehrter
Adolf Fëdorovič!

Die tausend Rubel für die Erzählung »Die Braut« habe ich bekommen, ich sage Ihnen meinen herzlichen Dank. Ich schicke den Vertrag zurück, aber verzeihen Sie, ich habe die Unterschrift nicht notariell beglaubigen lassen, gestatten Sie mir, dies im Mai-Juni nachzuholen, wenn ich in Petersburg sein werde. In die Stadt zu fahren, Treppen zu steigen, dann beim Notar zu warten – das fällt mir zur Zeit nicht leicht.

»Kaštanka« (15 Exemplare) habe ich heute bekommen, ich sende Ihnen meinen tief empfundenen Dank. Gestatten Sie mir, bei der Gelegenheit an Ihr Versprechen zu erinnern – mir den Geographischen Atlas zu schicken, wenn er erschienen ist.

Von Dedlov (Kign) habe ich einen Brief bekommen; er wartet auf Antwort von Ihnen.

Ich danke Ihnen nochmals von ganzem Herzen und wünsche Ihnen alles Gute.

In aufrichtiger Hochachtung *Ihr ergebener A. Čechov.*

1189) AN O.L. KNIPPER JALTA, 20. 2. 1904

20. Febr.

Mein Herzchen, Pferdchen, mir ist ohne dich langweilig, kalt, uninteressant, und du hast mich so verwöhnt, daß ich, wenn ich mich schlafenlege und wieder aufstehe, Angst habe, ich könnte mich nicht mehr an- und ausziehen. Das Bett ist hart, kalt, in den Zimmern ist es kalt, draußen null Grad, Langeweile, nach Frühling riecht es noch nicht einmal. Heute habe ich den ganzen Tag mit Briefen von vergangenen Jahren und alten Zeitungen verbracht, andere Beschäftigungen habe ich zur Zeit anscheinend nicht…

Šnap ist entweder taub oder dumm. Als wäre er gar nicht weggewesen, tollt er mit den Hunden herum und nächtigt ergeben in Mutters Zimmer. Er ist sehr lustig, versteht aber wenig.

Nastja bereitet das Essen, aber nicht gut; wir bräuchten eine Köchin. Heute habe ich gebratenen Stör gegessen, sehr schmackhaften und fetten, und eine Suppe, die schmeckte wie Abwaschwasser. Und eiskalte Bliny.

Auf der Reise habe ich alles aufgegessen (das als Antwort auf deine Frage), alles, außer dem Butterbrot mit Schinken. Die Reise war gut... Der Tisch ist angekommen, ich schreibe schon an ihm. Die Schubladen gehen schwer. Im Ganzen ist er gut. Aber die Sachen sind noch nicht angekommen. »Kaštanka« ist gekommen – eine Luxusausgabe, mit schlechten Illustrationen, Verlag Marks.

In der Stadt war ich noch nicht, draußen war ich noch nicht. Meine Frau ist nicht da, sie ist in Moskau, ich lebe wie ein Mönch. Ich bedaure, die Schale nicht mitgenommen zu haben. Die hiesige kommt mir zu klein vor; vielleicht irre ich mich auch. Arsenij ist faul oder vergeßlich geworden, die Kleider bürstet Nastja aus; meine Zähne halte ich sauber. Ins Bad gehen werd ich im Mai, wenn ich nach Moskau komme, und bis dahin werde ich auf meiner Haut Mais säen – und mir auf diese Weise etwas verdienen.

Heute ist ein Briefchen von dir gekommen – das erste in dieser Saison. Danke, Engelchen, ich küsse, umarme dich, klopfe dir den Rücken.

Wenn die Japaner nur bald geschlagen wären, es ist sonst irgendwie merkwürdig sowohl in den Zeitungen als auch in der Gesellschaft; viel unsinniges Geschwätz, der Kurs ist gefallen, das Interesse für alles außer dem Krieg ist erloschen in der Gesellschaft.

Welche unserer Mißverständnisse meinst du, Herzchen? Wann hast du mich gereizt? Der Herrgott sei mit dir! Diesmal haben wir die Zeit so ungewöhnlich, so schön zusammen verbracht, ich fühle mich wie von einem Feldzug heimgekehrt. Meine Freude, ich danke dir, daß du so gut bist.

Schreib mir, sonst werde ich dich wie gewöhnlich verprügeln. Ich küsse, umarme meine Freude... Bleib fröhlich und gesund.

Dein A.

1190) AN O.L. KNIPPER JALTA, 23. 2. 1904

Montag.

Mein Hündchen von Übersee, mein wunderbares, ich bin gesund und munter, ungeachtet des widerlichen Wetters. Ich huste nicht, esse sehr gut, viel. Heute zu Mittag habe ich Suppe und Sevrjuga gegessen, sehr schmackhafte. Wir haben eine neue Köchin; ich habe sie noch nicht gesehen, aber ihre Gerichte finde ich vorläufig gut.

Marja Fëdor. geht weg? Das ist schade, wie dem auch sein mag. Sie ist zwar keine außergewöhnliche Schauspielerin, aber es reicht, ihre Rolle nur einmal der Litovceva zu geben, und der Unterschied sticht jäh ins Auge. Ich glaube, sie wird zum Künstlertheater zurückkehren. Und ich glaube auch, daß Gorkij nichts damit zu tun hat.

Leva wird keinen Buckel bekommen.

Die Komissarževskaja hat Erfolg? Da habt ihrs! Die Ėfrosse und Ljubošič sind auf ihrer Seite.

Heute ist Nebel in den Bergen; es ist trüb, kalt.

Wenn die Moskauer Wohnung nicht so hoch läge, so idiotisch hoch, dann hätte ich jetzt Sehnsucht nach Moskau. Mein gutes Herzchen, bring das wegen Caricyno in Erfahrung! Und gibt es nicht sonst noch Sommerhäuser, die näher an der Eisenbahn liegen? Etwas Besseres als Caricyno, glaube ich, wirst du nicht finden. Besonders schön ist es dort im Winter. Nur, 10 Tausend ist es nicht wert; wenn man das Haus selbst in Betracht zieht und das Fehlen jeden Komforts (der so wichtig ist für einen Schriftsteller), und daß die Pacht nur noch 11–12 Jahre gültig ist usw. usf., dann müßte sie im Preis nachlassen. Da muß man doch allein an Reparaturen 2–3 Tausend hineinstecken.

Ich umarme mein Herzchen, küsse es. Der Herr sei mit dir, sei ruhig. Ich habe bereits alles ausgepackt, eingeräumt, ich habe fast nichts mehr zu tun. Ich schlafe gut. *Dein A.*

1191) AN O.L. KNIPPER JALTA, 27. 2. 1904

27. Febr.

Meine gute Gattin, du glaubst mir nicht als Arzt, aber ich sage dir dennoch, daß Korsakov sehr zum Pessimismus neigt, er nimmt immer das Allerschlimmste an. Ich hatte einmal ein krankes Mädchen, habe es zwei, drei Monate lang behandelt, habe dann Korsakov zu einer gemeinsamen Beratung gebeten, er hat sie zum Tode verurteilt; dabei ist sie noch heute am Leben, schon seit langem verheiratet. Wenn es Tuberkulose in der Wirbelsäule ist, so ist es sowohl bis zum Gehirn als auch zum Rückenmark noch weit. Man sollte den Jungen nur nicht oft zu Besuchen mitnehmen und nicht zu viel herumtoben lassen. Und ich frage dich noch einmal: warum seid ihr auf Evpatorija verfallen?

Die ganze Zeit, seit ich in Jalta lebe, d.h. seit dem 17. Februar, hat noch kein einziges Mal die Sonne hervorgeschaut. Es herrscht schreckliche Feuchtigkeit, der Himmel ist grau, ich sitze im Zimmer.

Meine Sachen sind angekommen, aber sie sahen irgendwie traurig aus. Erstens sind es tatsächlich weniger als ich angenommen hatte; zweitens sind die beiden alten Kisten unterwegs geplatzt. Mein Leben ist langweilig, uninteressant; die Leute rings umher sind ärgerlich uninteressant, an nichts interessiert, gegenüber allem gleichgültig.

Der »Kirschgarten« wird in allen Städten drei-, viermal gespielt, hat Erfolg, stell dir das vor. Eben habe ich über Rostov-am-Don gelesen, wo er zum dritten Mal läuft. Ach, wenn in Moskau die Muratova nicht wäre, Leonidov nicht und nicht Artëm! Artëm spielt doch hundsmiserabel, ich habe nur nichts sagen wollen.

Du schreibst, du habest keine Briefe von mir bekommen, dabei schreibe ich dir jeden Tag, nur gestern habe ich nicht geschrieben. Es gibt nichts zu schreiben, und trotzdem schreibe ich. Šnap, der Hundesohn, hat sich eingewöhnt, er liegt bereits bei mir im Arbeitszimmer, die Hinterpfoten ausgestreckt; er nächtigt in Mutters Zimmer; spielt mit den Hunden auf dem Hof und ist darum immer schmutzig.

Du hast sehr viele Onkelchen, du führst sie dauernd aus; paß auf, daß du dich nicht erkältest. Bleib wenigstens in der vierten Woche zu Hause, wenn bei euch nicht gespielt wird.

Hast du dir wegen des Sommers irgendetwas einfallen lassen? Wo werden wir leben? Ich möchte in der Nähe von Moskau sein, in der Nähe einer Bahnstation, damit man ohne Equipage auskommt, ohne Wohltäter und Verehrer. Überleg dir etwas wegen des Sommerhauses, meine Freude, überleg, es wird dir schon etwas einfallen. Du bist doch meine Kluge, Vernünftige, Gründliche, – wenn du nicht böse bist. Ich erinnere mich mit solchem Vergnügen, wie wir zusammen nach Caricyno gefahren sind und dann zurück.

Also, der Herr sei mit dir, meine Freude, mein gutes Hündchen, mein angenehmes. Ich habe Sehnsucht nach dir und kann gar nicht mehr anders, weil ich an dich gewöhnt bin. Ich küsse meine Frau, umarme sie. *Dein A.*

1192) AN O. L. KNIPPER JALTA, 3. 3. 1904

3. März.

Meine liebe, meine bemerkenswerte kleine Hälfte, ich bin munter und gesund wie ein Stier und bin weiterhin guter Stimmung, und kann mich vorläufig nur mit einem nicht abfinden – nämlich mit meiner Mönchssituation.

Ich habe eine Bitte an dich, mein Herz. Wie ich dir schon sagte, ich bin Arzt, ich bin ein Freund der Medizinischen Akademien für Frauen. Als der »Kirschgarten« angekündigt wurde, haben sich Schülerinnen der Akademie mit der Bitte an mich gewandt, an mich als Arzt, – zugunsten ihrer Hilfsgenossenschaft eine Vorstellung zu organisieren; die Armut dieser Mädchen ist schrecklich, eine Menge von ihnen ist wegen Nichtzahlung der Gebühren relegiert worden usw. usf. Ich habe ihnen versprochen, mit der Direktion zu reden, dies später getan, ein Versprechen bekommen... Vor seiner Abreise hat Nemirovič mir verkündet, daß es gegenwärtig nicht sehr praktisch sei, in Petersburg eine Vorstellung zu veranstalten, es sei Krieg, es könne geschehen, daß man vor leerem Hause spielt; ob es nicht besser sei, fragte er, zugunsten der Medizinerinnen eine literarische Matinee zu veranstalten, deren Erlös zugunsten des Hilfsfonds sein könnte? Ich war damit einverstanden, und es endete damit, daß er mir versprach, diese literarische Matinee zu organisieren, nur bat er darum, ihn in Petersburg daran zu erinnern. Also, meine Gute, erinnere ihn jetzt in Petersburg daran, und besteh überhaupt darauf, daß diese Matinee stattfindet. Es werden Leute von der Akademie zu dir kommen, empfange sie, berate dich mit ihnen und sei so liebenswürdig wie möglich zu ihnen, sag ihnen, wie und wo man Nemirovič erreichen kann.

Von Marks habe ich den Geographischen Atlas bekommen. Ich warte auf die Stiefel, von denen du schriebst. Ich denke an Štrauch, woran er gestorben sein könnte. Der Herr schenke ihm das Himmelreich, er war ein sehr guter Mensch.

Unsere werden die Japaner schlagen. Onkel Saša wird als Oberst zurückkehren, und O. Karl mit einem neuen Orden.

Im Herbst werde ich ein Badehaus bauen. Übrigens, das sind alles Träume, Träume!

Welche Temperatur hat Leva? Weshalb schreibst du mir nicht? Herzchen, mein Pferdchen, bleib gesund, fröhlich, glücklich. Ich habe Angst, daß Gäste kommen. Die Leute hier sind schon sehr langweilig, unliterarisch; mit denen kann man über nichts reden, und ihnen zuhören – da wird einem trübe vor den Augen.

Also, der Herr sei mit dir. *Dein A.*

1193) AN O. L. KNIPPER JALTA, 4. 3. 1904

4. März.

Mein kluges Hündchen, schreib der Budkevič, daß die »Möwe« und »Drei Schwestern« schon längst ins Deutsche übersetzt sind (und ich dafür keinen einzigen Groschen bekommen habe), und der »Kirschgarten« bereits für Berlin und Wien übersetzt wird und dort keinen Erfolg haben wird, weil es dort weder Billard, noch Lopachins, noch Studenten à la Trofimov gibt.

Für den Brief danke ich dir, mein tröstendes Herz. Ich liebe dich sehr, du weißt das sehr wohl...

Onkel Karl ist an die Front gekommen? Schreibt er irgendetwas? Von O. Saša habe ich einen Brief bekommen mit seiner Unterschrift und der einiger Offiziere, aus Krasnojarsk. Heute war ich, weil schönes Wetter war, in der Stadt, habe dort Kaviar, Schinken, Piroggen gekauft. Garin-Michajlovskij ist nach Jalta gekommen, er wird mich sehr wahrscheinlich besuchen. Er fährt in den Fernen Osten, um dort eine Straße zu bauen. Die Savina wird nach Jalta kommen.

Also, mein Fröschchen, ich küsse, umarme dich, klopf dir den Rücken. Bleib gesund und fröhlich, sei nicht deprimiert, denk an deinen Mann. *Dein A.*

1194) AN O. L. KNIPPER JALTA, 8. 3. 1904

8. März.

Also, Herzchen, heute habe ich wieder einen verklebten Brief von dir bekommen, ich habe den Plan der Wohnung von dem Brief abreißen müssen. Woher hast du nur diese verdammte Tinte?

Ich gratuliere dir, meine Gute, zum Umzug, ich wünsche dir in der neuen Wohnung viel Geld und sehr viel gute Laune. Wenn es einen Lift gibt, so ist das sehr schön, aber zu meinem Glück sind Lifte immer außer Betrieb; immer, wenn ich einen benutzen will, wird er gerade repariert.

Ich habe schon sehr große Lust auf Moskau, und dann so

schnell wie möglich aufs Sommerhaus. Hier ist ganz scheußliches Wetter, obwohl die Mandelbäume und Quitten blühen, ich möchte Raum und nördliche Luft. Ich werde früher kommen als nötig, noch vor deiner Rückkehr.

Von Orlenev habe ich einen Brief bekommen: er schreibt, er komme nach Jalta, wolle mir die 100 Rubel zurückgeben, die er sich vor drei Jahren geliehen hat. Wir werden ja sehn. Er spielt mit der Goreva in Ibsens »Gespenstern«; angeblich – mit Erfolg.

Mein Bruder Aleksandr ist nüchtern, gutmütig, interessant – überhaupt tröstet mich sein Benehmen. Und es besteht Hoffnung, daß er nicht wieder zu trinken anfängt, obwohl man dafür natürlich nicht die Hand ins Feuer legen kann. Das ist wie bei Onkel Saša.

Herzchen, in den »Russkie ved.« wird der Krieg wundervoll beschrieben, besonders der Seekrieg, von einem gewissen V.M. Gewöhn es dir an, lies es täglich, und du wirst bald auf den Geschmack kommen. V.M. ist, wie sich herausstellt, kein Marine-Admiral, wie ich dachte, sondern ein einfacher Verwaltungsbeamter, Statistiker, der von klein auf einen Narren an der Flotte gefressen hatte und sämtliche Flotten der Welt kennt, in allen kleinsten Einzelheiten. Er stellt Prognosen an – und sie treffen ein.

Also, mein kleiner Walfisch, mein graues Hündchen, ich streichle, umarme, küsse dich. *Dein A.*

1195) AN O.L. KNIPPER JALTA, 9. 3. 1904

Gratuliere neuen Wohnung. Freue mich über herrliche Wohnung. Grüße. Küsse. *Antonij.*

1196) AN O.L. KNIPPER JALTA, 10. 3. 1904

10. März.

Mein liebes Pferdchen, du schickst mir kein Telegramm über deine Gesundheit, wie ist das schrecklich und wie dumm! Deine Postkarte hat mir einen Schlag versetzt, und jetzt sitze ich da und denke und denke, und mir kommen die verschiedensten Gedanken.

Du hast Lulu wegfahren lassen und ihr nicht gesagt, wo, d.h. in welcher Stadt sie absteigen soll. Vorgestern werde ich plötzlich ans Telephon gerufen. Es ist Lulu, aus Sevastopol, sie fragt, wo sie besser absteigen solle – in Sevastopol oder in Alupka? Ich verstand nicht: warum Sevastopol? Warum Alupka? Wie immer Jalta auch sein mag, hier ist doch das Klima milder als andernorts, hier gibt es Kanalisation, hier gibt es gute Ärzte, manchmal sind hier auf der Durchreise sogar großartige Ärzte, hier ist es vergleichsweise billig, in Alupka herrscht Unterleibstyphus, in Sevastopol kennt sie keine Menschenseele, und es ist kalt. Ich habe ihr geantwortet: gehen Sie zu Šapošnikov, die und die Adresse, und wenn Sie sich nicht in Sevast. niederlassen, dann kommen Sie nach Jalta. Danach – kein Sterbenswörtchen mehr von ihr, als habe sie der Erdboden verschluckt. Übrigens schreib mir, wie heißt Lulu? Mit Namen und Vatersnamen? Und schreib ihr, nicht nach Jalta zu kommen wäre, gelinde gesagt, dumm.

Caricyno hat dir gefallen? Herzchen, laß Maša Vinogradov fragen, ob er nicht ein Sommerhaus mit 2–3 Desjatinen Land zu verkaufen hat. Es ist doch überall so wenig Land dabei! Und such auch du, erkundige dich ... Übrigens, du liegst ja vielleicht noch zu Bett, verheimlichst es mir nur. Oh, was für eine Gemeinheit, was für eine Barbarei! Warum schickst du mir kein Telegramm? Ist dir das Geld zu schade?

Ach, meine Gute, wenn wir nur ein Sommerhaus hätten und es nah an der Bahn läge!

Bei uns – Kälte und Regen. Wir heizen die Öfen. Meine Gesundheit ist gut, das Moskauer Klima hat mir offenbar gut getan.

Ich segne dich, Kindchen; sei nicht krank, paß auf dich auf, schlaf mehr, und wenn du nach Petersburg fährst, zieh dich warm an. Hörst du? Du brauchst einen Mann, der dich jeden Tag verprügelt, von mir laß dich meinetwegen scheiden, ich tauge zu nichts.

Ich küsse und umarme dich 26mal. *Dein A.*

1197) AN O. L. KNIPPER JALTA, 18. 3. 1904

18. März 1904.

Mein glattes Hündchen, schreib mir unverzüglich, wann, d.h. an welchem Tag, du nach Petersburg fährst, ferner, wohin ich dir nach Petersburg schreiben soll in den ersten Tagen nach deiner Abreise. Du schickst mir ja doch kein Telegramm. Allen Verwandten schickst du in einem fort Telegramme, aber für deinen gesetzlichen Ehemann sind dir die 20 Kopeken in Silber zu schade. Ich habe dich zu wenig geschlagen.

Ostrovskij ist kein Verwandter von mir, sondern der Sohn meines Mathematiklehrers im Gymnasium. Er hatte sich einmal 15 Rub. bei mir geliehen, sie nicht zurückgegeben und meldete sich seitdem von überall bei mir, sogar in Perm hat er mich aufgesucht, aber ich habe ihn nicht empfangen; er gibt sich als Schauspieler aus.

Ich habe Orlenev in der »Erlösung« von Ibsen gesehen. Sowohl ein lumpiges Stück, als auch schlecht gespielt, wie von Gaunern. Heute habe ich von Ivan einen Brief über Caricyno bekommen, ihm gefällt es.

Bei euch ist es warm, bei uns dagegen kalt, ein grimmiger Wind weht. Ein Bett kauf nicht, warte, wir kaufen es zusammen, wenn ich komme.

Von deiner Lulu – keine Spur. Sag Nemirovič, der Ton im II. und IV. Akt des »Kirschg.« muß kürzer, sehr viel kürzer sein und nur ganz von fern zu hören. Wie ist das klein, sie kommen mit einer Lappalie, einem Ton einfach nicht zurande, obwohl im Stück so klar davon die Rede ist.

Was ist von Onkel Saša zu hören? Seine Adresse: »Mandschurei-Armee«, oder »An die Mandschurei-Armee«, dann sein Regiment und Rang. Das kann man ohne Briefmarke schicken.

Was denn, Hündchen, du hast Sehnsucht nach mir? Das ist doch eine Schweinerei. Also, ich segne dich, küsse und umarme dich. Christus sei mit dir. *Dein A.*

Die Stiefel sind schön, nur ist der linke ein bißchen eng, und beide knallen beim Gehen, daß man sich in ihnen nicht wie ein intellektueller Mensch vorkommt, aber schön sehen sie aus.

Ins Theater bin ich im Gehrock gegangen.

1198) AN A.F. MARKS JALTA, 18. 3. 1904

18. März 1904.

Sehr geehrter

Adolf Fëdorovič!

Zweitausendfünfhundert Rubel für das Stück »Der Kirschgarten« habe ich bekommen, ich sage Ihnen meinen herzlichen Dank. Den Vertrag habe ich unterschrieben und schicke ihn hiermit zurück, die Fahnen des Stückes werde ich sofort schikken, nachdem ich sie gelesen habe. Den Geographischen »Atlas« habe ich bekommen und danke Ihnen nochmals.

Ich wünsche Ihnen alles Gute.

In aufrichtiger Hochachtung *A. Čechov.*

1199) AN O.L. KNIPPER JALTA, 20. 3. 1904

20. M.

Mein liebes Herz, mein Hund, du bist noch nicht gefahren, du wirst meinen Brief also noch bekommen. Sag Moskvin, er könne die neuen Worte einsetzen, ich werde es selbst auch tun, wenn ich Korrektur lese.

Maša ist gekommen. Sie sagt, man verlange für das Haus in Caricyno 11 Tsd. Also das ist zu teuer. Caricyno ist schön, weil es nahe zur Bahnstation liegt, man kann zu Fuß hingehen – das ist die Hauptsache. Aber gibt es da nicht noch andere Häuser? Oder in der Nähe von Butovo, oder Podolsk? Nur unbedingt nahe an der Bahn. Du hast jetzt keine Zeit, mein Herz, du fährst weg, ich sollte mich selbst um die Hausfrage kümmern und dir helfen, aber die Umstände haben sich so idiotisch gefügt, daß ich nicht vor Mai in Moskau sein kann.

Es schneit. Ist kalt.

Von jetzt an werde ich dir an die Mojka 61 schreiben. Ich werde dir so schreiben. Čechova-Knipper.

Grüß Marija Petrovna, sag ihr, daß ich ihr das Händchen küsse. Für die Mundt freue ich mich, aber der Ingenieur, der den Roman mit ihr hat, tut mir bitterlich leid.

Also, meine kleine Gattin, erlaub, daß ich dir den Rücken klopfe, dich fest küsse und umarme. *Dein A.*

1200) AN O. L. KNIPPER JALTA, 24. 3. 1904

24. März.

Meine großartige Frau, Christ ist erstanden! Ich küsse, umarme dich und wünsche mir leidenschaftlich, feurig, daß es meiner Olja gut geht, daß sie ein fröhliches und reiches Leben führt. Ich habe dir schon drei Tage nicht geschrieben und habe große Sehnsucht nach dir.

Heute habe ich einen Brief von Lvov bekommen, er schreibt wegen Caricyno, lobt das Haus sehr und rät dasselbe wie du, d. h. mit seinem Schwiegervater Martynov zu sprechen. Ich werde ganz bestimmt mit Martynov sprechen, schreib du einstweilen an die Ezučevskaja, schreib, das Haus sei schon alt, man müsse alle möglichen Reparaturen vornehmen, müsse ein Wasserklosett anlegen, die Pacht laufe bald aus usw. usf., und wenn sie darum 8 Tausend von uns nehme, so sei das ein gerechter Preis; schreib ihr bei der Gelegenheit, daß in Caricyno auch andere Häuser verkauft würden, sich überhaupt eine Neigung zum Verkauf von Häusern zeige, weniger zum Kauf. Wenn sie einverstanden ist, werde ich ihr sofort einen Teil des Geldes überweisen, den anderen Teil zahlt Višnevskij.

Wie bin ich froh, daß die Chaljutina schwanger ist, und wie schade, daß das nicht auch anderen Darstellern passieren kann, zum Beispiel Aleksandrov oder Leonidov. Und wie schade, daß die Muratova nicht verheiratet ist!

Die Photographien, von denen du schreibst, habe ich noch nicht bekommen. Maša lobt sie sehr. Heute kam Orlenev zu mir, er hat mir die hundert Rubel zurückgegeben. Er trinkt nichts, träumt von einem eigenen Theater, das er in Petersburg eröffnen will, fährt zu Gastspielen ins Ausland und nach Amerika. Heute abend wird L. Andreev bei mir sein. Siehst du, wieviel Prominenz! Orlenev trägt das Porträt Stanislavskijs mit sich herum, schwört, er träume davon, ans Künstlertheater zu gehen; ich rate ihm zu, das zu tun, er käme euch sehr gelegen, wie auch die Komissarževskaja.

Es ist ziemlich kalt. Šnap war krank, aber jetzt ist er wieder gesund; er ist die ganzen Tage draußen, abends schläft er bei mir im Sessel, nachts – bei Mutter im Zimmer. Er geht mit Arsenij auf den Markt.

Sobald ich von Onkel Saša auch nur eine Zeile bekomme, werde ich telegraphieren. Ich glaube, er ist gesund, munter und wohlauf, aber ständig in Bewegung, was ihn am Schlafen und am Briefeschreiben hindert.

Also, der Herr sei mit dir, mein Frauchen, ich küsse dich noch einmal, drücke und küsse deine Händchen, umarme dich hundertmal. *Dein A.*

Sag der Schauspielerin, die das Mädchen Dunjaša spielt, sie solle den »Kirschgarten« in der »Znanie«-Ausgabe lesen oder in den Fahnen; dort wird sie sehen, wann sie sich pudern soll usw. usf. Sie soll ihn unbedingt lesen, in euern Textbüchern ist doch alles durcheinander und verschmiert.

1201) AN O. L. KNIPPER JALTA, 26. 3. 1904

Chr. erstanden. Gratulieren Alekseevs, Nemirovič, Višnevskij, Kačalov, wünschen allen Gesundheit, küsse dich. *Antonio.*

1202) AN O. L. KNIPPER JALTA, 29. 3. 1904

29. März.

Mein liebes Hündchen, zu den Feiertagen habe ich dir bereits

Glück gewünscht, jetzt schicke ich dir nur einen Gruß und Küsse in rauhen Mengen. Gestern ist Konst. Leon. mit Frau angekommen, er sitzt gerade unten und trinkt Tee. Beiden geht es gut, sie haben gute Laune, von dem Jungen sagen sie, er fühle sich leidlich. Es hat sich inzwischen geklärt, daß Lulu den Sommer über nach Evpatorija fährt, und dann den Winter in Jalta verbringen wird. Jalta gefällt ihr übrigens, sehr sogar. In Evpatorija wird es, glaube ich, ganz gut sein, nur sollte sie nicht neue und immer neue Ärzte zu Rate ziehen. Morgen fahren K. L. und Lulu nach Sevastopol.

Martynov war da; ein lebhafter Mensch, aber offenbar ein Künstler ohne Begabung. Caricyno hat er 15 Jahre lang besucht, aber nur im Winter, er sagt, das Haus sei trocken, Nebel gebe es keinen, man fühle sich dort wohl.

Du schreibst, ich sei dir böse. Weswegen, meine Gute? Du solltest mir böse sein, nicht ich dir. Gott mit dir, Herzchen.

Lulu und K. L. waren im März im »Kirschgarten«; beide sagen, daß Stanislavskij im IV. Akt abscheulich spiele, daß er alles qualvoll in die Länge ziehe. Wie ist das schrecklich! Ein Akt der 12 Minuten maximum dauern soll, läuft bei euch 40 Minuten. Ich kann nur das Eine sagen: Stanislavskij hat mein Stück ruiniert. Nun ja, Gott mit ihm.

Wir haben den ganzen Tag Gäste, sogar der Lehrer von Gurzuf ist hier. Die Photographien habe ich bekommen, ich danke dir, mein liebevolles Herzchen. Wenn du in Petersburg fröhlich bist und zu deinem Vergnügen lebst, dann bin ich sehr froh und glücklich; wenn du deprimiert bist, ist es eine Schweinerei. Laß dirs gut gehen, achte nicht auf die Rezensionen, wenn sie nur unfreundlich sind, und denk an den Sommer.

Sofja Petrovna sagt, Ekat. Pavl. huste Blut usw., mit einem Wort, Schwindsucht.

Gestern war Michajlovskij bei mir, er sagte, er fahre sehr bald in den F. Osten. Gekleidet wie ein Stutzer, sehr nett.

Bei uns ist richtiger Frühling, aber es ist trotzdem ziemlich kalt.

Schreib mir, meine kleine Mücke, ich langweile mich doch ohne dich, du weißt das sehr wohl. Ich küsse dich und umarme dich fest. *Dein A.*

Ich habe einen langen Brief aus Kazan bekommen von irgendeinem Studenten; er bittet mich um etwas, schwört, daß der »Kirschgarten« in Kazan großartig gespielt worden sei – und dankt.

1203) AN O. L. KNIPPER JALTA, 4. 4. 1904

4. April.

Mein liebes Pferdchen, sei gegrüßt! Von Nemirovič habe ich zwei Telegramme bekommen, über eure Petersburger Erfolge und darüber, daß das Publikum dich als eine erstklassige Schauspielerin feiert; heute habe ich im »Novoe vremja« eine negative Rezension zum »Julius Caesar« gelesen. Daß du eine echte große Schauspielerin bist, weiß ich seit langem, ich schätze dich sehr, mein Herz, nur, bitte, ich flehe dich an, erkälte dich nicht, erschöpf dich nicht und schlaf, wie es sich gehört. Gib mir dein Wort, daß du auf dich aufpaßt. Abgemacht?

Wir haben miserables Wetter. Maša hustet und ist die ganze Zeit in Sorge, weil sie dir zwei Briefe geschickt hat und du ihr nicht geantwortet hast. Šnap übergibt sich fast jeden Tag. Gestern war Miroljubov bei mir, er hat mich ermüdet mit seinen klugen Reden. Wenn du 8 Tausend für das Haus der Ezučevskaja zu wenig findest, kann man ihr auch 9 oder 10 geben, obwohl ehrlich gesagt, für das Haus, angesichts seines Alters und der Kürze der Zeit, auch 8 Tausend ein stattlicher Preis sind. Ich werde bald kommen, mit dir darüber sprechen und dann werden wir die Hausfrage erledigen, so oder anders. Wie sich herausstellt, hat mir vor 5–6–7 Jahren Sizov (von den »Russkie vedomosti«) das Haus der Ezučevskaja verkauft, d.h. zu kaufen angeboten und es sehr gelobt. Das ist mir erst vor ein paar Tagen eingefallen.

Heute ist Sonntag, ich habe das Pulver genommen – Heroin, und mir ist wohl, ich verspüre Ruhe.

Warum läßt »Znanie« mit Gorkij und Pjatnickij an der Spitze mein Stück so lange nicht erscheinen? Ich erleide doch dadurch Verluste, in der Provinz hat man keinen Text, nach dem man spielen kann. Bring das irgendwie in Erfahrung, Herzchen, und wenn du Pjatnickij (Nikolaevskaja, 4) siehst, dann erklär ihm, daß die Saison für mich ein Reinfall war, nur weil das Stück nicht vorlag. Sie hatten versprochen, es Ende Januar erscheinen zu lassen, und jetzt haben wir bereits April. Ich habe überhaupt wenig Glück mit meinen Stücken, ich sage das im Ernst.

Ich glaube, du liebst mich schon nicht mehr. Stimmts? Gib es zu. Ich dagegen liebe dich wie früher und überlege mir sogar, ob ich nicht zu dir nach Petersburg kommen soll.

Ich segne meine schöne Frau, umarme und küsse sie. Bleib fröhlich und gesund. *Dein A.*

1204) AN O. L. KNIPPER JALTA, 7. 4. 1904

7. April.

Sei gegrüßt, mein liebes Hündchen! Wie geht es dir? Wie geht es deiner Freundin Čjumina? Macht ihr Mann dir den Hof? Ich bin gesund, glaube ich, und munter.

Eben kam die Jungfer Tatarinova, sie hat mich zur Hochzeit eingeladen. Irgendwer nimmt sie zur Frau. Zwei Tage hintereinander kamen und saßen die Maler Korovin und Bar. Klodt lange bei mir; ersterer ist gesprächig und interessant, der zweite schweigsam, aber man ahnt auch in ihm einen interessanten Menschen. Doktor Borodulin, den du kennst, hat ein Unglück: Speiseröhrenkrebs. Doktor Sredin ist ebenfalls dauernd krank: die Schwindsucht ist in den Hintergrund getreten, zur Zeit plagt ihn eine Nephritis, d. h. Nierenentzündung. Doktor Aleksin ist abgemagert und altgeworden. Doktor Čechov ist verliebt in seine Frau und leidet an Darmkatarrh.

Kugel hat das Stück also gelobt? Man sollte ihm 1/4 Pfund Tee und ein Pfund Zucker schicken – für alle Fälle, um ihn bei Laune zu halten. Sag das Vladimir Ivanovič.

Madame Višnevskaja (eine Verwandte unseres A. L. Višnevskij) hat sich in Moskau dermaßen aufgespielt, daß die Kaufleute nichts mehr spenden, obwohl das Rote Kreuz damit absolut nichts zu tun hat. Ich habe schon lange von dieser Višnevskaja und ihrem Gatten gehört. Sag Aleksandr Leonidovič, daß ich mit ihm fühle.

Schreib mir öfter, mein liebes Herz, vergiß mich nicht. Schneid mir die Artikel aus den Zeitungen aus und schick sie, oder schick die Zeitungen, ohne etwas auszuschneiden, als Streifband mit einer 2-Kop.Marke. Hast du verstanden?

Bleib gesund, meine Freude, langweil dich nicht, sei nicht traurig, wir sehen uns bald wieder. Kennst du das Landhaus Šulc in der Nähe der St. Bolševo, Eisenbahnstrecke Jaroslavl? Das soll man den Sommer über mieten können.

Ich umarme dich, küsse dich. *Dein A.*

1205) AN O. L. KNIPPER JALTA, 10. 4. 1904

10. April.

Mein lieber kleiner Hänfling, du bist böse auf mich, brummelst, aber ich bin wirklich unschuldig. Mit Maša habe ich, glaube ich, über Caricyno überhaupt nicht gesprochen, ich weiß nichts davon; getroffen habe ich mich mit Martynov, von dem du schriebst, aber er hat Caricyno immer nur im Winter bewohnt, den Sommer beurteilt er vom Hörensagen, und überhaupt hat er mir irgendwie nicht gefallen, er kam mir ziemlich grau vor. Ich erinnere mich, daß mir vor 10–12 Jahren Sizov von den »Russkie vedomosti« dieses Haus verkaufen wollte. Und grundsätzlich hatte ich angenommen, daß in dieser Hausfrage in der Hauptsache du bestimmen würdest, nicht ich. Ich bin in solchen Dingen doch nur jemand, der Maulaffen feilhält.

Warum wird mein Stück auf Plakaten und in Zeitungsannoncen so hartnäckig Drama genannt? Nemirovič und Alekseev sehen in meinem Stück ganz und gar nicht das, was ich geschrieben habe, und ich bin bereit, jede beliebige Wette einzugehen, daß sie beide mein Stück kein einziges Mal aufmerksam gelesen haben. Verzeih, aber ich versichere dich. Ich meine damit nicht nur das Bühnenbild des zweiten Akts, das so entsetzlich ist, und nicht nur die Chaljutina, die durch die Adurskaja ersetzt worden ist, die aber doch nur dasselbe macht und absolut nichts von dem, was bei mir geschrieben steht.

Das Wetter ist warm, aber im Schatten ist es kalt, die Abende sind kalt. Ich gehe träge spazieren, denn ich habe irgendwie Atemnot. Hier in Jalta wird irgendein fahrendes Gesindel den »Kirschgarten« aufführen.

Ich warte, warte sehnlichst darauf, dich wiederzusehen, meine Freude. Ohne dich lebe ich wie jemand, der Maulaffen feilhält, der Tag ist vorüber – Gott sei dank, ohne Gedanken, ohne Wünsche, nur mit den Patiencekarten und dem Hin-und-Herlaufen von einer Zimmerecke in die andere. Im Bad bin ich schon Ewigkeiten nicht mehr gewesen, ich glaube sechs Jahre. Ich lese alle Zeitungen, sogar den »Pravitelstvennyj vestnik«, und davon werde ich braun.

Bis wann bleibst du in Petersburg, schreib mir das, sei so lieb. Vergiß mich nicht, denke manchmal an den Mann, den du einmal geheiratet hast, und ich küsse mein Herzchen.

Dein Maulaffenfeilhalter.

1206) AN A.F. MARKS JALTA, 10. 4. 1904

10. April 1904.

Sehr geehrter
Adolf Fëdorovič!

Ich halte die Fahnen des »Kirschgartens« nicht aus eigener Schuld so lange zurück. »Znanie«, das seinen Almanach noch Ende Januar erscheinen lassen wollte, hat ihn bis heute noch nicht erscheinen lassen, aus Gründen, die mir vollkommen unbekannt sind, ich habe das Stück nicht, habe kein einziges Exemplar, anhand dessen ich die Korrektur verifizieren könnte. Es geht das Gerücht, daß der Almanach um den 20. April erscheinen solle, und wenn das so ist, dann schicke ich Ihnen die Korrektur am 21.–22., spätestens.

Ich wünsche Ihnen alles Gute.

In aufrichtiger Hochachtung *A. Čechov.*

1207) AN O. L. KNIPPER JALTA, 13. 4. 1904

13. April.

Mein liebes altes Frauchen, es grüßt dich dein alter Mann, den du bereits vergessen hast und bei dem du, wie mir scheint, nur noch resigniert abwinkst. Gestern habe ich von dem sympathischen Herrn Arabažin einen Brief und eine Rezension bekommen. Er bittet mich, ihm zu schreiben, und ob er recht habe, wenn er schreibe, daß Lopachin in die Ranevskaja verliebt sei. Überhaupt ein ziemlich aufgeregtes und unsinniges Tier. M-me Gnedič ist habgierig bis dort hinaus, sie verschlingt alles wie ein Haifisch, hat Ähnlichkeit mit der Besitzerin eines Freudenhauses, aber sie hat auch gute Eigenschaften: so zum Beispiel verträgt sie Seegang sehr gut. Ich bin einmal mit ihr bei starkem Seegang auf Deck gegangen, und sie hat sich prächtig gehalten. Heute wird in Jalta der »Kirschgarten« gespielt – das auf einer Bühne von zwei Schritten.

Šnap ist dümmlich-solide, tagsüber lebt er draußen und bellt im Baß, nachts schläft er in Mutters Zimmer; er geht jeden Tag mit Arsenij auf den Markt.

Der April hat nur 30 Tage, am 31. kannst du also nicht kommen. Komm besser am 1. Mai. Sowie ich komme, gehe ich ins Bad, dann lege ich mich hin und decke mich mit meiner Bucharadecke zu.

Und der Wind bläst und bläst.

Schreib mir, wenn du es nicht vergißt, was ich aus Jalta mitbringen soll, wieviel Nachthemden, wieviel Hemden und Fensterbretter.

Gestern bekam ich die Nachricht, Tatjana Ščepkina-Kupernik habe geheiratet.

Also, meine Freude, meine Schöne, ich küsse dich und umarme dich viele Male. Heute bin ich gesund, ich fühle mich wohl.

Bleib auch du gesund, Pferdchen. *Dein A.*

1208) AN B. A. LAZAREVSKIJ JALTA, 13. 4. 1904

13. April 1904.

Lieber Boris Aleksandrovič, gestern kam Ihr langer trauriger Brief bei mir an, ich habe ihn gelesen und mit Ihnen gefühlt aus tiefstem Herzen. Zur Zeit, sollte man meinen, bedürfen Sie des Mitgefühls nicht, denn es ist Frühling, es ist warm, und die berühmte Bucht ist vom Eise befreit. Als ich in Vladivostok war, war das Wetter herrlich, warm, obwohl Oktober war, in der Bucht schwamm ein richtiger Wal und platschte mit seinem Riesenschwanz, es war, mit einem Wort, ein sehr schöner Eindruck – vielleicht deshalb, weil ich in die Heimat zurückkehrte. Wenn der Krieg zu Ende ist (und er wird bald zu Ende sein), werden Sie in die Umgebung fahren; Sie werden nach Chabarovsk fahren, an den Amur, nach Sachalin, an der Küste entlang, werden eine Menge Neues, Ungeahntes kennenlernen, so daß Sie danach bis ans Ende Ihrer Tage genug haben, woran Sie sich erinnern können, Sie werden viel durchmachen und viel genießen, und gar nicht bemerken, wie diese drei schrecklichen Jahre vorüberfliegen. In Vladivostok ist das Leben, zumindest in Friedenszeiten, nicht langweilig, europäisch, und ich glaube, Ihre Frau wird keinen Fehler begehen, wenn sie nach Kriegsende zu Ihnen kommt. Wenn Sie Jäger sind, was gibt es da nicht alles zu erzählen von der Tigerjagd! Und der schmackhafte Fisch! Die Austern sind die ganze Küste entlang groß, schmackhaft. Im Juli oder August werde ich, wenn meine Gesundheit es erlaubt, als Arzt in den Fernen Osten fahren. Vielleicht werde ich auch nach Vladivostok kommen. Ich fahre bald nach Moskau, schreiben Sie aber trotzdem weiter nach Jalta; von hier werden mir Briefe pünktlich nachgeschickt, wo immer ich mich auch befinde.

Ich drücke Ihnen fest die Hand und wünsche Ihnen Gesundheit und gute Stimmung. Sie schreiben, Sie hätten in Vladivostok nichts zu lesen? Und die Bibliotheken? Und die Zeitschriften?

Wenn Sie bombardiert werden sollten oder etwas in der Art, dann beschreiben Sie das, schicken Sie es rasch – entweder für die Zeitung oder für die »Russkaja mysl«, je nach Umfang.

Ihr A. Čechov.

1209) AN K. S. STANISLAVSKIJ JALTA, 14. 4. 1904

14. April 1904.

Lieber Konstantin Sergeevič, ich danke Ihnen vielmals für die Zeitungsausschnitte, ich habe bereits drei Pakete bekommen. Ich lese sie mit Vergnügen. Übrigens hat mir jemand aus Berlin eine deutsche Rezension geschickt, in der ich las, Lopachin habe den »Kirschgarten für 90 Tausend« gekauft und »Marija geht ins Kloster« – also das ist doch.

Ich habe schon große Sehnsucht und warte ungeduldig, wann ich endlich werde fahren dürfen. Und Sie sind wahrscheinlich schon ganz müde...

Ich danke Ihnen nochmals und drücke Ihnen fest die Hand. Viele Grüße an Marija Petrovna. *Ihr A. Čechov.*

1210) AN O. L. KNIPPER JALTA, 15. 4. 1904

15. April.

Mein liebes, gutes Herzchen, gestern kam kein Brief von dir, heute ebenfalls nicht, und ich bin einsam in diesem Jalta wie ein Komet, und fühle mich nicht sonderlich gut. Vorgestern ist im hiesigen Theater (ohne Kulissen und ohne Garderobe) der »Kirschgarten« gegeben worden, nach der mise-en-scène des Künstlertheaters, irgendwelche gemeinen Schauspieler mit einer Darjalova an der Spitze (einer Imitation der Schauspielerin Darjal), und heute Rezensionen, und morgen Rezensionen, und übermorgen welche; man ruft mich an, die Bekannten seufzen, und ich, der ich sozusagen krank bin, mich hier zur Heilung befinde, muß davon träumen, wie ich von hier ausreißen kann. Gib dieses humoristische Sujet meinetwegen Amfiteatrov! So komisch dies alles auch erscheinen mag, ich muß schon sagen, die Provinzschauspieler benehmen sich einfach wie Schufte.

Die Schnellzüge fahren bereits wieder, so daß ich morgens in Moskau ankommen werde, meine Freude. Ich komme, sobald es irgend möglich ist, d. h. am 1. Mai, hier kann ich unmöglich bleiben: der zerrüttete Magen, die Schauspieler, das Publikum, das Telephon, und weiß der Teufel was noch.

Wie ist der Besuch bei euch? Gut? Ich kann mir vorstellen, wie erschöpft ihr alle seid. Und ich sitze hier und träume vom Fischefangen und überlege mir, wohin ich all die gefangenen Fische tue, obwohl ich den ganzen Sommer über nur einen einzigen Gründling fangen werde, und auch der läßt sich nur fangen, weil er zum Selbstmord neigt.

Schreib mir, Herzchen, schreib, sonst ruf ich nach der Polizei. Ich schicke dir einen Ausschnitt aus unserem »Krimskij kurjer«, lies das.

Also, der Herr sei mit dir, meine Freude, leb und schlaf gut, träum und denk an deinen Mann. Ich liebe dich doch, und liebe deine Briefe, dein Spiel auf der Bühne, deine Art zu gehen. Ich liebe nur nicht, wenn du so lange am Waschbecken rumstehst.

Dein A.

1211) AN AL. P. ČECHOV JALTA, 19. 4. 1904

19. April 1904.

Sehr geehrter Artokserks Pavlovič, das anempfohlene Landhaus gemahnt an den Kaffee, der gut ist, weil er keine Zichorie enthält, und schlecht, weil er keinen Kaffee enthält. Auf diesem Grundstück hat man viele Kilometer, aber kein Haus, man müßte also bauen. Bauen aber würde bedeuten, gewissen Leuten von tadelnswertem Betragen (ich spreche nicht von Anwesenden) zu erlauben, sich dumm und dämlich zu verdienen.

Neuigkeiten gibt es keine, alles geht seinen alten Gang. Am 1. Mai fahre ich nach Moskau, Leontjevskij per., Hs. Katyk. Schreib dorthin deine Briefe, und zwar möglichst ehrerbietig. Bilde dir nichts ein auf deine Erstgeburt, denn die Hauptsache ist nicht die Erstgeburt, sondern der Verstand.

Der griechische Didaskalos wird am zehnten Mai zu dir kommen. Mit Kind und Kegel. Er kann nur bis 20. September bleiben, länger kann er leider nicht, so sehr ich ihn auch dazu ermuntere.

Bleib gesund, zieh dir die Hosen hoch. Einen Gruß an deine Familie. *Dein A. Čechov.*

Ich wiederhole: bilde dir nichts ein auf deine Erstgeburt.

1212) AN O. L. KNIPPER JALTA, 22. 4. 1904

22. April.

Mein Herz, meine Frau, ich schreibe dir den letzten Brief, und danach, bei Bedarf, werde ich dir Telegramme schicken. Gestern war ich krank, heute bin ich es ebenfalls, aber heute ist mir dennoch besser; ich esse nichts außer Eiern und Suppe. Es regnet, das Wetter ist scheußlich, kalt. Dennoch, trotz Krankheit und Regen, bin ich heute zum Zahnarzt gefahren.

An der Schlacht hat das 22. Sibirische Schützenregiment teilgenommen, und in diesem Regiment ist doch Onkel Saša! Das geht mir nicht aus dem Kopf. Es wird geschrieben, daß 9 Rottenkommandeure gefallen und verwundet seien, und Onkel Saša ist doch einer. Nun, Gott ist gnädig, Saša, dein Lieblingsonkel, wird heil und unversehrt sein. Ich kann mir vorstellen, wie erschöpft er ist, und wie zornig!

Gestern war Evtichij Karpov bei mir, der Suvorinsche Regisseur, ein unbegabter Dramatiker mit abgrundtief-grandiosen Prätentionen. Altgeworden sind diese Figuren, langweilig ist es mit ihnen, langweilig bis zum Erbrechen, diese ihre unehrliche Herzlichkeit.

In Moskau komme ich morgens an, die Schnellzüge fahren bereits wieder. Oh, meine Deckę! Oh, Kalbskoteletts! Hündchen, Hündchen, ich habe solche Sehnsucht nach dir!

Ich umarme und küsse dich. Benimm dich gut. Und wenn du mich nicht mehr liebst oder gleichgültig geworden bist, dann sag es auch, genier dich nicht.

Wegen des Hauses in Caricyno habe ich dir geschrieben. Von dem Brief, den ich von Sobolevskij wegen des Hauses bekommen habe, war bereits die Rede. Also, Christus sei mit dir, meine Freude. *Dein A.*

1213) AN O. L, KNIPPER JALTA, 26. 4. 1904

Fahrkarte gelöst. Ankomme Montag. Lasse Zähne plombieren. Gesundheit gut. Magen rebellisch. Küsse dich. Grüß Onkel Vanja. *Antonio.*

1214) AN A.F. MARKS JALTA, 27. 4. 1904

27. April 1904.
Jalta.
Sehr geehrter
Adolf Fëdorovič!

Ich schicke Ihnen die Fahnen des »Kirschgartens« zurück, die ich endlich anhand eines Exemplars gelesen habe, das mir von »Znanie« geschickt worden ist.

Am Samstag, dem 1. Mai, fahre ich nach Moskau. Meine Moskauer Adresse: Leontjevskij per., Hs. Katyk. Wie lange ich in Moskau bleiben werde, weiß ich nicht, und darum bitte ich Sie, mir »Niva« und den »Atlas« an die alte Adresse zu schicken, d. h. nach Jalta.

Ich wünsche Ihnen alles Gute.

In aufrichtiger Hochachtung *A. Čechov.*

1215) AN K. P. PJATNICKIJ JALTA, 27. 4. 1904

27. April 1904.

Sehr geehrter Konstantin Petrovič, ich habe den 1. Band des »Almanachs« bekommen und dann auch den Umbruch des II. Bandes, ich sage Ihnen meinen herzlichen Dank. In meinem Stück habe ich auf Seite 85 einen ziemlich unangenehmen Druckfehler gefunden. Dunjaša (ungefähr in der Mitte) sagt: »lassen Sie mir in Ruhe«. Es muß heißen: »lassen Sie mich in Ruhe.« Wenn es noch nicht zu spät ist, dann korrigieren Sie das bitte.

Am Samstag, dem 1. Mai, fahre ich nach Moskau. Meine Moskauer Adresse: Leontjevskij per., Hs. Katyk. Das ist dort, wo Šaljapin wohnt. Neuigkeiten gibt es in Jalta keine, alles geht seinen alten Gang. Heute habe ich einen Brief von Amfiteatrov bekommen: er ist entzückt von der Buninschen Erzählung, und auch von der Leonido-Andreevschen. Mir hat das erste Buch des Almanachs ebenfalls sehr gefallen. Das zweite habe ich noch nicht gelesen. *Ihr aufrichtig ergebener*

A. Čechov.

1216) AN A. I. KUPRIN MOSKAU, 5. 5. 1904

5. Mai 1904.

Lieber Aleksandr Ivanovič, man hat mir gesagt, Sie seien böse auf mich, weil ich Ihnen keine Karte für den »Kirschgarten« (17. Januar) gegeben oder Ihnen einen Platz versprochen habe, der Ihnen beinahe wie ein Galerieplatz vorgekommen sei. Ich versichere Sie mit meinem Ehrenwort, ich hatte bis zum letzten Augenblick eine Karte für Sie aufgehoben in der 2. (oder, ich glaube, sogar in der 1.) Reihe, ich habe auf Sie gewartet und es sehr bedauert, als man mir sagte, daß Sie in irgendeiner geschäftlichen Angelegenheit nach Troickaja Lavra gefahren seien. Galerie hätte ich Ihnen nicht anbieten können; ich konnte Ihnen nur Parterre oder einen Platz in der ersten Reihe der Bel Etage anbieten.

Ich bin in Moskau angekommen, und bin krank! Ich werde demnächst Ihre Erzählung im »Mir božij« lesen.

Werden Sie nicht bald in den Krieg ziehen? Könnte es geschehen, daß man Sie einzieht?

Ich drücke Ihnen fest die Hand, bleiben Sie gesund und munter *Ihr A. Čechov.*

Leontjevskij per., Hs. Katyk.

1217) AN V. A. GOLCEV MOSKAU, 10. 5. 1904

Lieber Viktor Aleksandrovič, ich bin krank, liege zu Bett, jeden Tag kommt der Arzt. Komm zu mir, ich werde nicht so bald in die »Russkaja mysl« kommen können.

Ich drücke dir die Hand. Bleib gesund. *Dein A. Čechov.*

10. Mai 1904.

1218) AN K. P. PJATNICKIJ MOSKAU, 18. 5. 1904

18. Mai 1904.

Sehr geehrter Konstantin Petrovič!

Seien Sie so gut, schicken Sie mir die erste Seite des »Kirschgartens« mit dem Personenverzeichnis.

Dafür wäre ich Ihnen sehr verbunden. Wenn der zweite Band des Almanachs in diesen Tagen erscheinen sollte, sagen wir, zum Beispiel, in drei, vier Tagen, dann schicken Sie mir die Seite, die ich meine, nicht mehr.

Ich bin krank, liege zu Bett. Die Ärzte schicken mich ins Ausland, wohin ich auch fahren werde, wahrscheinlich am 1. Juni. Meine Adresse: Moskau, Leontjevskij per., Hs. Katyk. Wenn Aleksej Maksimovič zur Zeit in Petersburg oder Umgebung ist und Sie ihn sehen, dann übermitteln Sie ihm einen Gruß und meine besten Wünsche. Könnte ich nicht wenigstens für einen Tag sein neues Stück bekommen? Ich würde es lesen und sofort wieder zurückschicken, ohne es auch nur eine Minute länger zu behalten.

Der erste Band des »Almanachs« gefällt mir sehr.

Ich drücke Ihnen fest die Hand und bleibe in aufrichtiger Hochachtung *Ihr ergebener A. Čechov.*

1219) AN L. V. SREDIN MOSKAU, 22. 5. 1904

22. Mai.

Moskau, Leontjevskij per., Hs. Katyk.

Lieber Leonid Valentinovič, ich habe mich, kaum daß ich in Moskau war, ins Bett gelegt und liege noch heute. Ich habe heftigen Darmkatarrh und Pleuritis. Zum Glück bin ich an einen guten Arzt geraten, einen gewissen Taube, einen Deutschen, der mir ohne Umschweife Kaffee, Eier verboten, mich auf Diät gesetzt hat, und mein Magen ist jetzt fast wieder in Ordnung. Am 2. Juni fahre ich ins Ausland, auf Anordnung von Taube, in den Schwarzwald, wo ich mich von einem anderen Deutschen behandeln lassen werde.

In Moskau ist sehr schönes Wetter, aber ich gehe nicht hinaus, ich liege zu Bett. Vielleicht werde ich übermorgen mit Olga spazierenfahren. Meine Auslandsadresse werde ich Ihnen mitteilen, aber schreiben Sie mir, solange ich noch in Moskau bin.

An Sofja Petrovna, Zinočka und Anatolij meinen Gruß und die besten Wünsche. Meine Frau ist bei ihrem kranken Mann – sie ist ein Juwel, solch eine Krankenschwester habe ich noch nie gesehen. Es ist also doch gut gewesen, daß ich geheiratet habe, sehr gut, sonst wüßte ich nicht, was ich jetzt tun sollte.

Ich drücke Ihnen fest die Hand und grüße Sie ergebenst. Bleiben Sie wohlauf und gesund. *Ihr A. Čechov.*

1220) AN M. P. ČECHOVA MOSKAU, 25. 5. 1904

25. Mai 1904.

Liebe Maša, am 3. Juni fahren wir ins Ausland. Sei so gut, laß Arsenij unverzüglich auf die Post gehen und dort erklären, daß ich nicht mehr in Moskau bin. Meine Briefe und überhaupt die Korrespondenz nimm du in Empfang, du wirst sie mir dann schikken, nach eignem Gutdünken, je drei, vier Briefe in einem Couvert.

Meine Auslandsadresse schicke ich dir unverzüglich. *Alle* Zeitungen und Zeitschriften leg auf den Tisch, der neben meinem Schreibtisch steht.

Vanja will fahren, aber wann, ob mit Sonja oder allein – ich werd nicht draus klug.

Grüß alle. In Moskau hat es geschneit. Ich küsse dich.

Dein A. Čechov.

1221) AN K. P. PJATNICKIJ MOSKAU, 31. 5. 1904

31. Mai 1904.

Sehr geehrter

Konstantin Petrovič!

Ihr Brief war für mich eine vollkommene Überraschung. Warum haben Sie mir das nicht früher geschrieben, zumindest vor einzwei Monaten? Dann hätte ich die Korrektur des Stücks zurückgehalten und sie nicht vor Januar herausgegeben oder noch später, jetzt dagegen, während dieser Krankheit, ist es mir einfach nicht in den Sinn gekommen, daß Marks das Stück jetzt schon herausbringen könnte, und ich habe ihm die Korrekturfahnen geschickt, ohne auch nur etwas zu ahnen. Was tun? Ich werde Marks noch heute schreiben und denke, er wird meine Bitte erfüllen.

Ich glaube, die Ausgabe des »Kirschgartens« bei Marks wird Ihnen nicht den geringsten Verlust einbringen. Er verlegt ihn doch nur für die Theater, außerdem erfreut sich »Znanie« eines so breiten Kreises von Lesern und Verehrern, daß eine Konkurrenz einfach undenkbar ist.

Die 4500 Rubel habe ich bekommen, ich sage Ihnen meinen herzlichen Dank. Ich liege immer noch zu Bett, wie ein richtiger Kranker. Am 3. Juni fahre ich in den Schwarzwald. Meine Adresse: Deutschland, Badenweiler post. rest.

Ich wünsche Ihnen alles Gute und bitte Sie, Aleksej Maksimovič zu grüßen, wenn Sie ihn sehen. Bleiben Sie gesund und wohlauf. Ihr aufrichtig ergebener *A. Čechov.*

1222) AN A.F. MARKS MOSKAU, 31. 5. 1904

31. Mai 1904. Moskau.
Sehr geehrter
Adolf Fëdorovič!

Auf Anordnung der Ärzte fahre ich am 3. Juni ins Ausland, hier meine Adresse: Deutschland, Badenweiler, post. rest. Im August oder sogar schon früher bin ich wieder zu Hause, in Rußland.

Die Fahnen des »Kirschgartens« sind Ihnen, von mir unterschrieben, bereits geschickt worden. Ich habe Ihnen die Fahnen geschickt und bitte Sie jetzt nachdrücklich, mein Stück nicht erscheinen zu lassen, bevor ich es nicht endgültig abgeschlossen habe; ich möchte noch eine Charakteristik der handelnden Personen hinzufügen. Und ich habe einen Vertrag mit der Buchhandlung »Znanie« – das Stück nicht vor Ablauf einer bestimmten Frist erscheinen zu lassen.

Ich wünsche Ihnen alles Gute.

In aufrichtiger Hochachtung und Ergebenheit *A. Čechov.*

1223) AN M.P. ČECHOVA MOSKAU, 31. 5. 1904

31. Mai 1904.

Liebe Maša, stell dir vor, heute habe ich zum ersten Mal Stiefel und Gehrock angezogen, die ganze Zeit vorher habe ich gelegen oder bin in Morgenrock und Pantoffeln umherspaziert und heute bin ich zum ersten Mal wieder auf die Straße gegangen. Mit mir ist irgendetwas geschehen: ich hatte Magenkatarrh, und dann konnte ich nachts plötzlich nicht mehr schlafen vor ziehenden Schmerzen in Armen und Beinen; nicht schlafen zu können war qualvoll, mir schien sogar, als bekäme ich Rückenmarksdarre. Und all das nur wegen dieses scheußlichen Wetters, wegen

Антонъ Чеховъ.

ВИШНЕВЫЙ САДЪ.

КОМЕДІЯ

въ четырехъ дѣйствіяхъ

Цѣна 40 коп.

С.-ПЕТЕРБУРГЪ.
Изданіе А. Ф. Маркса.

»Der Kirschgarten«.
Titelblatt der Einzelausgabe im Verlag A.F. Marks, Petersburg 1904.

Schnee und Regen. Nur, heute gehe ich bereits wieder. Am dritten Juni fahren wir ins Ausland. Schreib mir dorthin, wenn du Geld brauchst für den Haushalt. Adresse: Deutschland, Badenweiler Herrn Anton Tschekhoff.

Ich werde es wohl kaum mehr schaffen, dir die Uhr zu kaufen; ich verschiebe es auf den August, wenn ich wiederkomme.

Olga läßt dich grüßen.

Einen Gruß an Mamaša. Ich küsse dich und drücke dir die Hand. Bleib gesund. *Dein A. Čechov.*

Schreib mir alle 3–4 Tage ins Ausland, wenigstens Postkarten (Briefmarke zu 4 Kop.; neben den vorhandenen 3-Kopeken-Stempel klebt man noch eine Marke zu einer Kopeke; ein normaler Brief – 10 Kop.).

1224) AN K.P. PJATNICKIJ MOSKAU, 2. 6. 1904

2. Juni 1904.

Sehr geehrter

Konstantin Petrovič!

Eben habe ich von Marks ein Telegramm folgenden Inhalts bekommen:

»Zutiefst betrübt über Unmöglichkeit Ihre Bitte zu erfüllen und erstaunt, daß Sie mich nicht rechtzeitig informiert haben. Druck des Stücks bereits beinahe abgeschlossen und Korrekturen anzubringen nicht mehr möglich, ferner bereits Anzeige in Nummer 23 ›Niva‹, welche bereits in hunderttausend Exemplaren ausgedruckt, teilweise heute ausgeliefert; Versand des angekündigten Buchs abzusagen für mich mehr als unbequem, kann darum beim besten Willen jetzt nichts tun. Marks.«

Schuld an all dem bin natürlich ich, weil ich die Korrektur nicht zurückgehalten habe; schuld sind aber auch Sie, weil Sie mich nicht daran erinnert haben, als der »Almanach« bereits erschienen war.

Aber ich wiederhole noch einmal: Marks hat seine Käufer,

seine eigenen, »Znanie« hat die seinen, und Marks wird Ihnen keine Centime Verlust beibringen.

Morgen fahre ich. Meine Adresse: Deutschland, Badenweiler Herrn Anton Tschekhoff.

Ich wünsche Ihnen alles Gute.

Ihr aufrichtig ergebener *A. Čechov.*

1225) AN K.P. PJATNICKIJ MOSKAU, 3. 6. 1904

Marks hat abgelehnt, Konsultieren Sie Rechtsanwalt. *Čechov.*

1226) AN M.P. ČECHOVA BERLIN, 6. 6. 1904

6. Juni 1904, Sonntag.

Liebe Maša, ich schreibe dir aus Berlin, wo ich bereits seit vierundzwanzig Stunden bin. In Moskau war es nach deiner Abreise sehr kaltgeworden, es hat geschneit, und wahrscheinlich habe ich mich dabei erkältet, ich bekam das Reißen in Beinen und Armen, habe nachts nicht geschlafen, bin sehr abgemagert, habe Morphium gespritzt, tausenderlei Arzneien genommen und denke mit Dankbarkeit nur an das Heroin, das mir Altšuller einmal verschrieben hatte. Bis zur Abreise habe ich dennoch wieder Kräfte gesammelt, habe Appetit bekommen, habe Arsen gespritzt usw. usf. und bin schließlich am Donnerstag ins Ausland gefahren, sehr mager, mit sehr mageren, dünnen Beinen. Die Reise war gut, angenehm. Hier in Berlin haben wir ein gemütliches Zimmer im besten Hotel genommen, ich wohne hier mit großem Vergnügen und habe schon lange nicht mehr so gut gegessen, mit solchem Appetit, wie hier. Das Brot ist wunderbar, ich kann mich nicht satt daran essen, der Kaffee ist vorzüglich, ganz zu schweigen von den Mittagsmahlzeiten. Wer nie im Ausland war, weiß nicht, was gutes Brot heißt. Es gibt hier keinen anständigen Tee (wir haben unsern eigenen), keine Zakuska, dafür ist alles übrige großartig, und sogar billiger als bei uns. Ich bin schon herausgefüttert und bin heute sogar weit gefahren in den Tiergarten, obwohl es kühl war. Also, sag Mamaša und allen, die es interessiert, daß ich gesundwerde, oder sogar bereits gesund bin, die Beine tun mir nicht mehr weh, ich habe keinen Durchfall, ich nehme zu und bin bereits den ganzen Tag auf den Beinen, liege nicht mehr. Morgen wird ein hier Prominenter zu mir kommen – Prof. Ewald, ein Spezialist für Darmkrankheiten; ihm hatte Dr. Taube von mir geschrieben.

Gestern habe ich herrliches Bier getrunken.

Ist Vanja in Jalta? Zwei Tage vor meiner Abreise war er bei mir in Moskau und danach verschwunden, ich habe ihn nicht mehr gesehen. Und ich muß zugeben, ich habe mir die ganze Reise über Sorgen seinetwegen gemacht, wo er wohl steckt und warum er so plötzlich verschwunden war. Schreib mir bitte, was los ist.

Übermorgen fahren wir nach Badenweiler. Die Adresse werde ich dir schicken. Schreib, ob du Geld hast, wann ich dir einen Scheck schicken soll. Berlin gefällt mir sehr, obwohl es hier auch heute ziemlich kühl ist. Ich lese die deutschen Zeitungen. Die Gerüchte, daß in den hiesigen Zeitungen sehr auf die Russen geschimpft werde, sind übertrieben.

Also, bleib gesund und fröhlich, die Engel des Himmels mögen dich beschützen. Grüß Mamaša, sag ihr, daß jetzt alles zum besten steht. Im August komme ich nach Jalta. An Babuška, Arsenij und Nastja ebenfalls einen Gruß. Und an Varvara Konstantinovna ebenfalls. Ich küsse dich. *Dein A. Čechov*

Wir haben vergessen, den Morgenrock mitzunehmen.

1227) AN A. L. VIŠNEVSKIJ BERLIN, 6. 6. 1904

6./19. Juni 1904.

Lieber Aleksandr Leonidovič, seien Sie gegrüßt! Ich schreibe Ihnen dies aus Berlin, wo sich Ihr ergebener Diener gegenwärtig befindet und für zehn ißt, herrlich schläft und überhaupt kein übles Leben führt. Meine Gesundheit bessert sich von Tag zu Tag, und heute sind wir bereits in den Thiergarten gefahren, und der ist weit. Ich danke Ihnen, mein Lieber, für die Tausende großer und kleiner Gefälligkeiten, die Sie mir so freundschaftlich erwiesen haben, als ich in Moskau krank war. Ich wünsche Ihnen einen herrlichen, einen vortrefflichen Sommer.

Bleiben Sie gesund und fröhlich, ich küsse Sie.

Ihr A. Čechov.

1228) AN M.P. ČECHOVA BERLIN, 8. 6. 1904

8. Juni. Berlin.

Liebe Maša, heute fahren wir von Berlin an unseren festen Aufenthaltsort, an die Schweizer Grenze, wo es wahrscheinlich sehr langweilig und sehr heiß sein wird. Meine Adresse:

Deutschland, Badenweiler
Herrn Anton Tschechow.

So wird mein Name hier in meinen Büchern gedruckt, also muß auch ich ihn so schreiben. In Berlin ist es ein bißchen kalt, aber schön. Das Häßlichste hier, was einem jäh ins Auge fällt – sind die Kleider der hiesigen Damen. Eine schreckliche Geschmacklosigkeit, nirgends kleidet man sich derart abscheulich, mit einer derart totalen Abwesenheit von Geschmack. Ich habe keine einzige schöne Frau gesehen und keine, die sich nicht irgendein sinnloses Band angenäht hätte. Ich verstehe jetzt, weshalb den Moskauer Deutschen so schwer Geschmack beizubringen ist. Dafür lebt man hier, in Berlin, sehr gut, ißt sehr schmackhaft, es ist alles nicht teuer, die Pferde sind satt, die Hunde, die hier vor kleine Wagen gespannt werden, sind ebenfalls satt, auf den Straßen Sauberkeit, Ordnung.

Ekaterina Pavlovna ist hier auf der Durchreise; ihre Kinder sind an Masern erkrankt, sie ist verzweifelt. Gestern habe ich mich mit ihr getroffen.

Die Beine tun mir nicht mehr weh, ich esse vortrefflich, schlafe gut, fahre in Berlin spazieren; nur das eine ist schlimm: das Asthma. Heute habe ich mir einen leichten Anzug gekauft, Jägermützen usw. usf. Sehr viel billiger als in Moskau.

Meine Adresse hast du jetzt, schreib mir also und schick mir die Briefe; einige Briefe in einem Couvert, eingeschrieben. Schick mir nur die, die du nicht zu läppisch findest.

Einen Gruß an Mamaša und Vanja. Lebt wohl und seid, wenn möglich, nicht traurig. Ich drücke dir fest die Hand und küsse dich. *Dein A.*

1229) AN P.F. IORDANOV BADENWEILER, 12. 6. 1904

12./25. Juni 1904.

Sehr geehrter Pavel Fëdorovič, seien Sie so gut, teilen Sie mir mit, ob Sie das Bücherpaket bekommen haben, das ich Ihnen in den ersten Junitagen aus Moskau habe schicken lassen? Ich habe die Bücher in Moskau zurückgelassen mit der Bitte, sie unverzüglich abzuschicken, und selbst bin ich abgefahren. Seit Anfang Mai war ich sehr krank, bin sehr abgemagert, geschwächt, habe nachts nicht geschlafen, aber jetzt bin ich auf Diät gesetzt worden (ich esse sehr viel) und lebe im Ausland. Meine Adresse:

Deutschland, Badenweiler, Herrn Anton Tschechoff oder Tschechow – so schreiben mich die Deutschen selbst, meine Übersetzer.

Ich werde anscheinend gesund. Ein Emphysem macht es mir schwer, mich zu bewegen. Aber Dank den Deutschen, die mir beigebracht haben, wie und was ich essen soll. Ich hatte doch 20 Jahre lang täglich Darmkatarrh! Ach, die Deutschen! Was sind sie doch (mit sehr geringen Ausnahmen) akkurat!

Verboten haben mir die Deutschen, Kaffee zu trinken, den ich so liebe. Sie verlangen, daß ich Wein trinke, den ich schon seit langem nicht mehr gewöhnt bin.

Alsdann, bleiben Sie gesund, ich wünsche Ihnen alles Gute. Stimmt es, daß es in Taganrog kalt ist? In Berlin war es sehr kalt.

Nirgends gibt es so gutes Brot wie bei den Deutschen; und sie verpflegen einen außergewöhnlich gut. In Moskau habe ich mich, als Kranker, von trockenem Zwieback aus hausgebackenem Brot ernährt, weil es in *ganz* Moskau kein anständiges gesundes Brot gab.

Aber verzeihen Sie, ich langweile Sie mit Lappalien.

Ich drücke Ihnen fest die Hand. *Ihr A. Čechov.*

Badenweiler – das ist ein Kurort im Schwarzwald, in Süddeutschland.

In Moskau taten mir Arme und Beine weh; ich dachte schon, es wäre Tabes. Aber es war nichts, Gott war gnädig, kaum hatte ich die Moskauer Wohnung verlassen und mich ins Zugabteil gesetzt, als der Schmerz auf einmal nachzulassen begann.

1230) AN V. M. SOBOLEVSKIJ BADENWEILER, 12. 6. 1904

12/25. Juni 1904.
Badenweiler, Deutschland.

Lieber Vasilij Michajlovič, ich danke Ihnen sehr für die »Russkie vedomosti«, die ich hier vom ersten Tage meiner Ankunft bekomme und die wie die wärmende Sonne auf mich wirken; ich lese sie jeden Morgen mit großem Vergnügen. Und noch mehr danke ich Ihnen für die Bekanntschaft mit G. B. Iollos. Er ist ein vortrefflicher Mensch, im höchsten Maße interessant, liebenswürdig und grenzenlos hilfsbereit. Ich habe drei Tage in Berlin verbracht und die ganzen drei Tage die Fürsorge von Iollos gespürt. Leider haben meine Beine noch nicht wieder richtig funktioniert, ich fühlte mich, besonders in den ersten Tagen, nicht gut, und es war mir unmöglich, ihm auch nur zwei Stunden voll zur Verfügung zu stehen. Er hätte mir in Berlin viel Schönes zeigen können. Soweit ich ihn verstehen konnte, hat er eine sehr bescheidene Meinung von sich selbst und keinen genauen Begriff davon, welchen Erfolg bei uns in Moskau und in ganz Rußland seine Berichte aus Berlin genießen.

Meine Gesundheit bessert sich, ich messe sie in Pud, nicht in Zolotnik. Die Beine tun mir schon lange nicht mehr weh, so als hätten sie nie wehgetan, ich esse viel und mit Appetit, geblieben ist nur das Asthma von dem Emphysem und die Schwäche infolge der Abmagerung, die ich während meiner Krankheit erfuhr. Ich bin hier bei einem guten, klugen und kenntnisreichen Arzt in Behandlung. Es ist Dr. Schwöhrer, der verheiratet ist mit unserer Moskauerin Živago.

Badenweiler ist ein sehr origineller Kurort, aber worin seine Originalität besteht, ist mir noch nicht klargeworden. Eine Menge Grün, der Eindruck der Berge, es ist sehr warm, die Häuschen und Hotels, die als Villen im Grünen stehen. Ich wohne in einer kleinen Villen-Pension, mit viel Sonne (bis 7 Uhr abends) und einem großartigen Garten, wir zahlen 16 Mark pro Tag für beide (Zimmer, Mittagessen, Abendessen, Kaffee). Wir werden gewissenhaft verpflegt, sehr sogar. Aber ich kann mir vorstellen, welche Langeweile hier im allgemeinen herrscht! Heute übrigens regnet es seit dem frühen Morgen, ich sitze im Zimmer und höre zu, wie unter und über dem Dach der Wind pfeift.

Die Deutschen haben entweder den Geschmack verloren, oder sie haben nie welchen besessen: die deutschen Damen kleiden sich nicht geschmacklos, sondern geradezu scheußlich, die Männer ebenfalls, in ganz Berlin gibt es keine einzige schöne Frau, die nicht durch ihren Aufputz verunstaltet wäre. Dafür sind sie auf wirtschaftlichem Sektor Prachtkerle, sie haben Höhen erreicht, die für uns unerreichbar sind.

Gehe ich Ihnen schon auf die Nerven mit meinem Geplauder? Gestatten Sie mir, Ihnen nochmals sehr zu danken für die Zeitung, für Iollos, für Ihren Besuch in Moskau, der mir so gelegen kam und so angenehm war. Ihr Verhalten mir gegenüber werde ich nie vergessen. Bleiben Sie gesund, wohlauf, Gott schicke Ihnen einen warmen Sommer. In Berlin ist es übrigens kalt. Ich umarme Sie fest und drücke Ihnen die Hand.

Ihr A. Čechov.

1231) AN M.P. ČECHOVA BADENWEILER, 12. 6. 1904

12/25. Juni 1904.

Liebe Maša, schon den dritten Tag lebe ich in dem mir verordneten Ort; hier, wenn du willst, meine genauere Adresse:

Deutschland, Badenweiler
Herrn Anton Tschechow,
Villa Friederike.

Diese Villa Friederike ist, wie alle hiesigen Häuser und Villen, ein für sich stehendes Haus, in einem prunkvollen Garten, in der Sonne, die scheint und wärmt bis 7 Uhr abends (danach gehe ich ins Zimmer). Wir wohnen hier und zahlen Pension. Für 14 oder 16 Mark pro Tag bekommen wir ein Doppelzimmer, von Sonne überflutet, mit Waschbecken, Betten usw. usf., mit einem Schreibtisch, und vor allem – mit wunderbarstem Wasser, das wie Selterswasser ist. Der Eindruck ringsum – ein großer Garten, dahinter die waldbedeckten Berge, wenig Menschen, wenig Verkehr auf der Straße, der Spazierweg hinter dem Garten und den Blumen großartig, aber heute hat es plötzlich wie aus heiterem Himmel zu regnen angefangen, ich sitze im Zimmer ohne auszugehen, und mir scheint bereits allmählich, daß ich in drei Tagen anfangen werde darüber nachzudenken, wie ich von hier abhauen kann.

Butter esse ich weiterhin in Riesenmengen – und ohne alle bösen Folgen. Milch vertrage ich nicht. Der hiesige Arzt Dr. Schwöhrer (verheiratet mit einer Moskauerin Živago) hat sich als kenntnisreich und anständig erwiesen.

Von hier nach Jalta werden wir, wahrscheinlich, auf dem Seeweg über Triest kommen, oder über irgendeinen anderen Hafen. Meine Gesundheit bessert sich, ich messe sie nicht in Zolotnik, sondern in Pud. Zumindest habe ich hier gelernt, wie ich mich ernähren muß. Kaffee ist mir vollkommen verboten worden, man sagt, er sei ein Abführmittel. Eier esse ich bereits wieder allmählich. Ach, wie miserabel sich die deutschen Frauen anziehen!

Ich wohne in der unteren Etage. Wenn du wüßtest, wie die

Sonne hier ist! Sie brennt nicht, sondern liebkost. Ich habe einen bequemen Sessel, in dem ich liege oder sitze.

Die Uhr kaufe ich dir ganz bestimmt, ich habe es nicht vergessen. Wie ist das Befinden von Mamaša? Wie ihre Stimmung? Schreib mir. Grüß sie. Olga geht hier zum Zahnarzt, einem sehr guten.

Also, bleib gesund und fröhlich. In ein paar Tagen schreibe ich dir wieder einen Brief.

Dieses Papier habe ich in großer Menge in Berlin gekauft, Briefcouverts ebenfalls. Ich küsse dich, drücke dir die Hand.

Dein A.

Einen Gruß an Arsenij, Babuška und Nastja, grüß, bei Gelegenheit, auch Sinani.

Und wo steckt Vanja? Ist er nach Jalta gekommen? Wenn er in Jalta ist, dann auch an ihn einen Gruß.

1232) AN E. JA. ČECHOVA BADENWEILER, 13. 6. 1904

Liebe Mama, ich sende Ihnen einen Gruß. Meine Gesundheit bessert sich, man sollte meinen, daß ich in einer Woche bereits wieder völlig gesund bin. Ich habe es schön hier. Ruhig, warm, viel Sonne, kleine Hitze. Olga läßt Sie grüßen und küssen. Grüßen Sie Maša, Vanja und alle unsrigen. Ich grüße Sie herzlichst und küsse Ihnen die Hand. Gestern habe ich an Maša einen Brief geschickt. *Ihr Anton.*

13./26. Juni.

1233) AN M. P. ČECHOVA BADENWEILER, 16. 6. 1904

16. Juni 1904.

Liebe Maša, heute habe ich die erste Postkarte von dir bekommen, danke sehr. Ich lebe unter den Deutschen, habe mich bereits an mein Zimmer und die Lebensweise gewöhnt, kann mich aber an die deutsche Stille und Ruhe einfach nicht gewöhnen. Im

Haus und außer Hause hört man keinen Ton, nur um 7 Uhr abends und mittags spielt im Park Musik, reich, aber sehr unbegabt. Man verspürt keinen Funken Talent, in nichts, keinen Funken Geschmack, aber dafür Ordnung und Ehrlichkeit im Überfluß. Unser russisches Leben hat weit mehr Talent, ganz zu schweigen vom italienischen oder französischen.

Meine Gesundheit hat sich gebessert, wenn ich gehe, merke ich nicht mehr, daß ich krank bin, ich gehe wie es sich gehört, das Asthma hat abgenommen, nichts tut mir weh, nur ist von der Krankheit eine sehr starke Magerkeit zurückgeblieben; meine Beine sind dünn wie noch nie. Die deutschen Ärzte haben mein ganzes Leben auf den Kopf gestellt. Um 7 Uhr morgens trinke ich im Bett Tee, aus irgendeinem Grunde unbedingt im Bett, um 7½ kommt ein Deutscher, so etwas wie ein Masseur und reibt mich am ganzen Körper mit Wasser ab, und das ist, wie sich herausstellt, nicht übel, dann muß ich ein wenig liegen, aufstehen und um 8 Uhr Eichelkakao trinken und dabei eine Riesenmenge Butter essen. Um 10 Uhr Haferschleim, durchgeseiht, außergewöhnlich schmackhaft und aromatisch, nicht zu vergleichen mit unserem russischen. Frische Luft, an die Sonne. Zeitunglesen. Um ein Uhr Mittagessen, wobei ich nicht alle Gerichte esse, sondern nur diejenigen, die auf Anordnung des deutschen Arztes Olga für mich aussucht. Um 4 Uhr wieder Kakao. Um 7 Abendessen. Vor dem Einschlafen eine Tasse Erdbeertee – das ist für den Schlaf. In alledem steckt viel Scharlatanerie, aber vieles ist auch tatsächlich gut, nützlich, zum Beispiel der Haferschleim. Ich werde Haferflocken von hier mitbringen.

Olga ist eben in die Schweiz gefahren, nach Basel, um sich die Zähne machen zu lassen. Um 5 Uhr abends kommt sie wieder nach Hause.

Mich zieht es mit Macht nach Italien. Ich freue mich sehr, daß Vanja bei uns ist, grüß ihn. Mamaša grüß ebenfalls. Was ist los im Mädchengymnasium? Varv. Konst. geht nicht weg? Ist Borodulin am Leben? Gib Sofja Pavlovna meine Adresse, sie soll mir etwas über Borodulin schreiben.

Bei uns ist alles wohlauf, ich freue mich sehr. Hier werde ich wohl noch drei Wochen bleiben, von hier für kurz nach Italien, dann nach Jalta, vielleicht übers Meer.

Schreib öfter. Sag auch Vanja, er solle mir schreiben. Bleib gesund und wohlauf, ich küsse dich. *Dein A.*

Meine Adresse: Deutschland, Badenweiler, Herrn Anton Tschechow.

Mehr ist nicht nötig.

1234) AN M. P. LILINA BADENWEILER, 19. 6. 1904

Liebe Marija Petrovna, Olga bittet Sie dringend, ihr das Jarcevsche Stück »Am Kloster« zu schicken, was sie in ihrem Brief vergessen hat zu schreiben. Sie sagt, man habe ihr im Kontor gesagt, daß Sie ihr Exemplar hätten und daß Sie, als man danach geschickt habe, es nicht herausgegeben hätten.

Unser Leben hier ist sehr gesättigt, ruhig, aber ziemlich langweilig. Meine Gesundheit bessert sich.

Ich grüße Sie sehr und küsse Ihnen die Hand. Bleiben Sie gesund und wohlauf. *Ihr A. Čechov.*

19. Juni 1904.

1235) AN K. P. PJATNICKIJ BADENWEILER, 19. 6. 1904

19. Juni 1904.

Sehr geehrter
Konstantin Petrovič,

seit dem 2. Mai war ich sehr krank, ich lag die ganze Zeit zu Bett und habe, wie ich jetzt sehe, nicht daran gedacht, woran gerade ich hätte denken müssen, und darum muß ich in dieser ganzen unangenehmen Geschichte, wohl oder übel, den größeren Teil der Schuld auf mich nehmen. Die Verluste kann ich wohl nur durch Rückzahlung der 4500 Rub. ausgleichen, die Sie von mir Ende Juli bekommen werden, wenn ich nach Rußland zurückgekehrt bin, und durch Übernahme jener Verluste, die die Ausgabe durch schlechten Verkauf erleiden kann. Das habe ich beschlossen und bitte Sie dringend, damit einverstanden zu sein.

Juristisch kann man die ganze Sache nur auf diese Weise lösen: Sie werden mich verklagen (wozu ich Ihnen mein vollstes Einverständnis gebe, im Glauben, daß dies an unserem guten Verhältnis nicht das geringste ändern wird); dann werde ich mir Gruzenberg als Anwalt nehmen, und der wird in meinem Auftrag die Sache mit Marks aushandeln, indem er von ihm Erstattung der Verluste verlangt, die Sie erlitten haben und für die ich die Verantwortung trage.

Also: entweder zahle ich Ihnen freiwillig die 4500 Verlust zurück, oder die Sache wird gerichtlich geklärt. Ich bin natürlich für die zweite Lösung. Alles, was ich Marks jetzt auch immer schreiben mag, ist nutzlos. Ich werde jeglichen Verkehr mit ihm abbrechen, denn ich halte mich für betrogen, auf ziemlich kleinliche und dumme Weise betrogen, und alles, was immer ich ihm jetzt auch schreiben würde, hätte für ihn so gut wie keine Bedeutung.

Verzeihen Sie, daß ich in Ihr stilles Verlegerleben so große Unruhe gebracht habe. Was soll ich machen, mir passiert immer irgendetwas mit meinen Stücken, und jedes meiner Stücke wird aus irgendeinem Grunde unter Skandal in die Welt gesetzt, und ich erlebe mit meinen Stücken nie das normale Gefühl des Autors, sondern irgendein sehr merkwürdiges.

Regen Sie sich auf alle Fälle nicht zu sehr auf und seien Sie mir nicht böse; ich bin in einer schlechteren Lage als Sie.

Meine Adresse:

Deutschland. Badenweiler Herrn Anton Tschechow.

Ich bin krank. Ich drücke Ihnen fest die Hand und bleibe in aufrichtiger Hochachtung Ihr *A. Čechov.*

1236) AN M.P. ČECHOVA BADENWEILER, 21. 6. 1904

21. Juni 1904.

Liebe Maša, ich schicke dir einen Scheck über 1200 R.; von diesem Geld behalte 400 R. für dich, und 800 schick mir an diese Adresse:

Geldsendung über achthundert (800) Rubel, acht hundert rubel.

Deutschland, Badenweiler.
An Anton Pavlovič Čechov
Badenweiler
Herrn Anton Tschechow.

Von M. Čechova.

Steck das russische Geld in ein Briefcouvert und geh auf die Post, dort wird man nicht anders verfahren, als wenn du das Geld nach Bachmut schicken würdest.

Meine Sache steht gut, nur hat Badenweiler angefangen, mir auf die Nerven zu gehen, hier herrscht schon wirklich sehr viel deutsche Ruhe und Ordnung. In Italien ist das anders. Heute zum Mittagessen hat es gekochtes Hammelfleisch gegeben, was für ein Essen! Das ganze Essen ist großartig, aber die Maîtres d'hôtel haben so ernste Schnauzen, daß einem dabei ganz anders wird.

Du solltest eine Zeitlang im Ausland leben. Ich sah, wie die Savickaja und die Muratova in die Schweiz fuhren, sie waren zu beneiden, trotz III. Klasse.

Das Wetter hier ist nicht besonders schön; es regnet fast jeden Tag. Doktor Schwöhrer, der mich behandelt, d.h. Visiten macht, ist, wie sich herausstellt, für unseren Taube ein Abgott; was er verschreibt, das verschreibt auch Taube, so daß sich meine Behandlung nur wenig von der in Moskau unterscheidet. Derselbe blöde Kakao, derselbe Haferschleim.

Grüß Mamaša, Vanja und George, wünsch ihnen alles Gute. Schreib mir öfter. Ich bekomme hier sehr wenig Briefe. Olga hat sich die Zähne erstaunlich gut machen lassen, fürs ganze Leben. Sie hat jetzt goldene Backenzähne. Ich will das auch, kann mich aber einfach nicht dazu aufraffen; der Zahnarzt kommt nur einmal in der Woche aus Basel herüber. Ein großer Könner.

Also, ich küsse dich und drücke dir die Hand. Seid jetzt beruhigt, alles steht zum besten. *Dein Ant.*

1237) AN M.P. ČECHOVA BADENWEILER, 22. 6. 1904

Liebe Maša, gestern habe ich dir einen eingeschriebenen Brief geschickt, und auf dem Scheck steht, glaube ich, statt dem 24. Juni der 24. Juli. Gib ihn Vanja, soll er es verbessern. In dem Brief habe ich auch vergessen, dir zu schreiben, daß du in einer freien Minute im Waterproof, dem mit den Kacheln, im Fenster ein Klappfenster machen solltest, das man öffnen kann. Nur muß das sehr gut gemacht werden.

Die Marken wirf nicht weg, heb sie mir auf.

Das Wetter heute (22. Juni) ist hier sehr schön, warm, ich bin gesund, fühle mich besser als gestern. Asthma habe ich weniger als in Jalta. Wir wohnen im Hotel Sommer, hier ist es schön, in Villa Friederike war es schon ziemlich spießig. Nebenan ist die Post. Wir essen (um eins und um 7½ Uhr) vorzüglich, deutsch. Also, bleib gesund, fröhlich, im August oder noch früher sehen wir uns wieder. Grüß Mamaša, Vanja und George. Sag George, er soll mir schreiben. *Dein A.*

1238) AN M.P. ČECHOVA BADENWEILER, 26. 6. 1904

Liebe Maša, alles steht zum besten, nur ist es sehr monoton und darum langweilig; ein Tag sieht aus wie der andere. Das Wetter hier ist umgeschlagen, es ist sehr heiß geworden, so daß man das Kamisol mit dem Netzhemd vertauschen mußte. Meine Gesundheit wird immer besser, kräftiger, ich esse genügend. Ich möchte von hier an den Comer See fahren und dort ein bißchen bleiben; die italienischen Seen sind für ihre Schönheit berühmt, und es lebt sich dort bequem, nicht teuer. Ich habe heute von George einen Brief gekommen, und war gerührt. Von dir bekomme ich sehr wenig Briefe, bisher waren es ganze zwei. Aus Berlin habe ich dir geschrieben, hast du es etwa nicht bekommen?

Auch die Nächte sind hier warm. Wir schlafen bei offenem Fenster, nur die Jalousien heruntergezogen. Übrigens ich schlafe wieder sehr gut, wie früher, offensichtlich hat sich meine Sache in puncto Gesundheit wirklich zum Bessern gewendet. Grüß Mamaša, Vanja, George, Babuška und die ganze Zunft. Ich werde bald mehr schreiben. Ich küsse dich und wünsche dir alles Gute.

26. Juni 1904. *Dein An.*

1239) AN G. I. ROSSOLIMO BADENWEILER, 28. 6. 1904

28. Juni 1904.

Lieber Grigorij Ivanovič, ich habe eine Bitte an Sie. Sie erzählten mir einmal von Ihrer Reise am Athos vorbei, mit L.L. Tolstoj. Sind Sie von Marseille aus nach Odessa gefahren? Mit dem Österreichischen Lloyd? Wenn das stimmt, dann greifen Sie um Himmels willen rasch zur Feder und schreiben Sie mir, an welchem Tag das Schiff von Marseille abfährt und zu welcher Uhrzeit, wieviele Tage es bis Odessa unterwegs ist, zu welcher Uhrzeit tags oder nachts es in Odessa ankommt, ob man auf dem Schiff Komfort haben kann, zum Beispiel eine Kajüte für mich und meine Frau, einen guten Tisch, Sauberkeit... überhaupt ob Sie selbst damit zufrieden waren. Ich brauche in der Hauptsache Ruhe und all das, was ein Asthmaleidender nötig hat. Ich flehe Sie an, schreiben Sie! Schreiben Sie auch den Preis der Fahrkarten.

Ich hatte die ganzen Tage erhöhte Temperatur, aber heute ist alles gut, ich fühle mich gesund, besonders wenn ich nicht gehe, d.h. das Asthma nicht spüre. Das Asthma ist schwer, man möchte um Hilfe rufen, es gibt Augenblicke, wo ich sogar den Mut verliere. Ich habe insgesamt 15 Pfund Gewicht verloren.

Hier ist eine unerträgliche Hitze, man möchte um Hilfe rufen, ich habe auch keine leichten Kleider mit, so als sei ich nach

Schweden gefahren. Es soll überall sehr heiß sein – zumindest im Süden.

Also, ich warte mit großer Ungeduld auf Antwort. Verzeihen Sie, mein Lieber, daß ich Sie behellige, seien Sie mir nicht böse, es wird mir schon irgendwann einmal gelingen, Gleiches mit Gleichem zu vergelten, ich tröste mich mit diesem Gedanken ... Was für eine verzweiflungsvolle Langeweile, dieser deutsche Kurort Badenweiler!

Ich drücke Ihnen fest die Hand, grüße Sie und Ihre Frau. Bleiben Sie gesund und glücklich. *Ihr A. Čechov.*

1240) AN M.P. ČECHOVA BADENWEILER, 28. 6. 1904

28. Juni 1904.

Liebe Maša, hier ist eine grausame Hitze ausgebrochen, die mich überrumpelt hat, denn ich habe nur lauter Winteranzüge mit, ich ersticke und träume davon, wegzufahren von hier. Aber wohin? Ich wollte nach Italien nach Como, aber dort sind alle vor der Hitze davongelaufen. Überall im Süden Europas ist es heiß. Ich wollte von Triest bis Odessa mit dem Dampfer fahren, aber ich weiß nicht, inwieweit das jetzt, im Juni-Juli, möglich ist. Kann George sich erkundigen, welche Dampfer es da gibt? Bequeme? Ziehen sich die Aufenthalte in die Länge, ist der Tisch gut, usw. usf.? Für mich wäre das eine unersetzliche Spazierfahrt, wenn nur der Dampfer gut ist, und nicht schlecht. George würde mir einen großen Dienst erweisen, wenn er mir *auf meine Kosten* ein Telegramm schickte. Das Telegramm soll so lauten: »Badenweiler Tschechow. Bien. 16. Vendredi.« Das bedeutet: bien – der Dampfer ist gut, 16 – Zahl der Reisetage, vendredi – Tag der Abfahrt des Dampfers von Triest. Das ist natürlich nur das Schema des Telegramms, und wenn der Dampfer am Donnerstag abfährt, so braucht er vendredi nicht mehr zu schreiben.

Wenn es ein bißchen heiß wird, so ist das nicht schlimm; ich werde einen Flanellanzug bekommen. Aber mit der Eisenbahn zu fahren, habe ich offen gestanden ein bißchen Angst. Im Zugabteil ist es jetzt zum Ersticken, besonders bei meinem Asthma, das sich bei der kleinsten Lappalie verschlimmert. Außerdem gibt es von Wien direkt bis Odessa keine Schlafwagen, es würde unruhig. Und mit der Eisenbahn wäre ich auch eher zu Hause als nötig, ich habe mich doch noch gar nicht richtig ausgelüftet.

Es ist sehr heiß, man möchte sich ganz ausziehen. Ich weiß nicht, was ich tun soll. Olga ist nach Freiburg gefahren, um mir einen Flanellanzug zu bestellen, hier in Badenweiler gibt es weder Schneider noch Schuster. Als Muster hat sie meinen Anzug mitgenommen, den ich mir bei Duchard habe machen lassen.

Ich esse sehr schmackhaft, aber nicht gut, dauernd verderbe ich mir den Magen. Die hiesige Butter kann ich nicht essen. Offenbar ist mein Magen hoffnungslos kaputt, wiederherzustellen ist er wohl durch nichts anderes als durch Fasten, d. h. nichts zu essen – und basta. Und gegen Asthma ist die einzige Arznei – sich nicht zu bewegen.

Keine einzige anständig gekleidete deutsche Frau, eine Geschmacklosigkeit, die trübsinnig macht.

Also, bleib gesund und fröhlich, einen Gruß an Mamaša, Vanja, George, Babuška und alle anderen. Schreib. Ich küsse dich, drücke dir die Hand. *Dein A.*

Rechte Seite: Sterbeurkunde Čechovs, Badenweiler, 15. Juli 1904. Den Text der Urkunde vgl. Anmerkung zu Brief Nr. 1240.

C.

Nr. 8

Badenweiler am 15. Juli 1904.

Vor dem unterzeichneten Standesbeamten erschien heute, der Persönlichkeit

nach ———

——— bekannt,

der Kaufmann Karl Brombacher ———

wohnhaft in Badenweiler ———

und zeigte an, daß der Schriftsteller Anton

Tschechoff ———

———

——— 44 Jahre alt, orthodoxer Religion,

wohnhaft in Moskau Russland ———

geboren zu Taganrog Russland, verheiratet gewesen mit Olga Tschechoff geborene Knipper

———

——— Sohn des verstorbenen Kaufmanns Paul Tschechoff zuletzt wohnhaft in Loparnia (Russland) und dessen Ehefrau Eugenie Tschechoff geborene Morosoff zuletzt wohnhaft in Jalta in der Krim ———

zu Badenweiler im Hotel Sommer ———

am ——— fünfzehnten Juli ———

des Jahres tausend neunhundert vier ———

——— Vor- mittags um ——— drei Uhr

verstorben sei. Der Anzeigende erklärt, daß er die Anzeige aus eigener Wissenschaft erstatte.

Vorgelesen, genehmigt und unterschrieben

Karl Brombacher.

Der Standesbeamte.

In Vertretung

Hermann Eberhardt

Anhang

Editorische Notiz

Der vorliegende Band enthält Briefe Čechovs aus der Zeit von Oktober 1901 bis Juli 1904.

In diese Zeit fallen Čechovs Winteraufenthalte in Jalta, der Briefwechsel mit O.L. Knipper, die Verleihung des Griboedovpreises an Čechov für die ›Drei Schwestern‹, die Erzählungen ›Der Bischof‹ und ›Die Braut‹, Čechovs Austritt aus der Akademie der Wissenschaften aus Protest gegen die Annullierung der Zuwahl Maksim Gorkijs, die Arbeit am ›Kirschgarten‹, dessen Uraufführung im Januar 1904 in Moskau im Beisein Čechovs, öffentliche Ehrung Čechovs aus Anlaß von 25 Jahren schriftstellerischer Tätigkeit, Čechovs Tod in Badenweiler.

Von den ca. 930 Briefen, Telegrammen und Postkarten Čechovs, die aus dieser Zeit bekanntgeworden sind, enthält der vorliegende Band 283, also knapp ein Drittel.

Zum Vergleich wurden bei der Auswahl folgende Ausgaben herbeigezogen:

Anton Chekhov, Letters on the short story, the drama, and the other literary topics, selected and edited by Louis S. Friedland, New York, Dover publications, 1966 (Nachdruck einer Ausgabe von 1924);

Anton Tschechow, Briefe 1879–1904, herausgegeben von Gerhard Dick, Berlin, Rütten & Loening, 1968;

Letters of Anton Chekhov, Selection, commentary and introduction by Simon Karlinsky, London, The Bodley Head, 1973;

Letters of Anton Chekhov, Selected and edited by Avraham Yarmolinsky, New York, Viking Press, 1973.

Prinzip der vorgelegten Auswahl war, nicht nur die ›großen‹ und z. T. bereits bekannten Briefe Čechovs, seine grundsätzlichen Äußerungen über Literatur, Gesellschaft und Politik zu dokumentieren, sondern Zusammenhänge, Abläufe und Entwicklungen, soweit sie sich in Čechovs Briefen niederschlagen, erkennbar bleiben zu lassen, damit der Leser sie auch ohne ausführlichere Kommentare selbst nachvollziehen kann. Das bedeutete auch, in der Korrespondenz mit den einzelnen Briefpartnern nach Möglichkeit keine allzu großen Lücken entstehen zu lassen, zumindest solange der betreffende Kontakt für Čechov biographisch und/oder literarisch von Wichtigkeit war.

Zu den Prinzipien dieser Ausgabe gehörte ferner, die Briefe ungekürzt vorzulegen und nicht, wie in den Ausgaben von Friedland und Yarmolinsky, nur die ›bedeutenden Stellen‹ zu zitieren. Dies stieß insofern auf Schwierigkeiten, als es bis heute noch keine russische Čechov-Ausgabe gibt, die an bestimmten Briefstellen nicht purgierend eingegriffen hätte; auch die neueste, 1974 begonnene historisch-kritische Čechov-Gesamtausgabe setzt, vor allem in Briefen Čechovs an seinen Bruder Aleksandr, an Lejkin, an Suvorin, aber auch später in denen an O.L. Knipper, dort wo Čechov gelegentlich ›obszöne‹ Wörter gebraucht, eckige Klammern und drei Pünktchen.

Übersetzt wurde nach der Ausgabe: Anton Čechov, Polnoe sobranie sočinenij i pisem, Moskau, OGIZ, 1944–1951. Nachdem diese Ausgabe bei weitem nicht vollständig ist, die 1974 begonnene und auf 30 Bände berechnete Gesamtausgabe bislang (Mai 1979) erst bis 1897 reicht, wurden folgende Editionen hinzugezogen:

Anton Čechov, Sobranie sočinenij v dvenadcati tomach, Moskau, Chudožestvennaja literatura, 1960–1964; 12 Bände, davon 2 Bände Briefe;

Literaturnoe nasledstvo, Band 68: Čechov. Moskau, Izd. Akademii nauk, 1960;

Literaturnoe nasledstvo, Band 87: Iz istorii literaturnoj i obščestvennoj mysli 1860-1890ych godov (Aus der Geschichte des literarischen und gesellschaftlichen Denkens der 1860er-1890er Jahre), Moskau, Nauka, 1977;

Die Anmerkungen stützen sich im wesentlichen auf die zitierten Gesamtausgaben; hinzugezogen wurden zusätzlich folgende Editionen:

Čechov v vospominanijach sovremennikov (Čechov in Erinnerungen von Zeitgenossen), Moskau, Goslitizdat, 2. Aufl. 1954;

M.P. Čechov, Vokrug Čechova (Rund um Čechov), Moskau-Leningrad, Academia, 1933, 2. Aufl. 1960;

O.L. Knipper-Čechova, Vospominanija i statji. Perepiska s A.P. Čechovym 1902–1904, Moskau, Iskusstvo, 1972 (Erinnerungen und Aufsätze. Briefwechsel mit Čechov);

N.I. Gitovič, Letopis' žiznii tvorčestva A.P. Čechova (Chronik zu Leben und Werk von A.P. Čechov), Moskau, Goslitizdat Chudožestvennoj literatury, 1955;

K.S. Stanislavskij, Moja žizn' v iskusstve (Mein Leben in der Kunst), Moskau, Iskusstvo, 1962;

I. Vinogradskaja, Žizn' i tvorčestvo K.S. Stanislavskogo (Leben und Werk Stanislavskijs), Chronik, Band 1: 1863–1905, Moskau 1971;

K.S. Stanislawski, Briefe 1886–1938, herausgegeben von Heinz Hellmich, Berlin, Henschel Verlag, 1975;

Letopis' žizni i tvorčestva A.M. Gor'kogo (Chronik zu Leben und Werk M.Gorkijs), Band 1: 1868–1907, Moskau, Izd. Akademii nauk, 1958;

S.D. Baluchatyj, M. Gorkij i A. Čechov, Perepiska (Briefwechsel), Moskau-Leningrad, Izd. Akademii nauk, 1937;

Moskovskij chudožestvennyj teatr v illjustracijach i dokumentach (Das Moskauer Künstlertheater in Illustrationen und Dokumenten), 1898–1938, Moskau 1938.

An Enzyklopädien und Nachschlagewerken hervorzuheben ist der große Ėnciklopedičeskij slovar', Petersburg 1890–1907, 82 Bände und 4 Supplementbände, erschienen im Verlag A.I. Efron.

Die Briefe sind auch in der vorliegenden Ausgabe numeriert. Im Briefkopf erscheint jeweils die fortlaufende Nummer, danach, versal, der Name des Adressaten und das aufgrund von Poststempeln eruierte Briefdatum, das nicht immer mit der Datierung Čechovs übereinstimmt. Es folgt, in Grundschrift, der Brieftext. Fremdsprachige Zitate innerhalb der Briefe erscheinen gesperrt, Hervorhebungen durch Čechov kursiv.

Die Anmerkungen enthalten neben der deutschen Numerierung, dem Briefdatum und dem Namen des Adressaten jeweils auch die Numerierung der russischen Ausgabe. Der Leser hat damit Gelegenheit, selbst zu verfolgen, wieviele Briefe zwischen Brief a und Brief b der deutschen Ausgabe ausgelassen worden sind.

Namen – von Briefadressaten wie Personen, die in Čechovs Briefen auftauchen – werden in der Regel nur einmal ausführlicher erklärt, und zwar dort, wo sie zum ersten Mal in Čechovs Briefen erscheinen. Ihre Identifikation und ihr Auffinden soll das Personenregister erleichtern, das in Band 5 dieser Ausgabe enthalten ist. Das Personenregister gibt auch, soweit feststellbar, Auskunft über die Zahl der Briefe, die zwischen Čechov und dem betreffenden Briefpartner gewechselt worden sind.

Neben einem Werkregister, ebenfalls in Band 5 dieser Ausgabe, enthält jeder Band auch eine kurze Chronologie, die sich allerdings, aus Umfangsgründen, auf das Nötigste beschränken mußte.

Zur Transkription

Die Transkription der russischen Namen folgt der in der Slavistik üblichen, die für die spezifisch russischen Laute diakritische Zeichen benützt. Die wichtigsten, vom deutschen Alphabet abweichenden Laute des Russischen sind:

č – ›tsch‹, wie Čechov
c – immer ›ts‹, wie in ›Zeichen‹
ch – immer hartes ›ch‹, wie in ›ach‹! (nie wie ›ich‹)
s – immer stimmloses, scharfes ›s‹, wie in ›essen‹
š – immer stimmloses, scharfes ›sch‹, wie in ›Asche‹
šč – nicht ›schtsch‹, sondern weiches, gedehntes ›sch‹ (š)

v – im Silbenanlaut, vor Vokalen und stimmhaften Konsonanten = ›w‹
im Silbenauslaut und vor stimmlosen Konsonanten = ›ff‹
z – immer stimmhaftes, weiches ›s‹, wie in ›Rose‹
ž – immer stimmhaftes, weiches ›sch‹, wie in frz. ›jour‹

Jedes ›e‹ und ›i‹ palatalisiert den vorausgehenden Konsonanten, das heißt, wird mit einem leichten ›j‹-Vorschlag gesprochen.

Betontes ›e‹ (ë) wird wie ›jo‹ gesprochen und zieht automatisch die Wortbetonung auf sich.

Ohne ›j‹–Vorschlag, hart gesprochen, wird das ›ė‹, wie im Wort ›echt‹.

Unbetontes ›o‹ wie ›a‹; betontes ›o‹ immer offen, wie im Wort ›offen‹ (nie wie in ›Ofen‹).

Namen und Anrede im Russischen

Im Russischen setzt sich jeder Name aus drei Teilen zusammen – dem Vornamen (Anton), dem Vatersnamen (Pavlovič oder, bei Frauen, Pavlovna) und dem Familiennamen (Čechov). Die offizielle Anrede besteht aus Vor- und Vatersnamen (was das im Deutschen übliche ›Herr‹ bzw. ›Frau‹ ersetzt) – ›Anton Pavlovič‹ ist demnach soviel wie deutsch ›Herr Čechov‹. Die intim-vertrauliche Anrede beschränkt sich wie im Deutschen auf den Vornamen bzw. dessen Koseformen.

Im gesprochenen Russisch werden die ›korrekten‹ Formen des Vatersnamens gelegentlich abgeschliffen (für ›Ivan Ivan*ovič*‹ oft auch nur ›Ivan Ivan*yč*‹), woraus sich zuweilen zweierlei Schreibweisen ergeben. Die ›abgeschliffene‹ Form wird gegenüber Personen gebraucht, die man zwar siezt, mit denen man aber doch irgendwie vertraut ist, die ›korrekte‹ Form des Vaternamens gegenüber Respektspersonen, Höhergestellten usw.

Maße und Gewichte

Gewichte:

1 *Pud*	= 40 Pfund oder 16,38 kg
1 *Pfund*	= 32 Lot oder 96 Zolotnik oder 410 g
1 *Lot*	= 3 Zolotnik oder 12,80 g
1 *Zolotnik*	= 4,26 g

Längenmaße:

1 *Verst*	= 500 Sažen oder 1067 m
1 *Sažen*	= 3 Aršin = 48 Veršok oder 2,134 m

1 *Aršin*	=	16 Veršok oder 71,1 cm
1 *Veršok*	=	44,45 mm
Flächenmaße:		
1 *Desjatine*	=	2400 Quadrat-Sažen oder 1,0925 ha
1 *Quadrat-Verst*	=	104,17 Desjatinen = 1,138 km²

Russische Feiertage, Kirchenfeste, Fasten

Die Zahl der Feiertage lag im zaristischen Rußland wesentlich höher als in westlichen Ländern zur selben Zeit; das ›Große Enzyklopädische Wörterbuch‹, der russische Brockhaus, zählt in Band 48 (1898) in Rußland 98 Feiertage bei 267 Arbeitstagen (zum Vergleich Preußen: 60 bei 305 Arbeitstagen). Unter die Feiertage fielen, zu Čechovs Zeiten und in der zeitgenössischen Sprache des Baedeker, Staatsfeiertage wie das »Namensfest der Kaiserin«, »Geburtsfest des Kaisers«, »Krönungsfest«, »Namensfest der Kaiserin-Witwe«, »Geburtsfest des Thronfolgers Alexei Nikolajewitsch« u. a.

Kirchenfeste waren neben dem Weihnachtsfest (am 25., 26. und 27. Dezember – die Datenangaben jeweils nach dem alten Kalender), Ostern (Donnerstag, Freitag und Samstag in der Karwoche sowie 1., 2. und 3. Osterfeiertag), Christi Himmelfahrt, Pfingsten (zwei Tage) sowie Freitag und Samstag in der Butterwoche, d. h. der Woche vor Beginn der Großen Osterfasten:

6. Januar	Erscheinung Christi
2. Februar	Christi Darstellung
25. März	Mariä Verkündigung
9. Mai	Fest des hl. Nikolaus des Wundertäters
29. Juni	Fest der Apostel Petrus und Paulus
6. August	Verklärung Christi
15. August	Mariä Himmelfahrt
29. August	Johannis Enthauptung
30. August	Fest des hl. Alexander Nevskij
8. September	Mariä Geburt
14. September	Kreuzeserhöhung
26. September	Fest des Evangelisten Johannes
1. Oktober	Mariä Schutz und Fürbitte
22. Oktober	Fest des wundertätigen Bildes der hl. Muttergottes von Kazan
21. November	Mariä Opfer
6. Dezember	Fest des hl. wundertätigen Nikolaus

Die Fasten (russisch ›post‹) der russisch-orthodoxen Kirche unterteilen sich in ein-und mehrtägige Fasten.

Die mehrtägigen Fasten:

1. die *Großen Fasten*, beginnend mit dem Montag nach der Karnevals- oder Butterwoche, 40 Tage vor Ostern;
2. die *Apostel-* oder *Petersfasten* vor Peter und Paul; diese sind vom Datum des Osterfests abhängig, daher von unterschiedlicher Länge;
3. *Uspenskij post* vom 1. bis 15. August zu Ehren der Muttergottes, vor Mariä Himmelfahrt;
4. die *Weihnachts-* oder *Philippifasten* vor Weihnachten, beginnend mit dem 14. November, 40 Tage vor Christi Geburt.

Eintägige Fasten jeweils mittwochs und freitags, mit Ausnahme der Karwoche (da diese Woche als »ein einziger lichter Tag« angesehen wurde), der Pfingstwoche, der zwölf Tage zwischen Weihnacht und Christi Erscheinung; ferner am

14. September zu Kreuzeserhöhung
29. August zu Johannis Enthauptung und am
5. Januar, dem Vorabend von Christi Erscheinung.

(Nach dem ›Großen Enzyklopädischen Wörterbuch‹, St.-Petersburg, Brockhaus/Efron, 1898, Band 48.)

Die russischen Rangklassen

Die Liste der Rangklassen in Rußland geht zurück auf Peter I. In Anlehnung an westliche Vorbilder (Frankreich, Preußen, Dänemark und Schweden) wurden durch Erlaß 1722 vierzehn Rangklassen geschaffen, die praktisch und ohne wesentliche Veränderung bis 1917 in Kraft blieben. Der petrinischen Reform des Staats- und Militärdiensts lag der Gedanke zugrunde, daß auch Nichtadelige durch Leistung (durch Erreichen eines Rangs) in den Adel erhoben werden konnten.

Zu Čechovs Zeiten wurden folgende Ränge an Zivil- bzw. Militärbeamte verliehen:

Klasse	*Zivildienst*	*Militärdienst*
1	Kanzler	Generalfeldmarschall General-Admiral
2	Wirklicher Geheimrat	General Admiral
3	Geheimrat	Generalleutnant Vize-Admiral
4	Wirklicher Staatsrat Oberstaatsanwalt	Generalmajor Konter-Admiral

5	Staatsrat	
6	Kollegienrat	Oberst
	Militärrat	Kapitän 1. Ranges
7	Hofrat	Oberstleutnant
		Kapitän 2. Ranges
8	Kollegienassessor	Hauptmann
		Rittmeister
9	Titularrat	Stabshauptmann
		Stabsrittmeister
		Leutnant
10	Kollegiensekretär	Leutnant
		Schiffsfähnrich
11	Schiffssekretär	
12	Gouvernementssekretär	Sekondeleutnant
		Kornett
13	Provinzsekretär	
	Senatsregistrator	
	Synodalregistrator	
	Kabinettsregistrator	
14	Kollegienregistrator	

Personen der oberen vier Rangklassen gebührte die Anrede ›Euer Exzellenz‹.

Der Adelstitel, der auf dem Dienstwege verliehen wurde, war erblich für den, der ein Amt des 9. Rangs erreicht hatte; den Adelstitel beantragen konnte z. B. auch ein Unternehmen, das sein 100jähriges Jubiläum feierte (vgl. die Novelle ›Drei Jahre‹, vgl. Gaevs Rede im 1. Akt des ›Kirschgarten‹).

Čechov hat am 10. Mai 1866 in den ›Oskolki‹ folgende literarische Rangtabelle aufgemacht:

Rang-Tabelle in der Literatur

Wirkliche Geheimräte (nicht besetzt).
Geheimräte: Lev Tolstoj, Gončarov.
Wirkliche Staatsräte: Saltykov-Ščedrin, Grigorovič.
Staatsräte: Ostrovskij, Leskov, Polonskij.
Kollegienräte: Majkov, Suvorin, Garšin, Burenin, Sergej Maksimov, Gleb Uspenskij, Katkov, Pypin, Pleščeev.
Hofräte: Korolenko, Skabičevskij, Averkiev, Boborykin, Gorbunov, Gr. Salias, Danilevskij, Muravlin, Vasilevskij, Nadson, N. Michajlovskij.

Kollegienassessoren: Minaev, Mordovcev, Avseenko, Nezlobin, A. Michajlov, Palmin, Trefolev, Pëtr Vejnberg, Salov.

Titularräte: Albov, Barancevič, Michnevič, Zlatovratskij, Špažinskij, Sergej Atava, Čujko, Meščerskij, Ivanov-Klassik, Vas. Nemirovič-Dančenko.

Kollegiensekretäre: Frug, Apuchtin, Vs. Solovjëv, V. Krylov, Jurjev, Goleniščev-Kutuzov, Ėrtel, K. Slučevskij.

Gouvernementssekretäre: Notovič, Maksim Belinskij, Nevežin, Karazin, Vengerov, Nefedov.

Kollegienregistratoren: Minskij, Trofimov, F. Berg, Mjasnickij, Linev, Zasodimskij, Bažin.

Ohne Rang: Okrejc.

Nicht übersetzte Ausdrücke

Artel – (Artjel) ›eine Rußland eigentümliche Form von Wirtschafts- und Erwerbsgenossenschaften patriarchalisch-socialistischen Charakters, wird von den neueren russ. Nationalökonomen erklärt als »ein auf Vertrag gestützter Bund mehrerer gleichberechtigter Personen, die zur gemeinsamen Verfolgung wirtschaftlicher Zwecke sich unter Beobachtung solidarischer Haftbarkeit mit Kapital und Arbeitskraft oder nur mit Arbeit allein vereinigt haben« ... bildeten sich im 13. und 14. Jahrh. zunächst behufs gemeinschaftlicher Ausübung der Jagd und des Fischfangs; späterhin entwickelten sich, und zwar wesentlich beeinflußt durch die in größern Handelsplätzen schon bestehenden Verbände von Gewerbetreibenden und Händlern, die A. der Lastträger, Schiffer, Fuhrleute, Packer, Hanf- und Flachswraker u.a. und die sog. Börsenartels. Die genossenschaftliche Bewegung in Deutschland (Schulze-Delitzsch) in den sechziger Jahren förderte die Artelbildung in Rußland ungemein; sie erstreckte sich auf die verschiedensten Gebiete des beruflichen Lebens. Man unterscheidet heute 1) gewerbliche, 2) Konsumtions-, 3) Kredit-, 4) Versicherungsartels ... Was die Stellung der einzelnen Genossen (Artelschtschiki) innerhalb der A. betrifft, so sind alle gleichberechtigt. Jeder hat Anspruch auf die Ehrenämter, ist stimmberechtigt und nimmt an der Verwaltung teil. Mit dem Versprechen, unausgesetzt tätig sein zu wollen, tritt der Genosse in das A. ein und scheidet aus demselben, sobald seine Kräfte zur vollkommenen Ausführung der Arbeiten nicht mehr ausreichen; männliches Geschlecht ist nicht unbedingtes Erfordernis. Auf gute sittliche Führung wird großes Gewicht gelegt. Die solidarische Haftbarkeit ist das Lebensprincip der A.; diese schafft ihnen unbegrenztes Vertrauen.

Bei der Verteilung des Ertrages wird der Grundsatz beobachtet: gleiche Arbeit, gleicher Lohn. Die Gesetzgebung hat bisher, von wenigen polizeilichen Bestimmungen abgesehen, das Artelwesen nicht berührt.‹ (Brockhaus, Leipzig 1901).

Babuška – russ. ›die Großmutter‹, Großmütterchen.

Bliny – im Singular blin: der Pfannkuchen, der Fladen aus Buchweizen-, Weizen- oder Gerstenmehl (Pavlovskij), vgl. deutsch Plinse, auch Plinze. Russisches Backwerk, in schwimmendem Fett gebacken. Bliny wurden vor allem in der Butterwoche, der russischen Karnevalswoche vor den 40tägigen Großen Fasten gebacken.

Katorga – vgl. Pavlovskij: ›1. (veralt.) die Galeere, das Ruderschiff; 2. die Festungsbau-, Bergbaustufe, Zwangsarbeit in den Bergwerken‹; so auch oft übersetzt, zu Čechovs Zeiten meist in Sibirien, auf Sachalin oder in den Bergwerken am Karischen Meer verbüßt, verbunden mit anschließender Verbannung zur Zwangskolonisierung Sibiriens. *Katorga* aber auch im übertragenen Sinne – schweres, unerträgliches Leben, Zuchthausleben, Hundeleben. Davon abgeleitet: *Katoržnik*, ›Zuchthäusler‹, der die Katorga verbüßt. Über Katorga und Strafvollzug vgl. ausführlich Čechov, ›Die Insel Sachalin‹ (detebe 50/XX).

Kulak – wörtl. (Pavlovskij): ›1. die Faust; ... 5. der Aufkäufer, Kleinhändler, Wiederverkäufer; 6. der Geizhals, Knicker; davon abgeleitetes Abstraktum: Aufkäuferei, Mäklerei; die Wucherei.‹ Meint abschätzig den reichen, durch Wuchergeschäfte reichgewordenen Bauern, für den es in der russischen Literatur zahlreiche Beispiele gibt – vgl. etwa Vosmibratov in Ostrovskijs Komödie ›Der Wald‹, vgl. zu diesem Begriff auch Čechov über die Rolle Lopachins im ›Kirschgarten‹.

Kvas – auch Kwaß, erfrischendes Getränk, zubereitet aus gesäuertem Schwarzbrotteig oder Schwarzbrot und Malz (Pavlovskij). ›Ein in Rußland beliebtes Getränk, das die Stelle des Biers vertritt. Bei den Bauern besteht der K. nur aus einem trüben, sauern, noch gärenden Aufguß auf geschrotenes Getreide. Dagegen sind die feineren Sorten K., besonders der Äpfel- und Himbeerkwas, sehr wohlschmeckend‹ (Brockhaus, 14. Aufl., Leipzig 1902).

Njanja – die russische Kinderfrau, die Amme; ist Bezeichnung und Anrede zugleich für die Amme, die neben den Dienstboten gehalten wurde und die – vgl. ›Drei Schwestern‹, ›Onkel Vanja‹ – im Hause verblieb, auch wenn die Kinder längst herangewachsen waren.

Rasstegaj – russisches Gericht, ›eine Art Pirogen (oben geöffnet, gew. mit Fischfüllsel), die Fischpastete‹ (Pavlovskij).

Šči – russisches Gericht, die Kohlsuppe, in zahlreichen Varianten zubereitet (Sauerkohlsuppe, Weißkohlsuppe, Nesselsuppe, grüne Suppe u.a.).

Varenje – russische Spezialität, Eingemachtes, erscheint in Übersetzungen als ›Konfitüre‹, ›Marmelade‹, als ›das Eingemachte‹ (›Eingemachtes‹), aber auch als ›Saft‹ (so auch Pavlovskij). Wird anstelle von Zukker oft zum Süßen des Tees benützt.

Zakuska – vgl. Pavlovskij: ›1. der Imbiß, das Gabelfrühstück; 2. die Zukost, das Zugemüse, Beiessen; 3. das Nachessen, Dessert, der Nachtisch.‹ In deutschen Übersetzungen oft auch mit ›Imbiß‹ übersetzt, meint das, was man unmittelbar nach dem heruntergestürzten Glas Vodka ißt und was in Rußland unabdingbar zum Vodkatrinken gehört. Was als Zakuska alles genossen werden kann, diskutieren exemplarisch Lebedev, Borkin und Šabelskij im III. Akt des ›Ivanov‹ (detebe 50/V).

Zemstvo – russischer terminus technicus aus der Verwaltung, bezeichnet die teilweise Selbstverwaltung des Landes im lokalen Bereich, eine der Errungenschaften aus der Zeit der ›großen‹ Reformen, eingeführt nach Aufhebung der Leibeigenschaft 1861, um die staatliche Verwaltung zu entlasten. Auf drei Jahre gewählte Vertreter der Adeligen, Bürger und Bauern (wobei das Wahlrecht dem Adel die führende Position sicherte) entschieden ab 1864 über die Instandhaltung von Straßen und Brücken, Unterhaltung von Fuhr- und Postdiensten, über den Ausbau des Elementarschulwesens, über Einrichtungen des Gesundheitswesens, z. B. den Bau neuer Krankenhäuser (vgl. ›Krankenzimmer Nr. 6‹; der in den Übersetzungen erscheinende ›Landarzt‹, zemskij vrač, ist der vom Zemstvo angestellte, der Zemstvo-Arzt). Die Zemstvos auf Kreis- und Gouvernementsebene befanden sich in ständiger Rivalität zur staatlichen Verwaltung und wurden 1890 durch Gesetz in ihren Kompetenzen derart eingeschränkt, daß sie praktisch zur Bedeutungslosigkeit verurteilt waren.

Zeitschriften, Zeitungen, Verlage

Artist – ›Der Schauspieler‹, illustrierte Zeitschrift für Theater, Moskau 1889–1895, 7 Ausgaben jährlich während der Spielzeit, Redaktion bis 1894 F. A. Kumanin

Birževyja vedomosti – ›Börsennachrichten‹, Tageszeitung, Petersburg 1861–1917, ab 1893 zweimal täglich

Budilnik – ›Der Wecker‹, illustrierte humoristische Zeitschrift, wöchentlich, Petersburg 1865–1871, Moskau 1873–1917, Herausgeber und Redakteur ab 1881 A. D. Kurepin

Chirurgičeskaja letopis – ›Chirurgische Annalen‹, ›Annalen der Chirurgie‹, Moskau 1891–1895, monatlich, Redaktion P. I. Djakonov und N. F. Sklifosovskij

Chirurgija – ›Die Chirurgie‹, Monatszeitschrift, Nachfolgeorgan der Chirurgičeskaja letopis, Moskau, ab 1897, Redaktion P. I. Djakonov

Cosmopolis – Paris ab 1896, ab 1897 russische Ausgabe, Petersburg, monatlich, Redaktion F. D. Batjuškov

Evropejskaja biblioteka – ›Europäische Bibliothek‹, Zeitschrift für fremdsprachige Romane, Moskau 1881–1883, wöchentlich, Herausgeber und Redakteur N. L. Puškarëv

Graždanin – ›Der Bürger‹, ›Der Staatsbürger‹, Petersburg 1882–1914, Tageszeitung ab 1887, Herausgeber V. P. Meščerskij

Istoričeskij vestnik – ›Historischer Bote‹, Monatszeitschrift mit literarischer Abteilung, Petersburg ab 1880, Herausgeber A. S. Suvorin, Redaktion S. N. Šubinskij

Mir božij – ›Gottes Welt‹, Petersburg 1892–1906, Monatszeitschrift, Redaktion ab 1902 F. D. Batjuškov

Mir iskusstva – ›Die Welt der Kunst‹, Petersburg 1899–1904, Zeitschrift für Kunst und Literatur, Organ der Symbolisten, monatlich ab 1901, Redaktion S. P. Djagilev

Mirskoj tolk – ›Die Meinung der Welt‹, ›Weltmeinung‹, Moskau 1879–1884, Wochenzeitschrift, Herausgeber N. L. Puškarëv, Redaktion N. Ja. Putjata

Moskovskij listok – ›Moskauer Kleines Blatt‹, ›Moskauer Blättchen‹, Moskau 1881–1918, Tageszeitung, Hrsg. N. I. Pastuchov

Moskovskie vedomosti – ›Moskauer Nachrichten‹, Moskau 1756–1917, Tageszeitung, Hrsg. M. N. Katkov

Moskva – ›Moskau‹, Moskau 1882–1883, Wochenschrift, Hrsg. E. S. Stalinskij

Načalo – ›Der Anfang‹, ›Das Prinzip‹, Petersburg 1899, Monatszeitschrift, nach 5 Ausgaben verboten, Organ der legalen Marxisten, Hrsg. P. B. Struve

Nedelja – ›Die Woche‹, Petersburg 1868–1901, Wochenzeitschrift, Hrsg. P. A. Gajdeburov, ab 1893 V. P. Gajdeburov. Erschien ab 1878 mit einer monatlichen Literaturbeilage, die ab 1884 den Titel ›Knižki Nedeli‹ Bücher der ›Nedelja‹ trug
›Knižki Nedeli‹ Bücher der ›Nedelja‹ trug

Niva – ›Die Flur‹, Petersburg 1870–1918, Wochenzeitschrift Zur Lektüre in der Familie, Verlag A. F. Marks, erschien ab 1884 mit ›Monatlichen Literaturbeilagen zur Zeitschrift »Niva«‹

Nižegorodskij listok – ›Kleines Blatt von Nižnij Novgorod‹, 1857–1918, Tageszeitung ab 1895

Nov – ›Neuland‹, Petersburg 1884–1898, 14tägig, Hrsg. A. M. Volf

Novoe slovo – ›Das neue Wort‹, Petersburg 1894–1897, Monatszeitschrift der liberalen Narodniki und, später, der legalen Marxisten

Novoe vremja – ›Neue Zeit‹, ›Die neue Zeit‹, Petersburg 1868–1917, Tageszeitung seit 1869, Hrsg. ab 1876 A. S. Suvorin

Novorossijskij telegraf – ›Telegraph von Novorossijsk‹, Odessa 1869–1903, Tageszeitung

Novosti – ›Neuigkeiten‹, Petersburg 1871–1906, ab 1880 unter dem Titel Novosti i birževaja gazeta, Tageszeitung, Hrsg. O. K. Notovič

Novosti dnja – ›Neuigkeiten des Tages‹, ›Tagesneuigkeiten‹, Moskau 1883–1906, Hrsg. A. Ja. Lipskerov

Oskolki – ›Splitter‹, humoristische Wochenzeitschrift, Petersburg 1881–1916, Hrsg. R. R. Golike und N. A. Lejkin, Redaktion N. A. Lejkin und V. V. Bilibin

Osvoboždenie – ›Die Befreiung‹, Stuttgart 1902–1905, dann Paris, 14tägig, bürgerlich-liberal, in Rußland verboten, Redaktion P. B. Struve

Otečestvennyja zapiski – ›Vaterländische Annalen‹, Petersburg 1839–1884, liberal demokratisch, Monatszeitschrift, bis 1877 Redaktion N. A. Nekrasov, danach N. M. Michajlovskij, M. E. Saltykov-Ščedrin u. a. 1884 verboten

Peterburgskaja gazeta – ›Petersburger Zeitung‹, Petersburg 1867–1917, Boulevardzeitung, täglich ab 1884, Hrsg. S. N. Chudekov

Peterburgskie vedomosti – ›Petersburger Nachrichten‹, Petersburg 1728–1917, Tageszeitung ab 1800, Herausgeber: Ministerium für Volksaufklärung

Peterburgskij listok – ›Petersburger Kleines Blatt‹, Petersburg, Tageszeitung, ab 1864

Posrednik – ›Der Mittler‹, ›Vermittler‹, Petersburg, Verlag, der sich die Vermittlung schöngeistiger Literatur an breite Leserschichten zum Ziel gesetzt hatte, Organ der Tolstojaner, Redaktion V. G. Čertkov und P. I. Birjukov, ab 1897 I. I. Gorbunov-Posadov; gegründet 1884, bestand bis 1935

Pravitelstvennyj vestnik – ›Der Bote der Regierung‹, ›Regierungsbote‹, Petersburg 1869–1917, Tageszeitung, Herausgeber: Die Hauptverwaltung für Pressewesen

Russkaja mysl – ›Russisches Denken‹, Moskau 1880–1918, bürgerlich-liberale Monatszeitschrift, Herausgeber V. M. Lavrov, Redaktion ab 1884 V. A. Golcev

Razvlečenie – ›Die Zerstreuung‹, ›Unterhaltung‹, humoristische Wochenzeitschrift, Moskau 1859–1916, Herausgeber ab 1884 I. A. Ščerbov

Russkie vedomosti – ›Russische Nachrichten‹, Moskau 1863–1918, bürgerliche Tageszeitung, Herausgeber ab 1882 V. M. Sobolevskij

Russkij kurjer – ›Russischer Kurier‹, Moskau 1879–1891, Tageszeitung

Russkij satiričeskij listok – ›Russisches satirisches Blättchen‹, Moskau 1882–1889, Wochenzeitschrift, Herausgeber A. Ja. Lipskerov

Russkij vestnik – ›Russischer Bote‹, Moskau 1856–1906, Monatszeitschrift ab 1861, konservativ, Herausgeber M.N. Katkov, ab 1887 F.N. Berg

Russkoe bogatstvo – ›Russischer Reichtum‹, Petersburg 1876–1918, Monatszeitschrift, liberal, ab 1892 Organ der legalen Marxisten, Redaktion N.K. Michajlovskij u.a.

Russkoe obozrenie – ›Russische Umschau‹ Rundschau, Übersicht, Moskau 1890–1898, Monatszeitschrift, Redaktion D.N. Certelev u.a.

Semja – ›Die Familie‹, Moskau ab 1892, illustrierte Monatsschrift, Redaktion A.Ja. Lipskerov, ab 1897 N.E. Ėfros

Sever – ›Der Norden‹, Petersburg 1888–1914, illustrierte Wochenzeitschrift, Herausgeber E.A. Evdokimov, Redaktion 1891–1893 A.A. Tichonov

Severnyj vestnik – ›Bote des Nordens‹, ›Nördlicher Bote‹, Petersburg 1885–1897, Monatszeitschrift, Herausgeberin 1885–1889 A.M. Evreinova, Redaktion A.N. Pleščeev, ab 1891 Herausgeberin L.Ja. Gurevič, Redaktion M.N. Albov

Sovremennik – ›Der Zeitgenosse‹, 1847–1866 Petersburg, Monatszeitschrift, Organ der revolutionären Demokraten der Sechziger Jahre, Herausgeber N.A. Nekrasov und I.I. Panaev

Sputnik – ›Der Gefährte›, Moskau 1882, Herausgeber Beličkov, 1883–1885 und 1887–1890 unter dem Titel ›Rossija‹

Strekoza – ›Die Grille‹, humoristische Wochenzeitschrift, Petersburg 1875–1908, Redaktion ab 1879 I.F. Vasilevskij

Svet i teni – ›Licht und Schatten‹, Moskau 1878–1884, Wochenzeitschrift, Redaktion N.L. Puškarëv

Syn otečestva – ›Der Sohn des Vaterlandes‹, 1862–1900 Petersburg, Tageszeitung, gemäßigt liberal, Herausgeber A.V. Starčevskij, N. Petrov, I.I. Uspenskij und, ab 1888, A.K. Šeller; aber 1882 in zwei Ausgaben

Teatral – ›Der Theaterfreund, Theaterliebhaber‹, Moskau 1895–1900, Wochenzeitschrift, Herausgeber F.A. Kumanin, Redaktion S.A. Sergeev

Vestnik Evropy – ›Der Bote Europas‹, ›Europäischer Bote‹, Moskau 1866–1918, Monatszeitschrift, bürgerlich liberal, Herausgeber M.M. Stasjulevič

Vsemirnaja illjustracija – ›Die illustrierte Welt‹, ›Die Welt im Bild‹, Petersburg 1869–1898, Wochenzeitschrift, Herausgeber G.D. Goppe.

Volna – ›Die Welle‹, ›Die Woge‹, Moskau 1884–1886, Herausgeber I.I. Klang

Znanie – ›Das Wissen‹, Petersburger Verlagsgesellschaft 1898–1913, verlegte hauptsächlich aufklärerische Literatur für breite Leserkreise, Autoren des Kreises um Maksim Gorkij, Redaktion K.P. Pjatnickij

Zritel – ›Der Zuschauer‹, ›Der Betrachter‹, Moskau 1881–1885, dreimal wöchentlich, Redaktion V. V. Davydov

Žizn – ›Das Leben‹, Petersburg 1897–1901, danach London und Genf, Monatszeitschrift, Organ der legalen Marxisten, Redaktion V. A. Posse

Žurnal dlja vsech – ›Zeitschrift, Journal für alle‹, Petersburg 1896–1906, Monatszeitschrift, Redaktion ab 1898 V. S. Miroljubov

Anmerkungen

1901

958) *30. 10. 1901 – O. L. Knipper.* 3287.
Balmont – K.D. Balmont; Stücke von Balmont wurden am Künstlertheater nicht aufgeführt.
M-me Bonnier – S.P. Bonnier.
Stück von Fëdorov – vgl. dazu Nr. 960; wurde nicht am Künstlertheater gespielt.
während meiner Abwesenheit – Čechov hatte die 2. Hälfte September und den Oktober in Moskau verbracht und war am 28. Oktober nach Jalta zurückgekehrt.
Saša Sredin – A.V. Sredin.

959) *1. 11. 1901 – O. L. Knipper.* 3289.
lese Korrektur – Band IX der Gesamtausgabe seiner Werke im Verlag A.F. Marks.
wußte ... spielen würdest – ›In den Träumen‹ von V.I. Nemirovič-Dančenko, das am 21. 12. 1901 Uraufführung hatte; vermutlich Anspielung auf das ›Verhältnis‹ zwischen O. L. Knipper und Nemirovič von früher. Da das Stück über 30 Personen zählte, O. L. Knipper außerdem weder in ›Michael Kramer‹, noch in der ›Wildente‹ beschäftigt war, mußte O. L. Knipper an der Produktion beteiligt sein.
der »Kramer« nicht den Erfolg ... – am 31. 10. hatte Čechov seine Schwester gebeten: ›Schreib, wie »Mich. Kramer« angekommen ist. Ich habe die Zeitungen gelesen, aber all das verdient nicht allzu großes Vertrauen.‹

960) *3. 11. 1901 – A. M. Fëdorov.* 3291.
Ihr Stück – trug, als Čechov es las, noch keinen Titel, wurde später unter dem Titel ›Eine normale Frau‹ publiziert.
»Das alte Haus« – besprochen in der Zeitung ›Severnyj kraj‹ vom 9. 10. 1901.
Stücke von Nemirovič und Gorkij – ›In den Träumen‹ von V.I. Nemirovič-Dančenko und ›Kleinbürger‹ von Maksim Gorkij.

961) *6. 11. 1901 – O. L. Knipper.* 3294.
Tolstoj – L. N. Tolstoj, hielt sich aus Gesundheitsgründen im Jalta nahegelegenen Ort Gaspra auf.

Balmont – K.D. Balmont, vgl. auch Nr. 958.
Sredin – L.V. Sredin.

962) *9. 11. 1901 – O.L. Knipper.* 3297.
Die Roksanova – M.L. Roksanova, spielte in der ›Möwe‹ des Künstlertheaters die Nina Zarečnaja; Čechov hatte sich mehrfach kritisch über sie geäußert.
daß der »Ivanov« probiert werde – das Stück wurde nach drei Proben (vom 6., 9. und 11. 11.) zurückgestellt und kam, am Künstlertheater, erst nach Čechovs Tod heraus, am 19. 10. 1904.
Gorkij hat bereits geschrieben – die ›Kleinbürger‹.
Leonid Andreev – L.N. Andreev, 1871–1919. Das erste Stück von Andreev, das am Künstlertheater gespielt wurde, war ›Anathema‹, Premiere am 12. 12. 1907; ›Ekaterina Ivanovna‹ hatte am 17. 12. 1912 Premiere.
Telešov – Nikolaj Dmitrievič, 1869–1957; Stücke von ihm wurden am Künstlertheater nicht gespielt.
Brief von Roman – Roman Kirillovič Postnikov, Knecht der Familie Čechov in Melichovo.
Brief aus Alexandria... – ungeklärt, der Brief wurde in Čechovs Archiv nicht gefunden.
Sytin – I.D. Sytin.
Ich schreibe – vermutlich an der Erzählung ›Der Bischof‹.
Muir & Merilees – Warenhaus in Moskau.

963) *14. 11. 1901 – A.F. Marks.* 3306.
»Die Dame mit dem Hündchen« – wie auch die übrigen genannten Erzählungen vgl. detebe Nr. 50/XVI.

964) *17. 11. 1901 – O.L. Knipper.* 3310.
Gerüchte über Tolstoj – die über den Gesundheitszustand L.N. Tolstojs im Umlauf waren; Čechov am 19. 11. an O.L. Knipper: ›Tolstoj wird von Altšuller behandelt. Gestern sagte dieser mir am Telephon, sein Patient fühle sich wohl und es sei nichts Ernstes. Und sei auch nie etwas gewesen.‹
A.M. – A.M. Peškov, d.i. Maksim Gorkij, der am 12. 11. in Jalta eingetroffen war.
der Stanovoj – der Polizeikommissar; Gorkij stand unter Polizeiaufsicht.
die Kundasova – O.P. Kundasova.
Dr. Vasiljev – Vasilij Ivanovič Vasiljev, Arzt.

965) *21. 11. 1901 – O.L. Knipper.* 3313.
erschien Lazarevskij – B.A. Lazarevskij. Am 22. 11. an O.L. Knipper:

›habe schlechte Laune. Auch, weil Lazarevskij wieder da war.‹. Vgl. auch Nr. 966.

»Wildente«, »Stockmann«, »Wenn wir Toten erwachen« – Stücke von Henrik Ibsen, die am Künstlertheater gespielt wurden.

»Fëd. Ioan.« – ›Car Fëdor Ioannovič‹, Tragödie von A. K. Tolstoj, mit dem das Künstlertheater eröffnet hatte und das weiterhin im Spielplan stand.

Brief an Pašas Amme – ungeklärt.

Rozanov – P.P. Rozanov, Arzt in Jalta.

m-me Bonnier – S.P. Bonnier.

966) *24. 11. 1901 – O.L. Knipper.* 3315.

bald den IV. Akt – der ›Kleinbürger‹, über den Čechov offenbar mit Gorkij gesprochen hatte; ungeklärt, ob er ihn bereits kannte, vgl. Nr. 957. Über die ersten 3 Akte hatte Čechov am 22. 10. an Gorkij geschrieben, vgl. Nr. 957, vgl. auch Nr. 971.

Finger wollen nicht gehorchen – Čechov am 28. 11. 1901 an O.L. Knipper: ›In meinem Arbeitszimmer ist die normale Temperatur + 12, selten ist sie + 13°‹.

sind die »Drei Schwestern« gespielt worden – von der Moskauer Gesellschaft der russischen dramatischen Schauspieler, unter Leitung von I.A. Dobrovolcev, am 22. 11. Čechov noch vor dieser Aufführung am 22. 11. an O. L. Knipper: ›Wie ich dir bereits schrieb, werden im hiesigen Theater heute die »Drei Schwestern« gespielt. Abscheuliche Schauspieler, die Inszenierung noch schlimmer. Aber das Haus wird, wahrscheinlich, voll werden.‹

In der »Russkaja mysl«... – I.N. Potapenko, ›Der Weg zum Ruhm‹, Roman, erschienen in den Heften X–XII, 1901; in den schroffen Urteilen des Helden Toropkin über ›gewisse Schauspieler‹ konnte man Anspielungen auf das Künstlertheater sehen.

hat dich zum 20. August kommen lassen – 1901; O. L. Knipper war am 20. 8. nach Moskau gefahren, ohne jedoch gleich probieren bzw. spielen zu müssen.

Tante Lelja – E.M. Čechova.

Opitz – Photograph in Moskau.

Lazarevskij – B.A. Lazarevskij, vgl. Nr. 965.

Elpatjevskij – S.Ja. Elpatjevskij.

967) *30. 11. 1901 – O.L. Knipper.* 3322.

Gorkij, will noch ein Stück schreiben – Gorkijs zweites Theaterstück: ›Nachtasyl‹, geschrieben 1902, Čechov dazu vgl. Nr. 1028.

Postkarte mit dem Bild von Tolstoj – die Čechov am 14. 11. geschickt hatte, eine Reproduktion eines Tolstoj-Porträts von I.E. Repin.

O. O. Sadovskaja – Schauspielerin; O.L. Knipper hatte sie bei einem Bankett in Moskau kennengelernt und Čechov am 25. 11. davon geschrieben: ›Die Sadovskaja hat viel von dir gesprochen, wie sehr sie dich liebt – und wie sehr sie in dir einen »echten Menschen« ahnt.‹

968) *7. 12. 1901 – O.L. Knipper.* 3330.
Nemirovič nicht gesagt... – vgl. Nr. 966.
eben mit Tolstoj telephoniert – L.N. Tolstoj war an diesem Tag von Gaspra nach Jalta gekommen zu seiner Tochter M.L. Obolenskaja, die bei K.M. Ilovajskaja wohnte.
Schluß der »Drei« gelesen – vgl. Nr. 953, 945 u. a. Čechov war am 5. 12. bei Gorkij in Oleiz gewesen; am 6. 12. an O.L. Knipper: ›Gestern war ich bei Aleksej Maksimyč; sein Haus steht an einer schönen Stelle, am Strand, aber im Hause – Eitelkeit der Eitelkeiten, Kinder, alte Frauen, keine Umgebung für einen Schriftsteller.‹
für das Stück – von Nemirovič-Dančenko (›In den Träumen‹).
1200 R. für Garderobe – O. L. Knipper hatte am 3. 12. mitgeteilt, die Direktion habe ihr gestattet, sich für die Inszenierung des Stückes von Nemirovič-Dančenko ›für 1200 Rubel‹ drei Kostüme machen zu lassen.
Leonid Andreev – vgl. Nr. 962.

969) *10. 12. 1901 – O.L. Knipper.* 3333.

970) *11. 12. 1901 – V.A. Golcev.* 3334.
sei mir nicht böse – während seines Aufenthalts in Moskau war Čechov offenbar von der Redaktion der ›Russkaja mysl‹ um einen neuen Text gebeten worden; in 2 Briefen an V.M. Lavrov (vom 29. 11. und 7. 12. 1901) hatte Čechov jedoch geschrieben, er könne über neue Arbeiten noch nichts sagen, z.B. einen Titel angeben, worum Lavrov gebeten hatte.

971) *13. 12. 1901 – O.L. Knipper.* 3337.
den letzten Akt der »Kleinbürger« gelesen – am 12. und 13. 12. 1901. Čechov am 23. 12. an O. L. Knipper: ›Wann fangt ihr an, die »Kleinbürger« zu probieren? Der vierte Akt gefällt mir auch nicht. Ihn müßte man zum ersten machen, den dritten zum vierten, dann ergäbe das ein Gleichgewicht.‹
deine Rolle – Elena; die ›Kleinbürger‹-Besetzung vgl. Nr. 957.

972) *17. 12. 1901 – O.L. Knipper.* 3342.
Kreosot – Desinfektions- und Konservierungsmittel, vgl. Kreosol; ›Das echte K., so wie es in den rhein. Fabriken dargestellt wurde, ist ein

Gemenge von gleichen Teilen Kreosol und Guajakol und findet gegenwärtig medizinisch innerlich vielfach Anwendung bei Lungentuberkulose und Krebs, äußerlich zu Verbandwässern, Salben usw.‹ (Brockhaus, Leipzig 1902)

Morgen kommt Maša – Čechovs Schwester kam am 18. 12. abends in Jalta an, blieb über die Feiertage.

Kuprin – A. I. Kuprin, hatte Čechov im Dezember geschrieben.

Solovcov – N. N. Solovcov, Schauspieler, Regisseur und Theaterunternehmer in Kiev, ehemals (bis 1889) Schauspieler und Regisseur am Moskauer Theater F. A. Korš.

im alten Theater – vgl. Brief an O. L. Knipper vom 30. 12.

Ems trinke ich keins – Mineralwasser, als Abführmittel verwendet.

Onkel Karl – K. I. Zalca.

Onkel Saša – A. I. Zalca.

die Beschreibung von Samstag abend – O. L. Knipper hatte mitgeteilt, sie wolle Samstag abend zu Hause ein kleines Fest für ihre Kollegen am Künstlertheater geben.

973) *17. 12. 190 – V. S. Miroljubov.* 3344.

mit dem »Bischof« – Čechov schickte das Manuskript am 20. 2. 1902 ab.

im »Novoe vremja«... – den Aufsatz von V. V. Rozanov vom 9. 12. 1901 über ›Religiös-philosophische Vereinigungen‹; dort war u. a. die Rede von einer neu gegründeten Religiös-Philosophischen Gesellschaft, als deren Mitglied auch V. S. Miroljubov genannt war.

Sergij – Bischof, Rektor der Geistlichen Akademie Petersburg.

Merežkovskij – D. S. Merežkovskij, den Čechov am 5. Dezember zur Wahl zum Ehrenmitglied der Akademie der Wissenschaften vorgeschlagen hatte.

974) *18. 12. 1901 – O. L. Knipper.* 3346.

das Stück von Nemirovič – ›In den Träumen‹, das am 21. 12. 1901 Uraufführung hatte.

Višnevskij – A. L. Višnevskij. Čechov schrieb ihm eine Glückwunschkarte zum Neuen Jahr am 20. 12.

ein komisches Stück – vgl. dazu Nr. 929.

975) *20. 12. 1901 – O. L. Knipper.* 3350.

Mit dem Theater... Omon (Gazetnyj) – bei dem genannten Gebäude handelt es sich um das, in dem das Künstlertheater noch heute spielt. Der Gazetnyi pereulok (Zeitungsgasse) – eine Seitenstraße der Tverskaja, heute Gorkij-Straße.

Nemirovič – V. I. Nemirovič-Dančenko, in einem Brief Mitte Dezember.

das Stück von Gorkij – ›Kleinbürger‹, die am 26. 3. 1902 am Künstlertheater Uraufführung hatten.
Orlenev – Pavel Nikolaevič Orlenev (Orlov), 1869–1932, Schauspieler.

976) *20. 12. 1901 – S. P. Djagilev.* 3349.
die Frage, wann... – Djagilev hatte im Namen eines Mitarbeiters (der Zeitschrift ›Mir iskusstva‹), der einen Aufsatz über Čechov schreiben wollte, eine Reihe von Fragen an Čechov gerichtet. Interessanteste Datierung in Čechovs Antwort ist die Angabe, wonach der ›Onkel Vanja‹ im Jahre 1890 geschrieben worden sei.
auf dem Lande – in Melichovo.
einige Worte über Levitan – I. I. Levitan, der am 22. 7. 1900 gestorben war und dem die Zeitschrift ›Mir iskusstva‹ eine Sondernummer widmen wollte; Erinnerungen an Levitan hat Čechov nicht geschrieben.
Überhaupt... in Ihrer Schuld – Čechov hatte auch S. P. Djagilev eine Erzählung für die Zeitschrift versprochen und dieses Versprechen nicht einlösen können.

977) *24. 12. 1901 – O. L. Knipper.* 3357.
in meinen Stücken – am Künstlertheater: ›Die Möwe‹, ›Onkel Vanja‹, ›Drei Schwestern‹.
die Samarova – M. A. Samarova, spielte im ›Onkel Vanja‹ (Besetzung der Premiere am Künstlertheater) die alte Amme Marina; in den ›Drei Schwestern‹ (Besetzung der Uraufführung) die Anfisa.
kein einziges Mal Stanislavskij – K.S. Stanislavskij spielte in den ›Drei Schwestern‹ den Veršinin, vgl. dazu Anm. Nr. 954. Ersatzweise spielten den Veršinin am Künstlertheater: S. N. Sudbinin, V. I. Kačalov, L. M. Leonidov u. a.
kein einziges Mal die Lilina – M. P. Lilina, Frau Stanislavskijs, spielte in den ›Drei Schwestern‹ die Nataša; Ersatz für sie in dieser Rolle: E. M. Munt. Vgl. dazu Anm. Nr. 984.
Dein Telegramm... – nach der Uraufführung von ›In den Träumen‹ am 21. 12. 1901.
Kotik – ›Kätzchen‹. O. L. Knipper beabsichtigte, sich eine Katze anzuschaffen.
Einverstunden – Scherz, Zitat aus der Sprache, in der sich Čechov vor allem mit seinem Bruder Aleksandr unterhielt, Zitat auch aus dem ›Onkel Vanja‹, vgl. dort Astrov, II. Akt.
das Stück von Najdënov – S. A. Najdënov, ›Vanjušins Kinder‹, hatte am 14. 12. 1901 Uraufführung am Theater F. A. Korš in Moskau, Benefizvorstellung für N. V. Svetlov. Von S. A. Najdënov wurden am Künstlertheater 1905 das Stück ›Der verlorene Sohn‹ und 1907 das Stück ›Wände‹ gespielt.

978) *25. 12. 1901 – A.F. Marks.* 3358.
danach habe ich es korrigiert – die korrigierte Fassung des Einakters ›Die Hochzeit‹ hatte Čechov am 22. 12. 1900 an Marks geschickt; beide Stücke vgl. ›Einakter‹, detebe Nr. 50/VIII.
Band IX – der ›Gesammelten Werke‹ im Verlag A.F. Marks.

979) *27. 12. 1901 – O.L. Knipper.* 3361.
gut gespielt – in V.I. Nemirovič-Dančenkos Stück ›In den Träumen‹, vgl. Nr. 975, 974, 968.
Zeitungsausschnitt – ungeklärt, aus welcher Zeitung. Der Text war überschrieben mit ›Über den »Schriftstellerkult«‹ und handelte kurz und ironisch von den Verehrerinnen des schriftstellerischen Talents, ›diese heiligen Seelen laufen dem Schriftsteller auf der Uferpromenade nach, studieren seine Kleidung, versuchen auf irgendeine Weise, die Aufmerksamkeit auf sich zu ziehen‹, ihr ›Ideal‹ sei einfach nur: ›»Čechov zu sehen«, »einen Blick auf Čechov zu werfen«.‹
in den »Novosti dnja« – vom 24. 12. 1901, anonym, Parodie auf das Stück ›In den Träumen‹; Spiel mit einem Satz aus dieser Parodie, in dem von ›Vladimir Ivanovič Anika-Krieger‹ die Rede war.
Nadežda Ivanovna – N.I. Sredina.
Miroljubov – V.S. Miroljubov.
Maša – das Dienstmädchen.
»Der Wald« – Komödie von A.N. Ostrovskij.
m-me Tatarinova – F.K. Tatarinova.
Lužskij – V.V. Lužskij.

980) *29. 12. 1901 – O.L. Knipper.* 3363.
Maša – M.T. Šakina, Köchin.
Maša – M.P. Čechova.
Bestell »Mir iskusstva« nicht – illustrierte Monatszeitschrift für Kunst und Literatur, erschien, herausgegeben von S.P. Djagilev, seit 1899 in Petersburg; Organ der russischen Symbolisten. Vgl. auch Nr. 976.
Altšuller – I.N. Altšuller, der Čechov behandelnde Arzt in Jalta; beabsichtigte, zum VIII. Pirogov-Kongreß der Ärzte nach Moskau zu fahren.
die »Kleinbürger« aufführen – das erste Stück von A.M. Gorkij, kam am 26. 3. 1902 in Moskau am Künstlertheater heraus.
zwei Buren – ein Photo von Čechov und einem Bekannten, das P.A. Sergeenko geschickt hatte und das sehr dunkel ausgefallen war.

981) *31. 12. 1901 – V.I. Nemirovič-Dančenko.* 3368.

982) *31. 12. 1901 – O.L. Knipper.* 3367.
Samuėlson – Semën Vasiljevič.

Sein Vetter – Michail Aleksandrovič Samuėlson.
Altšuller wird nicht... – vgl. Nr. 980.
Doktor Balaban – I.A. Balaban, Arzt.
»Teatr i iskusstvo« – Monatszeitschrift ›Theater und Kunst‹, erschien zwischen 1897 und 1917 in Petersburg, Redaktion A.R. Kugel.
Nemirovič einen Brief... – dieser Brief ist nicht bekanntgeworden.

1902

983) *1. 1. 1902 – K.D. Balmont.* 3369.
Während Sie hier waren – im November 1901; Balmont hatte Čechov mehrmals besucht, war gemeinsam mit ihm und Gorkij am 14. 11. bei L.N. Tolstoj in Gaspra gewesen.
Fofanov – Konstantin Michajlovič, 1862–1911, Lyriker. ›Belastet mit einer großen Familie und immer in Armut, starb F. bettelarm in einem Krankenhaus.‹ (Kurze Literatur-Enzyklopädie, Moskau 1975).
Von Ihren Büchern – ›Unter dem Himmel des Nordens‹, erschienen 1894, einer der ersten Lyrikbände Balmonts; ›Vernachlässigt‹ 1895; ›Stille‹ 1898; außerdem hatte Balmont Shelley (das Gesamtwerk) und E.A. Poe ins Russische übersetzt.
Für das Buch – Balmont hatte Čechov Band 1 der von ihm übersetzten Poe-Werkausgabe geschickt, erschienen 1901 im Moskauer Verlag ›Skorpion‹, vgl. unten.
auf dem Lande – Balmont lebte zu der Zeit im Dorf Sabynino im Gouv. Kursk.
Meine Frau verspricht... – vgl. Nr. 984.
seine Antwort mitteilen – vermutlich über den neuesten Gedichtband Balmonts, ›Brennende Bauten‹, erschienen 1900.

984) *2. 1. 1902 – O.L. Knipper.* 3371.
Ende Januar Urlaub geben? – O.L. Knipper konnte dann doch nicht kommen, wegen der Proben zu Gorkijs ›Kleinbürgern‹.
Neujahrstelegramm an das Künstlertheater – vgl. Nr. 981.
Rolle in den »Einsamen« – in Hauptmanns ›Einsamen Menschen‹ spielte O.L. Knipper die Anna Mahr.
Roksanova – M.L. Roksanova.
Vorstellung, die ihr für die Ärzte gebt – für den VIII. Pirogov-Kongreß der Ärzte Rußlands, der z.Z. in Moskau tagte, gab das Künstlertheater am 11. 1. 1902 eine geschlossene Vorstellung des ›Onkel Vanja‹, vgl. Nr. 986.
die Samarova – M.A. Samarova, erste Besetzung der Marina im ›Onkel Vanja‹, vgl. Nr. 977 u. Anm. Čechov am 7. 1. 1902 an O.L. Knipper:

›Liebes Herzchen, wenn nur am 11. Januar die Kinderfrau nicht von der Samarova, sondern irgendjemand anderem gespielt wird, dann bin ich mit dem Theater ein für alle Mal auseinander. Es würde reichen, daß noch einmal die Munt spielt, eine schreckliche Schauspielerin.‹

985) *4. 1. 1902 – K.S. Stanislavskij.* 3371.
Neujahrsglückwunsch an Ihr Theater – vgl. Nr. 981.
Vladimir Ivanovič – V.I. Nemirovič-Dančenko.
Gorkij war bei mir – am 3. und 4. 1.
über sein Stück gesprochen – ›Kleinbürger‹; die Besetzung der Moskauer Uraufführung vgl. Nr. 957; Stanislavskij führte Regie, spielte aber nicht in dem Stück.

Čechov am 5. 1. 1902 an O.L. Knipper: ›Ich glaube, Ihr, die Schauspieler, habt die »Kleinbürger« nicht begriffen. Lužskij kann unmöglich den Nil spielen; das ist die Hauptrolle, eine heroische Rolle, sie entspricht ganz dem Talent Stanislavskijs. Teterev dagegen ist eine Rolle, aus der man die vier Akte über nur schwer etwas machen kann. In den ganzen vier Akten ist Tet. doch ein und derselbe und sagt ein und dasselbe, außerdem ist das keine lebendige Person, sondern eine gemachte.‹

Am 7. 1. 1902 an O.L. Knipper: ›Was quält ihr euch nur so mit den »Kleinbürgern« ab! Ihr müßt euch beeilen, sonst ist doch die Saison vorbei. Lužskij wäre ein schlechter Vater. Das ist keine Rolle für ihn. Und Subdinin würde den Nil, die zentrale Rolle, vollkommen verhunzen. Wahrscheinlich werden die männlichen Rollen durchfallen, das Stück wird auf die Frauenrollen abfahren.‹
Marija Petrovna – M.P. Lilina, Frau Stanislavskijs.

986) *12. 1. 1902 – M.P. Čechova.* 3380.
der Telegramme, die ich heute bekommen habe – nach der Vorstellung des ›Onkel Vanja‹ im Künstlertheater am 11. 1. 1902.
bist gut angekommen – M.P. Čechova war am 12. 1. nach Moskau zurückgefahren.
Olja – O.L. Knipper.
Vanja – Ivan P. Čechov, *Sonja:* seine Frau.
die Quittung – über eine Geldspende, die A.L. Višnevskij in Moskau gesammelt und Čechov übermittelt hatte für die Jaltaer Wohltätigkeitsgesellschaft.
Lazarevskij – B.A. Lazarevskij.

987) *15. 1. 1902 – O.L. Knipper.* 3385.
Dolgopolov – N.I. Dolgopolov, der vor seiner Abreise nach Jalta bei

O. L. Knipper gewesen war und einen Brief von ihr mitgenommen hatte, vom 9. 1. 1902.

einen zweiten – vom 10. 1. 1902.

von den Ärzten ein Telegramm – vgl. Nr. 986.

das von Braz fabrizierte Porträt – O.L. Knipper hatte Čechov die geschlossene Vorstellung für die Teilnehmer des Pirogov-Kongresses am 11. 1. beschrieben: ›Wir haben gut gespielt, uns nicht blamiert. Nach dem 1. Akt wurde dem Theater ein riesengroßes Porträt von dir (von Braz) überreicht, lorbeerumkränzt, in einem herrlichen massiven Rahmen, unten ein goldenes Täfelchen mit Aufschrift (die ich Wort für Wort jetzt nicht erinnere) und einem dunkelgoldenen Lorbeerzweig in der einen Ecke – sehr schlicht und elegant.‹
Zu dem Čechov-Porträt von I.Ė. Braz vgl. Nr. 995.

Opitz – Moskauer Photograph.

Solovcov ist gestorben – N. N. Solovcov, zuletzt Theaterunternehmer in Kiev, war am 12. 1. 1902 gestorben.

Architekt Šapovalov – L. N. Šapovalov, hatte auch Čechovs Haus in Jalta entworfen.

andere Seite des Flusses – gemeint ist der Učan-Su, der westlich Jaltas, zu Füßen von Autka, durch ein Tal ins Meer fließt.

Dolgopolov, seine Frau – Vera Fominična Dolgopolova (Šur), 1861–1935.

Nifont – N.I. Dolgopolov; O.L. Knipper hatte Čechov über ihr Gespräch mit D. am 10. 2. geschrieben.

988) *16. 1. 1902 – O. L. Knipper.* 3386.

Gorkijs Stück – die ›Kleinbürger‹, die am Künstlertheater vorbereitet wurden, vgl. Nr. 985, 989.

989) *20. 1. 1902 – K. S. Stanislavskij.* 3390.

die Porträts der Schriftsteller – vgl. Nr. 985. Stanislavskij beantwortete Čechovs Brief vom 4. 1. mit einem langen Brief am 14. 1., u. a. mit der Frage, wie groß das Photo sein solle.

die »Kleinbürger« las... – in seinem Brief vom 14. 1. begründete Stanislavskij, weshalb er die Rolle des Nil nicht übernehmen wolle, so: ›Ich sehe ein, daß Nil für das Stück wichtig ist, ich verstehe, daß es schwer ist, eine positive Gestalt zu spielen, nur sehe ich nicht, wie ich ohne äußere Verwandlung, ohne scharfe Konturen, ohne klare Charakterumrisse, fast mit meinem Gesicht und meinen Eigenschaften mich in einen Volkstyp verwandeln soll. Ich verfüge nicht über diesen Ton. Ja, ich habe in Stücken von Špažinskij verschiedene Bauern gespielt, das war aber immer Darstellung, nicht das Leben selbst. Bei Gorkij kann man nicht darstellen, man muß leben... Nil hat Einzelheiten seines

Brauchtums beibehalten, ist zugleich aber auch klug, er weiß vieles, hat viel gelesen, er ist stark und überzeugt. Ich befürchte nur, daß er mir gerät wie ein verkleideter Konstantin Sergeevič, aber nicht wie Nil.‹ (zitiert nach: Stanislawski, Briefe.)

schade, daß Gorkij nicht die Möglichkeit hat – Gorkij war der Aufenthalt in den Hauptstädten und Gouvernementshauptstädten verboten; nach seiner Verhaftung 1901 unter Hausarrest gestellt, sollte er nach Arzamas verbannt werden, hatte es aber erreicht, stattdessen Erlaubnis für einen Aufenthalt auf der Krim zu bekommen.

990) *20. 1. 1902 – O. L. Knipper.* 3391.

einen Brief von Konstantin Sergeevič – K.S. Stanislavskij, vom 14. 1.

daß das Stück von Gorkij ... – außer den Besetzungsschwierigkeiten für die Rolle des Nil (vgl. Anm. zu Nr. 989) schilderte Stanislavskij auch die anderen ›vielen Aufregungen mit Aleksej Maksimovičs Stück‹; für den Fall, daß nicht die wirklich beste Besetzung zustandekomme, ›würde ich sehr darum bitten, das Stück bis zum nächsten Jahr zurückzustellen und dem Publikum nicht mit irgendeinem Mangel in der Darstellung zu zeigen. Meiner Meinung nach wäre es ein Verbrechen Aleksej Maksimovič gegenüber, der uns seine erste Arbeit anvertraut.

schreibt von Omon – nach der Vorstellung des ›Onkel Vanja‹ am 11. 1. für den Ärztekongreß ›feierten alle Mitwirkenden in der »Eremitage« und bei Omon‹; Omon habe die Damen zu überreden versucht, nicht allzu tiefe Decolletés zu tragen (›Mesdames, ne vous décolletez pas trop.‹).

Gorkij will sich an ein neues Stück ... – meint das ›Nachtasyl‹, das Gorkij noch im selben Jahr schrieb und das am 18. 12. 1902 am Künstlertheater Uraufführung hatte.

Geburtstag – im Original deutsch.

Tod Solovcovs – am 12. 1. 1902, vgl. Nr. 987.

991) *27. 1. 1902 – O. L. Knipper.* 3400.

habe nicht »böser Hund« telegraphiert – als Antwort auf Olga Knippers Telegramm vom 20. 1. (›Keine Briefe, mache mir Sorgen, telegraphiere ...‹) hatte Čechov am 21. 1. 1902 telegraphiert: ›Bin gesund, Gruß dem bösen Hund. Antonij.‹ Der Unterschied zwischen ›lieb‹ und ›böse‹ in der entsprechenden Form des Russischen: *mi*loj und zloj.

T. – L.N. Tolstoj, dessen Gesundheitszustand sich infolge einer Lungenentzündung stark verschlechtert hatte; am 23. Januar hatte in Gaspra eine Ärzteberatung stattgefunden, zu der aus Moskau V.A. Ščurovskij, aus Petersburg L.B. Bertenson gekommen waren. Inhaltlich ähnlich am 25. 1. an M.P. Čechova. Am 31. 1. schrieb Čechov: ›T.

ging es gestern besser, es gibt wieder Hoffnung.‹ Vgl. weiter auch Nr. 993f.

992) *29. 1. 1902 – O.L. Knipper.* 3402.

mir den Griboedovpreis... – Dramatikerpreis, den die Gesellschaft der russischen dramatischen Schriftsteller und Opernkomponisten vergab, wurde Čechov für ›Drei Schwestern‹ im Januar 1902 zuerkannt von der Jury, die bestand aus V.A. Golcev, I.I. Ivanov und A.I. Kirpičnikov.

Tanner – ›Hungerversuche, die von excentrischen Personen auf Grund von Wetten oder aus Reklamesucht angestellt wurden. Den Reigen der freiwilligen Hungerleider eröffnete der amerik. Arzt Dr. Henry Tanner in Neuyork, welcher sich infolge einer eingegangenen Wette anheischig machte, 40 Tage lang zu fasten, ohne etwas anderes als Wasser zu genießen, und vom 28. Juni bis 7. Aug. 1880 unter strenger Aufsicht diese freiwillige Fastenzeit trotz mancherlei übler Zufälle glücklich zu Ende führte. Tanner hat später dieses Experiment mehrmals wiederholt.‹ (Brockhaus, Lpz. 1902).

993) *3. 2. 1902 – M.P. Lilina.* 3407.

Čuchloma oder Vasilsursk – Čuchloma: Kreisstadt in Gouv. Kostroma, 2200 Einwohner, 3 Kirchen, städtische Schule für Knaben und Mädchen, Krankenhaus, städt. Bank, unbedeutender Handel, keine Fabriken und Werke; Vasilsursk: Kreisstadt im Gouv. Nižnij Novgorod, 3135 Einw.

Gorkij ... neues Stück – ›Nachtasyl‹, vgl. Nr. 990.

Konstantin Sergeevič und meine Gattin – M.P. Lilina hatte Čechov scherzhaft mitgeteilt, Stanislavskij mache O.L. Knipper den Hof.

994) *10. 2. 1902 – O.L. Knipper.* 3420.

Nemirovič geschrieben – dieser Brief Čechovs ist nicht bekannt.

Stachovič – Aleksej Aleksandrovič, 1859–1919, Adjutant des Generalgouverneurs von Moskau, später, nach 1907, Schauspieler am Künstlertheater.

Mejerchold, Sanin, die Raevskaja – Mitglieder des Ensembles des Künstlertheaters. Čechov am 17. 2. an seine Schwester: ›Und das Künstlertheater hat falsch daran getan, Mejerchold und Sanin nicht zu Aktionären zu machen. Warum sie kränken? Worin sind sie, als Schauspieler, schlechter als andere? Je mehr Aktionäre, desto besser ist es doch. Warum hat man die Roksanova gewählt? Man muß alle mehr oder weniger angesehenen Schauspieler zu Aktionären machen, die seit Gründung des Theaters dabei sind. Oje, ich fürchte, mit dieser Wahl hat man das Ganze an der Wurzel getroffen.‹ Am 28. 1. hatte S.T. Morozov, einer der Direktoren des Künstlertheaters, Čechov eingeladen, als Aktionär des Künstlertheaters zu zeichnen; am 2. 2. schrieb Čechov an O. L. Knipper: ›Ich werde ihm schreiben, daß ich einverstanden bin, daß ich für diese Sache 10 Tsd. zahlen werde, nur an zwei Terminen: am 1. Jan. und 1. Juli 1903. Siehst du, wie tief ich in die Tasche greife!‹ Im selben Tenor am 2. 2. auch an S. T. Morozov: ›Ich habe die Ziffer zehntausend eingesetzt. Ich kann auch auf drei Tausend, auch auf sechs Tausend gehen, so habe ich die Höchstziffer angegeben, zu der ich mich beim Stand meiner Kapitalien entschließen kann. Wenn drei Tausend, so werde ich sie im Juni zahlen; wenn sechs Tausend, dann am 1. Januar 1903, wenn jedoch Zehntausend, dann 5 oder 6 T. im Januar, den Rest im Juli nächsten Jahres.‹

Herr Vladimir Ivanovič – V. I. Nemirovič-Dančenko.

Gerüchte über Petersburg, über Moskau – über Studentenunruhen in beiden Städten, die am 8. und 9. 2. stattgefunden hatten.

995) *13. 2. 1902 – M. A. Členov.* 3423.

Tolstoj wieder genesen – vgl. Anm. Nr. 991.

die Telegramme – vgl. Nr. 986.

das Porträt von Braz – vgl. Anm. Nr. 987.

996) *18. 2. 1902 – O. L. Knipper.* 3427.

soviel du willst – Antwort auf O. Knippers Frage vom 13. 2., ob sie einen Vorschuß abheben könne von dem Geld, das Čechov für die Aufführung seiner Stücke am Künstlertheater zu erwarten hatte.

997) *19. 2. 1902 – O. L. Knipper.* 3428.

Bring mit... – O. L. Knipper kam am 22. 2. in Jalta an und blieb etwa eine Woche, fuhr von Jalta über Moskau nach Petersburg zum alljährlichen Gastspiel des Künstlertheaters, vgl. u. a. Nr. 1000. Čechovs erster Brief an sie, nach ihrem Besuch in Jalta, datiert vom 28. 2.

998) *20. 2. 1902 – V. S. Miroljubov.* 3429.

Die Erzählung... – ›Der Bischof‹, die Čechov mit diesem Brief an Miroljubov abschickte; sie erschien im Aprilheft der Zeitschrift ›Žurnal dlja vsech‹. Vgl. dazu weiter Nr. 1000, 1001.

999) *2. 3. 1902 – P. A. Sergeenko.* 3424.

Student G. – Grinevič, Student, den man in Jalta im Verdacht hatte, als Spitzel für die Polizei tätig zu sein. Čechov hatte bereits am 22. 2. 1902 an den Prorektor der Moskauer Universität, N. V. Altuchov, geschrieben, der am 6. 3. antwortete, er habe Čechovs Auftrag ausgeführt, d. h. Erkundigungen eingezogen: ›In den letzten 10 Jahren hat es an dieser Fakultät keinen Grinevič gegeben.‹ Vgl. dazu weiter Čechovs Brief an Sergeenko vom 24. 3. 1902.

1000) *8. 3. 1902 – O.L. Knipper.* 3442.
von Miroljubov die Fahnen – der Erzählung ›Der Bischof‹, vgl. dazu auch Nr. 1001.

1001) *8. 3. 1902 – V.S. Miroljubov.* 3443.
die Fahnen bekommen – zur Erzählung ›Der Bischof‹.
es ist nichts zu verstehn auf dieser Welt – Zitat aus der (Čechov-)Erzählung ›Lichter‹ aus dem Jahre 1888; der Schlußsatz: ›Ja, man begreift nichts auf dieser Welt!‹
für das Telegramm ... – am 27. 2. hatte Miroljubov an Čechov telegraphiert: ›Gratulieren Sie Gorkij zum Mitglied der Akademie.‹ Maksim Gorkij war am 25. 2. zum Ehrenmitglied der Akademie der Wissenschaften gewählt worden, vgl. dazu Nr. 1002 u. Anm., 1004, 1013f.

1002) *11. 3. 1902 – O.L. Knipper.* 3448.
nicht die Lilina – wegen Erkrankung von M.P. Lilina spielte in den ›Drei Schwestern‹ E.M. Munt die Rolle der Nataša.
interessante Mitteilung wegen Gorkij – auf Intervention des Zaren Nikolaus II. war die Wahl Gorkijs zum Ehrenmitglied der Akademie annulliert worden; eine Mitteilung des offiziösen ›Pravitelstvennyj vestnik‹, die von allen anderen Zeitungen nachgedruckt wurde, verwies auf ›Umstände‹, die dem Wahlgremium der Akademie unbekannt gewesen seien (gemeint waren Gorkijs politische Aktivitäten, seine Beteiligung an der revolutionären Bewegung) und die gegen Paragraphen des Gesetzbuchs verstießen, weshalb die Wahl für ungültig erklärt werde (10. 3. 1902); zwei Tage später wurde diese Mitteilung, diesmal namens der ›Kaiserlichen Akademie der Wissenschaften‹, noch einmal veröffentlicht. Vgl. weiter Nr. 1004, 1013f.

1003) *16. 3. 1902 – O.L. Knipper.* 3454.
vor allem den »Revisor« – klassische Komödie von N.V. Gogol, die am Künstlertheater erst 1908 inszeniert wurde.
Kačalov – V.I. Kačalov.
»Früchte der Bildung« – Komödie von L. N. Tolstoj, entstanden 1889/90. Das erste Theaterstück von L. N. Tolstoj, das am Künstlertheater inszeniert wurde, war das Drama ›Die Macht der Finsternis‹ in der Spielzeit 1902/03.
Vodovozova – Marija Ivanovna Vodovozova, Redakteurin für Literatur an der Zeitschrift ›Načalo‹ (Das Prinzip, Der Anfang), Organ der legalen Marxisten, Redaktion P.B. Struve, erschien in Petersburg seit 1899

(insgesamt 5 Ausgaben); Lenin veröffentlichte dort ›Die Entwicklung des Kapitalismus in Rußland‹.

geh nicht für 1000 R. zu Suvorin – dessen Theater des Lit.-Artistischen Zirkels; Gerüchten zufolge hatte O. L. Knipper ein Angebot bekommen, dorthinzugehen.

Andreevskaja – Elena Nikolaevna Andreevskaja, Lehrerin am Gymnasium in Kazan, die Čechov während seines Aufenthalts in Aksënovo kennengelernt hatte.

ans Panaev-Theater – Theater Panaev, Panaevsches Theater, das das Künstlertheater für sein Petersburger Gastspiel gemietet hatte.

1004) *19. 3. 1902 – V. G. Korolenko.* 3459.

Erzählung für den Almanach – Korolenko hatte Čechov um Beteiligung an einem Almanach gebeten, der zum 50. Todestag von N. V. Gogol (gest. 21. 2. 1852) erscheinen sollte, aber nicht zustandekam.

»Russkoe bogatstvo« – literarische, wissenschaftliche und politische Monatszeitschrift, erschien 1876–1918 in Petersburg; in den 90er Jahren Organ der legalen Narodniki, faktisch geführt von N. K. Michajlovskij und V. G. Korolenko. Im ›Russkoe bogatstvo‹ veröffentlichten u. a. Gorkij, I. A. Bunin, A. I. Kuprin, Mamin-Sibirjak, Leonid Andreev, auch L. N. Tolstoj. Čechov hat in dieser Zeitschrift nicht publiziert.

von einem Mitglied der Akademie – Brief von N.P. Kondakov vom 12. 3. 1902, vgl. Nr. 1008.

1005) *20. 3. 1902 – O. L. Knipper.* 3460.

Dein Freund Czumikow – Wladimir Czumikow, Übersetzer aus dem Russischen ins Deutsche; 1898 hatte Czumikow einen ersten Band Erzählungen (A. Tschechow, ›Starker Tobak‹, München, A. Langen) herausgebracht, gab 1900–1904 bei E. Diederichs eine fünfbändige Čechov-Werkausgabe heraus, übersetzte auch die Theaterstücke ›Die Möwe‹, ›Onkel Vanja‹ und ›Drei Schwestern‹, alle 1902.

Marks und die 300 000 – Marks hatte verbreitet, er habe Čechov für die Rechte an dessen Werk, vgl. Vertrag vom Januar 1899, 300 000 Rubel gezahlt, bzw. in das Werk investiert.

Gr. Tolstaja – Gräfin Sofja Andreevna, Frau L. N. Tolstojs.

habe ihn autorisiert – die Ausgabe bei E. Diederichs vermerkt auf der Titelseite: ›Einzig autorisierte Übersetzung aus dem Russischen von Wladimir Czumikow.‹

Am 15. 11. 1901 hatte Čechov an O. L. Knipper geschrieben: ›Ja, ich werde von Czumikow übersetzt. Irgendwann einmal hat mir der verstorbene A. I. Urusov, der mit einer Deutschen verheiratet war und lange unter Deutschen gelebt hat, eine Übersetzung von ihm vorgelesen und gefunden, daß er, Czumikow, ein guter Übersetzer sei. Wer mich auch übersetzen mag, Czumikow oder Scholz, ich habe trotzdem wenig davon, ich habe nie etwas bekommen und werde auch nichts bekommen. Überhaupt sind mir diese Übersetzungen gleichgültig, weil ich weiß, daß wir in Deutschland nicht gebraucht werden und nie gebraucht werden, egal, wie man uns auch übersetzen mag.‹

die alte Sredina – N. I. Sredina; ihr Sohn: L. V. Sredin.

1006) *24. 3. 1902 – P. A. Sergeenko.* 3465.

mit G. – Grinevič.

dein letzter Brief – vom 14. 3. 1902, in dem Sergeenko die Geschichte seiner Bekanntschaft mit Grinevič erzählte und mitteilte, daß, seinen neuerlichen Erkundigungen nach, Grinevič nie Student gewesen sei.

L. N. – L. N. Tolstoj.

1007) *31. 3. 1902 – O. L. Knipper.* 3469.

L. N. – L. N. Tolstoj; vgl. dazu Nr. 1013.

Stück von Gorkij hatte Erfolg? – die Uraufführung der ›Kleinbürger‹ vom 26. 3. 1902.

Nilus – Pëtr Aleksandrovič, 1869–1943, Maler; das Čechov-Porträt, das N. Frühjahr 1902 anfertigen wollte, wurde infolge von Čechovs Krankheit und der Ankunft von O. L. Knipper (am 14. 4. 1902) nicht fertig. Nilus beendete es erst nach Čechovs Tod anhand von Skizzen und Photographien.

Freund von Bunin – I. A. Bunin. Nilus und Bunin hatten, wie Čechov am 28. 3. an O. L. Knipper geschrieben hatte, ihren Besuch in Jalta angekündigt.

1008) *2. 4. 1902 – N. P. Kondakov.* 3470.

Sazonov – vermutlich N. F. Sazonov.

letzte Wahlen der Akademie – vgl. Briefe Nr. 1001, 1002 u. a. Gemeint ist die Wahl Gorkijs zum Ehrenmitglied der Akademie der Wissenschaften.

irgendetwas Neues – ungeklärt, was; möglicherweise ein weiterer religiös-philosophischer Aufsatz, zur selben Zeit arbeitete L. N. Tolstoj an der Erzählung ›Hadži Murat‹.

1009) *5. 4. 1902 – O. L. Knipper.* 3472.

Gesundheit – O. L. Knipper war am 30. März in Petersburg, wie es in älteren Briefausgaben lautet, erkrankt (sie hatte eine Fehlgeburt) und war im Klinischen Institut Petersburg operiert worden. Čechov hatte davon erst am 5. April erfahren.

1010) *6. 4. 1902 – O.L. Knipper.* 3473.
Evgenija Michajlovna – E.M. Raevskaja.
Konstantin Sergeevič – K.S. Stanislavskij. Beide hatten sich in besonderem Maße um O.L. Knipper gekümmert.

1011) *10. 4. 1902 – O.L. Knipper.* 3475.
Nemirovič angekommen – in Jalta; O.L. Knipper traf am 14. 4. in Jalta ein, unter welchen Umständen vgl. Nr. 1013.

1012) *16. 4. 1902 – A.F. Marks.* 3477.

1013) *19. 4. 1902 – V.G. Korolenko.* 3478.
Tolstoj die Erklärung nicht geben – Korolenko hatte eine Protesterklärung entworfen anläßlich der Annullierung der Wahl Gorkijs in die Akademie, gerichtet an den Akademiepräsidenten A.N. Veselovskij. Er hatte diese Erklärung in drei Exemplaren an Čechov geschickt: eins für Čechov, eins für Gorkij, ein drittes für L.N. Tolstoj.

1014) *20. 4. 1902 – V.G. Korolenko.* 3479.
um Ihnen zu schreiben, wie es sich gehört – vgl. Nr. 1013.

1015) *7. 5. 1902 – K.D. Balmont.* 3486.
»Brennende Bauten« – neuester Gedichtband von Balmont, erschienen 1900; zweiter Band Calderon – in Balmonts Übersetzung.
Vergnügen und Aufregung – Balmonts Übersetzungen, eher: Nachdichtungen, zeichneten sich durch ein großes Maß von Freiheit gegenüber dem Original aus.
ich ein Konservativer – vgl. dazu Nr. 1059, zum ›Zirkel der neuen Belletristen‹.
Das Stück in der Übersetzung Ihrer Frau – Ekaterina Alekseevna Balmont, hatte das Drama ›Meister Oelze‹ von Johannes Schlaf ins Russische übertragen.
Balmont hatte die Übersetzung mit Brief vom 11. Februar an Čechov geschickt.

1016) *7. 5. 1902 – »Revue blanche«.* 3488.
A Messieurs les Editeurs... – Übersetzung: ›An die Herausgeber der »Revue blanche« Paris. Sehr geehrte Herren, ich erfahre mit Vergnügen, daß Sie beabsichtigen, vier meiner Novellen auf französisch zu publizieren: »Ein Mord«, »Die Bauern«, »Der Student« und »Die Lehrerin« [Auf dem Wagen] in der Übersetzung von Fräulein Claire Ducreux.
Diese Übersetzung ist mir vorgelegt worden und ich konnte mir ein

Urteil bilden über deren sehr seltene Qualitäten der nüchternen Eleganz und der skrupulösen Genauigkeit.

Ich freue mich, Ihnen mein vollkommenes Einverständnis übermitteln zu können.

Bitte nehmen Sie die Versicherung meiner Hochachtung entgegen.

Anton Čechov.‹

1017) *29. 5. 1902 – M.P. Čechova.* 3493.

in Moskau ist es heiß – Čechov war am 25. 5. mit seiner Frau nach Moskau abgereist und am 27. oder 28. 5. dort angekommen.

Die Wohnung – die neue Wohnung, die O.L. Knipper gemietet hatte, befand sich im Neglinnyj proezd, Ecke Zvonarskij pereulok, Hs. Goneckaja.

Doktor Varnek – vermutlich Leonid Nikolaevič Varnek, Chefarzt des Ersten Städtischen Krankenhauses Moskau.

Franzensbad – berühmter Badeort in Böhmen, nahe der Bezirksstadt Eger, berühmt für seine Mineralquellen, ›wirksam gegen Blutarmut, Herzkrankheiten, Cirkulationsstörungen im Unterleibe, chronische Katarrhe, gegen Frauen- und Nervenkrankheiten sowie als Nachkur‹ (Brockhaus, Lpz. 1902).

warte auf den Spucknapf – den Čechov in Jalta vergessen hatte; in einem Brief vom 25. 5. hatte er seine Schwester gebeten, ihn Dr. Altšuller mitzugeben, der nach Moskau kommen wollte.

Vanja – Ivan P. Čechov.

an die Unža – in die Sommerferien, die I.P. Čechov im Gouv. Vladimir verbrachte. *Unža:* linker Nebenfluß der Oka.

1018) *2. 6. 1902 – M.P. Čechova.* 3497.

Višnevskij – A.L. Višnevskij, an den Čechov am 1. 6. einen Hilferuf gerichtet hatte: ›Aleksandr Leonidovič, mein Lieber, Olga ist erkrankt, bitte kommen Sie rasch zu uns. Ihr A. Čechov.‹

ein Arzt – ungeklärt.

Štrauch – Maksim Avgustinovič Štrauch, Moskauer Arzt, Gynäkologe.

Priester Petrov – Grigorij Spiridonovič Petrov.

S.-ec – S.G. Skitalec.

Es ist alles durcheinander – am 31. 5. 1902 hatte Čechov seiner Schwester mitgeteilt, Olga Knipper werde nach Franzensbad fahren, und er wolle, am 15. oder 16. 6., gemeinsam mit Savva Morozov eine Fahrt auf der Volga unternehmen, nach Perm.

Anna Ivanovna – A.I. Knipper, Mutter von O.L. Knipper, der Čechov am 1. 6. ebenfalls ein Briefchen geschrieben hatte: ›Liebe Mama, Olga hat Leibschmerzen, sie weint. Kann man nicht heute Štrauch zu uns bitten oder irgendeinen anderen dir bekannten Arzt? Ich wünsche dir alles Gute. Dein Anton.‹

1019) *2. 6. 1902 – Maksim Gorkij.* 3498.
Ihr Brief – Mai 1902 (undatiert).
mit Pleve bekannt – Vjačeslav Konstantinovič, 1846–1904, Staatsmann, Minister des Innern und Chef der politischen Polizei, fiel am 15. 7. 1904 einem Attentat zum Opfer.
wenn es in Arzamas... – Aufenthaltsort Gorkijs. Gorkij war es gelungen, für den Winter eine Aufenthaltsgenehmigung für die Krim zu erlangen; verließ Jalta am 23. 4. und fuhr, via Moskau, nach Nižnij Novgorod, wo er am 26. 4. 1902 eintraf. Nach den Demonstrationen zum 1. Mai, die Gorkij unter Polizeiaufsicht miterlebte, fuhr er an den Ort seiner Verbannung, wo er am 9. 5. ankam.
Ekaterina Pavlovna – E.P. Peškova, Frau Gorkijs.
ein ehemaliger Sänger – V.S. Miroljubov.
Korolenko – hatte Čechov am 24. 5. in Jalta besucht.
unseren Abschied – meint Rücktritt als Ehrenmitglied bei der Akademie der Wissenschaften, den V.G. Korolenko und Čechov im August 1902 erklärten, vgl. Brief Nr. 1031 an Korolenko mit der Abschrift von Čechovs Brief an den Präsidenten der Akademie.

1020) *10. 6. 1902 – M.P. Čechova.* 3511.
mit Savva Morozov nach Perm – S.T. Morozov, Fabrikant, einer der Direktoren des Künstlertheaters und dessen Mäzen, hatte Čechov zu einem Besuch auf seinem Gut Usolje nahe Perm eingeladen.
Alekseevs Landhaus – K.S. Alekseev-Stanislavskij, dessen Sommerhaus sich im Dorf Ljubimovka, Station Tarasovka, an der Eisenbahnlinie Moskau-Jaroslavl befand.
sind im Ausland – in Franzensbad in Böhmen, wo sich M.P. Lilina zu einer Kur aufhielt.
warte auf die Sendung... – in seinem Brief vom 6. 6. 1902 hatte Čechov seine Schwester gebeten, ihm den in Jalta zurückgelassenen Spucknapf und Hemdkragen zu schicken, ferner – im Hinblick auf den einsamen Aufenthalt in Ljubimovka – gebeten:
›Schließ meinen Schreibtisch auf, und wenn sich im vorderen Teil der Schublade ein Achtelbogen Papier findet (oder 1/2 Bogen Briefpapier) mit klein geschriebenen Notizen für das nächste Stück, dann schick ihn mir. Auf diesem Blatt sind, unter anderem, viele Namen notiert. Wenn es nicht da ist, macht nichts. Das Papier liegt nicht bei den Briefen, sondern für sich allein.‹
»Aquarium« – Sommergarten und Restaurant in Moskau.
Marjuška – die Köchin M.D. Belenovskaja.

1021) *12. 6. 1902 – K. S. Stanislavskij.* 3515.
Taube – Julij Rudolfovič, Arzt in Moskau.
Višnevskij – A. L. Višnevskij, dem Čechov am 12. 6. folgendes Billett geschickt hatte: ›Ju. R. Taube wird heute Mittwoch um 3 1/4 Uhr bei meiner Frau sein; er möchte Sie gern sehen und Sie sprechen.‹
Wenn ich mit dem Stück anfange – mit dem ›Kirschgarten‹, vgl. Anm. zu Nr. 1020: die Notizen ›für das nächste Stück‹.

1022) *12. 6. 1902 – V. I. Nemirovič-Dančenko.* 3516.
nachdem du weggefahren bist... – am 10. 6., vgl. Nr. 1020.
Volodja Ščurovskij – *Volodja:* Vladimir Leonardovič, Bruder von O. L. Knipper, *Ščurovskij:* V. A. Ščurovskij, Čechovs Arzt in Moskau.
bereits telegraphisch mitgeteilt – das erwähnte Telegramm an Nemirovič ist nicht bekanntgeworden.
die Stücke sind schlecht – die Nemirovič Čechov zur Beurteilung geschickt hatte mit der Frage, ob sie sich für eine Inszenierung am Künstlertheater lohnten.
»Die Puppe« – ungeklärt.

1023) *16. 6. 1902 – V. I. Nemirovič-Dančenko.* 3523.

1024) *18. 6. 1902 – O. L. Knipper.* 3527.
auf der Volga – Morozov und Čechov waren bis Nižnij Novogorod gefahren, von dort die Volga abwärts bis Kazan, dann Kama aufwärts bis Perm, wo sie am 21. 6. eintrafen.
Zina – Zinaida A. Nikitskaja.
Telegraphier, was Štrauch gesagt hat – O. L. Knipper telegraphierte Čechov in den ersten Tagen täglich; Čechov bestätigte den Empfang ihrer Telegramme am 19. 6. aus Kazan, am 20. 6. aus Savapul.

1025) *22. 6. 1902 – O. L. Knipper.* 3531.
am 2. Juli wieder in Moskau – von Morozovs Gut fuhr Čechov am 28. 6. zurück nach Perm, von dort nach Moskau, wo er am 2. 7. ankam. Am 5. Juli fuhren Čechov und O. L. Knipper, begleitet von A. L. Višnevskij, nach Ljubimovka auf Stanislavskijs Landhaus.

1026) *17. 7. 1902 – Maksim Gorkij.* 3546.
das Stück geschrieben? – bereits am 11. 6. hatte Čechov, in der Annahme, Gorkij habe das ›Nachtasyl‹ fertig, gebeten, ihm das Stück zur Lektüre zu schicken; vgl. dazu weiter Nr. 1028.

1027) *18. 7. 1902 – K. S. Stanislavskij.* 3547.
Das Stück noch nicht angefangen – ›Der Kirschgarten‹.

Egor – Egor Goverdovskij, Diener bei Stanislavskij.
Dunjaša – Stubenmädchen Stanislavskijs.
Mika – Sohn von Stanislavskijs älterem Bruder Vladimir Sergeevič.
N. Smirnova – Natalija Sergeevna, Verwandte Stanislavskijs.

1028) *29. 7. 1902 – Maksim Gorkij.* 3549.
Ihr Stück – ›Nachtasyl‹, mit russischem Titel ›Auf dem Boden‹, ›Grund‹, ›In der Tiefe‹, ›Im Sumpf‹.
Gorkij hatte es Čechov in der 2. Juli-Hälfte mit einem (undatierten) Brief geschickt und gebeten, es nach Lektüre umgehend zurückzuschicken, weil er noch einiges daran korrigieren wollte. ›Nachtasyl‹ hatte, in der Regie von K.S. Stanislavskij und V.I. Nemirovič-Dančenko, am 18. 12. 1902 am Künstlertheater Premiere. Die Besetzung:
Kostylev – G.S. Burdžalov.
Vasilisa Karpovna – E.P. Muratova.
Nataša – M.F. Andreeva.
Medvedev – V.F. Gribunin.
Vaska Pepel – A.P. Charlamov.
Kleščč – A.L. Zagarov.
Anna – M.G. Savickaja.
Nastja – O.L. Knipper.
Kvašnja – M.A. Samarova.
Bubnov – V.V. Lužskij.
Satin – K.S. Stanislavskij.
Baron – V.I. Kačalov.
Schauspieler – M.A. Gromov.
Luka – I.M. Moskvin.
Alëška – A.I. Adašëv.
Krivoj Zob – N.A. Baranov.
Der Tatar – A.L. Višnevskij.
»Der Gedanke« – Erzählung von L. Andreev in der Zeitschrift ›Mir božij‹, Juli 1902.
Aleksin – A.N. Aleksin, der Čechov das Manuskript des ›Nachtasyls‹ und Gorkijs Brief überbracht hatte.

1029) *17. 8. 1902 – O.L. Knipper.* 3553.
Endlich zu Hause – Čechov war am 16. 8. in Jalta angekommen. O.L. Knipper blieb bis Anfang September, bis zu Beginn der Proben, in Ljubimovka.
Warum hast du Maša beleidigt? – Über O. L. Knippers Brief an M.P Čechova wird in der historisch-kritischen Ausgabe 1944–1951 nichts mitgeteilt. Teile daraus zitiert Čechov in seinem Brief vom 27. 8., vgl. Nr. 1032. Am 18. 8. entschuldigte sich Čechov für diesen Brief: ›Gestern

habe ich dir einen furchtbar langweiligen Brief geschrieben. Sei deinem Manne nicht böse.‹ Vgl. weiter Nr. 1032.
Am 22., 23. und 24. 8. klagte Čechov in Briefen an O. L. Knipper, keine Briefe von ihr bekommen zu haben.
Das Stück – ›Der Kirschgarten‹.
Elizaveta Vasiljevna – E. V. Alekseeva, Mutter Stanislavskijs.

1030) *23. 8. 1902 – V. I. Nemirovič-Dančenko.* 3562.
Fürst Barjatinskij – Vladimir Vladimirovič, Herausgeber und Redakteur der Zeitung ›Severnyj kurjer‹, Petersburg; Telegramm vom 23. 8. 1902.
Am Abend zuvor an Gnedič geschrieben – P. P. Gnedič; Čechov schrieb ihm am 19. 8. u. a.: ›Bitte, schreiben Sie mir, daß dieses Stück nicht aufgeführt werden wird, beruhigen Sie mich‹. Die Aufführung am Alexandratheater kam dennoch, trotz anfänglicher Weigerung Čechovs, zustande; die Premiere war am 15. 11. 1902, Regie M. E. Darskij, in den Hauptrollen M. G. Savina (Arkadina), N. N. Chodotov (Treplëv), K. A. Vaslamov (Sorin) u. a. Vgl. Nr. 1032.
Stück von Najdënov – S. A. Najdënov, ›Die Mieter‹, das dem Künstlertheater zur Prüfung eingereicht worden war. Das einzige Stück von Najdënov, das vor 1917 am Künstlertheater gespielt wurde, war das Stück ›Wände‹, 1907.

1031) *25. 8. 1902 – V. G. Korolenko.* 3564.
An die Akademie geschrieben – Čechov schickte am 25. 8. einen gleichlautenden Brief an den Präsidenten der Akademie der Wissenschaften, A.N. Veselovskij, an ihn persönlich gerichtet.
A. M. Peškov – Maksim Gorkij.
E. K. H. – ›Euer Kaiserliche Hoheit‹.
zu Ihnen zu kommen – Korolenko hatte Čechov und Frau nach Džankoj nahe Gelendžik am Schwarzen Meer eingeladen, wo er bei seinem Bruder Illarion G. Korolenko den Sommer verbrachte.

1032) *27. 8. 1902 – O. L. Knipper.* 3566.
Deinen Brief... – vgl. Nr. 1029 u. Anm.
Orlenev – P. N. Orlenev.
Nazimova – A. A. Nazimova.
Doroševič – V. M. Doroševič.
Karabčevskij – Nikolai Petrovič, 1851–1925, Anwalt.
einen weinerlichen Brief an Gnedič – P. P. Gnedič, vgl. Nr. 1030 u. Anm. Gnedič schrieb am 24. 8. zurück, die Befürchtungen Čechovs seien unbegründet, die jetzt geplante Aufführung der ›Möwe‹ werde in nichts an die Uraufführung vom 17. 10. 1896 erinnern.

1033) *29. 8. 1902 – O. L. Knipper.* 3571.
Hunyadi – ›Hunyadi János‹, Bitterwasser, als Abführmittel verwendet.
Jarcev – G.F. Jarcev.
Čaleeva – V.I. Čaleeva.
Oberst Stachovič – Aleksej Aleksandrovič, Adjutant des General-Gouverneurs von Moskau, später Schauspieler am Künstlertheater.
ein Jude – um wen es sich handelt, teilt die russische Ausgabe nicht mit; Tilgung der nachfolgenden Passage durch die Redaktion der russischen Ausgabe. Juden unterlagen im zaristischen Rußland bei ihrer Aufnahme in Gymnasien, höhere Schulen usw. einem strengen numerus clausus.
Zenger – Grigorij Ėduardovič, 1853–1919.

1034) *1. 9. 1902 – O. L. Knipper.* 3573.
wenn du nach Moskau zurückfährst – aus Ljubimovka.
die alte Sredina – N.I. Sredina.

1035) *6. 9. 1902 – O. L. Knipper.* 3577.
Suvorin – A.S. Suvorin, hatte Čechov am 5. und 6. 9. in Jalta besucht.
Fomin – ungeklärt.

1036) *10. 9. 1902 – O. L. Knipper.* 3580.
wegen des kleinen Juden... – vgl. Nr. 1033.
bei Morozov Aktionär – Aktionär des Künstlertheaters, vgl. Brief Nr. 994.
Štrauch – M.A. Štrauch.
Tante Šarlotta – Großtante von O.L. Knipper, Charlotte von Reiss.

1037) *14. 9. 1902 – V.F. Komissarževskaja.* 3585.
werde bald nach Moskau fahren – V.F. Komissarževskaja hatte Čechov gefragt, ob sie ihn Mitte Oktober, während einer Gastspielreise durch Südrußland, in Jalta antreffen werde.

1038) *18. 9. 1902 – O. L. Knipper.* 3590.
Zola ist gestorben – Emile Zola, war am 29. 9. (westlicher Kalender) 1902 gestorben. Über Čechovs Einstellung zu Zola vgl. seine Briefe zur Affäre Dreyfus an A.S. Suvorin, Nr. 652, 660.
Morozov habe ich dasselbe geschrieben – vgl. Nr. 1036; der Brief an S.T. Morozov ist nicht überliefert; vgl. auch Nr. 1041.

1039) *22. 9. 1902 – O. L. Knipper.* 3593.
den Winter in Jalta... – vgl. dazu Nr. 1105.
Aufsatz von August Scholz – im ›Berliner Tagblatt‹ vom 6. 9. 1902.

1040) *1. 10. 1902 – A.F. Marks.* 3606.
Jetzt habe ich ein völlig neues... – Čechov am 30. 9. an O. L. Knipper: ›Gestern habe ich eines meiner alten Vaudevilles überarbeitet. Heute werde ich es abschreiben und an Marks schicken.‹ Die verschiedenen Fassungen dieses Einakters vgl. detebe Nr. 50/VIII/IV.
bis zum 12. Oktober in Jalta – am 12. 10. fuhr Čechov nach Moskau.

1041) *1. 10. 1902 – K.S. Stanislavskij.* 3605.
vom Künstlertheater entfernt! – diese Befürchtung, hervorgerufen durch die Nachricht, Čechov wolle nicht als Aktionär des Künstlertheaters zeichnen, vgl. Nr. 1038.
mein Brief an Savva Timofeevič – S.T. Morozov; dieser Brief ist unbekannt; vgl. Nr. 1038.

1042) *8. 10. 1902 – O.L. Knipper.* 3611.
Ein Vaudeville... – ›Über die Schädlichkeit des Tabaks‹, vgl. Nr. 1040.
das Stück – ›Der Kirschgarten‹.
die Smirnovs – die Schwestern N.S. und M.S. Smirnova, Verwandte K.S. Stanislavskijs.

1043) *10. 10. 1902– S.I. Šachovskoj.* 3613.
Herr Melnik – Šachovskoj hatte am 4. 10. geschrieben, ein Bekannter von ihm, der Übersetzer Melnik, bitte um Erlaubnis, Čechov nach dem Manuskript zu übersetzen.
werde ins Deutsche übersetzt – vgl. Nr. 1005. Übersetzungen von Erzählungen und Novellen Čechovs ins Deutsche: A. Tschechow, ›Russische Leute. Geschichten‹, Dt. v. J. Treumann, Leipzig, Reissner, 1890; A. Tschechow, ›In der Dämmerung. Skizzen und Erzählungen‹, Dt. v. J. Treumann, Leipzig, Reclam, 1891; A. Tschechow, ›Russische Liebelei. Novellen‹, Dt. v. L. Flachs Fokschaneanu, München, A. Schupp, 1891; A. Tschechow, ›Ein Zweikampf. Erzählung.‹, Dt. v. K. Holm, München, A. Langen, 1897, [2]1901; A.P. Tschechow, ›Duell. Roman‹, Dt. v. C. Berger, Berlin, H. Hilger, 1898; A. Tschechow, ›Starker Tobak und andere Novellen‹, Dt. v. W. Czumikow, München, A. Langen, 1898, [2]1901; A. Tschechow, ›Ja, die Frauenzimmer! und andere Novellen‹, Dt. v. K. Holm, München, A. Langen, 1901; A.P. Tschechow, ›Gesammelte Werke‹, Dt. v. W. Czumikow und M. Budimir, Jena, Diederichs, 1901 f. (5 Bde.); A. Tschechow, ›Ausgewählte Werke‹, Dt. v. C. Berger, Leipzig-Berlin, J. Gnadenfeld, 1901–1902, 2 Bde.; A.P. Tschechow, ›Ein Duell. Novelle‹, Dt. v. A. Hauff, Berlin, O. Janke, 1902; A. Tschechow, ›Schatten des Todes. Aus den Papieren eines alten Mannes. Erzählung, Dt. v. K. Holm, München, A. Langen, 1902; A. Tschechow, ›Hatschi!! und

andere Geschichten‹, Dt. v. Josephsohn, Berlin, Globusverlag, 1903; A.P. Tschechow, ›Aus den Aufzeichnungen eines alten Mannes‹, Dt. v. M. Feofanoff, Leipzig, Insel Verlag, 1903; A. Tschechow, ›Das Kätzchen‹, Dt. v. K. Brauner, Wiener Verlag 1904, u.v.a.

Lidija Vladimirovna – L.V. Lepeškina, Frau des Adressaten.

1044) *16. 10. 1902 – A.F. Marks.* 3615.

in einer Zeitschrift... – Marks hatte angeregt, den Einakter ›Über die Schädlichkeit des Tabak‹ in der Zeitschrift ›Niva‹ zu publizieren; außerdem erinnert er an das Versprechen Čechovs, für die ›Niva‹ eine Erzählung zu schreiben; vgl. auch Nr. 1045.

1045) *23. 10. 1902 – A.F. Marks.* 3622.

Was Herrn Ėttinger betrifft – Osip Grigorjevič Ėttinger (Pseud. S. Sutugin), ein Mitarbeiter der Zeitschrift ›Teatr i iskusstvo‹, Autor eines Manuskripts ›Gedanken und Ideen von Ant. P. Čechov‹, das Marks Čechov zur Lektüre geschickt hatte.

1046) *26. 10. 1902 – I.A. Bunin.* 3625.

Bedecke deine bleichen Beine – Paraphrase einer ›Verserzählung‹ von V. Ja. Brjusov, die nur aus der einen Zeile bestand: ›Oh, bedecke deine bleichen Beine.‹

1047) *1. 11. 1902 – A.I. Kuprin.* 3628.

»In der Stille« – Erzählung Kuprins, erschienen in Heft 11 (November) 1902 der Zeitschrift ›Russkoe bogatstvo‹.

Das neue Theater... tatsächlich schön – meint das neue Gebäude des Künstlertheaters, das von Architekt F.O. Šechtel umgebaute Haus Lianozov im Kamergerskij pereulok (einer Seitenstraße der Tverskaja, heute ul. Gorkogo), in dem früher das Theater Omon untergebracht war. Dieses Gebäude hatte S.T. Morozov für 300 000 Rubel gekauft und umbauen lassen und der Aktiengesellschaft für einen Pachtzins von 30 000 Rubel jährlich überlassen. Vgl. Nr. 1048.

1048) *5. 11. 1902 – L.A. Suleržickij.* 3632.

Fehlen Mejercholds... Sanins – 1902 hatten mehrere Mitglieder das Ensemble des Künstlertheaters verlassen, darunter V.Ė. Mejerchold und A.A. Sanin. Vgl. auch Nr. 994. Mejerchold war bereits Februar 1902 nach Cherson gegangen.

Kačalov – V.I. Kačalov, spielte, nach dem Weggang Mejercholds, nun in den ›Drei Schwestern‹ den Baron Tuzenbach.

Olenina d'Algejm – Marija Alekseevna, bekannte Kammersängerin.

Menšikov – M.O. Menšikov.

Titel des Aufsatzes – Adressat hatte einen Aufsatz an die Zeitung ›Russkie vedomosti‹ geschickt und Čechov gebeten, sich zu erkundigen, ob der Aufsatz gedruckt würde oder nicht, jedoch vergessen, den Titel des Aufsatzes zu nennen.

1049) *27. 11. 1902 – O. L. Knipper.* 3639.
Šubinskij – Nikolaj Petrovič, 1853–1921, Anwalt; verheiratet mit M. N. Ermolova.

1050) *1. 12. 1902 – O. L. Knipper.* 3644.
Direktorin des Gymnasiums – V. K. Charkeevič.
Das Stück – ›Der Kirschgarten‹.

1051) *6. 12. 1902 – O. L. Knipper.* 3651.
dein Telegramm – der Text des Telegramms ist nicht überliefert.
Konventionalstraf-Klausel... – Gorkij hatte Čechov nochmals zu überreden versucht, den Vertrag mit A. F. Marks zu lösen; in Petersburg hatte er mit K. P. Pjatnickij (vom Verlag ›Znanie‹) gesprochen, und dieser hatte um eine Kopie des Vertrages gebeten sowie der im Vertrag erwähnten Klausel über Konventionalstrafen und um eine Kopie der Čechovschen Vollmacht für P. A. Sergeenko. Čechov bereits am 4. 12. 1902 an O. L. Knipper: ›Der von mir unterschriebene Vertrag mit Marks (die Kopie) befindet sich wahrscheinlich bei der Direktorin des Gymnasiums, bei mir habe ich ihn nicht gefunden. Als ich wegfuhr, habe ich der Direktorin alle wichtigen Papiere zur Aufbewahrung gegeben. Es wird nichts daraus. Wenn man einen Vertrag einmal unterschrieben hat, muß man ihn auch ehrlich einhalten, wie immer er auch sein mag.‹

Čechov am 9. 12. 1902 an seine Frau: ›Ich schrieb dir bereits, daß ich die Papiere nicht bei mir habe, die Pjatnickij braucht. Ich habe nur eine Kopie des Vertrags – und mehr nicht. Und diese Kopie hat Pjatnickij bereits, also ist doch alles gut.‹

Vgl. dazu Brief und Anm. Nr. 942.

O. M. Solovjëva – Bekannte Čechovs aus Jalta.
schreibe an einer Erzählung – vermutlich der Erzählung ›Der Brief‹, die Fragment geblieben ist.
Merilees – Muir & Merilees, Warenhaus in Moskau.
Suvorins »Frage« – das neueste Theaterstück von A. S. Suvorin, ›Die Frage‹, das am 2. 12. 1902 in Moskau aufgeführt wurde. In einem kurzen Brief an Suvorin vom 7. 12. wiederholte Čechov die Frage.
Čirikov – Evgenij Nikolaevič, 1864–1932, Schriftsteller, Dramatiker; das erste und bis 1917 einzige Stück E. N. Čirikovs, das am Künstlertheater gespielt wurde, kam am 28. 1. 1905 heraus: ›Ivan Mironyč‹.

von Poltava schreibst... – im Brief vom 30. 11. 1902 schrieb O.L. Knipper, sie habe Besuch von einer Dame aus Poltava bekommen, die um Unterstützung beim Zustandekommen eines Konzerts gebeten hatte, das zugunsten einer Gruppe von Personen gegeben werden sollte, die im Zusammenhang mit Bauernunruhen im Gouvernement Poltava verbannt worden waren.

gelesen worden – Zar Nikolaus II. hielt sich zu dieser Zeit auf der Krim auf, weshalb die Postkontrollen verschärft worden waren.

1052) *12. 12. 1902 – O. L. Knipper.* 3661.

Frau Švabe – Klavdija Karlovna, Lehrerin am Gymnasium L.F. Rževskaja in Moskau, deren Besuch O. L. Knipper angekündigt hatte.

Manuskript der Mejer – das O. L. Knipper Čechov geschickt hatte und das ihr von einem Fräulein aus Petersburg überbracht worden war; es handelte sich um einen Bericht der barmherzigen Schwester Mejer, die auf Sachalin tätig war. Auszugsweise war ihr Bericht in den ›Peterburgskie vedomosti‹ vom 23. 11. 1902 erschienen.

Ėfros – N.E. Ėfros.

Leonid Andreev – L.N. Andreev.

schreibe eine Erzählung – vermutlich eine Fragment gebliebene Erzählung mit dem Titel ›Der Brief‹, in der von zwei Brüdern die Rede ist, deren einer nach Sibirien verbannt war, während der andere wahnsinnig war.

Matvej Štrauch – meint wahrscheinlich den Arzt Maksim Avgustinovič Štrauch, der O. L. Knipper behandelt hatte; Verwechslung des Vornamens.

1053) *14. 12. 1902 – O. L. Knipper.* 3664.

Brief von Ėfros... Nekrasov – zum 25. Todestag des Dichters N.A. Nekrasov veranstaltete die Zeitung ›Novosti dnja‹ eine Umfrage über Nekrasov unter dem Titel ›Hat Nekrasov sich überlebt?‹ Čechovs Beitrag hatte diesen Wortlaut: ›Ich liebe Nekrasov sehr, ich respektiere ihn, schätze ihn hoch, und wenn ich von Fehlern sprechen sollte, so verzeihe ich irgendwie keinem russischen Dichter Fehler so gerne wie ihm. Ob er noch lange leben wird, wage ich nicht zu entscheiden, aber ich denke, lange genug, für unser Leben reicht es; jedenfalls kann davon, daß er sich bereits überlebt habe, gar keine Rede sein.‹ (›Novosti dnja‹, 27. 12. 1902)

Fomka – der Hund Šnap, den M.P. Čechova ›Fomka‹ getauft hatte.

Vinokurov-Čigorin – richtig: N.A. Vinokurov-Čigarin, Lehrer.

1054) *15. 12. 1902 – O. L. Knipper.* 3666.

Lira – ungeklärt.

Brief von Višnevskij – Čechov schrieb A. L. Višnevskij am 22. 12., gratulierte ihm zum Neuen Jahr und zum Erfolg des ›Nachtasyls‹.

1055) *17. 12. 1902 – O. L. Knipper.* 3667.

Ignatov – I. N. Ignatov, 1858–1921, Kritiker, Publizist, von Beruf Arzt, Mitarbeiter der ›Russkie vedomosti‹, des ›Vestnik Evropy‹ u. a. O.L. Knipper hatte am 10. 12. auf einer Veranstaltung einen Vortrag ›Bühne und Zuschauer‹ gehört und Čechov am 11. 12. berichtet: ›Das Referat hielt Ignatov. Opponent: Baženov... Das Resumee zog Boborykin. Irgendwie merkwürdig wurden der Zuschauer und das Theater anatomisch zerlegt, und von der Kunst, vom Theater wurde eigentlich gar nicht geredet... Sie sprachen zum Beispiel davon, daß das Theater die Passivität fördere, d. h. daß der Zuschauer Mitleid äußern könne gegenüber dem, was auf der Bühne vorgeht, oder nicht... alles endete mit der Ablehnung des modernen Theaters und Repertoires... Die Reden endeten mit den Worten: »Es lebe das Licht, und Tod der Finsternis.«‹

Baženov – Nikolaj Nikolaevič, 1857–1923, Psychiater.

Boborykin – P. D. Boborykin.

Telešov – N. D. Telešov.

Im »Permskij kraj«... – Besprechung einer Aufführung des ›Onkel Vanja‹ am Stadttheater Perm vom 6. 12. 1902.

Nemirovič... Telegramm – Telegramm V. I. Nemirovič-Dančenkos vom 14. 12. 1902:
›Sag bitte bis 22. Dezember, welche Stücke du für nächste Saison vorschlägst. Nemirovič-Dančenko.‹

Die drei Stücke von Maeterlinck – ›Les aveugles‹, ›L'intruse‹ und ›L'intérieur‹ von Maurice Maeterlinck; sie wurden erst in der Spielzeit 1904/05 am Künstlertheater aufgeführt.

»Graždanin« – konservativ-reaktionäre Zeitung, herausgegeben von V. P. Meščerskij.

Gedichtband von A. M. Fëdorov – A. M. Fëdorov, ›Gedichte‹, Petersburg 1903, Verlag O. N. Popova.

1056) *20. 12. 1902 – O. L. Knipper.* 3669.

Telegramm von Alekseev – d. i. K. S. Stanislavskij nach der Uraufführung des ›Nachtasyls‹ vom 18. 12. 1902.

Mama – A. I. Knipper.

Onkel Karl – K. I. Zalca.

Onkel Saša – A. I. Zalca.

Volodja – Vladimir L. Knipper, Bruder von O. L. Knipper.

Ėlla – E. I. Bartels, zukünftige Frau V. L. Knippers.

Zina – Z. A. Nikitskaja.

1057) *21. 12. 1902 – O. L. Knipper.* 3670.

von Gnedič die Nachricht – P. P. Gnedič, der am 16. 12. 1902 schrieb: ›Die Inszenierung hat bewiesen, welch großen Schritt voran das Gespür des Zuschauersaals in den letzten sechs Jahren gemacht hat.‹ Die ›Möwe‹ war in der Neuinszenierung am Alexandratheater Petersburg am 15. 11. 1902 herausgekommen.

Čechov schrieb Gnedič am 22. 12. einen kurzen Brief, mit dem er die Verträge zurückschickte und sich bedankte.

Brief von Suvorin – A. S. Suvorin; vgl. Čechovs Antwort, Nr. 1059.

der Alte Theaterfreund – russ. ›Staryj Teatral‹, Pseudonym, unter dem A. S. Suvorin in seiner Zeitung ›Novoe vremja‹ über Theater schrieb.

keinerlei Information über das »Nachtasyl« – vgl. Nr. 1058.

Ksenija – Schneiderin, die in der Wohnung von O. L. Knipper und M. P. Čechova wohnte.

Zina – Z. A. Nikitskaja.

1058) *22. 12. 1902 – O. L. Knipper.* 3673.

Zeitungen mit dem »Nachtasyl« – mit den Rezensionen zur Uraufführung des ›Nachtasyls‹, die am 18. 12. 1902 stattgefunden hatte.

oleum ricini – Rizinusöl.

Die »Stützen« – ›Stützen der Gesellschaft‹ von Henrik Ibsen, die nach der Gorkij-Premiere in die Proben gingen und am 24. 2. 1903 am Künstlertheater herauskamen.

Bunin – I. A. Bunin.

Skitalec – S. G. Skitalec.

L. Sredin – L. V. Sredin.

Balmont – K. D. Balmont.

1059) *22. 12. 1902 – A. S. Suvorin.* 3674.

Gorkijs Stück »Das Nachtasyl« – Uraufführung vom 18. 12. 1902, vgl. Nr. 1056, 1058. Regie führten K. S. Stanislavskij und V. I. Nemirovič-Dančenko.

Miša geschrieben – M. P. Čechov, am 11. 12. 1902 mit derselben Eindeutigkeit und Klarheit.

»Ganz Rußland«, »Kalender« – Jahresalmanache des Verlags Suvorin.

»Osvoboždenie« – illegale Zeitung, herausgegeben von P. B. Struve, erschienen vom 1. 7. 1902 bis zum 15. 10. 1905 im Ausland, zuerst in Stuttgart, dann in Paris.

1060) *24. 12. 1902 – O. L. Knipper.* 3676.

Brief von Kurkin – P. I. Kurkin vom 19. 12. 1902 mit einem Bericht über die Uraufführung des ›Nachtasyls‹; Čechov antwortete ihm am 24. 12., er habe eine Kopie des Briefes anfertigen lassen und wolle

diese Maksim Gorkij schicken; so geschehen am 26. 12. mit einem kurzen Begleitbrief an Gorkij.
A. M. – A. M. Peškov, d. i. Maksim Gorkij.
Baranov – N. A. Baranov, Schauspieler am Künstlertheater.
Gestern ... Nemirovič geschrieben – Čechovs Brief an Nemirovič-Dančenko ist nicht bekannt.

1061) *25. 12. 1902 – O. L. Knipper.* 3679.
Bilder von euch ... – in der illustrierten Beilage zu den ›Novosti dnja‹ vom 22. 12. 1902.
Moskvin – I. M. Moskvin, im ›Nachtasyl‹: der Pilger Luka.
Stanislavskij – K. S. Stanislavskij, im ›Nachtasyl‹: Satin.
du – O. L. Knipper im ›Nachtasyl‹: Nastja.
Višnevskij – A. L. Višnevskij, im ›Nachtasyl‹: der Tatar.
wie die Hochzeit wird – von Vladimir Leonardovič Knipper, dem Bruder von O. L. Knipper; dieser heiratete zu Ende des Jahres E. I. Bartels, genannt ›Ella‹, vgl. Nr. 1066.
Was hat Baranov ... – vgl. Nr. 1060.

1062) *28. 12. 1902 – O. L. Knipper.* 3683.
Volodja – V. L. Knipper, der Bräutigam.
Djagilev – S. P. Djagilev; Čechovs Antwort vgl. Nr. 1063.
Rezension der »Möwe« – am Alexandratheater Petersburg, vgl. Anm. Nr. 1057.
das Stück schreiben ... – den ›Kirschgarten‹.
die Alte – die Rolle der Ljubov Andreevna Ranevskaja, vgl. detebe Nr. 50/III.
Azagarova – Anna Jakovlevna, Schauspielerin, spielte mehrere Spielzeiten in Moskau bei F. A. Korš, dann an Provinzbühnen.
Fomka – vgl. Nr. 1053.

1063) *30. 12. 1902 – S. P. Djagilev.* 3685.
Aufsatz über die »Möwe« – von D. Filosofov in der Zeitschrift ›Mir iskusstva‹ Nr. 11, 1902, der die beiden Aufführungen von 1896 und 1902 miteinander verglich.
Sie schreiben, wir hätten ... – Djagilev hatte Čechov am 23. 12. geschrieben, bedauert, daß das Gespräch ›am interessantesten Punkt‹ abgebrochen worden sei, nämlich der Frage, ob ›heutzutage eine ernsthafte religiöse Bewegung in Rußland möglich‹ sei, – und dies sei, mit anderen Worten, doch die Existenzfrage der gesamten modernen Kultur.

1064) *30. 12. 1902 – A. I. Kuprin.* 3688.

1065) *30. 12. 1902 – V.S. Miroljubov.* 3689.
Rozanovs Feuilleton – V.V. Rozanov, über N.A. Nekrasov, anläßlich des 25. Todestages des Dichters (27. 12. 1877).
Die »Braut«... bald – Čechov schloß diese Erzählung erst viel später ab, so daß sie erst in Heft XII (Dezember) 1903 der Zeitschrift ›Žurnal dlja vsech‹ erscheinen konnte, vgl. detebe Nr. 50/XVI.

1903

1066) *1. 1. 1903 – O.L. Knipper.* 3693.
lustig auf der Hochzeit – ihres Bruders Vladimir L. Knipper mit E.I. Bartels.
von Suvorin – A.S. Suvorin.
von Nemirovič-Dančenko – Brief vom 26. 12. 1902, der den Entwurf des Spielplans für 1903/04 enthielt mit der Bitte um einen ›klugen Rat‹. Am 7. 1. 1903 schrieb Čechov an O.L. Knipper, er habe eine neue Liste der zur Aufführung am Künstlertheater geplanten Stücke bekommen, von A.N. Ostrovskijs Komödie ›Eine Dummheit macht auch der Gescheiteste‹ rate er ab, die sei nichts fürs Künstlertheater. ›Wo du wühlen solltest: ob sich nicht bei Victor Hugo etwas findet? Für die Feiertagsvorstellungen? Gut wäre auch, wenn ihr die »Heirat« von Gogol inszenieren würdet.‹
»Früchte der Bildung« – Komödie von L.N. Tolstoj, wurde vom Künstlertheater vor 1917 nicht gespielt; nach ›Macht der Finsternis‹ vom 5. 11. 1902 war das nächste Tolstoj-Stück am Künstlertheater der ›Lebende Leichnam‹ (23. 9. 1911).
»Ein Monat auf dem Lande« – von Ivan S. Turgenev, entstanden 1855; kam am Künstlertheater erst am 9. 12. 1909 heraus.
Maša – M.P. Čechova war die Feiertage über in Jalta, sie blieb bis zum 11. Januar.
Bunin und Najdënov – I.A. Bunin, S.A. Najdënov und A.M. Fëdorov waren im Dezember 1902 nach Odessa gereist, über ihre Begegnungen mit Odessaer Literaten schrieben die ›Odesskie novosti‹ am 28. und 29. 12. 1902.

1067) *1. 1. 1903 – K.S. Stanislavskij.* 3691.
mit dem Stück angefangen... – dem ›Kirschgarten‹.

1068) *3. 1. 1903 – O.L. Knipper.* 3694.
Mamaša – A.I. Knipper.
Dr. Machotin – Valentin Anatoljevič, Arzt in Moskau.

Konzert zugunsten... – der Erdbebenopfer der Stadt Andižan in Zentralasien, das sich am 3. 12. 1902 ereignet hatte.

Ehrenkarte – für die 36. Kunst-Ausstellung russischer Künstler, die am 27. 12. 1902 in den Räumen der Stroganovschen Lehranstalt eröffnet worden war.

Sašečka Sredin – A.V. Sredin.

für das Telegramm – das nicht überliefert ist.

1069) *8. 1. 1903 – O.L. Knipper.* 3701.

Gorkij... Stück – gemeint ist das ›Nachtasyl‹.

1070) *9. 1. 1903 – O.L. Knipper.* 3702.

Konventional-Klausel – vgl. Nr. 1051, Nr. 942 sowie Briefe vom Januar 1899.

Sergeenko – P.A. Sergeenko, Čechovs Bevollmächtigter, der in Petersburg 1899 die Verhandlungen mit A.F. Marks geführt hatte.

Gruzenberg – O.O. Gruzenberg, Petersburger Anwalt, dem die Prüfung der Vertragsangelegenheit übertragen worden war.

Beilage zur »Niva« – 1903 erschien Čechovs Werk, und zwar das Gesamtwerk, in einer populären Sonderausgabe des Verlags A.F. Marks als Treueprämie für die Abonnenten der Zeitschrift ›Niva‹. Die Edition solcher Gesamtausgaben als Jahresprämien für ein Zeitschriftenabonnement (von Autoren wie N.V. Gogol, L.N. Tolstoj, A.S. Puškin, Lomonosov, Turgenev, Gončarov, aber auch ausländischer Autoren, z.B. Heinrich Heine, Knut Hamsun, Molière, Henrik Ibsen) wird noch heute als mustergültig angesehen und gilt als eines der Hauptverdienste des Verlegers A.F. Marks.

Brief von Nemirovič – vom 4. 1. 1903.

1071) *13. 1. 1903 – O.L. Knipper.* 3708.

1072) *14. 1. 1903 – O.L. Knipper.* 3709.

Puškarëva – Nadežda Lukinična.

ihr Stück – ›Der attackierte Bräutigam‹.

Puškarëv – N.L. Puškarëv, 1841–1906, Lyriker, Dramatiker, Herausgeber der Zeitschriften ›Svet i teni‹, ›Mirskoj tolk‹, ›Evropejskaja biblioteka‹.

Kuprin – A.I. Kuprin, Brief von Januar 1903.

Gorkij – Maksim Gorkij, der von der Zeitung ›Graždanin‹ mit besonderem Ingrimm verfolgt wurde. Am 16. 1. schrieb Čechov an O.L. Knipper, daß in Nr. 4 dieser Zeitung eine Besprechung des ›Nachtasyls‹ stehe, und teilte Zitate aus dem ›Graždanin‹ über den Schriftsteller Skitalec mit.

1073) *20. 1. 1903 – O. L. Knipper.* 3713.
Savina – M. G. Savina; statt des ›Jubiläums‹ entschied sich M.G. Savina für Suvorins Stück ›Die Frage‹. Am Alexandratheater kam das ›Jubiläum‹ dennoch am 1. 5. 1903 heraus, in der Besetzung G. G. Ge (Šipučin), M. A. Potockaja (Tatjana Aleks.), K. A. Varlamov (Chirin) und E. I. Levkeeva (Merčutkina).

1074) *26. 1. 1903 – O. L. Knipper.* 3721.
Evlalija – Illarija Vladimirovna Amfiteatrova, Frau des Schriftstellers A.V. Amfiteatrov, die O. L. Knipper in ihrem Brief vom 21. 1. erwähnt hatte.
schreibe Erzählung für »Žurnal dlja vsech« – ›Die Braut‹, vgl. Briefe an den Redakteur V.S. Miroljubov, Nr. 1080, 1084 u. a.
für die »Russkaja mysl«, dann für »Mir božij« – V.A. Golcev (›Russkaja mysl‹) und F.D. Batjuškov (›Mir božij‹), denen Čechov für die nicht näher terminierte Zukunft je eine Geschichte zugesagt hatte, hatten die Jahreswende genutzt, sich bei Čechov in Erinnerung zu bringen. An F. D. Batjuškov schrieb Čechov am 11. 1. 1903 ausweichend, mit Hinweis auf die ältere Verpflichtung gegenüber dem ›Žurnal dlja vsech‹. V. A. Golcev versprach Čechov am 26. 1. 1903, sich an eine Erzählung für ihn zu setzen, sobald er mit dem Manuskript für Miroljubov fertig sei.
Brief von der Komissarževskaja – V. F. Komissarževskaja, vgl. Nr. 1075.
ihr Privattheater ... – das Theater V. F. Komissarževskaja in Petersburg existierte, entgegen Čechovs Voraussage, bis zum Tode der Komissarževskaja 1910. Gespielt wurden dort die Čechov-Stücke ›Die Möwe‹, ›Onkel Vanja‹ sowie der Einakter ›Die Hochzeit‹.

1075) *27. 1. 1903 – V. F. Komissarževskaja.* 3722.

1076) *5. 2. 1903 – O. L. Knipper.* 3732.
»Möwe«-Orden von Alekseev – einen goldenen Anhänger, der in einem rechteckigen Rahmen eine stilisierte Darstellung einer Möwe (ähnlich dem Signet des Künstlertheaters) enthielt, den Stanislavskij hatte anfertigen lassen; vgl. auch Nr. 1077.
wie Jiron und Louise – meint eine Skandalgeschichte, die Ende 1902 die Gemüter erregt hatte: die Frau des sächsischen Kronprinzen Friedrich August III., Herzogin Louise, war zusammen mit dem französischen Lehrer Jiron Ende 1902 in die Schweiz geflohen.
»Nachtasyl« – von Maksim Gorkij, dessen zweites Theaterstück, am Moskauer Künstlertheater uraufgeführt am 18. 12. 1902. Im Verlag ›Znanie‹ erschien das Stück als Buchausgabe Ende Januar 1903, ebenfalls Ende Januar 1903 wurde das Stück, nach einigen Proben am

Petersburger Alexandratheater, vom Spielplan genommen. Dem Moskauer Künstlertheater wurden jedoch Vorstellungen des ›Nachtasyls‹ in Petersburg gestattet, das Künstlertheater eröffnete am 7. 4. 1903 sein Petersburger Gastspiel mit ›Nachtasyl‹.

sogar im »Graždanin« – einer der reaktionärsten Zeitungen, vgl. Anm. Nr. 1072.

Suvorins »Frage« – ›Die Frage‹ von A.S. Suvorin, Theaterstück, das am Alexandratheater in Petersburg gespielt wurde, vgl. Nr. 1073.

1077) *5. 2. 1903 – K.S. Stanislavskij.* 3731.

»Möwe«-Orden – vgl. Anm. Nr. 1076.

1078) *5. 2. 1903 – M.F. Pobedimskaja.* LN 129.

Ihre Auffassung der Elena Andreevna – die Adressatin, Arztfrau aus einem Dorf im Gouv. Cherson, hatte Čechov mitgeteilt, sie werde in einer Liebhaberaufführung des ›Onkel Vanja‹ Elena Andreevna spielen, und um eine ›Antwort in zwei Zeilen‹ gebeten auf diese Frage: ›Ist Elena Andreevna, die Frau des Professors, der Typ der mittleren intellektuellen Frau, die denken kann und anständig ist, oder ist diese Frau apathisch, träge, unfähig zu denken und sogar unfähig zu lieben? Ich bitte Sie nicht aus purer Neugierde um ein Wort. Ich kann mich mit der zweiten Auffassung, der des Regisseurs, nicht abfinden und wage zu hoffen, daß mein Verständnis dieser Frau als eines vernünftigen, denkenden und über die Unerfülltheit ihres Lebens sogar unglücklichen Menschen richtig ist.‹

9. Februar – dem Tag, an dem die Vorstellung stattfinden sollte.

1079) *7. 2. 1903 – O.L. Knipper.* 3733.

Gedicht der Čjumina – O.L. Knipper hatte Čechov das ihm gewidmete Gedicht ›Auf der Krim‹ von O.N. Čjumina angekündigt; Čechov bestätigte den Empfang am 9. 2.

Vl. Vl. Čechov – Vladimir Vladimirovič, 1867–1920, Psychiater in Petersburg, trat als Rezitator auf literarischen Veranstaltungen hervor; Sohn von Vladimir Mitrofanovič Čechov.

Golcevsches Jubiläum – Jubiläum der 25jährigen schriftstellerischen Tätigkeit V.A. Golcevs; O.L. Knipper hatte Čechov davon am 1. 2. 1903 berichtet. Čechov hatte die Bereitschaft geäußert, 100 Rubel zu stiften für ein nach V.A. Golcev benanntes Stipendium; das gespendete Geld wurde jedoch nicht für diesen Zweck verwandt, sondern zum Ausbau der Bibliothek in Ruza, Golcevs Sommer-Wohnsitz.

wird man euch das »Nachtasyl« genehmigen – vgl. Nr. 1076.

Zverev – Nikolaj Andreevič, Jurist, Professor an der Universität Moskau, 1898–1901 Stellvertretender Minister für Volksaufklärung,

1903–04 Chef der Hauptverwaltung für Pressewesen (der Zensurbehörde), danach Senator.
Stück der Komissarževskaja geben – den ›Kirschgarten‹, vgl. Nr. 1075.

1080) *9. 2. 1903 – V.S. Miroljubov.* 3737.
von den Herren Bräutigamen . . . – meint die Zensoren.

1081) *11. 2. 1903 – M.P. Lilina.* 3740.
für den Brief . . . – vom 2. Februar. Čechov am 9.2. an O.L. Knipper, er habe von ›Marija Petrovna einen sehr lieben Brief bekommen.‹
Gratulationsbrief an A.L. – A.L. Višnevskij, der, wie M.P. Lilina (im Scherz) mitgeteilt hatte, E.M. Raevskaja heiraten werde; Čechov hatte daraufhin einen Glückwunschbrief an Višnevskij geschrieben (am 10. Februar). Vgl. Nr. 1085.
Auch wenn Sie den »Revisor« . . . – vgl. Nr. 1066; Čechov nennt die klassischen russischen Komödien des XIX. Jahrhunderts: ›Der Revisor‹ und ›Die Heirat‹ von N.V. Gogol; ›Verstand schafft Leiden‹ von A.S. Griboedov; ›Ein Monat auf dem Lande‹ von I.S. Turgenev.
der Arzt – I.N. Altšuller.

1082) *11. 2. 1903 – O.L. Knipper.* 3741.
Aufsatz von Batjuškov – ›Über Čechov‹ von F.D. Batjuškov, veröffentlicht in den ›Peterburgskie vedomosti‹ vom 27. 1. 1903.
S.A. Tolstaja über Andreev – Aufsatz vom 7. 2. 1903 im ›Novoe vremja‹ über die Erzählung ›Im Nebel‹ von L.N. Andreev; S.A. Tolstaja bekräftigte in diesem Aufsatz die Kritik V.P. Burenins, der die Erzählung als ein schädliches, schmutziges und pornographisches Werk denunziert hatte.
wegen N . . . – ungeklärt.
M.P. – M.P. Lilina.
M.F. – Marija Fëdorovna Andreeva.
Mein Großvater – Egor Michajlovič Čechov, der bei den Gutsbesitzern Čertkov Leibeigener gewesen war und sich und seine Familie 1841 freigekauft hatte.

1083) *17. 2. 1903 – O.L. Knipper.* 3747.
Rolle einer Tugendhaften . . . – die Rolle der Lona in Henrik Ibsens ›Stützen der Gesellschaft‹, die am 24. 2. 1903 am Künstlertheater herauskamen.
»Die Möwe« z. B. – in der ›Möwe‹ spielte O.L. Knipper die Arkadina.
Komissarževskaja – V.F. Komissarževskaja; O.L. Knipper hatte am 12. 2. mitgeteilt, V.I. Nemirovič-Dančenko erwäge ein Gast-Engagement der Komissarževskaja für die 4 ›Möwe‹-Vorstellungen des

Künstlertheaters bei dessen Gastspiel in Petersburg, für die Rolle der Nina Zarečnaja.

1084) *20. 2. 1903 – V.S. Miroljubov.* 3752.

die Erzählung – ›Die Braut‹; am 23. 2. bat Čechov nochmals um Aufschub. Vgl. Nr. 1090.

1085) *22. 2. 1903 – O.L. Knipper.* 3754.

Blumen von der Ermolova – M.N. Ermolova hatte, wie O.L. Knipper am 17. 2. berichtete, während eines Besuchs der ›Drei Schwestern‹ jeder der drei Schwestern eine Majolika-Vase mit Blumen in die Garderobe geschickt.

Samojeden – russischer Name eines sibirischen Volksstammes, ›wahrscheinlich von Same ädnam, dem einheimischen Namen von Lappland, das einstmals weiter nach Osten reichte, oder, wie sie sich selbst nennen, Chasawa, Volk uralaltaischen Stammes im nordwestl. Asien und nordöstl. Europa‹. ›Ihre Gesamtzahl wird auf 15 400 geschätzt, wovon 5400 auf das Gouvernement Archangelsk kommen. Sie treiben Fischfang und Renntierzucht und sind vom Christentum noch wenig berührt‹ usw. Brockhaus, Leipzig 1903.

Deine Rolle... – im ›Kirschgarten‹; Čechov hatte für O. L. Knipper anfangs die Rolle der Varja geplant, vgl. Nr. 1092.

Band mit Stücken – A. M. Fëdorov, ›Eine normale Frau und andere Stükke‹, Petersburg 1903, mit Widmung des Autors, der vor allem das (in diesem Band enthaltene) Stück ›Elementargewalt‹ am Künstlertheater unterbringen wollte. Čechov schrieb Fëdorov am 23. 2., er habe gerade einen Brief von Nemirovič bekommen, bekomme außerdem täglich Briefe von seiner Frau, über das Repertoire der nächsten Spielzeit sei noch nicht entschieden worden, niemand wisse bisher Näheres darüber.

Timkovskij – Nikolaj Ivanovič, 1863–1922, Schriftsteller, Dramatiker.

Honorar für die »Möwe« – 1902 war die ›Möwe‹ am Alexandratheater in Petersburg neu inszeniert worden. Auf das Honorar für die Uraufführung 1896 hatte Čechov sehr lange warten und viele Male deswegen nachhaken müssen, vgl. seine Briefe an Aleksandr 1897. Am 22. 2. schrieb Čechov an P.P. Gnedič und teilte diesem mit, er habe bereits einen (nicht überlieferten) Brief an das Kontor der Kaiserlichen Theater Petersburg gerichtet.

wird Višnevskij heiraten? – vgl. Nr. 1081.

1086) *23. 2. 1903 – O.L. Knipper.* 3756.

bei Korovin – verkürzt für: Haus Korovin in der Moskauer Straße Petrovka, wohin O.L. Knipper umzuziehen gedachte.

Erzählungen, die ich schreibe ... – nach der ›Braut‹ erschienen von Čechov keine Erzählungen mehr im Druck; Čechov hinterließ jedoch einige Notizen sowie zwei Fragmente, vgl. ›Tage- und Notizbücher‹.
Malkiels – M.S. und S.S. Malkiel, Bekannte der Familie Čechov, befreundet vor allem mit M.P. Čechova.
Mišas Tochter – Tochter von Michail P. Čechov.
Um die Pässe – für die geplante Reise ins Ausland.
Den jungen Damen, die ... – O.L. Knipper hatte am 18. 2. berichtet, sie habe Besuch von einer jungen Dame bekommen, die sie um Hilfe gebeten habe für eine Freundin, die zum Studieren ins Ausland gehen müsse.

1087) *26. 2. 1903 – I.N. Potapenko.* 3760.
jetzt zu der Zeitschrift – I.N. Potapenko hatte am 21. 2. geschrieben, er sei zu einem alten Traum zurückgekehrt, den er jetzt realisieren wolle, nämlich eine eigene Zeitschrift zu besitzen. Als Herausgeber denke er an D.N. Mamin-Sibirjak, Vasilij I. Nemirovič-Dančenko und sich. ›Als vierten wünschen wir uns dich.‹
Vgl. auch Nr. 1088, 1093.

1088) *26. 2. 1903 – A.I. Sumbatov-Južin.* 3761.
für den Brief – vom 12. 2. 1903, in dem Sumbatov-Južin u.a. geschrieben hatte: ›so wenig mir die »Kleinbürger« gefallen haben, so sehr hat mir das »Nachtasyl« gefallen.‹
»Mein Weggefährte«, »Čelkaš« – Erzählungen von M. Gorkij.
»Foma Gordeev«, »Drei« – Romane von Gorkij.
die Bosjaki – russischer terminus technicus, Bezeichnung für die Helden der frühen Erzählungen Gorkijs, wörtl. die ›Barfüßer‹, die ohne Schuhwerk gehen, die ›gewesenen Menschen‹, Landstreicher, Vagabunden, entflohenen Sträflinge u.a. Gammler, Penner.
Potapenko ... Zeitschrift – vgl. Nr. 1087.

1089) *27. 2. 1903 – O.L. Knipper.* 3762.
Über die »Stützen« ... – ›Stützen der Gesellschaft‹ von Henrik Ibsen, hatten am 24. 2. 1903 am Künstlertheater Premiere. Am 25. 2. hatte O.L. Knipper nur telegraphiert: ›Mittlerer Erfolg. Zeitungen abgewartet in Eremitage.‹ Darauf Čechov am 25. 2.: ›Die »Stützen« hatten also einen mittleren Erfolg? Du hast also bis zum frühen Morgen in der Eremitage gesessen? Die Stimmung ist also bei euch allen z.Z. mittel, d.h. nicht gut?‹
Photos von den »Kleinbürgern« ... – vgl. Nr. 1085.

1090) *27. 2. 1903.* – V.S. Miroljubov. 3763.

1091) *4. 3. 1903 – O. L. Knipper.* 3769.
Cubat – Restaurant und Delikatessengeschäft in Petersburg.
mein Stück noch nicht fertig – in ihrem Brief vom 27. 2. hatte O. L. Knipper gemahnt und u. a. geschrieben, sie sei überzeugt, er habe sich noch gar nicht hingesetzt, und sie werde ›jetzt energischer sein‹.
werden getrennt leben, aber . . . – O. L. Knipper am 27. 2.: ›Ich kann nicht mehr leben in dem Bewußtsein, daß du irgendwo, fern von mir, dein Leben dahinschleppst, Sehnsucht hast, leidest. Ich kann das nicht. Aber was man tun soll, weiß ich auch nicht. Aber so ist es undenkbar. Verstehst du das?‹
Fahrt ihr nach Petersburg – auf Gastspielreise; eine Frage, die Čechov mehrmals hintereinander gestellt hatte. Das Künstlertheater gastierte in Petersburg Ende März bis Anfang April.
Wohnung Goneckaja – verkürzt die alte Adresse: Neglinnyj proezd, Haus Goneckaja.

1092) *5./6. 3. 1903 – O. L. Knipper.* 3770.
Varvara Egorovna – später im ›Kirschgarten‹ nur noch Varja. O. L. Knipper spielte im ›Kirschgarten‹ die Rolle der Ranevskaja.
Stanislavskij . . . komische Rolle – im ›Kirschgarten‹: Gaev; ursprünglich dachte Čechov sich Stanislavskij jedoch als Lopachin.
im Geschäft der Volkova – Buchhandlung Ju. V. Volkova in Jalta.

1093) *12. 3. 1903 – I. N. Potapenko.* 3775.
Sonst . . . kaum verstehen – vgl. Nr. 1087; Antwort auf I. N. Potapenkos Brief vom 7. 3. 1903.
in der Hauptverwaltung – verkürzt für: Hauptverwaltung für Pressewesen, d. h. die Zensurbehörde.

1094) *18. 3. 1903 – O. L. Knipper.* 3781.
endlich deine Adresse . . . – O. L. Knipper hatte zwar mitgeteilt, sie sei umgezogen, Haus Korovin (vgl. Nr. 1086), nicht aber, in welcher Straße sich dieses Haus befand; Čechov hatte deshalb mehrmals nachgefragt, am 17. 3. schließlich an A. L. Višnevskij geschrieben, er möge ihm bitte die Adresse seiner Frau mitteilen.
Brief, in dem du . . . – Brief vom 13. 3. O. L. Knipper schrieb ›in einem entsetzlichen Zustand. Ich bin ein schreckliches Schwein dir gegenüber. Was bin ich dir für eine Frau? Ich darf mich nicht deine Frau nennen. Ich schäme mich, deiner Mutter in die Augen zu sehen. Das kannst du ihr auch sagen. Ich schreibe ihr auch aus diesem Grunde nicht. Wenn ich nun einmal geheiratet habe, muß ich mein persönliches Leben vergessen und nur noch deine Frau sein. Ich weiß im Grunde überhaupt nichts und weiß nicht, was ich tun soll. Ich möchte

alles stehen und liegen lassen und fortgehen, irgendwohin wo mich niemand kennt. Denk nur nicht, das sei eine Laune von mir. Das quält und bedrückt mich immer. Nun, und jetzt ist das Faß übergelaufen.‹

Černigovskaja – O. L. Knipper hatte geschrieben: ›Ich fahre jetzt gleich nach Troica, Černigosvkij Skit, dort sind die Alekseevs.‹

Wenn Maša ... gefahren ist – M. P. Čechova kam über Ostern nach Jalta.

durch V. K. Charkeevič ... schicken – Čechov hatte bereits am 17. 3. geschrieben, V. K. Charkeevič beabsichtige nach Petersburg zu kommen und wolle selbstverständlich die Vorstellungen des Künstlertheaters sehen, O. L. Knipper möge für sie für die hier nochmals genannten Stücke eine Loge reservieren.

1095) *23. 3. 1903 – O. L. Knipper.* 3788.

böse wegen der Adresse ... – Čechov am 21. 3. an O. L. Knipper: ›Dein letzter Brief ist einfach empörend. Du schreibst, »in wievielen Briefen hab ich geschrieben, daß wir auf die Petrovka, Hs. Korovin umziehen«, aber ich habe alle deine Briefe unversehrt hier und nur in einem hast du mitgeteilt, daß ihr ins Haus Korovin zieht ... Ich habe ja gewußt, daß ich am Ende der Schuldige sein werde!‹

Turgenev, Stücke – im Zusammenhang mit den Spielplanüberlegungen für das Künstlertheater. ›Gnadenbrot‹ von I. S. Turgenev wurde vom Künstlertheater erst 1912 gespielt.

Die »Dame aus der Provinz« – oder ›Die Provinzlerin‹, Komödie von I. S. Turgenev aus dem Jahre 1850.

Čechov nochmals über Turgenev am 24. 3. 1903 (an O. L. Knipper): ›»Was allzu fein gesponnen, reißt« ist zu einer Zeit geschrieben worden, als bei den besten Schriftstellern noch stark der Einfluß von Byron und Lermontov mit seinem Pečorin zu spüren war; Gorskij ist doch eben jener Pečorin. Ein bißchen dünn und abgeschmackt, aber dennoch Pečorin. Das Stück könnte aber durchaus interessant werden; ein bißchen lang und von Interesse nur als Denkmal vergangener Zeiten. Obwohl ich mich auch irren kann, was durchaus möglich wäre. Wie pessimistisch habe ich mich im Sommer über das »Nachtasyl« geäußert, und was für einen Erfolg es jetzt hat! Ich bin kein Richter.‹

von Nemirovič – Vl. I. Nemirovič-Dančenko, Brief vom März 1903.

Gorkij ... war bei mir – M. Gorkij war am 6. 3. in Jalta angekommen und besuchte Čechov zwischen dem 6. und 16. 3. mehrfach, am 17. 3. feierte Čechov bei Gorkij in Oleiz Gorkijs Namenstag.

»Ž. dlja vsech« – ›Žurnal dlja vsech‹; Čechov hatte die Erzählung am 27. 2. an V. S. Miroljubov abgeschickt, vgl. Nr. 1090, und Mitte März die Fahnen bekommen.

1096) *26. 3. 1903 – O. L. Knipper.* 3793.
Zvanceva – E. N. Zvanceva, Malerin.

1097) *8. 4. 1903 – O. L. Knipper.* 3798.
Černomordik – fiktiver Name, zusammengesetzt aus ›černo-‹ (schwarz) und ›morda‹ (Schnauze): ›Schwarzschnäuzchen‹, ›Schwarzmäulchen‹.

1098) *9. 4. 1903 – O. L. Knipper.* 3800.
Gäste ohne Ende ... – außer Maksim Gorkij befanden sich damals in Jalta: I. A. Bunin, A. I. Kuprin, A. M. Fëdorov, F. O. Šechtel, V. A. Maklakov, K. P. Pjatnickij, L. N. Andreev. Ende März/Anfang April hatte Čechov mehrfach Besuch von V. S. Miroljubov.
Korrektur lesen – die Fahnen zu Band XI der Werkausgabe bei A. F. Marks, vgl. auch Nr. 1100.
Alekseevs – K. S. Stanislavskij und M. P. Lilina; beide hatten am 9. 4. aus Petersburg ein Telegramm geschickt anläßlich des Riesenerfolgs des ›Onkel Vanja‹; auch V. I. Nemirovič-Dančenko hatte telegraphiert.

1099) *12. 4. 1903 – O. L. Knipper.* 3802.

1100) *14. 4. 1903 – A. F. Marks.* 3805.
die Korrekturen – des letzten (Ergänzungs-) Bandes der ›Gesammelten Werke‹ Čechovs bei A. F. Marks, Band XI.
»Taschenatlas« – um den Čechov Marks gebeten hatte; ›Reineke Fuchs‹ von J. W. v. Goethe, übersetzt von V. S. Lichačëv, in einer illustrierten Luxusausgabe des Verlags A. F. Marks, Petersburg 1902.

1101) *17. 4. 1903 – O. L. Knipper.* 3807.
P. Vejnberg – P. I. Vejnberg; zum ›Nachtasyl‹ von M. Gorkij in der Inszenierung des Künstlertheaters erschien in der Petersburger Zeitung ›Novosti i Birževaja gazeta‹ eine Interview-Reihe, in der sich am 11. 4. Vejnberg negativ über das Stück geäußert hatte.
dasselbe über die »Möwe« – Vejnbergs Meinung zur ›Möwe‹ kannte Čechov aus einem Aufsatz von A. I. Urusov (im ›Kurjer‹, 3. 1. 1899), der bei einem Vortrag P. I. Vejnbergs über die ›Möwe‹ referierte; Vejnbergs Vortrag war nicht im Druck erschienen.
Minskij – N. M. Minskij, der sich am 12. 4. in der Interview-Reihe der ›Novosti i Birževaja gazeta‹ äußerte.
Iljinskaja – Marija Vasiljevna, Schauspielerin am Alexandratheater Petersburg.

1102) *25. 4. 1903 – A. S. Suvorin.* 3814.
wann in Moskau ... – A. S. Suvorin war am 10./11. 4. in Moskau und

traf sich mit Čechov, der ihm die Robert-Burns-Übersetzung von I.A. Belousov empfahl.

1103) *13. 5. 1903 – O.L. Knipper.* 3829.

Spirovo, Tver, Bologoe – Stationen auf der Eisenbahn-Strecke Moskau-Petersburg. Čechov war nach Petersburg gefahren, um mit A.F. Marks über die Auflösung seines Vertrags zu sprechen, er kam am 15. 5. nach Moskau zurück; vgl. Nr. 1104.

schreibe oder telegraphiere – das Telegramm vom 15. 5. an O.L. Knipper: ›Heute mit Sevastopoler‹, meint den Zug nach Sevastopol via Moskau.

der Deutsche – A.F. Marks. Čechov am 7. 6. an seine Schwester über sein Gespräch mit Marks: ›Mit Marks habe ich gesprochen, aber es ist vorläufig nichts besonderes herausgekommen. Er hat mir sehr viele (rund 4 Pud) Bücher in Luxuseinband geschenkt; hat mir »zur Heilung« 5 Tausend angeboten, ich habe sie natürlich nicht genommen.‹ Vgl. auch Nr. 1104.

1104) *16. 5. 1903 – M.P. Čechova.* 3834.

Miša – Michail M. Čechov, der wie sein ältester Bruder Aleksandr in Petersburg lebte.

Babuška – die alte Köchin M. (Marjuška) D. Belenovskaja.

George – G.M. Čechov.

Lelja Miroljubova – E.M. Čechova, Cousine Čechovs, die im Scherz ›Miroljubovs Braut‹ genannt wurde.

1105) *24. 5. 1903 – M.P. Čechova.* 3844.

Prof. Ostroumov – A.A. Ostroumov.

Jakunčikova – M.F. Jakunčikova.

in Nara, wohin ich morgen... – Čechov und O.L. Knipper fuhren am 25. 5.

Essen bei Golcev – V.A. Golcev. Bei dieser Gelegenheit bot V.A. Golcev Čechov an, die Redaktion des literarischen Teils der Zeitschrift ›Russkaja mysl‹ zu übernehmen; vgl. Nr. 1107.

wird nicht verkauft – vgl. Nr. 1106.

Maklakov – V.A. Maklakov.

Morozov – Savva T. Morozov.

Fedotova – G.N. Fedotova.

wie Zembulatov – V.I. Zembulatov.

1106) *17. 6. 1903 – A.S. Suvorin.* 3861.

Novyj Ierusalim... nicht gewesen – am 4. 6. hatte Čechov an seine Schwester geschrieben, er wolle um den 10. Juni nach Zvenigorod fahren, von dort nach Novyj Ierusalim, wo in der Nachbarschaft von S.

T. Morozov ein kleines Gut von 20 Desjatinen verkauft werde: Čechov und O. L. Knipper suchten, seit Čechovs Besuch in der Klinik A. A. Ostroumovs, für den kommenden Winter ein Haus in der Umgebung Moskaus, vgl. auch Nr. 1105.

Vasja – Diener Suvorins.

Miša – M. P. Čechov.

In Petersburg war ich... – am 14./15. 5.

Nummern der Zeitung – der Zeitschrift ›Osvoboždenie‹, einer illegalen Zeitschrift der liberalen Opposition, die, herausgegeben von P. V. Struve, zuerst in Stuttgart, danach in Paris erschien.

Lavrov – V. M. Lavrov; der beabsichtigte Verkauf der Zeitschrift kam nicht zustande, Lavrov blieb Herausgeber bis April 1905, danach ging sie an V. A. Golcev über.

Abschaffung der Peitsche... – am 15. 6. 1903 waren durch Regierungs-Erlaß eine Reihe von Maßnahmen gegenüber Strafgefangenen aufgehoben worden, so das obligatorische Scheren des Haupthaars, so körperliche Züchtigungen durch Peitschen und Ruten; verboten wurde auch die Maßnahme, daß Strafgefangene mit Ketten an einen Karren geschmiedet wurden; vgl. zu diesen Strafmaßnahmen die ›Insel Sachalin‹.

1107) *17. 6. 1903 – N. E. Ėfros.* 3862.

mit dem Stück – ›Der Kirschgarten‹.

Teilnahme an der »Russkaja mysl« – vgl. Nr. 1105, 1106. Wie aus einem Brief vom 18. 6. an V. A. Golcev hervorgeht, las Čechov bereits in Naro-Fominskoe Manuskripte für die ›Russkaja mysl‹.

in 2–3 Wochen in Moskau – Čechov und O. L. Knipper reisten am 7. 7. nach Jalta, ohne sich länger in Moskau aufzuhalten, sie trafen am 9. 7. in Jalta ein.

1108) *19. 6. 1903 – S. N. Šolom-Alejchem.* 3864.

nur bedingt Versprechen... – Antwort auf die Frage Šolom-Alejchems, vom 16. 6., ob Čechov sich nicht mit einer Erzählung an einem Almanach zugunsten der Opfer des Juden-Pogroms von Kišinëv beteiligen könne; der Almanach sollte, in Hebräisch, in Warschau erscheinen. Der Almanach ›Kultur‹ erschien, gedruckt in Warschau, 1903 in Minsk, mit der Čechov-Erzählung ›Schwere Naturen‹ in hebräischer Übersetzung.

1109) *26. 6. 1903 – A. S. Suvorin.* 3868.

Ežovs Werke – Deckname für die Zeitschrift ›Osvoboždenie‹, vgl. Nr. 1106.

Gorkijs Brief zu... Kišinëv – ›Über das Pogrom von Kišinëv‹, Aufsatz, der in Form eines Flugblatts in Rußland Verbreitung fand und schließlich am 2. 6. 1903 in der Zeitschrift ›Osvoboždenie‹ veröffentlicht wurde.

1110) *1. 7. 1903 – A.S. Suvorin.* 3871.
Veresaev – Vikentij Vikentjevič (Smidovič), 1867–1945, Arzt und Schriftsteller; gemeint ist die Ausgabe ›Erzählungen‹, 2 Bde., Petersburg 1903. Den Autor Veresaev kennengelernt hatte Čechov im Frühjahr 1903 in Jalta.
Ežov – vgl. Nr. 1109.

1111) *2. 7. 1903 – V.S. Miroljubov.* 3872.
habe Ihnen geschrieben – am 12. 6. 1903; in diesem Brief teilt Čechov mit, er habe die Erzählung per eingeschriebenes Streifband abgeschickt, und entschuldigt sich für die Vielzahl der Korrekturen: er habe sich, weil er nichts zu tun habe, hinreißen lassen und die ganze Erzählung ›durchgestrichen‹, d.h. neu geschrieben.

1112) *5. 7. 1903 – V.A. Golcev.* 3873.

1113) *12. 7. 1903 – S.P. Djagilev.* 3874.
Redakteur des »Mir iskusstva« – Zeitschrift, die S. P. Djagilev herausgab; Čechovs Antwort auf Djagilevs Vorschlag vom 3. 7. 1903, die Redaktion des literarischen Teils der Zeitschrift zu übernehmen.

1114) *15. 7. 1903 – V.G. Korolenko.* 3875.
heute mit besonderem Gefühl – am 50. Geburtstag V.G. Korolenkos.

1115) *28. 7. 1903 – K.S. Stanislavskij.* 3878.
mein Stück – ›Der Kirschgarten‹.
Ihre Rolle – vorgesehen war zu diesem Zeitpunkt für Stanislavskij noch die Rolle des Lopachin.
Michajlovskij-Garin – N.G. Michajlovskij-Garin, Schriftsteller, Ingenieur, der eine Eisenbahnlinie durch die Krim projektiert hatte, die jedoch nicht realisiert wurde.
Marija Petrovna – M.P. Lilina.
Elizaveta Vasiljevna – E.V. Alekseeva, Mutter Stanislavskijs.

1116) *5. 8. 1903 – V. A. Golcev.* 3881.
das Gedicht von Balmont – K.D. Balmont, ›Hymne an die Sonne‹, vgl. auch Nr. 1117, erschien nicht in der ›Russkaja mysl‹. V.A. Golcev schrieb am 11. 8. an Čechov: ›Das Gedicht von Balmont ist zu groß (teuer), zerdehnt und durch und durch schwülstig.‹

1117) *5. 8. 1903 – K.D. Balmont.* 3882.
in spe – latein., wörtlich: ›in der Hoffnung‹, in Zukunft. Offiziell verkündet wurde Čechovs Beteiligung an den Redaktionsgeschäften erst im Oktoberheft der Zeitschrift.
kein Weg an Viktor Aleksandrovič – V.A. Golcev.
befindet sich in Moskau – wohin Čechov es geschickt hatte, vgl. Nr. 1116.
»Werden wir wie die Sonne« – K.D. Balmont, ›Werden wir wie die Sonne. Buch der Symbole‹, Moskau, Verlag Skorpion, 1903.

1118) *6. 8. 1903 – S.N. Šolom-Alejchem.* 3883.
Ihre Novelle – Šolom-Alejchem hatte Čechov um Vermittlung bei der Veröffentlichung eines Roman-Manuskripts in der ›Russkaja mysl‹ oder einer anderen Zeitschrift gebeten.

1119) *13. 8. 1903 – M.I. Čajkovskij.* 3884.
Briefe des verstorbenen P. I. – Pëtr Iljič Čajkovskij. Čechov hatte dem Adressaten auf dessen Wunsch die Briefe, die er von P.I. Čajkovskij besaß, geschickt, sie sollten in einer Čajkovskij-Biographie verwendet werden. ›Das Leben Pëtr Iljič Čajkovskijs‹, 3 Bde., Moskau-Leipzig, Verlag Jurgenson, 1900–1902; in Band 1 (1902) ist P.I. Čajkovskijs Brief an Čechov vom 24. 10. 1889 veröffentlicht.
Schreiben Sie mir eine Zeile – M.I. Čajkovskij schrieb am 17. 8. zurück, daß er ihm die Briefe zurückschicken werde.

1120) *15. 8. 1903 – Al.P. Čechov.* 3886.
Quousque... – Übersetzung: ›Wie lange willst du (noch) schweigen?
Wie lange, Bruder, willst du unsere Geduld strapazieren?
Ich bin in Jalta. Dein guter Bruder Antonius.
Du sollst schreiben.‹

1121) *18. 8. 1903 – V.A. Golcev.* 3888.
was du geschickt hast – Manuskripte zur Prüfung für die Publikation in der Zeitschrift ›Russkaja mysl‹.
»Was ist der Grund?« – Roman von Semënov; der Autor, schrieb V.A. Golcev am 1. 9. zurück, sei zu allem bereit, zu Kürzungen wie Korrekturen, bestehe auch nicht auf dem Titel. Der Roman erschien nicht in der Zeitschrift. *Semënov* – möglicherweise der Bauernschriftsteller Sergej Terentjevič Semënov, 1868–1922.

1122) *22. 8. 1903 – V.I. Nemirovič-Dančenko.* 3889.
das Stück von Najdënov – das Theaterstück ›Geld‹ von S. A. Najdënov, das der Autor dem Künstlertheater eingereicht hatte. Vgl. dazu Nr.

1123. Nemirovič-Dančenko, der Čechov eine Ablehnung des Stücks in einem Brief vom 17. 8. begründet hatte, bat Čechov am 20. 8. telegraphisch um eine kurze Äußerung zu dem Stück.

Bunge – Nikolaj Chrisanfovič, 1823–1895, Ökonom, Finanzminister 1881–1886; ab 1887 Präsident des Ministerrats.

Durnovo – Ivan Nikolaevič, 1830–1903, Innenminister, ab 1895 Nachfolger von N. Ch. Bunge im Amt des Präsidenten des Ministerrats.

Diktatur wie du schreibst... – V.I. Nemirovič-Dančenko hatte am 17. 8. geschrieben: ›Interessant wird, was passiert, wenn Pleve Vitte unterstellt wird. Dann wird Vitte Diktator.‹ V. K. Pleve, 1846–1904, Innenminister und Chef der politischen Polizei; S. Ju. Vitte, 1849-1915, zwischen 1893 und 1903 Finanzminister, war am 16. 8. 1903 zum Präsidenten des Ministerrats ernannt worden.

»Julius Caesar«, den ich... – ›Julius Caesar‹ von Shakespeare kam am 2. 10. 1903 am Künstlertheater heraus; Regie: V. I. Nemirovič-Dančenko und G. S. Burdžalov. O. L. Knipper war an dieser Inszenierung nicht beteiligt.

1123) *29. 8. 1903 – S.A. Najdënov.* 3891.

einer Person... Meinung – vgl. 1122.

mit den Stücken eilig – das erste Stück Najdënovs, ›Vanjušins Kinder‹, geschrieben 1901.

»Nr. 13«, der »Verlorene Sohn« – zwei weitere Theaterstücke des Adressaten, jeweils in 2 Akten; ›Nr. 13‹, geschrieben 1903 und am Theater F.A. Korš in Moskau, 1904 am Theater V.F. Komissarževskaja in Petersburg aufgeführt. ›Der verlorene Sohn‹ (1903) kam am 28. 1. 1905 am Künstlertheater heraus.

1124) *2. 9. 1903 – V. I. Nemirovič-Dančenko.* 3894.

Stück von Najdënov – ›Geld‹, vgl. Nr. 1122, 1123.

die »Einsamen« – ›Einsame Menschen‹ von Gerhart Hauptmann, das am Künstlertheater am 16. 12. 1899 herausgekommen war.

zum Kleinen Theater – Ende August schrieb Nemirovič-Dančenko, er habe Besuch von einer Gruppe von Schauspielern des Kleinen Theaters und einem Regisseur dieses Theaters bekommen, man habe ihn zu überzeugen versucht, eine Regie am Kleinen Theater zu übernehmen, und er, Nemirovič-Dančenko, sei dem nicht abgeneigt: ›sie haben anscheinend recht.‹

Rybakov – K.N. Rybakov.

Leškovskaja – E.K. Leškovskaja.

Mein Stück... bald fertig – Čechov am 13. 9. an M.A. Členov: ›Das Stück habe ich beinahe abgeschlossen, ich müßte es abschreiben, die Krankheit hindert mich daran, und diktieren kann ich nicht.‹

1125) *15. 9. 1903 – M. P. Lilina.* 3897.
keine »Frömmlerin«, sondern... – meint die Rolle der Varja, die ursprünglich für O. L. Knipper gedacht war.
Vladimir Ivanovič – V. I. Nemirovič-Dančenko.
Konstantin Sergeevič – K.S. Stanislavskij; meint die Rolle des Lopachin.
Olga... am Sonntag – O. L. Knipper fuhr am 19. 9. nach Moskau zurück; sie hatte so lange in Jalta bleiben können, weil sie in der ›Julius Caesar‹-Inszenierung nichts zu tun hatte.
Kamergerskij pereulok – Adresse des Künstlertheaters, Moskau.
Igor, Kira – Kinder der Adressatin.
Višnevskij – A. L. Višnevskij, sollte, nach Čechovs ursprünglichen Überlegungen, im ›Kirschgarten‹ den Gaev spielen, vgl. Nr. 1127 und Anm.

1126) *19. 9. 1903 – O. L. Knipper.* 3901.
roter Schnurrbart – meint: A. K. Šapošnikov.
in den Zeitungen, der »Kirschgarten«... – die Uraufführung fand am 17. 1. 1904 statt.
Nina Korš – Nina Fëdorovna Korš, Tochter des Moskauer Theaterdirektors F. A. Korš.
Das »Novoe vremja«... – meint ein Feuilleton von V. P. Burenin vom 12. 9. 1903 im ›Novoe vremja‹, in dem Burenin polemisch antwortet auf M. Gorkijs Flugblatt ›Über das Pogrom von Kišinëv‹, vgl. Nr. 1109. In diesem Flugblatt hatte Gorkij A. S. Suvorin, V. P. Burenin u. a. als die ›geistigen Urheber‹ des Pogroms bezeichnet.
»Julius Caesar« – meint die Proben, Premiere war erst am 2. 10.

1127) *23. 9. 1903 – O. L. Knipper.* 3905.
dein Bruder – Konstantin Leonardovič Knipper, Kostja.
Panov – Nikolaj Zacharovič, Maler.
Michajlovskij – N. G. Michajlovskij-Garin und K. L. Knipper arbeiteten am Projekt der Eisenbahnlinie durch die Halbinsel Krim.
Sjuren – Bahnstation nahe Bachčisaraj.
Tatarinova – F. K. Tatarinova.
Sache ist äußerst wichtig – gemeint ist die Unterstützung der Not leidenden Hörerinnen an den Petersburger Akademien, den sog. ›Höheren Kursen‹. In einem Brief vom 23. 9. an P. I. Kurkin teilt Čechov die Adresse möglicher Spender in Moskau mit.
Sag Višnevskij – A. L. Višnevskij, spielte im ›Kirschgarten‹ des Künstlertheaters nicht, die definitive Besetzung vgl. Anm. Nr. 1141, vgl. aber auch Briefe Nr. 1139, 1141.

1128) *25. 9. 1903 – O. L. Knipper.* 3908.
nach Erhalt meines Telegramms – vgl. Nr. 1129.

Stachovič – A. A. Stachovič.
Kačalov – V. I. Kačalov, spielte im ›Kirschgarten‹ den Studenten Petja Trofimov.
die 17jährige – Anja, die Tochter der Ranevskaja im ›Kirschgarten‹.

1129) *26. 9. 1903 – O. L. Knipper.* 3909.

1130) *27. 9. 1903 – O. L. Knipper.* 3910.
habe bereits telegraphiert – vgl. Nr. 1129.
nach der Premiere des »Julius Caesar« – am 2. 10. 1903.
Volodja – Vladimir Leonardovič Knipper.
Šnap – oder Šnaps, Fomka, Hund Čechovs.
Šarik, Tuzik – Hunde Čechovs; ›šarik‹: Bällchen, ›tuzik‹: kleines As.
Sredin – Aleksandr V. Sredin.

1131) *29. 9. 1903 – O. L. Knipper.* 3911.
dein Bruder – K. L. Knipper.
Sofja Pavlovna – S. P. Bonnier.
Timkovskij – N. I. Timkovskij. O. L. Knipper hatte am 26. 9. mitgeteilt, sie habe am 25. die Premiere des Stücks ›Finsternis‹ von N. I. Timkovskij im Internationalen Theater in Moskau gesehen, mit Anna Aleksandrovna Paschalova in der Hauptrolle.
Roščin-Insarov umgebracht... – Nikolaj Petrovič Roščin-Insarov, Schauspieler, war 1899 in Kiev vom Ehemann der A. A. Paschalova, dem Maler Malov, umgebracht worden.
die Gouvernante – die Rolle der Šarlotta Ivanovna, wurde am 17. 1. 1904 von E. P. Muratova gespielt.

1132) *2. 10. 1903 – O. L. Knipper.* 3913.

1133) *3. 10. 1903 – O. L. Knipper.* 3914.
Tejtel – Jakov Lvovič Tejtel, geb. 1851, der einzige nicht getaufte Jude, der im zaristischen Rußland in Staatsdiensten beschäftigt war.

1134) *6. 10. 1903 – Maksim Gorkij.* 4198.
etwas für den Almanach – meint den Jahresalmanach des Verlags ›Znanie‹, für den Gorkij eine Erzählung von Čechov haben wollte; Čechov schrieb keine Erzählung, gab stattdessen den ›Kirschgarten‹ für den Almanach frei.
seinen »Juden« – das neue Stück von E. N. Čirikov, ›Die Juden‹, vgl. auch Nr. 1136.

1135) *7. 10. 1903 – O. L. Knipper.* 3918.
Vater Sergij – S. N. Ščukin.

Čirikov – E. N. Čirikov, vgl. Nr. 1134, 1136; sein Stück: ›Die Juden‹.
Brief – vom Oktober 1903, aus Nižnij-Novgorod, wo E. N. Čirikov lebte.
bei Muir – Muir & Merilees, Warenhaus in Moskau.

1136) *7. 10. 1903 – E. N. Čirikov.* 3919.
habe bereits an Gorkij geschrieben – am 6. 10., vgl. Nr. 1134.
ins Deutsche übersetzen? – Čirikov hatte geschrieben, er könne sich eine Aufführung in Rußland kaum vorstellen.
Erzählung für den Almanach – vgl. Nr. 1134.
für Novella – vgl. Nr. 1135.
Doktor Sredin – L. V. Sredin.
Sie »schlagen sich« herum... – Čirikov hatte geschrieben, man sei in Nižnij-Novgorod dabei, ein Volkshaus mit Volkstheater zu gründen, eine Aktiengesellschaft ins Leben zu rufen, die den Sektor ›Drama‹ in die Hände nehmen sollte.
Ihre »Stücke« – E. N. Čirikov, ›Stücke‹, Petersburg, ›Znanie‹, 1903.
»Freunde der Öffentlichkeit« – E. N. Čirikov, ›Freunde der Öffentlichkeit‹, Theaterstück, abgedruckt in Band IV der Werkausgabe Čirikovs im Verlag ›Znanie‹, Petersburg 1904.

1137) *9. 10. 1903 – O. L. Knipper.* 3972.
daß ich es langsam abschreibe – am 8. 10. schreibt Čechov an seine Frau: ›Mein Stück bewegt sich voran, heute werde ich mit der Abschrift des III. Akts fertig und mich an den IV. begeben. Der dritte Akt ist der am wenigsten langweilige, der zweite dagegen ist langweilig und eintönig wie Spinnengewebe.‹
ein Kutscher erwürgen – durch schnelles Fahren in der Droschke, meint: am Fahrtwind ersticken.
die Sredina – S. P. Sredina.
Leonid Val. – L. V. Sredin.

1138) *10. 10. 1903 – K. S. Stanislavskij.* 3923.
in drei Tagen ganz bestimmt – Čechov am selben Tag an O. L. Knipper: ›Das Stück schreibe ich zum zweiten Mal ab und schicke es *bestimmt* in drei Tagen, ich werde dir dazu ein Telegramm schicken.‹ Vgl. Nr. 1140.

1139) *12. 10. 1903 – O. L. Knipper.* 3925.
Kisel – ›das Kisel, säuerlicher, gallertartiger Mehlbrei‹ (Pavlovskij).
Višnevskij – A. L. Višnevskij, spielte im ›Julius Caesar‹ des Künstlertheaters den Antonius; im ›Kirschgarten‹ sollte er, nach Čechovs Überlegungen, den Gaev spielen.

den Trigorin gespielt – in der ›Möwe‹.
Ėfros – N. E. Ėfros, hatte Stanislavskij in der Rolle des Brutus im ›Julius Caesar‹ kritisiert.

1140) *14. 10. 1903 – O. L. Knipper.* 3926.

1141) *14. 10. 1903 – O. L. Knipper.* 3927.
Altšuller – I. N. Altšuller. Čechov hatte ihn am 30. 9. zu sich gerufen, weil er sich schlecht fühlte, und O. L. Knipper davon berichtet; diese schrieb am 10. 10. zurück: ›Altšuller meint wahrscheinlich, daß ich dich vernachlässige und dir nicht genügend Aufmerksamkeit widme, dabei vermeidet er, in meiner Gegenwart mit dir über deine Gesundheit zu sprechen. Und wenn ich wegfahre oder du von mir wegfährst, fängst du an, besser zu essen, und Maša darf dir alles machen. Ich bin eine Art Hindernis, so als lähmte ich alle und störte den normalen Lebensablauf. Ich lebe also nur zum Vergnügen neben dir.‹
schick mir ein Telegramm – O. L. Knipper telegraphierte am 18. 10.: ›Herrliches Stück. Las wie im Rausch, unter Tränen. Ich küsse dich, danke dir. Olja.‹
1) Ljubov Andreevna ... – vgl. hierzu auch Nr. 1155. Die Uraufführung des ›Kirschgartens‹ am Moskauer Künstlertheater fand, in der Regie von K.S. Stanislavskij und V.I. Nemirovič-Dančenko, Bühnenbild von V. A. Simov, am 17. Januar 1904 in der folgenden Besetzung statt:

Ljubov Andreevna (Ranevskaja) – O. L. Knipper.
Anja – M. P. Lilina.
Varja – M. F. Andreeva.
Gaev – K. S. Stanislavskij.
Lopachin – L. M. Leonidov.
Trofimov – V. I. Kačalov.
Simeonov-Piščik – V. F. Gribunin.
Šarlotta Ivanovna – E. P. Muratova.
Epichodov – I. M. Moskvin.
Dunjaša – S. V. Chaljutina.
Firs – A. R. Artëm.
Jaša – N. G. Aleksandrov.
Stationsvorsteher – A. L. Zagarov.
Postbeamter – E. E. Rudakov.
Wanderer – M. A. Gromov.

Marija Petrovna – M. P. Lilina.
die Raevskaja – E. M. Raevskaja.
Lužskij – V. V. Lužskij, spielte, wie E. M. Raevskaja, nicht im ›Kirschgarten‹, auch nicht A. L. Višnevskij.

1142) *15. 10. 1903 – V.A. Golcev.* 3928.
Alle Manuskripte ... – für eine eventuelle Veröffentlichung in der ›Russkaja mysl‹.

1143) *17. 10. 1903 – O.L. Knipper.* 3931.
von Gorkij ein Telegramm ... – vom 16. 10. 1903: ›Bitten nachdrücklich unserem Almanach Stück zu geben Bieten fünfzehnhundert pro Bogen Peškov-Pjatnickij.‹
für seinen Almanach – für den Jahres-Almanach des Verlags ›Znanie‹.
noch keine Antwort aus Moskau – die erste Reaktion aus Moskau auf das Stück war das Telegramm von O. L. Knipper vom 18. 10., vgl. Anm. Nr. 1141.
Brief von Ivanenko – A. I. Ivanenko; Čechov antwortete ihm am 19. 10.

1144) *17. 10. 1903 – Maksim Gorkij.* 4200.
in meinem Vertrag mit Marks – Vertrag zwischen A. F. Marks und Čechov vom Januar 1899, vgl. Briefe Nr. 713f. Anm. Nr. 727 und 730.
Ihr Maksim – Sohn von Maksim Gorkij. Auf welche Episode Čechov hier anspielt, ist ungeklärt.

1145) *19. 10. 1903 – O.L. Knipper.* 3934.
gestern abend dein Telegramm – vgl. Anm. Nr. 1141.
heute morgen das von Vlad. Iv. – Telegramm von V. I. Nemirovič-Dančenko vom 18. 10. 1903, es lautete: ›Mein erster persönlicher Eindruck – als Bühnenwerk vielleicht mehr Theaterstück als alle vorangegangenen. Das Sujet ist klar und fest. Im ganzen ist das Stück harmonisch. Harmonie ein wenig gestört durch das Schleppende des zweiten Akts. Die Personen sind neu, außergewöhnlich interessant und geben den Schauspielern für die Darstellung schweren, aber reichen Inhalt. Die Mutter großartig. Anja der Irina nahe, aber neu. Varja aus Maša erwachsen, hat sie aber weit hinter sich gelassen. In Gaev spüre ich vortreffliches Material, erfasse aber sein Bild nicht, ähnlich wie das des Grafen im »Ivanov«. Lopachin sehr schön und neu behandelt. Alle Nebenrollen, besonders Šarlotta, sind besonders gelungen. Schwächer erscheint einstweilen Trofimov. Bemerkenswertester Akt in Stimmung, in Dramatik und grausamer Kühnheit ist der letzte, in seiner Grazie und Leichtigkeit vorzüglich der erste. Das Neue in deinem Schaffen die grelle, saftige und einfache Dramatik. Früher warst du hauptsächlich Lyriker, jetzt echtes Drama, das spürbar am ehesten nur in jungen Frauen der »Möwe« und des »Onkel Vanja«. In dieser Hinsicht großer Schritt vorwärts. Viele inspirierte Tupfer. Keine besondere Sorge machen, mißfallen aber einige Grobheiten im Detail, Überfluß an Tränen. Vom gesellschaftlichen Gesichtspunkt ist Thema nicht

neu, aber neu behandelt, poetisch und originell. Schreibe ausführlich nach zweiter Lektüre, einstweilen Dank, ich küsse dich fest. Nemirovič-Dančenko.‹

von Konst. Serg. einen Brief – Brief von K.S. Stanislavskij vom 13. 10. 1903, in dem Stanislavskij bedauert, daß das neue Stück Čechovs erst gegen Ende der Spielzeit herauskommen und daß das Publikum demnach keine Zeit haben werde, sich ein ›angemessenes Urteil‹ darüber zu bilden, ›nachdem es all den Unsinn geschluckt hat, den man darüber schreiben wird. Wahr ist auch, seit gestern sehnen wir uns alle nach Ihrem neuen Stück.‹ (Tags zuvor hatte das Künstlertheater, nach längerer Pause, wieder ›Drei Schwestern‹ gespielt.)

»Stützen der Gesellschaft« – ›Stützen der Gesellschaft‹ von Henrik Ibsen, Premiere am Künstlertheater am 24. 2. 1903.

komme in den ersten Novembertagen – Čechov fuhr erst am 2. 12. nach Moskau, wo er am 4. 12. ankam.

in Gorkijs Almanach – vgl. Nr. 1144; der ›Kirschgarten‹ erschien in Band II des Almanachverlag ›Znanie‹ auf das Jahr 1903, 1904.

in den Odessaer Zeitungen... – meint vermutlich das Feuilleton ›In Moskau‹ von A. Voznesenskij, erschienen in den ›Odesskie Novosti‹ vom 15. 10. 1903, in dem es hieß, Leitmotiv des Stücks sei eben jener Kirschgarten. ›Im ersten Akt steht er in Blüte. In Blüte auch die Jugend, die ihn bevölkert. Im letzten ist der Kirschgarten abgeblüht und verödet. Der alte einsame Diener geht das Herrenhaus ab, verschließt mit großen rostigen Schlüsseln die Schlösser, schließt alle Türen ab und flüstert: »Und den Menschen hier hat man vergessen...«‹

Aufsatz des Schauspielers Rossov – Nikolaj Petrovič Rossov, im ›Novoe vremja‹ vom 15. 10. 1903 über den ›Julius Caesar‹ des Künstlertheaters, der die Aufführung sehr lobte.

1146) *21. 10. 1903 – O. L. Knipper.* 3936.

Morozov – S. T. Morozov.

von Alekseev ein Telegramm – Telegramm Stanislavskijs vom 20. 10. 1903: ›Habe soeben das Stück gelesen. Bin erschüttert. Kann nicht zur Besinnung kommen. Befinde mich in unerhörter Begeisterung. Halte das Stück für das Beste alles Schönen das Sie geschrieben. Gratuliere herzlich genialem Autor. Spüre, schätze jedes Wort. Danke für bereits empfangenen und bevorstehenden großen Genuß. Bleiben Sie gesund. Alekseev.‹

Anja... Irina – vgl. Telgramm von Nemirovič-Dančenko, Anm. Nr. 1145; Irina – die jüngste der ›Drei Schwestern‹.

Marija Fëdorovna – M.F. Andreeva, spielte schließlich die Varja.

Burdžalov – Georgij Sergeevič, 1869–1924, Schauspieler und Regisseur am Künstlertheater.

Aleksandr Pleščeev – A. A. Pleščeev, dem Čechov am 19. 10. ein Telegramm geschickt und ›eine Erzählung oder ein Vaudeville für Januar‹ versprochen hatte.
Kugel – A.R. Kugel.
Jakunčikova – M.F. Jakunčikova.
Gadon – Vladimir Sergeevič, Oberst, Adjutant des Generalgouverneurs von Moskau.
Obolenskij – Fürst Obolenskij.
Natalja Jakovlevna – N.Ja. Davydova; Malerin.
Maksim – Knecht auf dem Gut der M.F. Jakunčikova.
wann endlich dein Brief – vom 19. 10. 1903 mit einer enthusiastischen, wenig differenzierten Einschätzung des Stücks, die sich zusammenfassen ließe in dem Satz: ›Ich habe es gelesen, und mir gefällt absolut alles, alles‹; O. L. Knipper beschreibt weiter, wie sie das Stück ins Theater gebracht habe, wie sich dort Nemirovič-Dančenko sofort in die Lektüre vertiefte, schildert die Lesung des Stücks im Kreise der Schauspieler des Künstlertheaters und erste Überlegungen zur Besetzung.

1147) *23. 10. 1903 – O. L. Knipper.* 3938.
Ėfros – meint eine Notiz von N.E. Ėfros in der Tageszeitung ›Novosti dnja‹ vom 19. 10. 1903 mit dem Titel ›Der Kirschgarten‹, die den Inhalt des Stückes mit Fehlern und Entstellungen wiedergegeben hatte, vgl. Einzelheiten Nr. 1148, 1156.
die große Olga Mich. – O.M. Solovjëva.
Nemirovič schreibt – bezieht sich nochmals auf das Telegramm V. I. Nemirovič-Dančenkos vom 18. 10. 1903, vgl. Anm. 1145; 1148.

1148) *23. 10. 1903 – V. I. Nemirovič-Dančenko.* 3939.
die Notiz in den »Novosti dnja« – vermutlich vom 5. 9. 1900, in der N. E. Ėfros in groben Zügen den Inhalt des Stücks dargestellt hatte.
jetzt lese ich – Notiz von N.E. Ėfros, vgl. Nr. 1147.
der 3. Akt... in einem Hotel – vgl. auch Nr. 1152; zur Aufklärung des Mißverständnisses, das auf einem Abschreibfehler beruhte, Nr. 1156.
in meinem Telegramm – offenbar der telegraphischen Antwort auf das Telegramm von Nemirovič-Dančenkos Telegramm vom 18. 10., das nicht überliefert ist; es bezog sich offenbar auch auf die Notiz in den ›Novosti dnja‹.
als ich dein Telegramm las – Telegramm vom 20. 10.: ›Tief bestürzt über dein Telegramm. Sünde mir so wenig zu vertrauen. Ich habe dasselbe getan wie mit Gorkij vergangenes Jahr und wie du selbst Ėfros »Drei Schwestern« gegeben hast. Zeitungen stürzen sich auf Sujet, entstellen es nach Aussage jedes beliebigen Schauspielers. Ich zog vor, daß rechtzeitig eine getreue Wiedergabe des Inhalts erschien. Halte mein

Vorgehen für einwandfrei und bin jederzeit bereit Rechenschaft zu geben. Flehe dich an versetz dich in die Lage beruhige mich durch Telegramm, daß dein Zorn verflogen. Vor Olga Leonardovna halte ich dein Telegramm geheim. Nemirovič-Dančenko.‹
Am selben Tag folgte, 3 Stunden später, dieses Telegramm: ›Vergaß hinzuzufügen, daß ich Stück nicht weggegeben, sondern Inhalt erzählt habe. Nemirovič-Dančenko.‹
Brief von meiner Frau – vom 19. 10. 1903.
sprichst in deinem Telegramm vom 18. 10. 1903, vgl. Anm. Nr. 1145.
Gorkijs Almanach – Almanach des Verlags ›Znanie‹, vgl. Nr. 1144, 1145.
warte auf Briefe – Čechov am 24. 10. an O. L. Knipper: ›Von Nemirovič noch immer kein Brief.‹

1149) *25. 10. 1903 – O. L. Knipper.* 3941.
im »Krimskij kurjer« und ... – Nachdruck der Notiz von N. E. Ėfros, vgl. Nr. 1147. Wie ernst Čechov die Tatsache des Nachdrucks nahm, geht u. a. auch aus einer redaktionellen Notiz hervor, die tags drauf, am 26. 10., in der Rubrik ›Chronik‹ der Zeitung ›Krimskij kurjer‹ erschien: ›Wir haben Grund zu erklären, daß der in den Moskauer »Novosti dnja« veröffentlichte und in der gestrigen Ausgabe des »Krimskij kurjer« nachgedruckte Aufsatz, der den Inhalt des Stückes »Der Kirschgarten« von A. P. Čechov wiedergibt, vollkommen unrichtige Angaben enthält und mit dem wirklichen Inhalt des Stücks von A. P. Čechov nichts gemein hat.‹
Ekat. Pavl. – E. P. Peškova.
Sredina – S. P. Sredina.
Čirikovs Stück – ›Die Juden‹, vgl. Nr. 1134, 1135, 1136.
Aleksin – A. N. Aleksin.
Marks ... ein Telegramm – vom 24. 10. 1903: ›Wollen Sie mir nicht Manuskript des Stücks »Der Kirschgarten« schicken. Wünschte es in »Niva« zu veröffentlichen. Marks.‹ Čechovs Antwort vgl. Nr. 1150.

1150) *25. 10. 1903 – A. F. Marks.* 3942.
Stück vergeben – meint: Maksim Gorkij versprochen für den Almanach ›Znanie‹.

1151) *27. 10. 1903 – O. L. Knipper.* 3945.
die Tichomirova – A. A. Tichomirova, Schauspielerin am Künstlertheater.
Kostja – K. L. Knipper.

1152) *28. 10. 1903 – O. L. Knipper.* 3946.
Den Piščik muß ... – Antwort auf O. L. Knippers Brief vom 22. 10. so-

wie ihre Briefe vom 23. und 24. 10., in denen sie berichtete, welche Überlegungen zur Besetzung des ›Kirschgartens‹ angestellt wurden.

Gromov – Michail Apollinarievič, gest. 1919, Schauspieler, 1899–1906 am Künstlertheater.

Marija Petrovna – M.P. Lilina.

Leonidov – L.M. Leonidov.

den Kaufmann – Lopachin.

Konst. Serg. – K.S. Stanislavskij.

Najdënov – S. A. Najdënov; vgl. Nr. 1123. ›Vanjušins Kinder‹, dramatisches Erstlingswerk Najdënovs, das zugleich sein erfolgreichstes Stück war.

bei Telešov gesessen? – N. D. Telešov, bei dem am 23. 10. eine literarische Abendgesellschaft stattgefunden hatte, von der O.L. Knipper berichtete. Anwesend waren zahlreiche Autoren, die aus ihren Werken lasen, wobei O.L. Knipper, wie sie schrieb, Mühe gehabt habe zuzuhören: Bunin, Veresaev, Najdënov u.v.a.

Gorkij bereits geschrieben – vgl. Nr. 1144.

Bunin und Baburin – Scherz, meint I. A. Bunin und S. A. Najdënov, Anspielung auf den Titel einer Erzählung von I. S. Turgenev (›Bunin und Baburin‹).

1153) *30. 10. 1903 – O.L. Knipper.* 3947.

warum dann ins provisorische – der Begriff provisorisch hier in der Bedeutung von ›stellvertretend‹.

habe vor ein paar Tagen... – die Nachricht erhielt Čechov am 27. 10., unterzeichnet von V.V. Kallaš.

wie dieser Kallaš heißt – mit Vor- und Vatersnamen.

werde Konst. Serg. schreiben – K.S. Stanislavskij, der Čechov am 22. 10. 1903 einen weiteren enthusiastischen Brief zum ›Kirschgarten‹ geschrieben hatte. Vgl. Čechovs Antwort, Nr. 1154.

In seinem Brief schrieb Stanislavskij u. a.:

›Meiner Ansicht nach ist »Der Kirschgarten« Ihr bestes Stück. Ich habe es liebgewonnen, sogar mehr noch als die liebe »Möwe«. Das ist keine Komödie, keine Farce, wie Sie geschrieben haben, das ist eine Tragödie, welchen Ausweg Sie auch immer im letzten Akt zugunsten eines besseren Lebens zeigen wollten. Der Eindruck ist gewaltig, und erreicht ist das mit Halbtönen, zartesten Aquarellfarben. Dieses Stück enthält mehr Poesie und Lyrik, Bühnenwirksamkeit; sämtliche Rollen, die Episoden nicht ausgenommen, sind glänzend.‹ Stanislavskij kehrt in seinem Brief mehrfach zu der Behauptung zurück, der ›Kirschgarten‹ sei ›eine Tragödie‹, er habe geweint wie ein altes Weib; Stanislavskij dankt emphatisch für den bereits empfangenen und noch bevorstehenden Genuß und bittet Čechov am Ende, ihn ›nicht für eine

Psychopathin‹ zu halten. (Übersetzung nach Stanislawski, ›Briefe. 1886–1938‹, Henschel Verlag, Berlin 1975. Vgl. dort auch weitere Briefe Stanislavskijs an Čechov, Oktober/November 1903.)

was... dann Lužskij? – V.V. Lužskij war an der ›Kirschgarten‹-Inszenierung nicht beteiligt; zur Besetzung vgl. Nr. 1141.

Alekseeva – O.P., Schauspielerin, 1900–1904 am Künstlertheater.

Birsk – Kreisstadt im russ. Gouvernement Ufa, 8805 Einwohner (1888), 835 Wohnhäuser, 172 Läden, Theater, Krankenhaus, 4 orthodoxe Kirchen, ein Kloster und 6 Glockentürme, Handelsschule. Die Viehbestände der Stadt Angaben aus dem Jahre 1887 zufolge: Pferde – 570, Hornvieh – 650, Schafe – 300, Ziegen – 64, Schweine – 140. (Nach dem Enzyklopädischen Wörterbuch, Brockhaus/Efron, Petersburg 1891).

1154) *30. 10. 1903 – K.S. Stanislavskij.* 3948.

für den Brief – vgl. Anm. Nr. 1153.

das Telegramm – Stanislavskij hatte Čechov zwei Telegramme geschickt, am 20. 10. (vgl. Anm. Nr. 1146) und am 21. 10., in dem Stanislavskij den Eindruck des Ensembles nach der Lektüre des Stücks vor dem gesamten Ensemble des Theaters schilderte. ›Exklusiver, glänzender Erfolg. Zuhörer vom ersten Akt an ergriffen. Jede Feinheit registriert. Beim letzten Akt wurde geweint. Meine Frau hellauf begeistert, wie alle. Kein einziges Stück ist je so einmütig begeistert aufgenommen worden. Alekseev.‹

1155) *2. 11. 1903 – V.I. Nemirovič-Dančenko.* 3950.

an einem Tage zwei Briefe von dir – Čechov bereits am 1. 11. an O.L. Knipper, er habe von Nemirovič einen Brief bekommen (vom 27. 10. 1903).

jetzt zu dem Stück – die endgültige Besetzung vgl. Anm. Nr. 1141.

Marija Petrovna – M.P. Lilina.

Pomjalova – A.I. Pomjalova, spielte im ›Kirschgarten‹ nicht.

Aleksandrov – Nikolaj Grigorjevič, 1870–1930, Schauspieler am Künstlertheater.

im III. Akt die »Sünderin« – Ballade von A.K. Tolstoj, vgl. ›Der Kirschgarten‹, detebe Nr. 50/III.

hartes/weiches Zeichen – Buchstaben (Halbvolkale) des russischen Alphabets, von denen nur das sog. weiche Zeichen orthographisch und akustisch-phonetisch von Bedeutung geblieben war.

Simov – V.A. Simov, Bühnenbildner des Künstlertheaters.

Marija Fëdorovna – M.F. Andreeva.

1156) *5. 11. 1903 – K.S. Stanislavskij.* 3965.

das Haus im Stück... – Čechov am 5. 11. an O.L. Knipper, er habe von

Stanislavskij einen Brief mit Fragen bekommen, welcher Art das Haus im ›Kirschgarten‹ sei; Brief Stanislavskijs vom 1. 11. an Čechov: ›Ist das Herrenhaus aus Holz oder Stein? Vielleicht ist der Mittelteil aus Stein, die Seitenflügel aus Holz? Möglich wäre auch ein steinernes Untergeschoß, oben ein hölzernes? Noch ein Mißverständnis. Der dritte Akt zeigt einen Saal, aber im vierten ist die Rede von einem Saal im Untergeschoß: folglich sind ihrer zwei?‹

Ėfros in den »Novosti« – vgl. Nr. 1147f. In der Zeitung ›Južnyj kraj‹ (Charkov) war die Darstellung des Inhalts des ›Kirschgartens‹ durch die ›Novosti dnja‹ als eine ›grobe Mystifikation‹ angegriffen worden, die ›mit der Wirklichkeit nichts gemein‹ habe. Daraufhin hatte, auf Bitten von N. E. Ėfros, V. I. Nemirovič-Dančenko folgende Gegenerklärung gegeben: ›Auf Ihre Bitte bestätige ich, daß die in den »Novosti dnja« erschienene Notiz über den »Kirschgarten« Čechovs durchaus keine Mystifikation darstellt. In den allgemeinen Zügen ist die Nacherzählung des Stückes richtig; als ich die Darstellung der »Novosti dnja« las, habe ich nur einige Ungenauigkeiten entdeckt. Vl. Nemirovič-Dančenko.‹

Hotel/Salon ... Schreibfehler – vgl. russisch ›Hotel‹: gostinica; ›Salon‹: gostinaja.

Haus Aksakov – das Stammhaus der Familie Aksakov, beschrieben in der ›Familienchronik‹ von S. T. Aksakov.

Ihr Hirte – vgl. Stanislavskij am 1. 11. an Čechov: ›Im Sommer habe ich eine Hirtenflöte mit dem Phonographen aufgenommen. Das ist der Hirt, den Sie in Ljubimovka ins Herz geschlossen hatten. Die Aufnahme ist wundervoll gelungen, jetzt kommt uns diese Aufnahme gut zustatten.‹

warum mögen Sie den »Julius Caesar« so wenig – Stanislavskij am 31. 10.: ›der mir verhaßte »Caesar«‹.

zwei Briefe bekommen – vom 31. 10. und vom 1. 11. 1903.

1157) *7. 11. 1903 – V. I. Nemirovič-Dančenko.* LN 135.

Šarlotta ... – vgl. Erklärung des Telegramms Nr. 1158: ›Nemirovič hat mir ein Telegramm geschickt ...‹

1158) *7. 11. 1903 – O. L. Knipper.* 3957.

F. Polenz – Wilhelm von Polenz, 1861–1903, deutscher Schriftsteller. ›P. hat sich als Schriftsteller hauptsächlich auf dem Gebiete des Dramas (»Preuß. Männer«, 1891; »Heinrich von Kleist«, 1891; »Andreas Bockholdt«, 1898; »Junker und Fröhner«, 1901) wie auf dem der Novelle (»Versuchung«, 1891; »Unschuld«, 1892; »Karline«, 1894; »Reinheit«, 1896; »Luginsland«, 1900) und des Romans betätigt und namentlich auf letzterm mit den Werken »Der Pfarrer von Breitendorf« (1893), »Der Büttnerbauer« (1896), »Der Grabenhäger« (1897) ... den Geist der Zeit erfassende und besonders die Lage der Landbevölkerung an Typen aus dem Junker- und Bauernstande mit realistischer Treue und Unparteilichkeit schildernde Bilder gegeben.‹ (Brockhaus 1907). ›Die Bauern‹ (vermutlich der ›Büttnerbauer‹) war in russischer Übersetzung mit einem Vorwort von L. N. Tolstoj erschienen.

Simov – V. A. Simov, Maler, Bühnenbildner des Künstlertheaters.

ein Hotel... – vgl. Nr. 1156. Stanislavskij telegraphierte erst am 11. 11., daß nun alle davon überzeugt seien, daß der III. Akt des ›Kirschgartens‹ in dem Salon des Hauses spiele.

Kostja – K. L. Knipper.

Michajlovskij – N. G. Garin-Michajlovskij.

Baženov – N. N. Baženov.

Der »Bankrott«... – Stück von Björnstjerne Björnson; eine entsprechende Notiz war in den ›Novosti dnja‹ vom 4. 11. erschienen.

Sag Višnevskij... – A. L. Višnevskij, war, laut Mitteilung von O. L. Knipper (vom 2. 11.), ›verteufelt nervös und spielt darum schlechter. Er spielt doch schon zum 32. Mal ohne Pause.‹ Vgl. auch Nr. 1159.

1159) *7. 11. 1903 – A. L. Višnevskij.* 3956.

Ihren Brief... – Čechov am 5. 11. an O. L. Knipper: ›Habe von Višnevskij einen nicht ganz angenehmen Brief bekommen. Er beklagt sich, wobei er zweimal Sätze im Brief unterstreicht, daß man ihm keine Rolle im »Kirschgarten« gebe usw. usf. Irgendwie ein merkwürdiger Brief.‹

1160) *10. 11. 1903 – O. L. Knipper.* 3961.

»Werden wir wie die Sonne« – vgl. Nr. 1117.

Heute von Konst. Serg. die Nachricht – in Stanislavskijs Brief vom 5. 11. 1903.

Sergej Savvič – S. S. Mamontov, ging, wie K. S. Stanislavskij in seiner Antwort auf Nr. 1161 richtigstellte, nicht für das ›Russkij listok‹, sondern für die Zeitung ›Russkoe slovo‹ nach Japan.

in seinem Brief schreibt Konst. Sergeev... – K. S. Stanislavskij, Brief vom 5. 11. 1903.

1161) *10. 11. 1903 – K. S. Stanislavskij.* 3959.

1162) *14. 11. 1903 – K. P. Pjatnickij.* 3964.

Aleksej Maksimovič – A. M. Peškov, d.i. Maksim Gorkij.

1163) *17. 11. 1903 – O. L. Knipper.* 3967.

1164) *21. 11. 1903 – O. L. Knipper.* 3971.
Kostja – K. L. Knipper.

1165) *23. 11. 1903 – K. S. Stanislavskij.* 3973.
Heuernte ist... – Antwort Čechovs auf Stanislavskijs Brief vom 19. 11. 1903, der das Bühnenbild des zweiten Akts beschreibt: ›Meiner Ansicht nach kommt ein bezaubernder Akt zustande. Gebe Gott, daß das Bühnenbild glückt. Eine kleine Kapelle, eine Lichtung, ein vernachlässigter Friedhof, inmitten einer Waldoase in der Steppe. Links Hälfte und Mitte der Bühne ohne Kulissen, nur Horizont und Ferne. Das wurde nur mit einem geschlossenen halbrunden Hintergrundvorhang erreicht und mit Stützen zu seiner Entfernung. In der Ferne glitzert ein Flüßchen, man sieht ein Herrenhaus auf kleiner Anhöhe. Man erkennt Telegraphenstangen und eine Eisenbahnbrücke. Erlauben Sie uns, in einer der Pausen einen Eisenbahnzug mit Rauchfahne vorüberzulassen. Das könnte vorzüglich gelingen. Vor Sonnenuntergang wird dann kurz die Stadt zu sehen sein. Gegen Ende des Aktes kommt Nebel; besonders dicht geben wir ihn auf die Vorderbühne durch den Kanal. Das Froschkonzert und den Wachtelkönig setzen wir ganz zum Schluß ein. Links, auf der Vorderbühne zeigen wir Heumahd mit einem kleinen Heuhaufen, auf dem sich die Szene mit den Spaziergängern abspielt. Das dient den Darstellern, es wird ihnen helfen, in der Rolle zu leben. Die allgemeine Stimmung des Bühnenbildes ist levitanesk. Natur und Landschaft: Orlov, aber nicht südlicher als Gouvernement Kursk.‹ (Übersetzung Heinrich Schnakenburg, Stanislawski, Briefe, Henschelverlag.)

1166) *23. 11. 1903 – O. L. Knipper.* 3974.
Direktorin des Gymnasiums – V. K. Charkeevič.
m-me Sredina – S. P. Sredina.

1167) *27. 11. 1903 – O. L. Knipper.* 3978.
aufs W. rennen – ›W.‹ für: watercloset, aufs Klosett.
Varvara Konstantinovna – V. K. Charkeevič.

1168) *29. 11. 1903 – O. L. Knipper.* 3979.

1169) *30. 11. 1903 – O. L. Knipper.* 3980.
Dienstag – Čechov fuhr am 2. 12. und traf am 4. 12. in Moskau ein.

1170) *5./6. 12. 1903 – A. A. Pleščeev.* 3981.
»Stützen« – die ›Stützen der Gesellschaft‹ von Henrik Ibsen, Premiere am Künstlertheater am 24. 2. 1903. ›Julius Caesar‹: neben dem ›Kirsch-

garten‹ die einzige Neuinszenierung des Künstlertheaters in der Spielzeit 1903/04, war am 2. 10. 1903 herausgekommen.

1171) *11. 12. 1903 – A.N. Veselovskij.* 3985.
Ihren Brief – vom 10. 12. 1903.
aus den Zeitungen – am 12. 10. war in den ›Russkie vedomosti‹, Rubrik ›Moskauer Nachrichten‹, die Meldung erschienen, daß die Gesellschaft der Freunde/Liebhaber der russischen Literatur auf ihrer Gedenksitzung für den verstorbenen (›provisorischen‹) Vorsitzenden, Prof. A.I. Kirpičnikov, in geheimer Wahl einstimmig Anton Čechov gewählt habe.
ich gehöre ganz der Gesellschaft... – Čechov am 25. 11. an O.L. Knipper: ›Nemirovič hat mein Stück »Kirschgarten« also nicht in der Gesellschaft der Freunde der Literatur vorgetragen. Mit Mißverständnissen hat es begonnen, mit Mißverständnissen wird es enden – das ist nun mal das Schicksal meines Stücks!‹
Am selben Tag, dem 12. 12., schrieb Čechov an den Sekretär der Gesellschaft, V.V. Kallaš, er sei glücklich und sehr froh über diese Wahl; das einzige, was ihn an einer aktiven Mitarbeit in der Gesellschaft hindern könne, sei seine Krankheit, und wenn dieser Winter für ihn einigermaßen gut vorüberginge, werde er schon im nächsten Winter (1904–1905) seine Mitarbeit auf den Sitzungen der Gesellschaft aufnehmen.

1172) *13. 12. 1903 – A.S. Lazarev-Gruzinskij.* 3987.
es sagen – Čechov war seit Oktober 1903 offiziell Redakteur der Zeitschrift ›Russkaja mysl‹. In seinem Brief vom 8. 12. hatte Lazarev-Gruzinskij den Wunsch geäußert, vom ›Budilnik‹ zur ›Russkaja mysl‹ überzuwechseln.
In Prag ist russische Literatur beliebt – in seinem Brief hatte Lazarev-Gruzinskij eine ›kleine Freude‹ mitgeteilt, daß er nämlich aus Prag die Aufforderung bekommen habe, Texte zur Übersetzung ins Čechische zu schicken; dabei habe sich herausgestellt, daß seine Erzählungen schon seit langem ins Čechische übersetzt würden.

1173) *21. 12. 1903 – F.D. Batjuškov.* 3990.
Telegramm... – mit der Erinnerung an das Versprechen, für das Januarheft der Zeitschrift ›Mir božij‹ einen Text zu liefern.

1174) *27. 12. 1903 – V.A. Golcev.* 3993.

1904

1175) *4. 1. 1904 – I. M. Kondratjev.* 3999.

von der Zensur bereits genehmigt – Datum des Zensurstempels: 25. November 1903. Die Zensur beanstandete zwei Textstellen im II. Akt, beide in Monologen des Studenten Trofimov, für die Čechov, ohne den ursprünglichen Text zu streichen, abgemilderte Umschreibungen einsetzte, vgl. ›Der Kirschgarten‹, detebe Nr. 50/III.

1176) *6. 1. 1904 – V. F. Komissarževskaja.* 4001.

Ihr Telegramm... – Telegramm mit der Bitte, ihren Brief vom 29. 12. 1903 abzuwarten ›und den Garten nicht nach Petersburg zu vergeben‹; in ihrem Brief schrieb V. F. Komissarževskaja u. a., sie eröffne in Bälde in Petersburg ein Theater und wolle, daß die Eröffnung ›mit Ihrem Namen verbunden‹ sei, ›und darum bitte ich Sie, geben Sie mir Ihren »Kirschgarten«, ich werde damit eröffnen. Ich weiß, Sie möchten ihn dem Alxandratheater geben, wo die Savina spielt.‹

1177) *8. 1. 1904 – I. A. Bunin.* 4004.

Ihren Brief – vom 4. 1. 1904 aus Nizza.

N. I. Jurasov – russ. Diplomat, Vizekonsul in Mentone, den Čechov in Nizza kennengelernt hatte.

Sergej Aleksandrovič – S. A. Najdënov.

Vladimir Grigorjevič – V. G. Valter.

1178) *18. 1. 1904 – I. L. Leontjev-Ščeglov.* 4009.

gestern ist mein Stück... – ›Der Kirschgarten‹, am 17. 1. 1904 am Künstlertheater. Besetzung der Uraufführung vgl. Nr. 1141. Während der Uraufführung, in der Pause nach dem III. Akt, war Čechov öffentlich geehrt worden, anläßlich seines 25jährigen Jubiläums als Schriftsteller. vgl. dazu Nr. 1179, 1180.

1179) *18. 1. 1904 – N. E. Ėfros.* 4010.

... *für gestern* – vgl. Stanislavskijs Erinnerungen: ›Zum ersten Mal, seit wir Čechov spielten, fiel die Premiere eines Stückes von ihm mit einem Moskau-Aufenthalt von ihm zusammen. Das gab uns die Idee, eine Ehrung des geliebten Dichters zu veranstalten. Čechov sträubte sich sehr dagegen, drohte zu Hause zu bleiben, nicht ins Theater zu kommen. Aber die Versuchung für uns war zu groß, wir bestanden darauf. Außerdem fiel die Uraufführung ja auch mit dem Namenstag von Anton Pavlovič zusammen (17./30. Januar).

Der festgesetzte Tag war bereits nahe, wir mußten uns Gedanken machen über die Ehrung selbst wie auch über die Geschenke für Anton

Pavlovič. Eine schwere Frage! Ich fuhr alle Antiquitätenläden ab, in der Hoffnung, dort auf etwas zu stoßen, aber außer einem herrlich verarbeiteten musealen Stoff fand ich nichts. In Ermangelung eines Besseren mußten wir damit den Kranz schmücken und ihn in dieser Gestalt überreichen.
»Zumindest, – dachte ich, – wird eine kunstvolle Sache überreicht werden.«
Aber ich bekam von Anton Pavlovič einen Tadel wegen des Werts des Geschenks.
– Hören Sie, das ist doch eine herrliche Sache, die muß doch ins Museum, – warf er mir nach dem Jubiläum vor.
– Dann sagen Sie mir, Anton Pavlovič, was man Ihnen hätte schenken sollen? – versuchte ich mich zu rechtfertigen.
– Eine Mausefalle, – sagte er im Ernst, nach kurzer Pause. – Hören Sie, Mäuse müssen doch vernichtet werden. – Hier mußte er selber lachen. – Der Maler Korovin zum Beispiel hat mir ein wunderschönes Geschenk geschickt! Ein wunderschönes!
– Was für eins? – interessierte ich mich.
– Eine Angel.
Auch alle anderen Geschenke befriedigten ihn nicht, einige erzürnten ihn sogar wegen ihrer Banalität.
– Es ist doch unmöglich, hören Sie, einem Schriftsteller eine silberne Feder und ein antikes Tintenfaß zu schenken.
– Was hätte man denn schenken sollen?
– Eine Klistierspritze. Ich bin doch Arzt, hören Sie. Oder Socken. Meine Frau kümmert sich doch nicht um mich. Sie ist Schauspielerin. Ich gehe in zerrissenen Socken herum. Hör zu, Herzchen, sage ich ihr, an meinem rechten Fuß schaut der Zeh raus. Trag ihn doch am linken Fuß, sagt sie. Aber das kann ich nicht! – scherzte Anton Pavlovič und lachte wieder mit seinem heiteren Lachen.
Aber am Tag des Jubiläums selbst war er nicht heiter, so als ahnte er seinen nahen Tod. Als er nach dem dritten Akt, totenbleich und mager, auf der Vorderbühne stehend, den Husten nicht zurückhalten konnte, als man ihn mit Grußadressen und Geschenken überhäufte, krampfte sich uns das Herz zusammen. Aus dem Zuschauersaal rief man ihm zu, er solle sich setzen. Aber Čechov runzelte die Stirn und stand die ganze lange und zähe Zeremonie des Jubiläums durch, über die er in seinen Werken so oft gutmütig gelacht hatte. Aber auch hier konnte er ein Lächeln nicht zurückhalten. Einer der Literaten begann seine Rede fast mit denselben Worten, mit denen Gaev im ersten Akt den Schrank anredet:
– Lieber und hochverehrter ... (statt des Wortes »Schrank« setzte der Literat den Namen Anton Pavlovič ein), wir begrüßen Sie ... usw.

Anton Pavlovič warf mir – als dem Darsteller des Gaev – einen Blick aus den Augenwinkeln zu, – und ein schalkhaftes Lächeln huschte über seine Lippen.
Das Jubiläum war feierlich, hinterließ aber einen deprimierenden Eindruck. Es gemahnte an eine Beerdigung.‹

1180) *19. 1. 1904 – F.D. Batjuškov.* 4011.
mein Jubiläum – Jubiläum der 25jährigen Tätigkeit als Schriftsteller. Am 1. 11. 1903 hatte Čechov an O. L. Knipper geschrieben, er habe in den Zeitungen gelesen, daß die Stadt Taganrog Čechovs Jubiläum gefeiert habe; ›dabei wird mein Jubiläum (25 j.) erst in zwei, drei Jahren sein, frühestens.‹
Entsprechend reagierte Čechov am 26. 11. 1903 auf einen Brief von P. F. Iordanov, wo er als frühesten Termin ›1906 oder sogar erst 1907‹ angibt.
erste Bagatelle – März 1880 in der Zeitschrift ›Strekoza‹ (9. März): ›Brief des Gutsbesitzers Stepan Vladimirovič N. an seinen gelehrten Nachbarn Dr. Fridrich.‹

1181) *26. 1. 1904 – N.P. Kondakov.* 4023.
kalte Gleichgültigkeit ... – Antwort auf Kondakovs Brief Januar 1904. ›Wir hier in Petersburg, so heißt es, werden Ihr Stück nicht zu sehen bekommen, weil Ihr Theater die kalte Gleichgültigkeit gegenüber Gorkijs »Nachtasyl« nicht verzeihen kann. Das ist natürlich sehr schade ...‹
zu den Stücken von Kukolnik und Polevoj – Nestor Vasiljevič Kukolnik, 1809–1868, Dramatiker; Nikolaj Alekseevič Polevoj, 1796–1846, Kritiker, Historiker, Dramatiker. Hier Synonym für das überalterte Repertoire der Petersburger Theater.

1182) *27. 1. 1904 – K.P. Pjatnickij.* 4025.
die Fahnen ... – des ›Kirschgartens‹ für den Almanach des Verlags ›Znanie‹.

1183) *3. 2. 1904 – A.F. Marks.* 4031.
Schriftsteller Dedlov – V. L. Kign-Dedlov, der Čechov am 17. 1. 1904 geschrieben und ihn um Vermittlung beim Finden eines Verlegers gebeten hatte; Čechov hatte ihm am 24. 1. dies zugesagt, nur solle Kign-Dedlov sagen, an wen außer Marks er sich wenden könne bzw. solle.
Wohltätigkeitsalmanach des Verlags »Znanie« – vgl. Čechov an Gorkij, Nr. 1144.
Ihr liebenswürdiges Telegramm – Gratulation zum Geburtstag und zur

Uraufführung des ›Kirschgartens‹; der Text des Telegramms ist nicht überliefert.

1184) *7. 2. 1904 – L.A. Avilova.* 4033.
meine Meinung zu hören – der Brief von L. A. Avilova, auf den Čechov antwortet, ist in Čechovs Archiv nicht gefunden worden; auch aus den Erinnerungen von L. A. Avilova an Čechov geht wenig mehr als die Tatsache hervor, daß L. A. Avilova einen Almanach zugunsten der Verwundeten des eben ausgebrochenen Russisch-Japanischen Kriegs herauszugeben gedachte. (Ausbruch der Feindseligkeiten: am 26. 1. 1904.)
Čechov am 14. 2. an L. A. Avilova: ›Meiner Meinung nach ist das Beste, eine eigene Erzählung in einer Zeitschrift zu veröffentlichen und das Honorar dann dem Roten Kreuz zu stiften.‹

1185) *7. 2. 1904 – P.I. Kurkin.* 4034.
Aufführung zugunsten... – vgl. Anm. und Brief Nr. 1127.
Krieg – der Russisch-Japanische Krieg.
Frau Ščedrina – Marija Alekseevna Ščedrina, Studentin der Medizin in Petersburg, Kassiererin der Genossenschaftskasse.
Freitag der ersten Woche – der ersten Woche der Großen Fasten. Čechov fuhr am 15. 2. nach Jalta, kam am 17. 2. in Sevastopol und noch am selben Tag in Jalta an.

1186) *15. 2. 1904 – O.L. Knipper.* 4042.
Leva – Neffe der O.L. Knipper.
sogar die Muratova – E. P. Muratova, Darstellerin der Šarlotta Ivanovna im ›Kirschgarten‹.

1187) *18. 2. 1904 – O.L. Knipper.* 4048.
die Direktorin – des Gymnasiums von Jalta, V.K. Charkeevič.
mein Bruder – Aleksandr P. Čechov.
Šnap – auch Fomka, Šnaps, Hund, den Čechov aus Moskau mit nach Jalta genommen hatte.

1188) *19. 2. 1904 – A.F. Marks.* 4049.
Eintausend Rubel für die »Braut« – die erhöhten Honorare für die Novelle ›Die Braut‹ und den ›Kirschgarten‹ zahlte Marks offenbar in Zusammenhang mit Überlegungen, die in Freundeskreisen Čechovs angestellt wurden, die Čechov-Rechte von Marks zurückzukaufen.
»Kaštanka« – illustrierte Ausgabe des Verlags A. F. Marks, 1903, mit Illustrationen von D.N. Kardovskij, vgl. Nr. 1189.
Von Dedlov (Kign) – vgl. Nr. 1183.

1189) *20. 2. 1904 – O. L. Knipper.* 4050.

1190) *23. 2. 1904 – O. L. Knipper.* 4055.

Marija Fëdorovna – M. F. Andreeva; O. L. Knipper hatte Čechov davon am 18. 2. geschrieben.

Litovceva – N. N. Litovceva, spielte im ›Kirschgarten‹ nach dem Weggang von M. F. Andreeva die Varja, in den ›Drei Schwestern‹ Irina.

Gorkij ... damit zu tun – vgl. den Plan Gorkijs und seines Freundeskreises, einen Volkspalast in Nižnij Novgorod zu gründen, der auch ein eigenes Theater beherbergen sollte.

Die Komissarževskaja... Erfolg? – V. F. Komissarževskaja gastierte vom 16. bis 27. 2. 1904 in Moskau im Theater der ›Eremitage‹, und zwar mit den Stücken ›Nora‹ (H. Ibsen), ›Schnee‹ und ›Das Goldene Vlies‹ (Przybyszewski), ›Der Preis des Lebens‹ (Vl. I. Nemirovič-Dančenko), ›Das Märchen‹ (A. Schnitzler) und ›Erlösung‹ (I. N. Potapenko).

Ėfrosse, Ljubošic – hier für: Feuilletonisten, Theaterkritiker. Semën Borisovič Ljubošic, 1859-1926, Journalist.

Caricyno – Dorf in der Umgebung Moskaus mit Schloßruine, Ausflugsziel. ›Das Schloß wurde unter Katharina II. nach Plänen von Baženov begonnen, der Bau aber eingestellt, da er der Kaiserin den Eindruck eines von Kandelabern (den Türmchen) umgebenen Sarges machte. Neben dem Schloß gleichfalls unvollendet das Schloßtheater und ein ausgedehnter Park im englischen Stil mit Teichen, Brücken, Grotten, Pavillons‹ usw. (Baedeker, Rußland.) Čechov war am 14. 2. in Caricyno gewesen, um ein zum Verkauf angebotenes Landhaus zu besichtigen.

1191) *27. 2. 1904 – O. L. Knipper.* 4061.

Korsakov – Nikolaj Sergeevič, 1852–1925, Kinderarzt in Moskau, Professor an der Universität.

Evpatorija – Kreis- und Hafenstadt auf der Krim.

Rostov-am-Don – meint vermutlich die Meldung der Zeitung ›Priazovskij kraj‹ vom 24. 2., wonach ›auf besonders eindringlichen Wunsch des Publikums zum dritten (und letzten) Mal der »Kirschgarten« gespielt‹ werde, der am 21. und 22. 2. einen großen Erfolg gehabt habe.

nach Caricyno und zurück – die Entfernung von Moskau: 18 Verst; vgl. Anm. Nr. 1190.

1192) *3. 3. 1904 – O. L. Knipper.* 4069.

Freund der Medizin. Akademien – die sich um Unterstützung an ihn gewandt hatten, vgl. Nr. 1185.

vor seiner Abreise – nach Petersburg, vgl. Nr. 1184.

Štrauch – Maksim Avgustinovič, Arzt, Gynäkologe, war Anf. 1904 gestorben.

Unsere – meint die russischen Truppen im Russ.-Japan. Krieg.

Onkel Saša – V.I. Zalca, Onkel von O.L. Knipper.

O. Karl – Onkel K.I. Zalca.

1193) *4. 3. 1904 – O.L. Knipper.* 4070.

Budkevič – Natalja Antonovna, Schauspielerin, hatte um Erlaubnis gebeten, den ›Kirschgarten‹ ins Deutsche zu übersetzen.

schon längst ins Deutsche übersetzt – deutsche Übersetzungen der ›Möwe‹ von: Rainer Maria Rilke (1900; Text der Übersetzung gilt als verloren), Wladimir Czumikow (1902), Max Beneke (1902), Heinrich Stümcke (1902). Stümcke, Czumikow und August Scholz legten 1902 Übersetzungen der ›Drei Schwestern‹ vor. Übersetzungen des ›Kirschgartens‹ ins Deutsche sind zu Čechovs Lebzeiten nicht erschienen.

Garin-Michajlovskij – N.G. Garin-Michajlovskij, besuchte Čechov am 5. und 7. März.

1194) *8. 3. 1904 – O.L. Knipper.* 4073.

gratuliere zum Umzug – Wohnung in Haus Katyk, Leontjevskij per.

von Orlenev ... Brief – vom März 1904, in dem P.N. Orlenev darum gebeten hatte, Čechov ›direkt vom Damper aus besuchen zu dürfen‹. ›Ich reise mit Ibsen, den »Gespenstern«, durch ganz Rußland, spiele in jeder Stadt, je eine Vorstellung, und reise nachts wieder ab...‹ Vgl. dazu Nr. 1197, 1200.

mit der Goreva – E.N. Goreva.

ein gewisser V. M. – meint die Berichte von Vasilij Grigorjevič Michajlovskij in den ›Russkie vedomosti‹; Michajlovskij war Direktor des Amts für Statistik bei der Moskauer Stadtverwaltung.

1195) *9. 3. 1904 – O.L. Knipper.* 4077.

1196) *10. 3. 1904 – O.L. Knipper.* 4078.

Deine Postkarte – vom 6. 3., auf der O.L. Knipper mitteilte, sie habe Bronchitis und ihre Schwägerin sei auf die Krim abgereist.

Lulu – Kosename von Luiza Julievna, der Frau von K.L. Knipper, Schwägerin der O.L. Knipper.

Caricyno – vgl. Nr. 1190; O.L. Knipper hatte gegen den Kauf des Hauses in Caricyno einiges einzuwenden. Čechov am 12. 3. an sie: ›Du schimpfst auf Caricyno!...‹

Maša – M.P. Čechova.

Vinogradov – A.N. Vinogradov.

1197) *18. 3. 1904 – O.L. Knipper.* 4085.

wann... nach Petersburg – zum Gastspiel des Künstlertheaters, das am 5. April begann.

Ostrovskij – Lehrer in Algebra und Physik am Gymnasium Taganrog, von den Schülern gefürchtet wegen seiner strengen Notengebung.

habe Orlenev gesehen – P.N. Orlenev, vgl. Nr. 1194; die Vorstellung der ›Gespenster‹ von Ibsen in Jalta hatte am 16. 3. stattgefunden.

»Erlösung« – Versehen Čechovs.

von Ivan... Brief – Ivan P. Čechov.

von deiner Lulu – vgl. Nr. 1196.

von Onkel Saša zu hören – A.I. Zalca. Čechov hatte ihm am 18. 3. einen Gruß zu Ostern geschickt (an die Front). Am 12. 3. schrieb Čechov an O.L. Knipper: ›Wenn ich Ende Juni und im Juli gesund bin, werde ich in den Krieg ziehen, ich werde dich darum betteln. Ich werde als Arzt hinfahren.‹

Ins Theater – zur Vorstellung der ›Gespenster‹ am 16. 3. 1904 in Jalta.

1198) *18. 3. 1904 – A.F. Marks.* 4086.

die Korrektur des Stückes – Marks hatte Čechov am 12. 3. mitgeteilt, er habe von Vl.Iv. Nemirovič-Dančenko einen Korrekturabzug des ›Kirschgartens‹ bekommen; ›In Anbetracht der Tatsache, daß das Stück, wie Sie mir in Ihrem Brief vom 3. Februar mitteilten, in Bälde veröffentlicht werden wird, habe ich schon jetzt dafür gesorgt, daß das Stück für die Ausgabe meines Verlages gesetzt wird und schicke Ihnen gleichzeitig, per eingeschriebenem Streifband, die Korrektur zu Ihrer Durchsicht. Es versteht sich von selbst, daß meine Ausgabe erst dann erscheinen wird, wenn Sie das Stück in einem Periodikum oder, wie Sie es in diesem Fall vorhaben, in einem Almanach zu wohltätigen Zwecken veröffentlicht haben. Gleichzeitig überweise ich Ihnen zweitausendfünfhundert Rubel Honorar für das Stück und bitte Sie, beiliegenden Vertrag zu unterschreiben und zurückzuschicken.‹

1199) *20. 3. 1904 – O.L. Knipper.* 4088.

Sag Moskvin – O.L. Knipper schrieb am 16. 3.: ›Moskvin bittet inständig darum, ob er nicht im 4. Akt einen Satz einfügen darf. Wenn er den Karton zerdrückt, sagt Jaša: »Ungeschick läßt grüßen«, und Moskvin möchte sehr gern sagen: »Ja nun, das kann jedem passieren.« Er hat das irgendwie aus Zufall gesagt, und das Publikum hat es aufgenommen.‹
Im Soufflier-Exemplar des Künstlertheaters ist dieser Satz eingefügt (mit Bleistift), in den gedruckten Texten des ›Kirschgartens‹ nicht.

Maša ist gekommen – M.P. Čechova, kam am 19. oder 20. 3. und blieb bis ca. 10. April.

Butovo, Podolsk – Orte in der Umgebung Moskaus; Podolsk: Kreisstadt (5300 Einw., große Zementfabrik) 40 Verst von Moskau entfernt auf der Strecke nach Serpuchov.
Mojka 61 – in Petersburg, wohin O.L. Knipper mit dem Moskauer Künstlertheater auf die turnusmäßige Gastspielreise fuhr.
Marija Petrovna – M.P. Lilina.
Mundt – E.M. Munt, Schauspielerin am Künstlertheater von 1898–1902; spielte in ›Drei Schwestern‹ die Nataša.

1200) *24. 3. 1904 – O.L. Knipper.* 4091.
von Lvov einen Brief – Vasilij Nikolaevič Lvov: Čechov schrieb ihm am selben Tag.
Martynov – Nikolaj Avenirovič, Maler, Schwiegervater von V.N. Lvov.
Ezučevskaja – Besitzerin des Hauses in Caricyno.
zahlt Višnevskij – von den Honoraren Čechovs, die am Künstlertheater eingespielt wurden.
die Chaljutina – S.V. Chaljutina, im ›Kirschgarten‹: Dunjaša.
Aleksandrov – N.G. Aleksandrov, spielte im ›Kirschgarten‹ den Jaša.
Leonidov – L.M. Leonidov, im ›Kirschgarten‹: Lopachin.
Muratova – E.P. Muratova, Darstellerin der Šarlotta Ivanovna.
Orlenev kam ... – P.N. Orlenev.
der Schauspielerin, die Dunjaša ... – anstelle von S.V. Chaljutina, wurde die Dunjaša in der Folgezeit von A.F. Adurskaja (Durasevič) gespielt.

1201) *26. 3. 1904 – O.L. Knipper.* 4094.

1202) *29. 3. 1904 – O.L. Knipper.* 4097.
Konst. Leon. – K.L. Knipper, Bruder der O.L. Knipper, vgl. u. ›K. L.‹
Lulu – L.Ju. Knipper, Schwägerin der Adressatin. Čechov am 31. 3. an O.L. Knipper: ›Dein Bruder ist mit Frau nach Sevastopol gefahren, du wirst ihn bald wiedersehen. Lulu hat mir gefallen, obwohl ich überzeugt bin, daß die Beaufsichtigung des kranken Leva, als Krankem, nicht gut sein wird. Sie glaubt offenbar nicht, daß Leva Tuberkulose hat.‹
Stanislavskij ... ruiniert – vgl. den Brief Stanislavskijs an Čechov vom 20. 10. 1903, vgl. Nr. 1205.
Sofja Petrovna – S.P. Sredina.
Ekat. Pavl. – E.P. Peškova, Frau Maksim Gorkijs.
Michajlovskij – N.G. Garin-Michajlovskij.

1203) *4. 4. 1904 – O.L. Knipper.* 4102.
zwei Telegramme ... – vom 2. 4. und 3. 4. über den großen Erfolg des ›Kirschgartens‹ in Petersburg.

negative Rezension zum »Julius Caesar« – im ›Novoe vremja‹ vom 31. 3. von Jurij Beljaev.

Sizov – Vladimir Iljič, Archäologe, Kunstkritiker.

»Znanie«, Gorkij und Pjatnickij ... – der Almanach des Verlags ›Znanie‹ (mit dem ›Kirschgarten‹) hatte Anfang 1904 erscheinen sollen; der Almanach wurde dann in mehrere Bände aufgeteilt, was das Erscheinen verzögerte; außerdem machte die Zensur Schwierigkeiten bei der Genehmigung des 2. Bandes (Mitteilung von K.P. Pjatnickij an Čechov, 20. April). Der ›Kirschgarten‹ erschien schließlich Ende Mai 1904 in Band 2.

1204) *7. 4. 1904 – O. L. Knipper.* 4103.

deine Freundin Čjumina – Olga Nikolaevna Čjumina.

Maler Korovin – Konstantin Alekseevič, 1861–1939, Maler.

Bar. Klodt – Nikolaj Aleksandrovič, Baron, 1865–1918, Maler.

Borodulin – Vasilij Andreevič, Arzt in Jalta.

Kugel – A.R. Kugel; in ihrem Brief vom 2. 4. hatte O.L. Knipper geschrieben: ›Kugel sagte gestern, das Stück sei wundervoll, alle spielten wundervoll, aber nicht so, wie es sein sollte.‹ (Meint den ›Kirschgarten‹).

Vladimir Ivanovič – V.I. Nemirovič-Dančenko.

Madame Višnevskaja – Aglaida Petrovna, war zusammen mit ihrem Mann als Leiterin einer Sektion des Roten Kreuzes (›Christliche Hilfe‹) angesichts von Unregelmäßigkeiten in der Geschäftsführung ihrer Funktionen enthoben worden, lt. Mitteilung der Zeitung ›Russkoe slovo‹ vom 2. 4. 1904.

Aleksandr Leonidovič – A. L. Višnevskij.

1205) *10. 4. 1904 – O. L. Knipper.* 4107.

mein Stück Drama – vgl. Anm. und Brief Nr. 1202.

Chaljutina, Adurskaja – vgl. Nr. 1200.

fahrendes Gesindel – Schauspielergruppe des Städtischen Theaters Sevastopol; die Aufführung fand am 13. 4. statt, vgl. Nr. 1207.

lese den »Pravitelstvennyj vestnik« – den ›Regierungsboten‹, regierungsamtliche Zeitung, die Čechov anläßlich des Russisch-Japanischen Kriegs abonniert hatte.

1206) *10. 4. 1904 – A.F. Marks.* 4108.

die Korrektur des »Kirschgartens« – vgl. Anm. Nr. 1198, 1203.

1207) *13. 4. 1904 – O. L. Knipper.* 4113.

Herr Arabažin – Konstantin Ivanovič, Schriftsteller, ehemaliger Redakteur des ›Severnyj kurjer‹.

Brief und Rezension – Brief vom 6. 4. und Rezension des ›Kirschgartens‹ in der Zeitung ›Novosti‹ vom 3. 4. 1904.
M-me Gnedič – Olga Pavlovna, Frau des Schriftstellers P.P. Gnedič.
Tatjana Ščepkina-Kupernik – T. L. Ščepkina-Kupernik.

1208) *13. 4. 1904 – B.A. Lazarevskij.* 4114.
Ihr langer trauriger Brief – vom 19. 3. 1904 aus Vladivostok, wohin der Adressat als Untersuchungsrichter versetzt worden war.
Als ich in Vladivostok war – Oktober 1890, vgl. Briefe von der Insel Sachalin, Nr. 310.

1209) *14. 4. 1904 – K.S. Stanislavskij.* 4116.
Zeitungsausschnitte – Über die Vorstellungen des Künstlertheaters in Petersburg.
aus Berlin eine deutsche Rezension – ungeklärt, von wem und aus welcher Zeitung.

1210) *15. 4. 1904 – O.L. Knipper.* 4117.
Vorgestern ist... – entsprechende Notiz in der Zeitung ›Krimskij kurjer‹ vom Tage, in der Rubrik ›Theater und Musik‹, in der mitgeteilt wurde, daß die in Sevastopol spielende Truppe der Darjalova in Jalta Čechovs ›Kirschgarten‹ spielen werde. Das Stück werde in Anwesenheit des Autors gespielt.
Darjalova – ungeklärt; *Darjal:* Aleksandra Vasiljevna, eigtl. Demidova, gest. 1932, Schauspielerin, ab 1898 am Theater N.N. Solovcov in Kiev.
Amfiteatrov – A.V. Amfiteatrov, dem Čechov am 13. 4. geschrieben hatte und sich bedankt für zwei Ausschnitte aus dem ›Budilnik‹, die A. ihm geschickt hatte (zum Künstlertheater und der ›Kirschgarten‹-Aufführung). ›Aus diesen Ihren Rezensionen wehte mich etwas Altes, aber lange Vergessenes an, so als seien Sie ein Verwandter oder Landsmann von mir, und lebhaft stand auf einmal das Jubiläumsbild des »Budilnik« vor mir, wo um Kurepin und Kičeev Sie, ich, Passek stehen, Passek mit dem Telephonhörer am Ohr; und mir ist, als sei dieses Jubiläum vor hundert oder zweihundert Jahren gewesen...‹

1211) *19. 4. 1904 – A.P. Čechov.* 4121.
der griechische Didaskalos – A.P. Čechov hatte am 5. 4. geschrieben und gebeten, einen beiliegenden Brief dem Lehrer Charlampidis zu übergeben, der die Absicht habe, nach Petersburg zu ziehen, er, Aleksandr, rate ihm davon ab.
Didaskalos, griech. ›Lehrer‹, vgl. Didaskalien: bei den alten Griechen Einübungen eines Dramas oder Chors.

1212) *2. 4. 1904 – O.L. Knipper.* 4124.
Onkel Saša – A.I. Zalca.
Evtichij Karpov – E.P. Karpov, Regisseur am Alexandratheater Petersburg (1896 Regisseur der Uraufführung der ›Möwe‹); danach Regisseur an Suvorins Theater des Lit.-Artistischen Zirkels.
Brief von Sobolevskij – V.M. Sobolevskij, dem Čechov am 20. 4. schrieb und ihn um Vermittlung und Hilfe bei dem Hauskauf in Caricyno bat.

1213) *26. 4. 1904 – O.L. Knipper.* 4126.
Montag – den 3. 5.; Čechov verließ Jalta am 1. 5. 1904. Am 1. 5. kam auch O.L. Knipper aus Petersburg zurück nach Moskau.

1214) *27. 4. 1904 – A.F. Marks.* 4127.

1215) *27. 4. 1904 – K.P. Pjatnickij.* 4128.
Umbruch des II. Bandes – der ›Kirschgarten‹ erschien in Band II des Almanachs ›Znanie‹.
Brief von Amfiteatrov – A.V. Amfiteatrov. Čechov am 13. 4. an Amfiteatrov: ›Heute habe ich den »Almanach«, Verl. »Znanie« gelesen, unter anderem den Gorkijschen »Menschen«, der mich sehr an die Predigt eines jungen Popen erinnert hat, eines ohne Bart, der Baß spricht, das o zieht, ich habe auch die großartige Erzählung »Schwarzerde« von Bunin gelesen. Das ist tatsächlich eine vortreffliche Erzählung, sie hat Stellen, die sind einfach wunderbar, ich empfehle sie Ihrer Aufmerksamkeit.‹

1216) *5. 5. 1904 – A.I. Kuprin.* 4132.
bin in Moskau, krank – dieselbe Mitteilung, in kurzen Briefen, am 5. 5. auch an P.I. Kurkin, am 6. 5. an V.S. Miroljubov.
Ihre Erzählung . . . – ›Die Masern‹, erschienen in Heft IV (April) der Zeitschrift ›Mir božij‹.

1217) *10. 5. 1904 – V.A. Golcev.* 4135.

1218) *18. 5. 1904 – K.P. Pjatnickij.* 4139.
Aleksej Maksimovič – A.M. Peškov: Maksim Gorkij.
sein neues Stück – ›Sommergäste‹, erschienen in Band III des Almanachs des Verlags ›Znanie‹ auf das Jahr 1903, Petersburg 1904.

1219) *22. 5. 1904 – L.V. Sredin.* 4141.
Taube – Ju.R. Taube.
Sofja Petrovna – S.P. Sredina, Ehefrau des Adressaten.
Zinočka, Anatolij – Z.L. und A.L. Sredin, Kinder des Adressaten.

1220) *25. 5. 1904 – M.P. Čechova.* 4144.
Vanja... – Ivan P. Čechov.
Sonja – S.V. Čechova, Frau I.P. Čechovs; fahren: nach Jalta, wohin M.P. Čechova Mitte Mai abgereist war. I.P. Čechov traf in der ersten Junihälfte in Jalta ein, vgl. Nr. 1233.

1221) *31. 5. 1904 – K.P. Pjatnickij.* 4148.
Ihr Brief... – vom 29. 5. 1904, in dem Pjatnickij mitteilte, der 2. Band des Almanachs mit dem ›Kirschgarten‹ sei ausgeliefert worden, und in dem er Čechov bat, Marks die Genehmigung nicht zu erteilen, die Einzelausgabe des ›Kirschgarten‹ vor Ende des Jahres erscheinen zu lassen. Vgl. Anm. Nr. 1198.
Am 25. 5. hatte Čechov Pjatnickij in einem kurzen Brief gebeten, ihm das Honorar für den ›Kirschgartens‹, angesichts der bevorstehenden Auslandsreise, schon jetzt auszuzahlen.
Werde Marks noch heute schreiben – vgl. Nr. 1222.
Die 4500 Rubel... – Honorar für den ›Kirschgarten‹: 3 Bogen à 1500 Rubel.

1222) *31. 5. 1904 – A.F. Marks.* 4149.
nicht erscheinen lassen, bevor... – vgl. Nr. 1221. Die Absicht, eine Charakteristik der dramatis personae voranzustellen (wie etwa im ›Revisor‹ von N.V. Gogol) hatte offenbar nie bestanden, sondern sollte nur den Aufschub begründen helfen. Vgl. die Antwort von A.F. Marks in Brief Nr. 1224.

1223) *31. 5. 1904 – M.P. Čechova.* 4151.

1224) *2. 6. 1904 – K.P. Pjatnickij.* 4153.

1225) *3. 6. 1904 – K.P. Pjatnickij.* 4155.

1226) *6. 6. 1904 – M.P. Čechova.* 4157.
schreibe dir aus Berlin – Čechov und O.L. Knipper waren am 3. 6. aus Moskau abgereist und, auf dem Wege nach Badenweiler, am 5. 6. in Berlin angekommen.

1227) *6. 6. 1904 – A.L. Višnevskij.* 4158.

1228) *8. 6. 1904 – M.P. Čechova.* 4159.
mein Name in meinen Büchern – ›Tschechow‹ und ›Tschechoff‹, vgl. die deutschen Ausgaben der Erzählungen und Novellen Čechovs in Anm. Nr. 1043.

1229) *12. 6. 1904 – P.F. Iordanov.* 4160.

das Bücherpaket – Čechov schickte bis zuletzt, in unregelmäßigen Abständen, Bücher nach Taganrog an die dortige Stadtbibliothek; letzte Sendung Anfang Juni.

Emphysem – griech. medizin. ›Luftgeschwulst‹, der krankhafte Zustand, bei welchem die Zellen, d.h. hier die Maschen und Lücken eines Organs oder Körperteils widernatürlich mit Luft angefüllt sind. Dies geschieht z.B., wenn die Lungen oder Luftröhren verwundet oder sonst verletzt sind. – ›Das Lungenemphysem ist eine zwar in der Regel nicht sofort gefährliche, aber doch sehr lästige Krankheit. Seine Behandlung erfordert vor allem Ruhe, Vermeiden körperlicher Anstrengungen, besonders des Laufens und Kletterns und der gröbern Armbewegungen; Atmen einer reinen und milden Luft, daher Vermeiden von Rauch und Staub; Verhüten öfterer Katharre, daher jeder Erkältung, weshalb namentlich Nord- und Nordostwinde zu meiden sind; Frei- und Weichhalten des Unterleibs, weil jede Auftreibung desselben das ohnehin bei Emphysematikern durch Herabdrängung behinderte Zwerchfell an seiner zum Einatmen unentbehrliche Thätigkeit schädigt‹ (Brockhaus, Leipzig 1901).

Tabes – medizin. latein. für ›Schwindsucht, Darrsucht, insbesondere die Rückenmarksschwindsucht‹ (Brockhaus).

1230) *12. 6. 1904 – V. M. Sobolevskij.* 4162.

Iollos – Grigorij Borisovič, Publizist, Berlin-Korrespondent der Zeitung ›Russkie vedomosti‹.

Živago – Elizaveta Vasiljevna, geb. 1873 in Moskau, Frau des Badenweiler Arztes, des Geheimrat Dr. Schwoerer.

Dr. Schwöhrer – Josef Schwoerer, Geheimrat, Dr., geb. 1869, der Čechov in Badenweiler behandelnde Arzt.

in einer kleinen Villen-Pension – die ersten Tage waren Čechov und O. L. Knipper im Hotel ›Römerbad‹ abgestiegen und dann, am 11. oder 12. 6. (russischer Kalender) in die ›Villa Friedrike‹ umgezogen. Auszug aus dem ›Fremdenblatt für Badenweiler‹ (›Verkündungsblatt des Badkomitee's‹), Hofbuchhandlung A. Schmidt, Badenweiler:

Nr. 15 Badenweiler, den 26. Juni 1904 [8. 6. alten Stils]
Hotel Römerbad
[...] Hr. u. Frau Anton Tschekhow, Arzt, Moskau

Nr. 17 Badenweiler, den 3. Juli 1904 [15. 6. alten Stils] Villa Friedrike
[...] Hr. Anton Tschekhow u. Frau, Moskau

Nr. 18 Badenweiler, den 6. Juli 1904 [18. 6. alten Stils] Hotel Sommer
[...] Hr. Tschekhow u. Frau, Russland

Nr. 23 Badenweiler, den 17. Juli 1904 Hotel Sommer
[...] Hr. Tschekhov u. Frau, Russland
Nr. 24 Badenweiler, den 20. Juli 1904 Hotel Sommer
[...] Mlle Tschekow, Moskau

1231) *12. 6. 1904 – M.P. Čechova.* 4163.

1232) *13. 6. 1904 – E.Ja. Čechova.* 4164.
Gestern an Maša einen Brief – vgl. Nr. 1231.

1233) *16. 6. 1904 – M.P. Čechova.* 4165.
Varv. Konst. – Varvara Konstantinovna Charkeevič.
Sofja Pavlovna – S.P. Bonnier.

1234) *19. 6. 1904 – M.P. Lilina.* 4167.
»Am Kloster« – Stück von P.M. Jarcev, das zur Aufführung am Künstlertheater vorbereitet wurde; die Premiere des Stücks fand, zusammen mit drei dramatisierten Kurzgeschichten Čechovs, am 21. 12. 1904 statt.

1235) *19. 6. 1904 – K.P. Pjatnickij.* 4168.
Gruzenberg – O.O. Gruzenberg, Rechtsanwalt in Petersburg.

1236) *21. 6. 1904 – M.P. Čechova.* 4169.
Bachmut – Kreisstadt im Gouv. Ekaterinoslav, 14 000 Einw.
Savickaja – M.G. Savickaja.
Muratova – E.P. Muratova.
unser Taube – Ju.R. Taube, Arzt in Moskau.

1237) *22. 6. 1904 – M.P. Čechova.* 4170.
Hotel Sommer – ins ›Hotel Sommer‹ waren Čechov und O.L. Knipper am 21. oder 22. 6. umgezogen, vgl. auch Anm. Nr. 1230.

1238) *26. 6. 1904 – M.P. Čechova.* 4171.
von George einen Brief – vom 20. 6. 1904, G.M. Čechov.

1239) *28. 6. 1904 – G.I. Rossolimo.* 4172.
L.L. Tolstoj – Sohn L.N. Tolstojs.

1240) *28. 6. 1904 – M.P. Čechova.* 4173.
28. Juni 1904 – letzter Brief Čechovs, nach westlichem Kalender vom 11. Juli 1904. Čechov starb in Badenweiler am 2./15. 7. 1904. Die Sterbeurkunde hat diesen Wortlaut:

›Badenweiler, am 15. Juli 1904.
Vor dem unterzeichneten Standesbeamten erschien heute, der Persönlichkeit nach bekannt, der Leichenschauer Karl Brombacher, wohnhaft in Badenweiler,
und zeigte an, daß der Schriftsteller Anton Tschekhoff, 44 Jahre alt, orthodoxer Religion, wohnhaft in Moskau, Russland, geboren zu Taganrog, Russland, verheiratet gewesen mit
Olga Tschekhoff geborene Knipper
Sohn des verstorbenen Kaufmann Paul Tschekhoff, zuletzt wohnhaft in Lopasnia (Russland) und dessen Ehefrau Eugenie Tschekhoff, geborene Morosoff, zuletzt wohnhaft in Jalta in der Krimm,
zu Badenweiler im Hotel Sommer
am fünfzehnten Juli
des Jahres tausend neunhundert vier
vormittags um drei Uhr
verstorben sei. Der Anzeigende erklärt, daß er diese Anzeige
aus eigener Wissenschaft erstattet
Vorgelesen, genehmigt und unterschrieben Karl Brombacher. Der Standesbeamte in Vertretung Hermann Eberhardt.‹

Verzeichnis der Adressaten

1) chronologisch

958)	1901, 30. 10.	O. L. Knipper
959)	1901, 1. 11.	O. L. Knipper
960)	1901, 3. 11.	A. M. Fëdorov
961)	1901, 6. 11.	O. L. Knipper
962)	1901, 9. 11.	O. L. Knipper
963)	1901, 14. 11.	A. F. Marks
964)	1901, 17. 11.	O. L. Knipper
965)	1901, 21. 11.	O. L. Knipper
966)	1901, 24. 11.	O. L. Knipper
967)	1901, 30. 11.	O. L. Knipper
968)	1901, 7. 12.	O. L. Knipper
969)	1901, 10. 12.	O. L. Knipper
970)	1901, 11. 12.	V. A. Golcev
971)	1901, 13. 12.	O. L. Knipper
972)	1901, 17. 12.	O. L. Knipper
973)	1901, 17. 12.	V. S. Miroljubov
974)	1901, 18. 12.	O. L. Knipper
975)	1901, 20. 12.	O. L. Knipper
976)	1901, 20. 12.	S. P. Djagilev
977)	1901, 24. 12.	O. L. Knipper
978)	1901, 25. 12.	A. F. Marks
979)	1901, 27. 12.	O. L. Knipper
980)	1901, 29. 12.	O. L. Knipper
981)	1901, 31. 12.	V. I. Nemirovič-Dančenko
982)	1901, 31. 12.	O. L. Knipper
983)	1902, 1. 1.	K. D. Balmont
984)	1902, 2. 1.	O. L. Knipper
985)	1902, 4. 1.	K. S. Stanislavskij
986)	1902, 12. 1.	M. P. Čechova
987)	1902, 15. 1.	O. L. Knipper
988)	1902, 16. 1.	O. L. Knipper
989)	1902, 20. 1.	K. S. Stanislavskij
990)	1902, 20. 1.	O. L. Knipper
991)	1902, 27. 1.	O. L. Knipper
992)	1902, 29. 1.	O. L. Knipper
993)	1902, 3. 2.	M. P. Lilina
994)	1902, 10. 2.	O. L. Knipper
995)	1902, 13. 2.	M. A. Členov

996)	1902, 18. 2.	O. L. Knipper
997)	1902, 19. 2.	O. L. Knipper
998)	1902, 20. 2.	V. S. Miroljubov
999)	1902, 2. 3.	P. A. Sergeenko
1000)	1902, 8. 3.	O. L. Knipper
1001)	1902, 8. 3.	V. S. Miroljubov
1002)	1902, 11. 3.	O. L. Knipper
1003)	1902, 16. 3.	O. L. Knipper
1004)	1902, 19. 3.	V. G. Korolenko
1005)	1902, 20. 3.	O. L. Knipper
1006)	1902, 24. 3.	P. A. Sergeenko
1007)	1902, 31. 3.	O. L. Knipper
1008)	1902, 2. 4.	N. P. Kondakov
1009)	1902, 5. 4.	O. L. Knipper
1010)	1902, 6. 4.	O. L. Knipper
1011)	1902, 10. 4.	O. L. Knipper
1012)	1902, 16. 4.	A. F. Marks
1013)	1902, 19. 4.	V. G. Korolenko
1014)	1902, 20. 4.	V. G. Korolenko
1015)	1902, 7. 5.	K. D. Balmont
1016)	1902, 7. 5.	Revue blanche
1017)	1902, 29. 5.	M. P. Čechova
1018)	1902, 2. 6.	M. P. Čechova
1019)	1902, 2. 6.	Maksim Gorkij
1020)	1902, 10. 6.	M. P. Čechova
1021)	1902, 12. 6.	K. S. Stanislavskij
1022)	1902, 12. 6.	V. I. Nemirovič-Dančenko
1023)	1902, 16. 6.	V. I. Nemirovič-Dančenko
1024)	1902, 18. 6.	O. L. Knipper
1025)	1902, 22. 6.	O. L. Knipper
1026)	1902, 17. 7.	Maksim Gorkij
1027)	1902, 18. 7.	K. S. Stanislavskij
1028)	1902, 29. 7.	Maksim Gorkij
1029)	1902, 17. 8.	O. L. Knipper
1030)	1902, 23. 8.	V. I. Nemirovič-Dančenko
1031)	1902, 25. 8.	V. G. Korolenko
1032)	1902, 27. 8.	O. L. Knipper
1033)	1902, 29. 8.	O. L. Knipper
1034)	1902, 1. 9.	O. L. Knipper
1035)	1902, 6. 9.	O. L. Knipper
1036)	1902, 10. 9.	O. L. Knipper
1037)	1902, 14. 9.	V. F. Komissarževskaja
1038)	1902, 18. 9.	O. L. Knipper

1039)	1902, 22. 9.	O. L. Knipper
1040)	1902, 1. 10.	A. F. Marks
1041)	1902, 1. 10.	K. S. Stanislavskij
1042)	1902, 8. 10.	O. L. Knipper
1043)	1902, 10. 10.	S. I. Šachovskoj
1044)	1902, 16. 10.	A. F. Marks
1045)	1902, 23. 10.	A. F. Marks
1046)	1902, 26. 10.	I. A. Bunin
1047)	1902, 1. 11.	A. I. Kuprin
1048)	1902, 5. 11.	L. A. Suleržickij
1049)	1902, 27. 11.	O. L. Knipper
1050)	1902, 1. 12.	O. L. Knipper
1051)	1902, 6. 12.	O. L. Knipper
1052)	1902, 12. 12.	O. L. Knipper
1053)	1902, 14. 12.	O. L. Knipper
1054)	1902, 15. 12.	O. L. Knipper
1055)	1902, 17. 12.	O. L. Knipper
1056)	1902, 20. 12.	O. L. Knipper
1057)	1902, 21. 12.	O. L. Knipper
1058)	1902, 22. 12.	O. L. Knipper
1059)	1902, 22. 12.	A. S. Suvorin
1060)	1902, 24. 12.	O. L. Knipper
1061)	1902, 25. 12.	O. L. Knipper
1062)	1902, 28. 12.	O. L. Knipper
1063)	1902, 30. 12.	S. P. Djagilev
1064)	1902, 30. 12.	A. I. Kuprin
1065)	1902, 30. 12.	V. S. Miroljubov
1066)	1903, 1. 1.	O. L. Knipper
1067)	1903, 1. 1.	K. S. Stanislavskij
1068)	1903, 3. 1.	O. L. Knipper
1069)	1903, 8. 1.	O. L. Knipper
1070)	1903, 9. 1.	O. L. Knipper
1071)	1903, 13. 1.	O. L. Knipper
1072)	1903, 14. 1.	O. L. Knipper
1073)	1903, 20. 1.	O. L. Knipper
1074)	1903, 26. 1.	O. L. Knipper
1075)	1903, 27. 1.	V. F. Komissarževskaja
1076)	1903, 5. 2.	O. L. Knipper
1077)	1903, 5. 2.	K. S. Stanislavskij
1078)	1903, 5. 2.	M. F. Pobedimskaja
1079)	1903, 7. 2.	O. L. Knipper
1080)	1903, 9. 2.	V. S. Miroljubov
1081)	1903, 11. 2.	M. P. Lilina

1082)	1903, 11. 2.	O. L. Knipper
1083)	1903, 17. 2.	O. L. Knipper
1084)	1903, 20. 2.	V. S. Miroljubov
1085)	1903, 22. 2.	O. L. Knipper
1086)	1903, 23. 2.	O. L. Knipper
1087)	1903, 26. 2.	I. N. Potapenko
1088)	1903, 26. 2.	A. I. Sumbatov-Južin
1089)	1903, 27. 2.	O. L. Knipper
1090)	1903, 27. 2.	V. S. Miroljubov
1091)	1903, 4. 3.	O. L. Knipper
1092)	1903, 5./6. 3.	O. L. Knipper
1093)	1903, 12. 3.	I. N. Potapenko
1094)	1903, 18. 3.	O. L. Knipper
1095)	1903, 23. 3.	O. L. Knipper
1096)	1903, 26. 3.	O. L. Knipper
1097)	1903, 8. 4.	O. L. Knipper
1098)	1903, 9. 4.	O. L. Knipper
1099)	1903, 12. 4.	O. L. Knipper
1100)	1903, 14. 4.	A. F. Marks
1101)	1903, 17. 4.	O. L. Knipper
1102)	1903, 25. 4.	A. S. Suvorin
1103)	1903, 13. 5.	O. L. Knipper
1104)	1903, 16. 5.	M. P. Čechova
1105)	1903, 24. 5.	M. P. Čechova
1106)	1903, 17. 6.	A. S. Suvorin
1107)	1903, 17. 6.	N. E. Ėfros
1108)	1903, 19. 6.	S. N. Šolom-Alejchem
1109)	1903, 29. 6.	A. S. Suvorin
1110)	1903, 1. 7.	A. S. Suvorin
1111)	1903, 2. 7.	V. S. Miroljubov
1112)	1903, 5. 7.	V. A. Golcev
1113)	1903, 12. 7.	S. P. Djagilev
1114)	1903, 15. 7.	V. G. Korolenko
1115)	1903, 28. 7.	K. S. Stanislavskij
1116)	1903, 5. 8.	V. A. Golcev
1117)	1903, 5. 8.	K. D. Balmont
1118)	1903, 6. 8.	S. N. Šolom-Alejchem
1119)	1903, 13. 8.	M. I. Čajkovskij
1120)	1903, 15. 8.	Al. P. Čechov
1121)	1903, 18. 8.	V. A. Golcev
1122)	1903, 22. 8.	V. I. Nemirovič-Dančenko
1123)	1903, 29. 8.	S. A. Najdënov
1124)	1903, 2. 9.	V. I. Nemirovič-Dančenko

1125)	1903, 15. 9.	M. P. Lilina
1126)	1903, 19. 9.	O. L. Knipper
1127)	1903, 23. 9.	O. L. Knipper
1128)	1903, 25. 9.	O. L. Knipper
1129)	1903, 26. 9.	O. L. Knipper
1130)	1903, 27. 9.	O. L. Knipper
1131)	1903, 29. 9.	O. L. Knipper
1132)	1903, 2. 10.	O. L. Knipper
1133)	1903, 3. 10.	O. L. Knipper
1134)	1903, 6. .10.	Maksim Gorkij
1135)	1903, 7. 10.	O. L. Knipper
1136)	1903, 7. 10.	E. N. Čirikov
1137)	1903, 9. 10.	O. L. Knipper
1138)	1903, 10. 10.	K. S. Stanislavskij
1139)	1903, 12. 10.	O. L. Knipper
1140)	1903, 14. 10.	O. L. Knipper
1141)	1903, 14. 10.	O. L. Knipper
1142)	1903, 15. 10.	V. A. Golcev
1143)	1903, 17. 10.	O. L. Knipper
1144)	1903, 17. 10.	Maksim Gorkij
1145)	1903, 19. 10.	O. L. Knipper
1146)	1903, 21. 10.	O. L. Knipper
1147)	1903, 23. 10.	O. L. Knipper
1148)	1903, 23. 10.	V. I. Nemirovič-Dančenko
1149)	1903, 25. 10.	O. L. Knipper
1150)	1903, 25. 10.	A. F. Marks
1151)	1903, 27. 10.	O. L. Knipper
1152)	1903, 28. 10.	O. L. Knipper
1153)	1903, 30. 10.	O. L. Knipper
1154)	1903, 30. 10.	K. S. Stanislavskij
1155)	1903, 2. 11.	V. I. Nemirovič-Dančenko
1156)	1903, 5. 11.	K. S. Stanislavskij
1157)	1903, 7. 11.	V. I. Nemirovič-Dančenko
1158)	1903, 7. 11.	O. L. Knipper
1159)	1903, 7. 11.	A. L. Višnevskij
1160)	1903, 10. 11.	O. L. Knipper
1161)	1903, 10. 11.	K. S. Stanislavskij
1162)	1903, 14. 11.	K. P. Pjatnickij
1163)	1903, 17. 11.	O. L. Knipper
1164)	1903, 21. 11.	O. L. Knipper
1165)	1903, 23. 11.	K. S. Stanislavskij
1166)	1903, 23. 11.	O. L. Knipper
1167)	1903, 27. 11.	O. L. Knipper

1168)	1903, 29. 11.	O. L. Knipper
1169)	1903, 30. 11.	O. L. Knipper
1170)	1903, 5./6. 12.	A. A. Pleščeev
1171)	1903, 11. 12.	A. N. Veselovskij
1172)	1903, 13. 12.	A. S. Lazarev-Gruzinskij
1173)	1903, 21. 12.	F. D. Batjuškov
1174)	1903, 27. 12.	V. A. Golcev
1175)	1904, 4. 1.	I. M. Kondratjev
1176)	1904, 6. 1.	V. F. Komissarževskaja
1177)	1904, 8. 1.	I. A. Bunin
1178)	1904, 18. 1.	I. L. Leontjev-Ščeglov
1179)	1904, 18. 1.	N. E. Ėfros
1180)	1904, 19. 1.	F. D. Batjuškov
1181)	1904, 26. 1.	N. P. Kondakov
1182)	1904, 27. 1.	K. P. Pjatnickij
1183)	1904, 3. 2.	A. F. Marks
1184)	1904, 7. 2.	L. A. Avilova
1185)	1904, 7. 2.	P. I. Kurkin
1186)	1904, 15. 2.	O. L. Knipper
1187)	1904, 18. 2.	O. L. Knipper
1188)	1904, 19. 2.	A. F. Marks
1189)	1904, 20. 2.	O. L. Knipper
1190)	1904, 23. 2.	O. L. Knipper
1191)	1904, 27. 2.	O. L. Knipper
1192)	1904, 3. 3.	O. L. Knipper
1193)	1904, 4. 3.	O. L. Knipper
1194)	1904, 8. 3.	O. L. Knipper
1195)	1904, 9. 3.	O. L. Knipper
1196)	1904, 10. 3.	O. L. Knipper
1197)	1904, 18. 3.	O. L. Knipper
1198)	1904, 18. 3.	A. F. Marks
1199)	1904, 20. 3.	O. L. Knipper
1200)	1904, 24. 3.	O. L. Knipper
1201)	1904, 26. 3.	O. L. Knipper
1202)	1904, 29. 3.	O. L. Knipper
1203)	1904, 4. 4.	O. L. Knipper
1204)	1904, 7. 4.	O. L. Knipper
1205)	1904, 10. 4.	O. L. Knipper
1206)	1904, 10. 4.	A. F. Marks
1207)	1904, 13. 4.	O. L. Knipper
1208)	1904, 13. 4.	B. A. Lazarevskij
1209)	1904, 14. 4.	K. S. Stanislavskij
1210)	1904, 15. 4.	O. L. Knipper

1211)	1904, 19. 4.	Al. P. Čechov
1212)	1904, 22. 4.	O. L. Knipper
1213)	1904, 26. 4.	O. L. Knipper
1214)	1904, 27. 4.	A. F. Marks
1215)	1904, 27. 4.	K. P. Pjatnickij
1216)	1904, 5. 5.	A. I. Kuprin
1217)	1904, 10. 5.	V. A. Golcev
1218)	1904, 18. 5.	K. P. Pjatnickij
1219)	1904, 22. 5.	L. V. Sredin
1220)	1904, 25. 5.	M. P. Čechova
1221)	1904, 31. 5.	K. P. Pjatnickij
1222)	1904, 31. 5.	A. F. Marks
1223)	1904, 31. 5.	M. P. Čechova
1224)	1904, 2. 6.	K. P. Pjatnickij
1225)	1904, 3. 6.	K. P. Pjatnickij
1226)	1904, 6. 6.	M. P. Čechova
1227)	1904, 6. 6.	A. L. Višnevskij
1228)	1904, 8. 6.	M. P. Čechova
1229)	1904, 12. 6.	P. F. Iordanov
1230)	1904, 12. 6.	V. M. Sobolevskij
1231)	1904, 12. 6.	M. P. Čechova
1232)	1904, 13. 6.	E. Ja. Čechova
1233)	1904, 16. 6.	M. P. Čechova
1234)	1904, 19. 6.	M. P. Lilina
1235)	1904, 19. 6.	K. P. Pjatnickij
1236)	1904, 21. 6.	M. P. Čechova
1237)	1904, 22. 6.	M. P. Čechova
1238)	1904, 26. 6.	M. P. Čechova
1239)	1904, 28. 6.	G. I. Rossolimo
1240)	1904, 28. 6.	M. P. Čechova

Verzeichnis der Adressaten

2) alphabetisch

Kurze Chronologie

Oktober 1901–Juli 1904

1901 *28. Oktober:* Čechov kehrt aus Moskau nach Jalta zurück.
5. November: Čechov bei Lev Tolstoj in Gaspra.
12. November: Maksim Gorkij kommt nach Jalta. Wohnt die ersten Tage bei Čechov, mietet sich dann in Oleiz ein.
1. Dezember: Band VIII der Gesamtausgabe erscheint.
12.–13. Dezember: Liest den IV. Akt der ›Kleinbürger‹ von Maksim Gorkij.
13. Dezember: Band IX der Gesamtausgabe erschienen.
18. Dezember: M.P. Čechova kommt nach Jalta. Čechov ist krank.
27. Dezember: Čechov vom Zemstvo Jalta zum Kurator der Schule von Gurzuf ernannt.

1902 *3.–4. Januar:* Gorkij bei Čechov. Gespräch über die ›Kleinbürger‹, deren Uraufführung am Künstlertheater vorbereitet wird. Gespräch über den Vertrag mit Marks. Gorkij drängt Čechov, den Vertrag zu kündigen.
17. Januar: Čechov bei Tolstoj in Gaspra.
24. Januar: Čechov wird der Griboedov-Preis der Gesellschaft der russischen dramatischen Schriftsteller und Opernkomponisten zugesprochen (für ›Drei Schwestern‹).
Februar: Čechov liest Korrektur der ›Insel Sachalin‹.
20. Februar: Hat die Erzählung ›Der Bischof‹ abgeschlossen.
22. Februar: O.L. Knipper kommt für eine Woche nach Jalta.
4. März: Beginn des jährlichen Gastspiels des Künstlertheaters in Petersburg.
10. März: Auf Betreiben des Zaren wird die Wahl Maksim Gorkijs zum Mitglied der Akademie der Wissenschaften annulliert.
16. März: Bei A.F. Marks erscheint der Stückeband ›Drei Schwestern. Die Hochzeit. Das Jubiläum‹.
26. März: Uraufführung der ›Kleinbürger‹ durch das Moskauer Künstlertheater in Petersburg.
30. März: O.L. Knipper in Petersburg erkrankt (Fehlgeburt).
Anfang April: Im Aprilheft der Zeitschrift ›Žurnal dlja vsech‹ erscheint die Erzählung ›Der Bischof‹.
14. April: Ankunft von O.L. Knipper in Jalta, sie ist krank.

25. April: Band X der Gesamtausgabe im Verlag A. F. Marks erschienen.
24. Mai: V.G. Korolenko bei Čechov in Jalta. Gemeinsamer Beschluß, aus Protest gegen die Annullierung der Wahl Gorkijs aus der Akademie der Wissenschaften auszutreten.
25. Mai: Čechov und O.L. Knipper fahren nach Moskau.
17. Juni–2. Juli: Čechov fährt mit S. T. Morozov auf dessen Gut in der Nähe von Perm. O.L. Knipper bleibt in Moskau.
5. Juli: Fährt mit O. L. Knipper und A. L. Višnevskij auf das Landhaus Stanislavskijs im Dorf Ljubimovka.
Liest Gorkijs neues Stück, das ›Nachtasyl‹.
4. August: Čechov fährt nach Jalta zurück.
25. August: Čechov erklärt in einem Brief an A. N. Veselovskij seinen Austritt aus der Akademie der Wissenschaften.
12. Oktober: Čechov fährt nach Moskau.
Mitte Oktober: Beginnt mit der Arbeit an der Erzählung ›Die Braut‹. Čechov sieht im Künstlertheater Gorkijs ›Kleinbürger‹, ›In den Träumen‹ von V.I. Nemirovič-Dančenko, Lev Tolstojs Stück ›Die Macht der Finsternis‹.
27. November: Čechov fährt nach Jalta zurück.
Dezember: Arbeit an der Erzählung ›Die Braut‹.
18. Dezember: Uraufführung des ›Nachtasyls‹ von Gorkij am Künstlertheater, die ein großer Erfolg wird.
M.P. Čechova kommt über die Feiertage nach Jalta.

1903 *27. Februar:* Hat die Reinschrift der ›Braut‹ abgeschlossen, beginnt die Arbeit an dem neuen Stück, dem ›Kirschgarten‹.
5. März: Dr. Altšuller bei Čechov, verbietet ihm, nach Moskau zu reisen, da die ›Pleuritis‹ noch nicht ausgeheilt sei.
6. März: Gorkij kommt auf die Krim, wohnt wieder in Oleiz. Begegnungen mit Bunin, Kuprin, Miroljubov.
22. April: Čechov fährt nach Moskau.
25. April: O.L. Knipper kommt aus Petersburg zurück.
13. Mai: Čechov fährt nach Petersburg, trifft sich mit Marks, um mit ihm über die Lösung des Vertrages zu sprechen. Man vereinbart Bedenkzeit und ein weiteres Gespräch im August.
15. Mai: Rückkehr Čechovs nach Moskau.
24. Mai: Untersuchung durch Prof. Ostroumov, der eine weitere Verschlechterung von Čechovs Zustand feststellt. Er verbietet Čechov, die Winter weiterhin in Jalta zu verbringen, rät vielmehr Aufenthalte im trockenen kontinentalen Klima an, z.B. in der Umgebung Moskaus.

25. Mai: Čechov und O. L. Knipper fahren auf das Landhaus Jakunčikova in Naro-Fominskoe.
Juni: Arbeit am ›Kirschgarten‹. Čechov liest zum zweitenmal Korrektur der ›Braut‹.
7. Juli: Fährt mit O. L. Knipper nach Jalta.
Seit Sommer ist Čechov Redakteur für Literatur bei der Zeitschrift ›Russkaja mysl‹; liest und redigiert Arbeiten jüngerer Autoren.
12. Juli: Lehnt das Angebot, Redakteur der Zeitschrift ›Mir iskusstva‹ zu werden, ab.
Begibt sich erneut an die Arbeit am ›Kirschgarten‹. Nemirovič und Stanislavskij drängen. Čechov ist krank.
19. September: O. L. Knipper fährt nach Moskau zurück.
26. September: Telegraphiert nach Moskau, die vier Akte des ›Kirschgartens‹ seien abgeschlossen. Čechov schreibt das Stück ins Reine. Schickt das Manuskript am 14. Oktober ab.
Mitte Oktober: Gorkij bittet, den ›Kirschgarten‹ im Almanach des Verlags ›Znanie‹ veröffentlichen zu dürfen.
20. Oktober: ›Der Kirschgarten‹ wird im Ensemble des Künstlertheaters gelesen.
Anfang November: Čechov akzeptiert das Angebot Gorkijs, den ›Kirschgarten‹ im Almanach des ›Znanie‹-Verlags zu drucken.
9. November: Erste Probengespräche über den ›Kirschgarten‹ im Künstlertheater.
2. Dezember: Čechov fährt nach Moskau.
Anfang Dezember: In Heft XII der Zeitschrift ›Žurnal dlja vsech‹ erscheint ›Die Braut‹.
nach dem 4. Dezember: Čechov ersetzt zwei von der Zensur beanstandete Passagen im ›Kirschgarten‹. Ist täglich auf den Proben. Sieht Gorkijs ›Nachtasyl‹.
31. Dezember: Auf dem Neujahrsbankett des Künstlertheaters Begegnung mit Gorkij.

1904 *9. Januar:* Čechov wird von der Zemstvoverwaltung Jalta zum Kurator der Schule von Autka gewählt.
14.–15. Januar: Generalproben des ›Kirschgartens‹.
16. Januar: Čechov im Bolšoj Theater in der Oper ›Der Dämon‹ (Benefizvorstellung von F. Šaljapin).
17. Januar: Uraufführung des ›Kirschgartens‹ in der Regie von V. I. Nemirovič-Dančenko und K. S. Stanislavskij. Öffentliche Ehrung Čechovs anläßlich des 25jährigen Jubiläums als Schriftsteller.
24.–27. Januar: Čechov korrigiert den ›Kirschgarten‹ für die Ausgabe im Almanach des Verlags ›Znanie‹.
15. Februar: Abreise nach Jalta.

20. Februar: Illustrierte Ausgabe der Erzählung ›Kaštanka‹ im Verlag A. F. Marks erschienen.
Čechov redigiert Erzählungen für die ›Russkaja mysl‹.
12. März: Marks teilt Čechov mit, daß er von Nemirovič-Dančenko einen Fahnenabzug des ›Kirschgartens‹ bekommen und das Stück danach in Satz gegeben habe.
19.–20. März: M.P. Čechova kommt nach Jalta.
2. April: ›Der Kirschgarten‹ hat beim Gastspiel des Künstlertheaters in Petersburg Erfolg.
um den 11. April: M.P. Čechova fährt nach Moskau zurück.
27. April: Čechov schickt die Korrektur des ›Kirschgartens‹ an Marks. Band I des Almanachs des Verlags ›Znanie‹ erschienen; der ›Kirschgarten‹ ist für Band II vorgesehen.
1. Mai: Čechov fährt nach Moskau.
7. Mai: Marks schickt Čechov den Umbruch des ›Kirschgartens‹, bittet um das Imprimatur.
29. Mai: K.P. Pjatnickij vom Verlag ›Znanie‹ meldet Čechov das Erscheinen von Band II des ›Znanie‹-Almanachs.
Anfang Juni: Gegen den Einspruch Čechovs erscheint bei A.F. Marks die Einzelausgabe des ›Kirschgartens‹.
3. Juni: Čechov und O.L. Knipper fahren ins Ausland mit dem Ziel Badenweiler im Schwarzwald.
5. Juni: Ankunft in Berlin.
8.–9. Juni: Weiterreise nach Badenweiler.
9. oder 10. Juni: Ankunft in Badenweiler.
Ende Juni: Anfälle von Herzschwäche.
2. Juli: Čechov stirbt um drei Uhr nachts in Badenweiler.

Gesamtregister

Werke Čechovs

(Die Ziffern beziehen sich auf die Brief-Nummer)

Personen

(Die Ziffern beziehen sich auf die Brief-Nummer)

Vermerk zur Neuausgabe 1998

Die Buchnummern der Einzelausgaben, auf die in den Anmerkungen verwiesen wird, lauten wie folgt:

Die Möwe
Komödie in vier Akten, detebe 20091 (früher 50/I)

Der Waldschrat
Komödie in vier Akten, detebe 20084 (früher 50/II)

Der Kirschgarten
Komödie in vier Akten, detebe 20083 (früher 50/III)

Onkel Vanja
Szenen aus dem Landleben in vier Akten, detebe 20093 (früher 50/IV)

Ivanov
Drama in vier Akten, detebe 20102 (früher 50/V)

Drei Schwestern
Drama in vier Akten, detebe 20103 (früher 50/VI)

Die Vaterlosen [Platonov]
Das ›Stück ohne Titel‹ in vier Akten und fünf Bildern, detebe 22845 (früher 50/VII)

Sämtliche Einakter
detebe 20801 (früher 50/VIII)

Ein unbedeutender Mensch
Erzählungen 1883–1885, detebe 20261 (früher 50/XI)

Gespräch eines Betrunkenen mit einem nüchternen Teufel
Erzählungen 1886, detebe 20262 (früher 50/XII)

Die Steppe
Erzählungen 1887–1888, detebe 20263 (früher 50/XIII)

Flattergeist
Erzählungen 1888–1892, detebe 20264 (früher 50/XIV)

Rothschilds Geige
Erzählungen 1893–1896, detebe 20265 (früher 50/XV)

Die Dame mit dem Hündchen
Erzählungen 1897–1903, detebe 20266 (früher 50/XVI)

Eine langweilige Geschichte / Das Duell
Kleine Romane I, detebe 20267 (früher 50/XVII)

Krankenzimmer Nr. 6 / Erzählung eines Unbekannten
Kleine Romane II, detebe 20268 (früher 50/XVIII)

Drei Jahre / Mein Leben
Kleine Romane III, detebe 20269 (früher 50/XIX)

Die Insel Sachalin
Reisebericht, detebe 20270 (früher 50/XX)

Nachwort zur Neuausgabe 1998

I

Die 1979 erstmals vorgelegte fünfbändige Auswahl aus Čechovs Briefen ist seit langem vergriffen und war seit Jahren zu einer bibliophilen Rarität geworden.

Konzipiert als eine Art Autobiographie in Briefen, war damals auf eine biographische Einleitung bzw. auf ein Nachwort aus demselben Grunde verzichtet worden, den schon Ivan Bunin nannte, als Čechovs Schwester Marija Pavlovna ihn für ein Vorwort zur ersten Sammlung der Briefe ihres Bruders zu gewinnen suchte. Bunin lehnte dies am 25. September 1911 mit dieser Begründung ab:

»Die Briefe Anton Pavlovičs habe ich mir bei Sytin* geholt und sie ihm, nach sofortiger Lektüre, für den Satz zurückgebracht. Die Briefe sind wunderbar und enthalten Material für einen ganzen riesenlangen Aufsatz. Doch um so mehr beschleicht mich der Zweifel: muß ich zu ihnen eine Einführung schreiben? Nach reiflicher Überlegung komme ich zu dem Schluß, ich muß nicht. Denn was könnte ich in der Einführung sagen? Sie loben? Dessen bedürfen sie nicht. Sie sind kostbares Material für die Biographie, für die Charakteristik Anton Pavlovičs, für die Schaffung seines Porträts. Doch wenn man schon ein Porträt schaffen wollte, so kann man nicht nur ihren ersten Band benützen, sondern muß alle nehmen und vieles auch aus anderen Quellen schöpfen. Welchen Sinn hätte eine einführende Bemerkung?«

Dieser Charakteristik von Čechovs epistolarischem Nachlaß war 1979 und ist auch heute, da sich Herausgeber und Verlag zu einer unveränderten Neuauflage entschlossen haben, nichts hin-

* Ivan D. Sytin, Moskauer Verleger, in dessen Druckerei die erste Briefsammlung gesetzt wurde.

zuzufügen. Doch machen einige neuere Entwicklungen einen Nachsatz sowie einige nicht unwesentliche Ergänzungen erforderlich.

Zu den Prinzipien der deutschen Ausgabe gehörte, Čechovs Briefe ungekürzt und im vollen Wortlaut vorzulegen, doch stieß man mit diesem Prinzip an Grenzen. Als die deutsche Ausgabe vorbereitet wurde, war die russische Akademie-Ausgabe in 30 Bänden noch im Erscheinen begriffen; von den zwölf geplanten Bänden der Korrespondenz war 1978 erst Band 6 (Januar 1895 – Mai 1897) erschienen, für den Zeitraum Juni 1897 bis Juli 1904 mußte also auf die ältere, 1948–1951 erschienene Brief-Edition im Rahmen der 20bändigen Ausgabe zurückgegriffen werden, zu deren offensichtlichen Mängeln eine Fülle redaktioneller Auslassungen gehört, markiert durch drei Punkte umschließende eckige Klammern. Čechovs Originalbriefe einzusehen, deren Hauptkontingent zwar in der Handschriftenabteilung der Moskauer Leninbibliothek aufbewahrt ist, die im übrigen aber auf über zwanzig Bibliotheken der damaligen Sowjetunion und des Auslands verstreut sind, war so undenkbar wie unmöglich. In Fällen, wo der Text eines Čechov-Briefes in der deutschen Auswahl unverzichtbar schien, mußte er notgedrungen mit den aus den Hochzeiten des Stalinismus stammenden Auslassungen übernommen werden.

Diese Mängel hat die Akademie-Ausgabe – diese erschien ab 1974 und lag 1983 abgeschlossen vor – zum allergrößten Teil behoben, sie hat eine große Zahl von Strichen aufgemacht, und diese sind, wo es möglich war, selbstverständlich in die ersten drei Bände der deutschen Auswahl eingearbeitet. Doch enthält auch die Akademie-Ausgabe noch blinde Stellen unter dem Zeichen [...].

Die Geschichte der redaktionellen Verstümmelung der Čechov-Briefe erstreckt sich über Jahrzehnte und ist noch nicht geschrieben worden. Ein offenes Wort dazu wurde erst mit Glasnost möglich, als sich die Zeitschrift ›Literaturnoe obozrenie‹ (Literarische Umschau) 1991 des Themas und der ›Pornographie‹ in der russischen Literatur anzunehmen wagte. Aleksandr Čudakov, Autor des Aufsatzes ›Die ‘unanständigen Wörter’ und das Bild des Klassikers‹, schrieb über die Kürzungen in Čechovs Briefen und stellte lakonisch fest: »Die Briefe Čechovs hatten kein Glück«*, und dieser Satz gilt von Beginn an.

2

Eine erste Sammlung von Briefen Čechovs unternahm 1909, zum fünften Todestag des Dichters, P. N. Bočkarev, der aus verschiedensten Quellen, auch Nachrufen, Erinnerungen von Zeitgenossen, 325 Briefe und Brieffragmente zusammentrug. Ein Jahr später folgte ein weiterer Versuch von Vladimir Brender mit 168, in Bočkarevs Edition nicht enthaltenen Briefen.

Als der Schriftsteller Ivan L. Leontjev-Ščeglov, langjähriger Korrespondent Čechovs, dem Verlag ›Znanie‹ 1910 die Publikation seiner Čechov-Briefe antrug, antwortete Gorkij: »›Znanie‹ lehnt es ab, die Briefe Anton Pavlovičs zu drucken, da wir befürchten, daß sie die Vorstellung von A. P. Čechov, wie sie in der Gesellschaft sich gebildet hat, verdunkeln könnten. Unserer Meinung nach muß der Briefwechsel in seiner Gesamtheit vollständig gedruckt werden, erst dann erhält die Figur Anton Pavlovičs vielleicht eine hinreichend helle und allseitige Beleuchtung.«**

Im Sinne der Absage Gorkijs begann Čechovs Schwester noch im selben Jahr mit der systematischen Sammlung der Briefe. Diese erschien 1912–1916 in Moskau, die ersten drei Bände, gesetzt bei Ivan D. Sytin, im Selbstverlag, die zweite, erweiterte und verbesserte Auflage der Bände 1–3 sowie die letzten drei Bände im ›Buchverlag der Schriftsteller‹.

Schon diese Ausgabe warf Fragen nach der Textgestalt der abgedruckten Briefe auf. Die Briefe erschienen chronologisch geordnet, zum Teil waren die Druckvorlagen anhand der Originale

* Literaturnoe obozrenie 1991, Heft 11, S. 54–56.
** Vgl. E.A. Polockaja, Akademie-Ausgabe, Briefe 1, 1974.

verifiziert, teils lagen aber auch nur Abschriften vor. Und sie alle wurden von der Herausgeberin kräftig bearbeitet – aus dem begreiflichen Grunde, daß viele in den Briefen erwähnte Personen noch lebten und oftmals Figuren des öffentlichen Interesses waren. So erschienen erwähnte Personen nicht selten nur mit den Initialen ihrer Namen, eine Tradition noch aus Zeiten Puškins und Gogols. Marija P. Čechova strich zahlreiche Passagen über das Privatleben der Familie Čechov, negative Äußerungen über Angehörige wurden getilgt, ganze Absätze weggelassen, ›unanständige Wörter‹ als eines Klassikers der russischen Literatur unwürdig ausgemerzt.

Zum Teil hatten aber auch schon Čechovs Adressaten tätige Beihilfe geleistet und in die Briefe, ihr Eigentum, hineinredigiert, wie aus mancher – auf dem Kommentar der Akademie-Ausgabe beruhenden – Fußnote der deutschen Ausgabe hervorgeht: »Lücke im Manuskript« oder »Einige Worte bis zur Unleserlichkeit getilgt« oder »Im Original ein Absatz von etwa fünf Zeilen herausgerissen« usw.

Dessen ungeachtet blieb die von Marija P. Čechova veranstaltete Brief-Edition für die ersten 30 sowjetischen Jahre die maßgebliche und verbindliche, weil sie die einzige war. Die von A.V. Lunačarskij durchgesetzte und unter seiner Redaktion von S.D. Baluchatyj, E.D. Zozulja, Michail Kolcov u.a. edierte erste sowjetische Čechov-Ausgabe, erstmals 1929 aufgelegt als Abonnentenprämie der Illustrierten ›Ogonëk‹, beschränkte sich auf einen Digest ausgewählter Briefstellen.

In den Jahren zwischen 1919 und 1947 folgte eine lange, 20 Titel zählende Reihe von Publikationen neu aufgefundener Briefe Čechovs, und diese Zählung von Almanachen, Zeitungen, wissenschaftlicher und literarischer Zeitschriften umfaßt nur das Intervall bis zum Zustandekommen der neuen großen Gesamtausgabe in 20 Bänden; noch 1960 konnte in dem Čechov gewidmeten Band des Almanachs ›Literaturnoe nasledstvo‹ (Literarisches Erbe), Band Nr. 68, eine große Zahl bislang unbekannter Čechov-Briefe publiziert werden.

Die Gesamtausgabe in 20 Bänden*, die, auf Beschluß des Rats der Volkskommissare vom 20. April 1944, noch während des Weltkriegs zum 40. Todestag Čechovs begonnen wurde, war für weitere dreißig Jahre die maßgebliche Čechov-Edition. Herausgegeben von A. M. Egolin und N. S. Tichonov, war für die ›zweite Serie‹, die Abteilung Briefe, die Čechov-Philologin N. I. Gitovič zuständig, wenn auch nicht letztlich verantwortlich. Die Zahl der Briefe, in acht Bänden gesammelt, eher karg kommentiert und mit den nötigen Registern versehen, erschienen 1948–1951, war auf knapp 4200 angewachsen.

Diese Brief-Edition ist eines der markantesten Beispiele stalinistischer Klitterung literarischer Dokumente. Zwar stellte die Ausgabe die meisten von Marija P. Čechova 1912–1916 ausgelassenen Stellen des Wortlauts der Briefe wieder her und gab sich damit einen philologisch seriösen Anschein, doch gesellten sich zu den Strichen zugunsten der ›Wohlanständigkeit‹ zahlreiche Eingriffe, die eindeutig und direkt politisch bedingt waren; die Briefe wurden durch sie in Aussage und Gedankenführung teilweise völlig verstümmelt. Da oft mitten im Satz plaziert, erweckten die Auslassungszeichen mancherorts den Anschein, als sei nur ein einzelnes, vermutlich ›obszönes‹ Wort weggefallen, etwa für [...] ein harmloses »a–a«, wie wir heute wissen. Doch dieser Schein trügt, wie wir heute ebenfalls wissen: es waren manchmal ganze Absätze gestrichen worden.

Dem Wortlaut der Čechov-Briefe wurde einmal mehr der Zeitpunkt ihres Erscheinens zum Verhängnis. Mit dem Ausbruch des Kalten Krieges begann in der Sowjetunion auch innen- und kulturpolitisch eine neue Phase der Restriktionen, bald darauf folgte in China die maoistische Revolution: der Abdruck einer spöttischen Bemerkung über Chinesen, wie Čechov sie 1890 auf seiner Reise nach Sachalin erlebt hatte, war undenkbar. Gestrichen wurden ganze Absätze, in denen sich Čechov positiv

* Polnoe sobranie sočinenij i pisem A. P. Čechova, OGIZ, Moskau, Staatsverlag für Schöne Literatur, 20 Bände, 1944–1951.

über Deutsche oder zivilisatorische Leistungen der Briten im Fernen Osten äußerte, wie z. B. der Passus über Hongkong im Brief vom 9. Dezember 1890 an Aleksej S. Suvorin:

»Prächtige Pferdebahnen und Straßen, eine Bergbahn, Museen, botanische Gärten; wohin man blickt, überall sieht man die große Fürsorge der Engländer für die eigenen Angestellten, sogar einen Club für Matrosen gibt es. Ich bin in einer Rikscha gefahren, d. h. mit Menschenkraft, habe bei den Chinesen allerlei Kitsch gekauft und war empört, als ich hörte, daß meine russischen Reisegefährten die Engländer der Ausbeutung fremder Völker bezichtigten. Ich dachte: ja, der Engländer beutet Chinesen, Sepoys und Hindus aus, aber dafür gibt er ihnen Straßen, Wasserleitungen, Museen und das Christentum; ihr beutet andere ebenfalls aus, aber was gebt ihr ihnen?«

1948 hatte auch die öffentliche Prüderie ihren Höhepunkt erreicht. Jede sexuell irgendwie anstößig erscheinende Bemerkung, selbst unschuldig-witzige Schilderungen aus dem Leben der Tierwelt, wie die einer verunglückten Hunde-Hochzeit im Brief vom 29. Oktober 1893 an den Bruder Aleksandr, wurden gnadenlos kassiert:

»Der riesenhafte Hofhund Šarik, von der Fleischeslust genöthigt, mantelte sich über Chinin auf in Gestalt eines Trapezes, die Vorder- und Hinterbeine unnatürlich ausgestreckt, er brachte aber nichts zustande und belustigte nur das Küchenpersonal.«

1948 war ferner auch die ›Epoche‹ des verschärften Kampfes gegen den ›Kosmopolitismus‹, unter welchem Schlagwort die Zerschlagung des jüdischen antifaschistischen Komitees, die Prozesse gegen jüdische Ärzte, Intellektuelle usw. verstanden wurden. Zu drucken verboten war selbst der Begriff Jude, den Čechov in allen seinerzeit üblichen Bedeutungsnuancen selbstverständlich, oft wohlwollend humoristisch verwendet hatte: das Schimpfwort ›žid‹, für das das Deutsche, sei es denn der ›Saujude‹, kein eigentliches Äquivalent besitzt, der Begriff ›evrej‹: ›Hebräer‹, ›Israelit‹, wie auch der jüdische Name ›Schmuul‹ als Sammelbegriff (mit ›Schmuul‹ unterzeichnete z. B. der Maler

Isaak I. Levitan seine Briefe, einer der besten Freunde Čechovs). Dem antijüdischen Ressentiment jener Jahre fielen nicht nur positive Äußerungen Čechovs über den Schauspieler und Regisseur Vsevolod Mejerchold zum Opfer, auch der einzig erhaltene Brief Čechovs an Mejerchold wurde unterdrückt. In der Redaktion von 1949 liest sich ein Brief Čechovs vom 6. März 1889 so:

»Ich stelle mir dieses Ivanovka vor. [...] ... Ein Platz, braun von Mist, keine Gärten, kein Fluß, Synagoge, Kirche mit verrostetem Dach« usw. Von der eckigen Klammer geschluckt sind: »Schmuuls, Schmuuls, Schmuuls«, die drei Punkte hingegen, die Čechov darauf folgen ließ, finden sich säuberlich-philologisch reproduziert.

An Eingriffen dieser Art hat Aleksandr Čudakov ca. 500 gezählt, und in dieser Gestalt wurden Čechovs Briefe drei weitere Jahrzehnte als verbindlich tradiert, so z. B. in der mehrfach neu aufgelegten ›Volksausgabe‹ in 12 Bänden, 1960–1964 – die Briefe in Auswahl in den Büchern 11 und 12.

So ist es, schreibt A. Čudakov 1991, »kein Wunder, daß nicht nur im Bewußtsein der Leser, sondern auch auf den Seiten biographischer Bücher über Čechov jahrzehntelang das Bild eines gesetzten wohlanständigen Herrn mit Stöckchen spazierengeht, der sich kein einziges gesalzenes Wort gestattet, leicht fastengesichtig und kränklich, und wenig interessiert an Frauen.«

Daß sich das in Wirklichkeit anders verhielt, daß Čechov nichts Menschliches fremd war, belegen seine Briefe an seine Brüder Aleksandr und Nikolaj, an Aleksej Suvorin, seinen Verleger und wichtigsten Briefpartner, später auch an seine Frau Olga L. Knipper – Beweis ist, in der Brief-Ausgabe 1948–1951, schon allein die Zahl der Auslassungszeichen.

3

Die Frage der Textgestalt erhob sich erneut Ende der 60er Jahre bei den Vorarbeiten zu der auf 30 Bände angelegten, umfassenderen Akademie-Ausgabe, die ab 1974 erschien.

Grundsätzlich herrschte in der Čechov-Forschungsgruppe am Moskauer Institut für Weltliteratur wohl Einigkeit darüber, Čechovs Briefe von allen Eingriffen früherer Zeiten zu befreien und den gesamten, im Originalbrief geschriebenen Text abzudrucken. Doch stieß dies, zumindest in bestimmten Fällen, auf den erbitterten Widerstand der Chefs, wie A. Čudakov in einer Fußnote beschreibt:

»Bei der Vorbereitung der Akademie-Ausgabe waren fast alle Teilnehmer der Arbeitsgruppe für den Druck dieses Briefes im vollen Wortlaut – auf einer eigens dazu anberaumten Sitzung traten argumentierend insbesondere N. I. Gitovič, L. M. Dolotova, die inzwischen verstorbene N. A. Roskina und der Verfasser dieser Zeilen dafür ein. Entschiedener und hauptsächlicher Gegner der Publikation war (wie auch in anderen analogen Fällen) das Redaktionsmitglied D. D. Blagoj.«*

Seit einer Veröffentlichung der Moskauer Zeitung ›Kuranty‹ vom 10. September 1993 ist auch bekannt, auf welche Weise der Streit entschieden wurde. Der Verlag ›Nauka‹ (Wissenschaft), in dem die Akademie-Ausgabe erscheinen sollte, wandte sich im Januar 1968 an das Zentralkomitee der KPdSU mit der Bitte um Hilfe, Čechov vor Čechov zu schützen und »Briefe von überaus intimem Charakter« zensieren zu dürfen. Am 22. Februar 1968 entsprach das ZK in der – selbstredend geheimen – Mitteilung Nr. 02030 der Bitte des Verlages.

Die Akademie-Ausgabe**, die parallel zur Werkausgabe 1974–1983 erschienen ist, enthält in 12 Bänden insgesamt 4494 Briefe Čechovs. Diese sind erstmals ausführlich, Zusammenhänge klärend kommentiert, die Edition enthält darüber hinaus ein regestenartiges Verzeichnis der nicht-aufgefundenen Briefe,

* D. D. Blagoj, Vorsitzender des Instituts, Mitglied der Akademie der Wissenschaften, in der Philologie u. Fragen der Kulturpolitik einer der Mächtigsten.

** Redaktions-Kollegium: I. F. Belčikov (verantw. Redakteur), D. D. Blagoj, G. A. Bjalyj, A. S. Mjasnikov, L. D. Opulskaja (stellvertr. verantwortlich), A. I. Revjakin, M. B. Chrapčenko. – Für die Redaktion der einzelnen Bände zeichneten jüngere Mitglieder der ›Forschungsgruppe‹ verantwortlich.

die Čechov, wie aus den Antwortbriefen der Adressaten hervorgeht, geschrieben haben muß, in kurzen Inhaltsangaben werden auch die in Čechovs Archiv gefundenen Antwortbriefe mitgeteilt: es ergibt sich ein beinahe lückenloses Bild der umfangreichen Čechovschen Korrespondenz. Die meisten der zensierten oder purgierten Textstellen sind wieder hergestellt.

Im Falle obszöner Wörter behilft sich die Ausgabe mit dem Anfangsbuchstaben des einschlägigen Worts und dreier Punkte, was gemeinhin eine Entschlüsselung ermöglicht: für ›žopa‹ (Arsch), steht ›ž…‹ – von jedem Russen sofort und ohne Schwierigkeiten zu entschlüsseln. Unter Verschluß bleiben dagegen Begriffe aus dem Genitalbereich, aus dem der Russe einen weit höheren Anteil seiner Flüche schöpft als Deutsche.

4

Dank der Akademie-Ausgabe und dank der Publikation einiger auch in der Akademie-Ausgabe unterdrückter Briefzitate durch A. Čudakov 1991 können einige in der deutschen Auswahl enthaltenen Fehlstellen ergänzt werden.

Sie seien auf den folgenden Seiten nachgetragen, denn es handelt sich um Sätze und Gedanken Čechovs, die das Bild dieses Autors um eine wesentliche Facette erweitern: Čechov war ein in jeder Hinsicht freier Mensch.

164) AN A. S. SUVORIN MOSKAU, 24./25. 11. 1888
Band 1, S. 350, Anfang

Frauen, die sich auf jedem Sofa benützen oder, um mich auf Moskauer Art auszudrücken, taranteln lassen, sind nicht rasend, sie sind verreckte Katzen, die an Nymphomanie leiden. Das Sofa ist ein sehr unbequemes Möbel. Es wird der Buhlerei häufiger bezichtigt, als es das verdient. Ich habe das Sofa nur ein einziges Mal benützt und es verflucht.

Lasterhafte Frauen habe ich viele gesehen und selbst mehrfach gesündigt, aber Zola und jener Dame, die Ihnen gesagt haben will »Flopp – und fertig!«, glaube ich nicht. Lasterhafte Menschen und Schriftsteller geben sich gern als Feinschmecker und raffinierte Kenner des Lasters; sie sind kühn, entschlossen, erfindungsreich, treiben es auf 33 Arten, gleichsam sogar auf Messers Schneide, aber alles nur in Worten, in Wirklichkeit benützen sie ihre Köchinnen und gehen in billige Freudenhäuser. Alle Schriftsteller lügen. Eine Dame in der Stadt zu benützen, ist nicht so einfach, wie Sie schreiben. Ich habe keine einzige Wohnung gesehen (eine anständige, natürlich), wo die Umstände es gestattet hätten, eine in Korsett, Rock und Turnüre gekleidete Frau auf die Truhe zu werfen oder aufs Sofa oder auf den Fußboden und sie so zu benützen, ohne daß die Hausangehörigen das bemerkt hätten. Alle diese Wendungen wie im Stehen, im Sitzen u. dgl. sind Unfug. Die einfachste Art ist das Bett, die übrigen 33 sind kompliziert, und bequem auszuführen nur in einem Einzelzimmer im Hotel oder in der Scheune. Romanzen mit einer Dame der anständigen Gesellschaft sind eine langwierige Prozedur. Erstens braucht man dazu die Nacht, zweitens fahren Sie in die Eremitage, drittens sagt man Ihnen in der Eremitage, daß kein Zimmer frei sei, und Sie fahren weiter auf der Suche nach einer anderen Anlegestelle, viertens verliert Ihre Dame im Hotelzimmer die Lust, fängt an sich zu zieren, zittert und ruft: »Ach, mein Gott, was tue ich?! Nein? Nein?«, eine gute Stunde vergeht mit dem Auskleiden und mit Worten, fünftens verwendet Ihre Dame auf dem Rückweg Ausdrücke, als hätte man sie vergewaltigt, und murmelt unablässig: »Nein, das werde ich mir nie verzeihen!« All das klingt anders als »Flopp – und fertig!«. Natürlich gibt es Fälle, wo der Mensch sündigt wie aus der Pistole geschossen – piff! paff! und fertig, aber diese Fälle kommen nicht so häufig vor, als daß man so lange über sie reden könnte. Trauen Sie den Erzählungen nicht! Glauben Sie draufgängerischen Liebhabern so wenig wie Jägern. Erinnern Sie sich an das Sprichwort: »Wo einem etwas weh tut, darüber spricht er« – wer lange gefastet hat, der spricht am liebsten und mit großem Vergnügen über Liebesabenteuer und die 33 Arten. Niemand liebt Schamlosigkeiten so wie alte Jungfern und Witwen, die noch keinen Liebhaber haben. Schriftsteller sollen mißtrauisch sein gegenüber allen Plaudereien und Liebesepopöen. Wenn Zola selbst es auf Tischen getrieben hat, an Zäunen, in Hundehütten und Postkutschen, oder mit eigenen Augen gesehen hat, wie es getrieben wurde, dann glauben Sie seinen Romanen; wenn er jedoch aufgrund von Gerüchten und Erzählungen von Freunden geschrieben hat, so ist er voreilig und unvorsichtig vorgegangen.

297) AN A. S. SUVORIN BLAGOVEŠČENSK, 27. 6. 1890

Band 2, S. 189, Zeile 18

mehr als Fliegen. Ein gutmütiges Volk. Wenn Nastja und Borja Chinesen kennenlernen würden, so würden sie dieses Wort in Ruhe lassen und ihre Sympathien auf die Chinesen übertragen. Das sind liebe Haustiere.

Band 2, S. 189, Zeile 23

Sprache überwiegt der Laut »ts«. Wenn man aus Neugier eine Japanerin benützt, so versteht man Skalkovskij, der sich, angeblich, auf einem Photo mit irgendeiner japanischen Hure hat photographieren lassen. Das Zimmer der Japanerin ist reinlich, asiatischsentimental, vollgestellt mit kleinen Sächelchen; keine Waschbecken, keine Gummis, keine Generalsporträts. Aufs Kopfkissen legen Sie sich, während die Japanerin, um ihre Frisur zu schonen, sich eine hölzerne Rolle unter den Kopf legt, so eine (folgt Zeichnung). Der Nacken wird auf den ausgehöhlten Teil gelegt. Das

Schamgefühl begreift die Japanerin auf ihre Weise: sie löscht nicht das Licht, und auf die Frage, was dies und das auf japanisch heiße, antwortet sie unverblümt und zeigt, da sie schlecht Russisch spricht, mit den Fingern darauf, ohne sich dabei zu genieren oder zu zieren wie die Russinnen. Und sie lacht ständig und bringt den Laut »ts« hervor. In der Sache beweist sie eine verblüffende Meisterschaft, so daß Sie den Eindruck haben, nicht sie zu benützen, sondern an einem Ritt der hohen Schule teilzunehmen. Wenn sie fertig ist, zieht die Japanerin mit den Zähnen ein weiches Papier aus dem Ärmel, fängt Sie am »kleinen Jungen« (erinnern Sie sich an Marija Krestovskaja?) und beginnt Sie zu Ihrer Überraschung trockenzureiben, wobei das Papier am Bauch kitzelt. Und alles graziös, lachend, singend, unter ständigem »ts«.

310) AN A. S. SUVORIN MOSKAU, 9.12.1890
Band 2, S. 201, Zeile 34

farbenen Frauen. Wenn ich einmal Kinder haben werde, so werde ich nicht ohne Stolz zu ihnen sagen: »Hurenkinder, ich habe in meinem Leben Verkehr gehabt mit einer schwarzäugigen Inderin ... und das wo? Im Kokoswald, in einer Mondnacht.«

626) AN A. S. SUVORIN BIARRITZ, 11.9.1897
Band 4, S. 11, Zeile 32

sind überdurchschnittlich klein. Die alten Russen sind blaß, offensichtlich verausgaben sie sich nächtelang an die hiesigen Kokotten; denn wer impotent ist, dem bleibt nichts anderes, als sich zu verausgaben. Und die Kokotten hier sind niederträchtig, habgierig, äußerlich ist alles dran, – und für einen soliden Familienvater, der hierhergekommen ist, um sich von den Mühen und der Hast der Welt zu erholen, ist es schwer, sich zu beherrschen und nicht auf dumme Gedanken zu kommen. Auch Poljakov ist blaß.

627) AN A. A. CHOTJAINCËVA BIARRITZ, 17.9.1897
Band 4, S. 12, Zeile 14

reiche Juden, Adelaiden, Spanier, Pudel;

658) AN A. S. SUVORIN NIZZA, 27.1.1898
Band 4, S. 44, Zeile 27

Liebe. Meine derzeitige Französin ist ein sehr nettes, liebes Wesen, 22 Jahre alt, wunderbar gebaut, aber all das ist mir schon ein bißchen langweilig, ich möchte nach Hause. Außerdem bin ich zu faul, dauernd fremde Treppen krummzutreten.

661) AN AL. P. ČECHOV NIZZA, 23.2.1898
Band 4, S. 50, Zeile 31

Französin geschenkt mit der Aufschrift: »Ce monsieur a un immense article, très agréable pour dames.« Sie wird meinen, es handle sich um irgendeinen deiner Aufsätze zur Frauenfrage.

821) AN I. L. LEONTJEV-ŠČEGLOV JALTA, 2.2.1900
Band 4, S. 229, Zeile 14

verschwenden, Schmuuls, giftige Ehefrauen und Komitees zu entlarven,

971) AN O. L. KNIPPER JALTA, 13.12.1901
Band 5, S. 22, Zeilen 19, 20

und vom Zusammen-Schlafen rede ich schon gar nicht mehr.

Ich umarme meine Schauspielerin fest, meinen feurigen Hund.

982) AN O. L. KNIPPER JALTA, 31.12.1901
Band 5, S. 30, Zeile 34

Ich habe einen Brief von Mejerchold bekommen. Er schreibt gut, teilweise sogar talentiert, und besser als früher. Er sollte für die Zeitungen schreiben.

1033) AN O. L. KNIPPER JALTA, 29.8.1902
Band 5, S. 77, Zeile 8

Hausbesitzers ist. Judenjungen aus anderen Städten werden doch aufgenommen.

1058) AN O. L. KNIPPER JALTA, 22.12.1902
Band 5, S. 105, Zeilen 14, 15

du ihn gesehen! Hier erzählte m-me Bonnier allen, Balmont habe sie vergewaltigt. Überhaupt ein leidenschaftlicher Mensch.

Ich küsse dich auf den Rücken, dann auf die Brust, auf die Schultern, streichle dich lange, nehme deinen Kopf in den Arm und höre dem zu, was du mir sagst.

1132) AN O. L. KNIPPER JALTA, 2.10.1903
Band 5, S. 174, Zeile 23

auf den Rücken und tue alles, was einem gesetzlichen Ehemann zu tun erlaubt ist.

1133) AN O. L. KNIPPER JALTA, 3.10.1903
Band 5, S. 175, Zeile 30

Also, Pferdchen, ich klopf dir auf den Rücken und um das Schwänzchen herum, küsse und umarme dich.